Japon, 1799. Dejima, près de Nagasaki, est l'un des ports d'attache de la Compagnie néerlandaise des Indes orientales. Jacob de Zoet, un jeune clerc ambitieux qui y est envoyé pour redresser les finances troubles de la Compagnie, est vite désemparé devant la corruption ambiante et l'étrangeté des mœurs. Il croit trouver refuge auprès d'Orito, une Japonaise au visage partiellement brûlé. Mais Orito est enlevée puis emprisonnée dans le mystérieux temple Shiranui, où l'abbé Enomoto garde captives douze femmes dont il a fait ses esclaves. Uzaemon, l'interprète de Jacob, lui aussi épris d'Orito, partira à la recherche de la jeune femme avec une bande de samouraïs. Navigateur solitaire, Jacob de Zoet sera pris au cœur d'un océan houleux où les humains ne sont, en surface, que des pièces sur un jeu de go.

Alchimiste des genres, prodige des lettres anglaises salué pour son inventivité par la critique et les lecteurs, David Mitchell nous offre, dans une prose résolument moderne, une audacieuse réinvention du roman d'aventures ponctué d'intrigues passionnelles et politiques. Une expérience littéraire sans égale qui vous emportera loin, et pour longtemps.

LES MILLE AUTOMNES DE JACOB DE ZOET

Le traducteur a bénéficié, pour cet ouvrage,
du soutien du Centre national du livre.

Les Éditions Alto remercient de leur soutien financier
le Conseil des Arts du Canada et la Société de développement des
entreprises culturelles du Québec (SODEC), et reconnaissent
l'aide financière du gouvernement du Canada par l'entremise
du Fonds du livre du Canada pour leurs activités d'édition.

L'édition originale de cet ouvrage a paru
chez Sceptre en 2010, sous le titre :
The Thousand Autumns of Jacob de Zoet.

Première édition limitée.

ISBN 978-2-89694-000-4

Conception graphique (Alto) : Antoine Tanguay et Hugues Skene (KX3)

DAVID MITCHELL

LES MILLE AUTOMNES
DE
JACOB DE ZOET

TRADUIT DE L'ANGLAIS (ROYAUME-UNI) PAR **MANUEL BERRI**

OUVRAGE TRADUIT AVEC LE CONCOURS DU CENTRE NATIONAL DU LIVRE

alto

NOTE DE L'AUTEUR

Le port de Batavia sur l'île de Java était le quartier général de la Compagnie néerlandaise des Indes orientales (*Vereenigde Oost-Indische Compagnie* ou VOC, en néerlandais, ce qui, littéralement, signifie « Compagnie des Indes orientales unies ») ainsi que le point de départ et d'arrivée des navires de la VOC effectuant la liaison avec Nagasaki. C'est lors de la Seconde Guerre mondiale, sous l'occupation japonaise de l'archipel indonésien, que Batavia a recouvré son nom : Jakarta.

Dans ce roman, il sera fait usage du calendrier lunaire pour marquer les dates japonaises. Celui-ci « retarde » de trois à sept semaines par rapport au calendrier grégorien – tout dépend de l'année. Ainsi, « le premier jour du premier mois » ne correspond pas au 1er janvier mais à une date située entre fin janvier et mi-février. Les années sont relatives à leur ère japonaise d'appartenance.

Dans tout le texte, les patronymes japonais précèdent les prénoms.

I

Cette fiancée pour qui nous dansons

Onzième année de l'ère Kansei

1 7 9 9

Maison de la concubine Kawasemi, en surplomb de Nagasaki

Neuvième nuit du cinquième mois

«Mademoiselle Kawasemi?» Orito s'agenouille sur un futon collant à l'odeur aigre. «M'entendez-vous?»

Dans la rizière derrière le jardin détone une cacophonie de grenouilles. Orito éponge le visage ruisselant de sueur de la concubine à l'aide d'un linge humide.

«Elle n'a pas pipé mot depuis des heures, dit la bonne qui tient la lampe.

— Mademoiselle Kawasemi, je m'appelle Aibagawa. Je suis sage-femme. Je suis venue vous aider.»

Les paupières de Kawasemi frémissent et s'ouvrent. Elle parvient à émettre un faible soupir. Ses yeux se referment.

Elle est trop épuisée pour craindre de mourir ce soir, se dit Orito.

Le docteur Maeno chuchote à travers le voile de mousseline. «Je voulais examiner moi-même la façon dont l'enfant se présente, mais…» – le vieil érudit choisit ses mots avec précaution – «… il semblerait que cela soit défendu.

— Les ordres que j'ai reçus sont très clairs, annonce le chambellan. Nul homme ne peut la toucher.»

Orito soulève les draps ensanglantés et découvre ce dont on l'avait avertie : le bras inerte du fœtus jaillissant jusqu'à son épaule du vagin de Kawasemi.

« Avez-vous déjà vu pareille présentation ? demande le docteur Maeno.

– Oui, dans une gravure de l'ouvrage néerlandais que Père traduisait.

– C'est ce que j'espérais entendre ! Il s'agit des *Observations* de William Smellie ?

– Oui, c'est ce que le docteur Smellie nomme » – Orito a recours au néerlandais – « "prolapsus du bras". »

Orito serre le poignet couvert de mucus du fœtus, recherchant un pouls.

Maeno demande alors en néerlandais : « Qu'en pensez-vous ? »

Il n'y a pas de pouls. « Le bébé est mort, répond Orito dans la même langue, et la mère mourra bientôt elle aussi, si l'enfant n'est pas expulsé. » Elle pose le bout des doigts sur le ventre distendu de Kawasemi et palpe le renflement autour de son nombril retourné. « C'était un garçon. » Elle s'agenouille entre les jambes écartées de Kawasemi, remarque l'étroitesse de son bassin et renifle les lèvres gonflées : elle reconnaît l'odeur tourbée du sang grumeleux mêlé aux excréments, mais pas la puanteur d'un fœtus en décomposition. « Il est mort il y a une ou deux heures. »

Orito demande à la bonne : « Quand a-t-elle perdu les eaux ? »

La bonne est encore tout abasourdie d'avoir entendu parler une langue étrangère.

« Hier matin, à l'heure du Dragon, répond froidement la gouvernante. Le travail de Madame a ensuite rapidement commencé.

– Et à quand remontent les derniers coups de pied du bébé ?

– Aujourd'hui, aux alentours de midi, je crois.

– Docteur Maeno, êtes-vous d'accord avec moi pour dire que l'enfant se présente » – elle utilise le terme néerlandais – « en "siège transverse" ?

— Peut-être, répond le docteur dans leur langage codé, mais si je ne peux l'examiner…

— Le bébé a vingt jours de retard, sinon davantage. Il aurait déjà dû se retourner.

— Bébé se repose, dit la bonne pour rassurer sa maîtresse. N'est-ce pas, docteur Maeno?

— Ce que vous dites, tergiverse l'honnête docteur, pourrait bien s'avérer exact…

— Mon père m'a informée que le docteur Uragami supervisait cet accouchement, dit Orito.

— Oui, grogne le docteur Maeno, mais depuis son confortable cabinet de consultation. Quand le bébé a cessé de remuer, Uragami a déclaré qu'en vertu d'obscures raisons seules compréhensibles aux hommes de son génie, l'esprit de l'enfant refusait de naître. L'issue de cet accouchement dépend donc de la détermination de la mère. » *Cette crapule*, juge inutile d'ajouter le docteur Maeno, *ne se risque pas à entacher sa réputation en présidant à la mise au monde de l'enfant mort-né d'un si haut dignitaire.* «C'est alors que le chambellan Tomine a persuadé le Magistrat de me convoquer. En apercevant le bras, je me suis souvenu de votre fameux docteur écossais, aussi ai-je sollicité votre aide.

— Mon père et moi sommes profondément honorés de la confiance que vous nous témoignez. »

… *Et maudit soit Uragami*, songe-t-elle, *et sa lâcheté aux funestes conséquences.*

Le coassement des grenouilles cesse brutalement, et, comme si un rideau de bruit était tombé, on entend les rumeurs de Nagasaki qui fête l'arrivée du navire batave.

«Si l'enfant est mort, dit le docteur Maeno en néerlandais, il nous faut l'extraire sans délai.

— J'en conviens. » Orito demande à la gouvernante d'apporter de l'eau chaude et des bandelettes de lin, puis débouche une bouteille de sels de Leyde sous le nez de la concubine afin de lui arracher quelques moments de lucidité. «Mademoiselle Kawasemi, nous allons faire sortir votre enfant dans les prochaines minutes. Puis-je d'abord procéder à un toucher?»

Une nouvelle contraction saisit la concubine, qui perd la capacité de répondre.

L'eau chaude arrive dans deux récipients de cuivre au moment où l'intense douleur s'estompe. «Nous devrions lui annoncer que le bébé est mort, propose en néerlandais le docteur Maeno à Orito. Puis amputer le bras de l'enfant pour faciliter l'expulsion du corps.

– Au préalable, j'aimerais insérer ma main et ainsi savoir si le corps est en position concave ou convexe.

– Si vous pouvez procéder sans entailler le bras» – le docteur Maeno veut dire «amputer» –, «eh bien, je vous en prie.»

Orito s'enduit la main droite d'huile de ricin et s'adresse à la bonne: «Repliez une bandelette de sorte à former un épais tampon… Oui, comme ceci. Soyez prête à le placer entre les dents de votre maîtresse, faute de quoi elle risquerait de se sectionner la langue. Laissez des trous sur les côtés pour qu'elle puisse respirer. Docteur Maeno, je commence l'exploration.

– Vous êtes mes yeux et mes oreilles, mademoiselle Aibagawa», répond le docteur.

Orito glisse les doigts entre le biceps du fœtus et la grande lèvre déchirée de sa mère, pénétrant jusqu'à mi-poignet dans le vagin de Kawasemi. La concubine remue et grogne. «Pardon, dit Orito. Pardon…» Ses doigts se faufilent entre les membranes chaudes, la peau et les muscles encore humides de liquide amniotique, et la sage-femme se remémore une gravure venue de ce barbare royaume des Lumières, l'Europe…

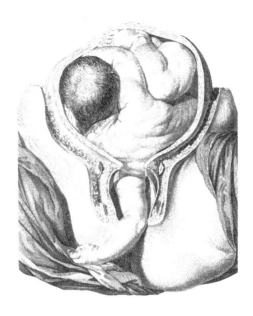

Si le fœtus est en position convexe, se souvient Orito, c'est-à-dire si sa colonne vertébrale est recourbée à la manière d'un acrobate chinois et que sa tête se trouve entre ses tibias, alors elle devra lui amputer le bras et démembrer le reste de son corps à l'aide d'un forceps à dents, puis extraire chacun de ces sinistres morceaux. La mise en garde du docteur Smellie est claire : tout reliquat pourrirait dans l'utérus et serait susceptible de tuer la mère. Cependant, si l'enfant est en position concave, se rappelle Orito, les genoux du fœtus sont repliés contre sa poitrine : la sage-femme pourra alors amputer le bras, faire pivoter le fœtus, insérer des crocs dans les orbites, puis extraire tout le corps, qui sortira tête la première. L'index de la sage-femme localise la colonne vertébrale bosselée de l'enfant, parcourt la délimitation entre la dernière côte et le bassin, puis rencontre une oreille minuscule, une narine, une bouche, le cordon ombilical, et un pénis de la taille d'une crevette. « Position concave, annonce Orito au docteur Maeno. Mais le cordon est enroulé autour du cou.

« – Pensez-vous que le cordon peut être dégagé ? » Maeno a oublié de parler en néerlandais.

« Ma foi, je dois essayer. Placez-lui le tampon dans la bouche, je vous prie », demande Orito à la bonne.

Une fois le tampon bien positionné entre les dents de Kawasemi, Orito enfonce plus profondément la main, enroule le pouce autour du cordon du fœtus, plonge quatre doigts sous son menton, lui bascule la tête vers l'arrière et fait glisser le cordon sur son visage, son front, son crâne. Kawasemi hurle, un jet d'urine chaud coule le long de l'avant-bras d'Orito, mais la tentative a fonctionné du premier coup : le cordon est déroulé.

Elle retire la main et annonce : « Le cordon est libéré. Le docteur a-t-il son » – le mot n'existe pas en japonais – « forceps ?

– Je l'avais apporté, en cas de besoin, répond Maeno en tapotant sa mallette médicale.

– Nous devrions peut-être essayer de faire sortir l'enfant » – elle opte pour la langue néerlandaise – « sans lui amputer le bras. Moins il y a de sang, mieux c'est. Mais j'aurai besoin de votre aide. »

Le docteur Maeno s'adresse au chambellan : « Pour sauver la vie de Mlle Kawasemi, il me faut faire fi des ordres du Magistrat et rejoindre la sage-femme derrière le rideau. »

Le chambellan Tomine doit faire face à un délicat dilemme.

« Vous pourrez toujours m'accuser d'avoir désobéi au Magistrat, lui suggère Maeno.

– Ce sera à moi d'en décider, tranche le chambellan. Faites votre devoir, docteur. »

Le vieillard alerte se glisse sous le voile de mousseline, ses sandales tordues dans la main.

À la vue de l'étrange instrument, la bonne s'alarme.

« Un "forceps" », l'informe le docteur, sans toutefois donner davantage d'explications.

La gouvernante soulève le voile de mousseline. « Ah, non ! Pas de ça ici ! Les étrangers avec leur soi-disant "médecine" peuvent découper et trancher comme bon leur semble, mais vous ne pensez tout de même pas que…

— La gouvernante m'a-t-elle entendu lui conseiller où acheter son poisson? grogne Maeno.

— Le forceps ne sert pas à couper, explique Orito. Il permet de tourner et tirer l'enfant, un peu comme des doigts de sage-femme qui offriraient une meilleure prise… » Elle a de nouveau recours aux sels de Leyde. « Mademoiselle Kawasemi, je vais utiliser cet instrument pour faire sortir votre enfant, annonce-t-elle en lui montrant le forceps. N'ayez pas peur et ne résistez pas. Les Européens s'en servent souvent, même pour les princesses et les reines. Nous allons dégager votre enfant en douceur et de manière assurée.

— Faites… » – la voix de Kawasemi n'est qu'un grincement étouffé. « Faites…

— Merci, et quand je demanderai à Mlle Kawasemi de *pousser*…

— Poussez… » Son épuisement est si grand qu'elle ne se soucie plus de rien. « Poussez…

— Vous êtes-vous déjà servi de cet accessoire? » demande Tomine qui jette un œil derrière la voilure.

C'est la première fois qu'Orito remarque le nez écrasé du chambellan. Cette défiguration vaut bien sa brûlure à elle.

« Souvent, oui, et jamais une patiente n'a eu à en souffrir. » Seuls Maeno et son disciple savent que ces prétendues patientes n'étaient que des pastèques évidées enceintes de gourdes enduites d'huile. Pour la dernière fois – du moins, l'espère-t-elle –, Orito enfonce la main jusque dans l'utérus de Kawasemi. Ses doigts trouvent la gorge du fœtus, orientent sa tête vers le col de l'utérus, dérapent, s'assurent une prise plus ferme puis font pivoter l'incommodant cadavre une troisième fois. « Maintenant, docteur, s'il vous plaît. »

Maeno passe les branches autour du bras qui pend et enfonce le forceps jusqu'à son entablure.

Les spectateurs suffoquent; la douleur arrache un cri desséché à Kawasemi.

Orito sent les deux cuillères dans sa paume : elle les place autour du crâne mou du fœtus. « Refermez-les. »

Avec douceur et détermination, le docteur resserre le forceps.

Orito prend les poignées dans la main gauche ; elle sent une résistance spongieuse, mais ferme, un peu comme la gelée de *konyaku*. Sa main droite, toujours dans l'utérus, coiffe le crâne du fœtus.

Les doigts noueux du docteur Maeno enserrent le poignet d'Orito.

« Qu'attendez-vous ? demande la gouvernante.

– La prochaine contraction, répond le docteur, qui va arriver d'un m… »

Le souffle de Kawasemi s'intensifie sous l'effet d'une nouvelle salve de douleur.

« Un et deux, compte Orito, et *poussez*, Kawasemi-*san* !

– Poussez, madame ! » l'encouragent la bonne et la gouvernante.

Le docteur Maeno tire sur le forceps ; à l'aide de la main droite, Orito pousse la tête du fœtus vers le canal utérin. Elle dit à la bonne de saisir le bras du bébé et de tirer. Orito sent davantage de résistance maintenant que la tête s'engage dans le canal utérin. « Un et deux et… maintenant ! » Le sommet d'un crâne chevelu appartenant à un corps minuscule ratatine le gland du clitoris sur son passage.

« Le voici ! » s'étrangle la bonne, par-dessus les cris bestiaux de Kawasemi.

Le crâne apparaît, puis le visage, marbré de mucus,…

… enfin vient le reste d'un corps gluant et trempé ; un corps sans vie.

« Oh, mais… oh, dit la bonne. Oh. Oh. *Oh*… »

Les sanglots perçants de Kawasemi retombent en gémissements, puis s'évanouissent.

Elle sait. Orito retire le forceps, soulève le corps sans vie du nourrisson par les chevilles et le fesse. Elle n'espère pas de miracle : ce sont la discipline et la pratique qui régissent ses gestes. Après dix tapes fermes, elle s'arrête. Il n'y a pas de pouls. Sur sa joue, elle ne sent aucun souffle jaillir des narines ou de la bouche du nourrisson. Inutile d'annoncer ce qui est évident pour tous. Elle replie le cordon au niveau du nombril de l'enfant, coupe ce lien cartilagineux à l'aide de son couteau, baigne l'enfant inanimé dans un des récipients de cuivre et le place dans le berceau. *Un berceau pour tout cercueil et un lange pour tout linceul*, pense-t-elle.

Le chambellan Tomine donne ses ordres à un serviteur posté à l'extérieur. «Informe Son Honneur que son fils est mort-né. Le docteur Maeno et sa sage-femme ont fait de leur mieux, mais ont été impuissants face au décret du Destin.»

Orito s'inquiète à présent d'une possible fièvre puerpérale. Il reste à s'occuper du placenta, appliquer du *yakumosô* sur le périnée, et stopper le saignement de cette fissure anale.

Le docteur Maeno sort de la tente de voilures, laissant davantage d'espace à la sage-femme.

Un papillon de la taille d'un oiseau pénètre à l'intérieur et atterrit sur le visage d'Orito.

Le chassant d'un coup de main, Orito cogne le forceps, qui s'échappe d'un des récipients de cuivre. L'instrument percute le couvercle; le fracas effraie une petite créature qui, on ne sait comment, a réussi à s'introduire dans la pièce; la bête miaule et couine.

Un chiot? se demande Orito, perplexe. *Ou bien un chaton?*

Le mystérieux animal pousse de nouveau un cri, là, tout près. Sous le futon?

«Débarrasse-nous de cette bestiole! ordonne la gouvernante à la bonne. Allez!»

La créature miaule une fois de plus. Alors Orito réalise que ce cri provient du berceau.

Impossible, se dit la sage-femme, *c'est impossible.*

Tandis qu'elle tire le drap de lin, la bouche du bébé s'ouvre. Il inhale une, deux, trois fois; son visage plissé se fronce davantage…

… et le despotique nouveau-né tout tremblotant et rose gambas se met à hurler à la vie.

II

Cabine du capitaine Lacy à bord du Shenandoah, *à l'ancre dans la baie de Nagasaki*

Soirée du 20 juillet 1799

«Comment voudriez-vous, demande Daniel Snitker, qu'un homme gagne un salaire à la juste mesure des humiliations quotidiennes que nous font endurer ces vampires aux yeux bridés? Les Espagnols ont coutume de dire : "Le serviteur qu'on ne paie pas est en droit de se verser lui-même salaire." J'enrage de le reconnaître, mais, pour une fois, les Espagnols ont raison! Quoi, savons-nous si, dans cinq années, la Compagnie existera toujours? Amsterdam est exsangue, nos chantiers navals sont à l'arrêt, nos manufactures sont réduites au silence, nos greniers sont mis à sac, La Haye n'est plus qu'une scène où fanfaronnent des marionnettes dont Paris tire les ficelles. Les chacals de Prusse et les loups d'Autriche se moquent de nos frontières, et depuis la débâcle de Kamperduin, nous ne sommes plus qu'une nation maritime privée de sa flotte! Les Anglais nous ont pris Le Cap, la côte de Coromandel et Ceylan sans même qu'on ait eu le temps de leur adresser un bras d'honneur! Et s'ils laissent engraisser Java, c'est pour mieux la saigner à la Noël. Sans transporteurs neutres comme» – ourlant une lèvre, il désigne le capitaine Lacy – «le Yankee ici présent, Batavia mourrait de faim. À notre époque, Vorstenbosch, il n'est point de plus sûre garantie que les biens commerciaux entreposés dans nos réserves ! Sinon, que diable seriez-vous venu faire ici ? »

La vieille lampe à huile de baleine se balance et crisse.

« Était-ce là votre conclusion ? » demande Vorstenbosch.

Snitker croise les bras. « Je crache sur votre procès de pacotille. »

Le capitaine Lacy laisse échapper un rot gargantuesque. « C'était l'ail, messieurs. »

Vorstenbosch s'adresse à son clerc : « Nous allons passer au verdict. »

Jacob de Zoet acquiesce et trempe sa plume : « … procès de pacotille. »

« En ce jour du vingt juillet de l'an mil sept cent quatre-vingt-dix-neuf, moi, Unico Vorstenbosch, nommé chef du poste de traite de Dejima à Nagasaki, agissant en vertu des pouvoirs qui m'ont été conférés par Son Excellence le gouverneur général de la Compagnie néerlandaise des Indes orientales P. G. van Over-straten, assisté du capitaine du *Shenandoah* Anselm Lacy, déclare Daniel Snitker, chef sortant du susmentionné poste de traite, coupable des accusations suivantes : "Faillite à tous ses devoirs…". »

— J'ai satisfait à chacun de mes devoirs de chef ! proteste Daniel Snitker.

— Vos devoirs ? » Vorstenbosch fait signe à Jacob de s'inter-rompre. « Nos réserves ont brûlé pendant que vous, monsieur, folâtriez avec les filles de joie d'un bordel ! Un fait que vous avez soigneusement omis de consigner dans ce ramassis de mensonges que vous vous complaisez à nommer votre "registre journalier". Et si, par le plus pur des hasards, un interprète japonais n'avait pas remarqué que…

— Des rats de latrines qui osent salir mon nom, parce que je sais bien leurs manigances !

— Salir votre nom, entendez-vous cela ! Et la pompe à incendie qui avait disparu de Dejima le soir du désastre ?

— L'accusé l'avait peut-être emportée avec lui à la Maison de la glycine afin d'impressionner ces dames par les proportions de sa lance, fait remarquer le capitaine Lacy.

– La responsabilité de cette pompe à incendie revient à van Cleef, rétorque l'accusé.

– Comptez sur moi pour raconter à votre adjoint la ferveur avec laquelle vous l'avez défendu. Bien, passons au chef d'accusation suivant, de Zoet : "Défaut d'obtention des trois seings des officiers supérieurs du poste de traite sur le connaissement de l'*Octavia*."

– Oh, pour l'amour du ciel ! Une simple erreur administrative !

– Une "simple erreur" qui permet aux gredins de voler la Compagnie de cent façons différentes ; voilà pourquoi, à Batavia, on insiste sur une triple autorisation. Chef d'accusation suivant : "Financement de cargaisons privées par des fonds détournés à la Compagnie."

– Alors ceci, messieurs, postillonne de colère Snitker, ceci est une pure calomnie ! »

D'un épais sac de toile posé à ses pieds, Vorstenbosch extrait deux figurines de porcelaine de style oriental. La première est un bourreau qui, la hache en suspens, s'apprête à décapiter la seconde – un prisonnier à genoux, mains liées, dont le regard est déjà plongé dans l'autre monde.

« Pourquoi me montrez-vous ces » – Snitker ne vacille pas – « babioles ?

– Elles ont été trouvées en quantité de deux grosses dans votre cargaison privée. "Vingt-quatre douzaines de figurines en porcelaine d'Arita", indique le bon de chargement. Feu ma femme cultivait un goût pour les japonaiseries, aussi ce sujet m'est quelque peu familier. Capitaine Lacy, auriez-vous l'obligeance d'en estimer la valeur, fussent-elles mises aux enchères à Vienne ? »

Le capitaine Lacy réfléchit. « Vingt florins par pièce ?

– Ces figurines, plus petites que les autres, coûteraient-elles seules trente-cinq florins. Celles dorées à la feuille – les courtisans, les archers et les seigneurs –, cinquante florins. Le prix du lot ? Soyons pessimistes : l'Europe étant plongée dans la guerre, le marché est instable. Nous dirons donc trente-cinq florins par pièce… multiplié par deux grosses. De Zoet ? »

Jacob a son boulier en main. « Dix mille quatre-vingts florins, monsieur.

– *Yee-ha !* s'exclame Lacy, impressionné.

– Une coquette somme, déclare Vorstenbosch, obtenue par la vente de biens acquis aux frais de la Compagnie et enregistrés sur le connaissement – dans la clandestinité, il va sans dire – en tant que "porcelaine personnelle du chef du poste de traite", connaissement rédigé par vos soins, Snitker.

– Le précédent chef – Dieu ait son âme – me les avait léguées, avant de partir en ambassade à la Cour impériale d'Edo.

– Ainsi M. Hemmij aurait pressenti qu'il croiserait la Mort en revenant d'Edo ?

– Gijsbert Hemmij était un homme d'une prudence peu commune.

– Dans ce cas, vous me montrerez son testament d'une prudence peu commune.

– Le document a brûlé dans l'incendie, dit Snitker en s'essuyant la bouche.

– Avez-vous des témoins ? M. van Cleef ? Fischer ? Le singe ? »

Snitker pousse un soupir écœuré. « Tout cela n'est qu'une puérile perte de temps. Allez-y, prenez votre taille. Mais pas plus d'un seizième, sinon, je jure devant Dieu que je jetterai ces maudites figurines dans le port. »

Le bruit lancinant des festivités résonne dans la baie de Nagasaki.

Le capitaine Lacy mouche ses naseaux dans une feuille de chou.

La plume presque totalement usée de Jacob rattrape le fil de la conversation ; le clerc a mal à la main.

« Qu'est-ce que cela ?… » Vorstenbosch paraît confus. « … Une "taille" ? Monsieur de Zoet, pourriez-vous m'éclairer, je vous prie ?

– M. Snitker tente de vous corrompre, monsieur. »

La lampe s'est remise à balancer : la flamme fume, crachouille et se ravive.

Sur le pont inférieur, un marin accorde son violon.

« Vous supposez, dit Vorstenbosch qui bat des paupières, que mon intégrité est à vendre ? Comme quelque capitaine de port vérolé extorquant des taxes imaginaires aux barges transportant du beurre sur l'Escaut ?

– Soit : un neuvième, grogne Snitker. Mais c'est ma dernière offre.

– Veuillez conclure la liste des chefs d'accusation, demande Vorstenbosch à son secrétaire dans un claquement de doigts, par "Tentative de corruption d'un contrôleur fiscal" ; puis nous poursuivrons par la sentence. Si vous devez rouler des yeux, Snitker, faites-le dans ma direction, car ce que je vais annoncer vous concerne. "Article premier : Daniel Snitker est déchu de ses fonctions ainsi que de tous" – oui, oui : tous – "ses salaires perçus depuis 1797. Article deux : à son arrivée à Batavia, Daniel Snitker sera emprisonné au Vieux Fort, où il paiera pour ses crimes. Article trois : sa cargaison privée sera mise aux enchères. Les profits seront reversés à la Compagnie." Je constate que j'ai toute votre attention.

– Vous voulez faire de moi » – Snitker a perdu son panache – « un indigent.

– Ce procès fait de vous un exemple destiné à mettre en garde tout chef tenté de vouloir tondre la laine sur le dos de la Compagnie. "Comme elle a su débusquer Daniel Snitker", les mettra en garde ce verdict, "la justice saura vous trouver." Capitaine Lacy, merci d'avoir participé au dénouement de cette sordide affaire. Monsieur Wiskerke, veuillez réserver un hamac pour M. Snitker dans le gaillard d'avant. Il travaillera comme novice, pourvoira ainsi à sa traversée jusqu'à Java, et sera soumis à la même discipline que les autres. Par ailleurs... »

Snitker renverse la table et se jette sur Vorstenbosch. Jacob devine que le poing de Snitker va atterrir sur la tête de son protecteur et tente de s'interposer ; une amaryllis écarlate tournoie dans son champ de vision ; les cloisons de la cabine basculent à quatre-vingt-dix degrés ; le plancher heurte violemment les côtes du clerc ; et ce goût de bronze à canon dans sa bouche est certainement celui du sang. Plus haut, on échange grondements, halètements et grognements. Jacob lève les yeux à temps et voit le second du capitaine porter au plexus solaire de Snitker un coup foudroyant qui fait spontanément grimacer de compassion le clerc envoyé au tapis. Deux autres marins arrivent au moment où Snitker titube et s'effondre.

Sur le pont inférieur, le marin joue «La demoiselle aux yeux noirs de la Twente».

Le capitaine Lacy se sert un verre de whisky à la liqueur de cassis.

À l'aide du pommeau d'argent de sa canne, Vorstenbosch frappe Snitker au visage jusqu'à l'épuisement. «Mettez ce misérable hanneton aux fers en cale-dortoir, dans le plus nauséabond des recoins.» Le second et les deux marins repartent en traînant le corps qui geint. Vorstenbosch s'agenouille auprès de Jacob et lui donne une claque sur l'épaule. «Merci d'avoir pris ce coup à ma place, mon garçon. Votre tarin, hélas, n'est plus qu'*une belle marmelade**1...»

La douleur lancinante dans le nez de Jacob semble caractéristique d'une fracture. Mais la substance poisseuse sur ses mains et genoux n'est pas du sang. De l'encre, comprend le clerc qui peine à se relever.

De l'encre échappée de son encrier fracassé, dessinant des ruisselets indigo et bavant des deltas...

De l'encre, absorbée par le bois assoiffé, coulant entre les fêlures...

Encre, pense Jacob, *toi, le plus fécond des liquides...*

---

1. Toutes les expressions en italique suivies d'un astérisque sont en français dans le texte. (*N.d.T.*)

III

Sur un sampan amarré au Shenandoah, *port de Nagasaki*

Matin du 26 juillet 1799

Nu-tête et dans l'étuve de son grand manteau bleu, Jacob de Zoet, plongé dans ses pensées, a remonté le temps de dix mois, quand une mer du Nord vengeresse assaillait les digues de Dombourg et que des embruns s'engouffraient dans la rue de l'Église, dépassant le presbytère où son oncle lui offrait un sac de toile huilée. Ce sac contenait un psautier mutilé que protégeait une reliure en daim, et Jacob parvient à peu de chose près à se remémorer le discours de son oncle : «Dieu sait, mon neveu, que tu as bien assez entendu l'histoire de ce livre. Ton arrière-arrière-grand-père était à Venise quand la peste arriva. Une éruption de bubons gros comme des grenouilles lui cribla le corps, mais il pria en se servant de son psautier, et Dieu le fit guérir. Il y a cinquante ans, ton grand-père Tys, en patrouille dans le Palatinat rhénan, tomba dans une embuscade. Son psautier arrêta la balle d'un mousquet» – il caresse du doigt le plomb, toujours logé dans le cratère – «qui lui aurait déchiré le cœur. C'est littéralement grâce à ce livre que ton père, toi, Geertje et moi devons notre existence. Nous ne sommes point des papistes : nous ne prêtons nul pouvoir magique aux clous tordus ou aux vieux chiffons ; mais tu sais que ce livre sacré, par notre foi, est lié à notre lignée. C'est une donation de tes ancêtres et un emprunt à ta descendance. Quoi qu'il t'arrive dans les années à venir, n'oublie jamais : ce psautier » – il posa la main sur le sac de toile – « est le sauf-conduit de ton retour chez les tiens. Les psaumes de David sont une bible dans la Bible. Sers-t'en dans tes prières, prête oreille à ses enseignements et tu ne t'égareras pas. Protège-le, quitte à mettre ta vie en péril, et ce psautier nourrira ton âme. À présent, va, Jacob, et que Dieu t'accompagne. »

« Protège-le, quitte à mettre ta vie en péril… », murmure tout bas Jacob.

… *c'est bien là*, pense-t-il, *l'objet de mon dilemme.*

Dix jours auparavant, le *Shenandoah* avait jeté l'ancre au large du rocher de Papenbourg – ainsi nommé en l'honneur des martyrs de la Foi véritable, jetés du haut de ces falaises –, et le capitaine Lacy avait ordonné que tous les objets chrétiens fussent mis dans un tonneau refermé et cloué, confié aux Japonais qui le restitueraient seulement quand le brick repartirait. Le nouveau chef désigné Vorstenbosch et son protégé n'échappèrent pas à la règle. Les marins du *Shenandoah* grommelèrent qu'ils préféraient encore donner leurs testicules que leurs crucifix, mais leurs croix et autres Saint-Christophe disparurent dans des recoins secrets sitôt que les inspecteurs japonais et des gardes armés jusqu'aux dents vinrent fouiller les différents ponts. Le tonneau était rempli de tout un tas de rosaires et de livres de prières apporté par le capitaine Lacy pour la bonne forme. Le psautier de la famille de Zoet ne figurait pas parmi ces articles.

Comment pourrais-je trahir mon oncle, mon Église et mon Dieu ? se tourmente-t-il.

Son psautier est enfoui sous les autres livres dans la malle sur laquelle il est assis.

Les risques, se rassure-t-il, *ne peuvent être si grands…* Il n'y a ni marque ni illustration qui indique que son psautier est assimilable à un recueil chrétien, et le néerlandais que parlent les interprètes est certainement trop médiocre pour que ceux-ci y reconnaissent les antiques tournures de la langue biblique. *Je suis un officier de la Compagnie néerlandaise des Indes orientales*, se raisonne Jacob. *Quel est le pire des châtiments que les Japonais seraient en mesure de m'infliger ?*

Jacob l'ignore et, à vrai dire, Jacob a peur.

Un quart d'heure s'écoule ; aucun signe du chef Vorstenbosch ni de ses deux serviteurs malais.

La peau pâle et couverte de taches de rousseur de Jacob frit comme du bacon.

Un poisson volant cisaille la surface de l'eau et en jaillit.

« *Tobiuo !* » dit un des rameurs à un autre, en désignant le poisson.

« *Tobiuo !* »

Jacob répète ce mot et les deux rameurs rient à en faire chalouper la barque.

Cela ne dérange pas le passager. Il observe les barques de la garde qui entourent le *Shenandoah* ; les corbeilles à poissons ; un navire de charge japonais cabotant, râblé comme une caraque portugaise, mais plus ventru ; l'embarcation de plaisance de quelque aristocrate escortée par plusieurs vaisseaux, drapée du noir et bleu ciel de la noblesse ; une jonque dont la proue pointe tel un bec, pareille aux bateaux des marchands chinois qu'on croise à Batavia…

La ville de Nagasaki, grise de bois et brune de boue, semble suinter d'entre les orteils écartés des montagnes verdoyantes alentour. Les odeurs d'algues, exhalaisons et fumées jaillissant d'innombrables sources, traversent les eaux. Les rizières découpent des terrasses sur presque toute la hauteur des monts aux sommets dentelés.

Un fou, spécule Jacob, *pourrait se croire dans la moitié brisée d'un bol de jade.*

Dominant la grève, se dresse la maison qui l'accueillera toute une année durant : Dejima, une île artificielle en forme d'éventail bordée d'une muraille dont Jacob estime que le plus grand arc mesure deux cents pas pour une profondeur de quatre-vingts, et qu'on a bâtie, comme la majeure partie d'Amsterdam, sur un lit de piliers immergés. En effectuant le croquis de ce poste de traite du haut du mât de misaine la semaine précédente, il avait recensé vingt-cinq toitures : les nombreuses réserves des marchands japonais, la résidence du chef et celle du capitaine, la maison de l'adjoint sur le toit de laquelle est juché le poste d'observation, la Guilde des interprètes et un petit hôpital. Des quatre réserves hollandaises – baptisées Roos, Lelie, Doorn et Eik –, seules les deux dernières ont survécu à ce que Vorstenbosch appelle « l'incendie de Snitker ». La réserve Lelie est en reconstruction mais la Roos, réduite en cendres, devra attendre la bonne remise en ordre des comptes du poste de traite. La porte-de-terre relie Dejima au rivage par un pont de pierre d'une seule travée qui enjambe une douve envasée. La porte-de-mer, située en amont d'une courte rampe à partir de laquelle on charge et décharge les sampans de la Compagnie, n'est ouverte que durant la saison commerciale. Y est accolée une douane où tous les Néerlandais, à l'exception du chef désigné et du capitaine, sont fouillés en vue de saisir d'éventuels articles prohibés.

Une liste en tête de laquelle figure « objets chrétiens »..., songe Jacob.

Il retourne à son croquis et s'attelle à ombrer la mer à l'aide d'un fusain.

Curieux, les rameurs se penchent. Jacob leur montre la page.

Le plus âgé des deux affiche une moue qui signifie : *Pas mauvais*.
Un cri en provenance d'un bateau de la garde fait sursauter les
comparses : ils retournent à leurs postes.

Le sampan tangue sous le poids de Vorstenbosch : c'est un
homme mince, mais, aujourd'hui, son pardessus de soie est déformé
par les morceaux de « licorne » – de la corne de narval – dont les
Japonais font une poudre aux multiples vertus. « C'est à cette
mascarade » – le chef s'approche et passe ses mains repliées sur les
coutures boursouflées de son vêtement – « que j'entends mettre
un terme. "Pourquoi, ai-je demandé à ce serpent de Kobayashi,
ne pas simplement déposer la cargaison dans une caisse, en toute

légalité, la faire parvenir par une barque jusqu'ici, en toute légalité, et en vendre le contenu aux enchères privées, en toute légalité?" Sa réponse? "Il n'y a pas de précédents." Alors je lui ai suggéré: "Dans ce cas, créez-en un!" Il m'a regardé comme si je venais de déclarer être le père de ses enfants.

– Monsieur? l'interpelle le second du capitaine. Vos esclaves vous accompagneront-ils sur l'île?

– Mettez-les avec la vache. Je me servirai du moricaud de Snitker entre-temps.

– Entendu, monsieur. Ah oui, l'interprète Sekita demande à monter à bord.

– Eh bien, qu'on fasse descendre le simplet, monsieur Wiskerke... »

L'ample derrière de Sekita passe par-dessus le bastingage. Le fourreau de son sabre se prend dans l'échelle: son assistant écope d'une cinglante gifle en représailles à cet empêtrement. Une fois le maître et son serviteur installés, Vorstenbosch retire son élégant tricorne. « Quelle divine matinée, n'est-ce pas, monsieur Sekita?

– Ah, opine du chef Sekita, sans comprendre. Nous autres Japonais, une race insulaire...

– Assurément, monsieur. La mer partout autour. En grandes étendues bleues. »

Sekita récite tant bien que mal une autre phrase apprise par cœur: « Les grands pins sont les grandes racines.

– Pourquoi donc gaspillons-nous le peu d'argent que nous avons à vous payer de grasses rémunérations? »

Sekita pince les lèvres, comme en méditation. « Enchanté, monsieur. »

Si c'est lui qui doit inspecter mes livres, songe Jacob, *alors toutes mes craintes sont vaines.*

« Allez! » ordonne Vorstenbosch en désignant Dejima.

Sans qu'on lui ait rien demandé, Sekita effectue l'inutile traduction de cet ordre.

Les rameurs propulsent le sampan en faisant onduler leurs rames tel un serpent, à la cadence haletante d'un chant de marins.

«Croyez-vous qu'ils chantent "Donnez-nous votre or, ô malodorants Néerlandais"? s'interroge Vorstenbosch.

– Avec un interprète à bord, la chose est peu probable, monsieur.

– Voilà une charitable description de cet homme. Cependant, sa présence est préférable à celle de Kobayashi: voici peut-être notre dernière occasion avant un petit moment d'avoir une discussion en tête à tête. Une fois débarqué, ma priorité au cours de cette saison commerciale sera de favoriser au mieux les profits que nous tirerons de notre miteuse cargaison. La vôtre, de Zoet, est tout à fait différente. À vous de mettre de l'ordre dans les comptes du poste de traite: ceux des transactions de la Compagnie et ceux des transactions privées depuis l'année quatre-vingt-quatorze. Si nous ne connaissons pas ce que les officiers ont acheté, vendu, exporté, ni à quel prix, nous ne saurons pas le niveau de corruption avec lequel nous devons composer.

– Je ferai de mon mieux, monsieur, comptez sur moi.

– L'incarcération de Snitker est une déclaration d'intention de ma part, mais si nous devions infliger le même traitement à tous les contrebandiers de Dejima, il ne resterait plus que nous deux. Attachons-nous plutôt à montrer que le travail honnête sera rétribué par une promotion, et que le vol sera puni par le déshonneur et la prison. C'est seulement ainsi que nous parviendrons peut-être à nettoyer ces écuries d'Augias. Ah, mais voici van Cleef qui vient nous saluer.»

L'adjoint descend la rampe desservant la porte-de-mer.

«Arriver, cite Vorstenbosch, c'est un peu mourir.»

L'adjoint Melchior van Cleef, né à Utrecht il y a quarante ans de cela, soulève son couvre-chef. Il a le visage verruqueux et barbu d'un pirate. Un ami dirait de son regard qu'il est «perçant», un ennemi le qualifierait de «méphistophélique». «Bonjour, monsieur Vorstenbosch. Et bienvenue à Dejima, monsieur de Zoet.» Il a une poigne à broyer des pierres. «Vous souhaiter un "agréable" séjour sur notre île serait d'un optimisme exagéré…» Il remarque la toute fraîche protubérance sur le nez de Jacob.

«Enchanté de vous rencontrer, adjoint van Cleef.» La terre ferme tangue sous le pied amariné de Jacob. Déjà, les coolies débarquent sa malle et la transportent jusqu'à la porte-de-mer. «Monsieur, je préférerais garder mon bagage en vue…

— Et je vous comprends. Jusqu'à peu, nous corrigions les arrimeurs, mais le Magistrat a décrété que si un coolie était battu, ce serait tout le Japon qui essuierait un affront, et il nous a interdit de recourir à ce moyen. Depuis, la valetaille japonaise ne connaît plus de limites.»

L'interprète Sekita enjambe au mauvais moment l'espace entre la proue du sampan et la rampe : sa jambe s'enfonce dans l'eau jusqu'au genou. Une fois sur la terre ferme, il assène un coup d'éventail sur le nez de son serviteur puis s'empresse de dépasser les trois Néerlandais et de leur dire : «Partez ! Partez !

— Il veut dire "Venez"», explique l'adjoint van Cleef.

Une fois franchie la porte-de-mer, on les conduit à l'intérieur de la douane. Sekita demande alors aux étrangers leurs noms, qu'il crie à un vieux secrétaire, qui lui-même les répète à un jeune assistant, lequel les consigne dans son registre. Par translittération, «Vorstenbosch» se change en Bôrusu Tenbôshu, «van Cleef» devient Bankureifu et «de Zoet» se voit rebaptisé Dazûto. À l'aide de broches, un groupe d'inspecteurs pique les meules de fromage et les barriques de beurre déchargées du *Shenandoah*. «Ces canailles, maugrée van Cleef, ont la réputation de casser des œufs restés jusqu'alors intacts de peur que les poules y aient glissé un ou deux ducats.» Un imposant garde s'approche. «Je vous présente le préposé aux fouilles, dit l'adjoint. Le chef en est dispensé, mais, hélas, pas les clercs.»

Un groupe de jeunes hommes se rassemble : ils ont tous la même tonsure frontale et le même chignon que les inspecteurs et interprètes montés à bord du *Shenandoah* au cours de la semaine ; cependant leurs tuniques sont moins impressionnantes. « Des interprètes sans grade, explique van Cleef. Ils espèrent gagner les faveurs de Sekita en lui mâchant le travail. »

Le préposé aux fouilles s'adresse à Jacob et ils répètent tous en chœur : « Levez les bras ! Ouvrez les poches ! » Sekita leur ordonne de se taire et demande à Jacob : « Levez les bras. Ouvrez les poches. »

Jacob obéit. Le préposé aux fouilles lui palpe les aisselles et examine ses poches.

Il trouve le carnet de croquis de Jacob, l'inspecte brièvement et intime un nouvel ordre au clerc.

« Montrez les chaussures à garde, monsieur ! » traduisent les plus rapides des interprètes domestiques.

Sekita, dédaigneux, renifle. « Montrez les chaussures maintenant. »

Jacob remarque que même les arrimeurs s'interrompent pour mieux observer la scène.

Certains désignent le clerc du doigt, sans la moindre honte, déclarant : « *Kômô, kômô.* »

« Ils parlent de la couleur de vos cheveux, explique van Cleef. "*Kômo*" est souvent le titre dont héritent les Européens : "*kô*" signifiant rouge et "*mô*", cheveux. Rares sont ceux qui, parmi nous, peuvent vraiment se prévaloir de la teinte de cheveux qui est la vôtre ; un authentique "barbare roux" se révèle être un spectacle sidérant.

– Vous étudiez la langue japonaise, monsieur van Cleef ?

– La chose est contraire aux lois, mais, grâce à mes épouses, j'en comprends quelques mots.

– Je vous serais grandement reconnaissant si vous consentiez à m'apprendre ce que vous savez, monsieur.

– Je ferais un bien piètre professeur, confesse van Cleef. Le docteur Marinus converse avec les Malais comme un authentique moricaud, mais la langue japonaise se mérite âprement, dit-il.

Un interprète qu'on surprendrait à nous l'enseigner se verrait très certainement accusé de trahison.»

Le préposé aux fouilles rend à Jacob ses chaussures et lui donne un nouvel ordre:

«Enlevez vos vête*ments*, monsieur, disent les interprètes, enlevez vos vête*ments*!

— Ce monsieur n'ôtera pas ses vête*ments*! rétorque van Cleef. Les clercs ne se déshabillent pas, monsieur de Zoet. Ce misérable étron cherche à entamer encore davantage notre dignité. Si vous lui obéissez aujourd'hui, alors, jusqu'à la fin des temps, tous les clercs qui entreront au Japon devront de gré ou de force se plier à cette humiliation.»

Le préposé aux fouilles proteste. Du chœur s'élèvent des «Enlevez vos vête*ments*!».

Flairant l'arrivée des problèmes, l'interprète Sekita s'éclipse.

Vorstenbosch frappe le sol de sa canne jusqu'à ce que le calme règne. «Non!»

Mécontent, le préposé aux fouilles décide de concéder le point.

Un garde de la douane tapote sur la malle de Jacob à l'aide de sa lance et dit quelque chose.

«Ouvrez, s'il vous plaît, traduit un interprète sans grade. Ouvrez la grande boîte!»

Cette boîte, le nargue la petite voix de Jacob, *qui contient ton psautier.*

«Finissons-en, de Zoet, ne nous éternisons pas ici», l'enjoint Vorstenbosch.

La mort dans l'âme, Jacob se plie à la demande et déverrouille le coffre.

Un des gardes intime un ordre et le chœur le traduit: «Repartez, monsieur! Un pas derrière!»

Plus d'une vingtaine de curieux tendent le cou tandis que le préposé aux fouilles soulève le couvercle et déplie les cinq chemises de lin de Jacob, sa couverture de laine, ses bas, une bourse remplie de boutons et de boucles, une perruque en piètre état, un jeu de plumes, des sous-vêtements jaunissants, son compas d'écolier, un demi-savon de Windsor, les deux douzaines de lettres d'Anna enrubannées dans une mèche de ses cheveux, un rasoir, une pipe de Delft, un verre fêlé, un rouleau de papier à musique, un gilet de velours vert bouteille attaqué par les mites, une assiette, un couteau et une fourchette en étain, et enfin, étalés au fond de la malle, une cinquantaine de livres de toutes sortes. Un autre préposé aux fouilles dit quelque chose à un subalterne qui sort de la douane à toute vitesse.

« Amener interprète de service, monsieur, énonce un interprète. Pour venir voir les livres.

– N'est-ce pas à » – les côtes de Jacob se serrent – « M. Sekita de mener la dissection ? »

Un rictus aux dents noires apparaît au milieu de la barbe de van Cleef. « La dissection ?

– Pardon, l'inspection : l'inspection de mes livres, monsieur.

– Le père de Sekita a acheté la place qu'occupe son fils dans la Guilde, mais la prohibition de toute forme de » – van Cleef articule silencieusement « christianisme » – « est une responsabilité trop importante pour être confiée à des crétins. Les livres sont contrôlés par une personne compétente : peut-être Iwase Banri ou bien un des Ogawa.

– Qui sont ces » – Jacob s'étrangle en avalant sa salive – « Ogawa ?

– Ogawa Mimasaku est un des quatre interprètes du premier ordre. Son fils, Ogawa Uzaemon est interprète du troisième ordre, et… » – entre un jeune homme. « Ah, quand on parle du loup, on en voit la queue ! Bien le bonjour, monsieur Ogawa. »

Ogawa Uzaemon, qui paraît avoir environ vingt-cinq ans, a un visage ouvert et intelligent. Les interprètes sans grade s'inclinent bien bas. Lui s'incline devant Vorstenbosch, devant van Cleef et, enfin, devant le nouvel arrivant. « Bienvenue à Dejima, monsieur de Zoet. »

Sa prononciation est excellente. Il tend la main afin de le saluer à la mode européenne au moment même où Jacob s'incline à la mode asiatique ; Ogawa Uzaemon répond alors par une courbette, mais Jacob lui tend la main. Cette scénette amuse la galerie. « On me dit, signale l'interprète, que M. de Zoet apporte beaucoup de livres… ah, voilà… » – il désigne la malle – « … beaucoup, beaucoup de livres. "Pléthore" de livres, on dit ?

– Quelques livres, lui répond Jacob, sur le point de vomir de nervosité. Un certain nombre, en effet.

– Je peux sortir les livres pour regarder ? » Enthousiaste, Ogawa s'exécute sans attendre la réponse. Aux yeux de Jacob, le monde se réduit à un étroit tunnel entre lui et son psautier, visible entre les deux tomes de son exemplaire de *Sara Burgerhart*. Ogawa fronce les sourcils. « Beaucoup, beaucoup de livres, là. Un petit moment, s'il vous plaît. Quand je finis, j'envoie un message. C'est acceptable ? » Il se méprend sur l'hésitation de Jacob. « Les livres en sécurité. Moi aussi » – Ogawa pose la paume de sa main sur son cœur –, « je suis "bibliophile". C'est le bon mot ? "bibliophile" ? »

Dans la Cour aux pesées, le soleil semble aussi chaud qu'un fer à marquer.

D'un instant à l'autre, songe le contrebandier malgré lui, *on découvrira mon psautier.*

Un petit comité de dignitaires japonais attend Vorstenbosch.

Un esclave malais qui, un parasol en bambou à la main, attend le chef du poste de traite s'incline.

« Le capitaine Lacy et moi-même, déclare le chef, avons une myriade d'obligations à régler dans le Grand salon avant le déjeuner. Vous me semblez mal en point, de Zoet : quand M. van Cleef aura terminé de vous présenter les lieux, demandez au docteur Marinus de vous saigner de deux ou trois décilitres. » D'un hochement de tête, il salue l'adjoint et gagne sa résidence.

Dans la Cour aux pesées trône une des trois balances à trépied de la Compagnie ; elles font deux fois la taille d'un homme. «Nous effectuerons aujourd'hui la pesée du sucre, annonce van Cleef. Nous verrons bien ce qu'il est possible de tirer de cette saleté. Batavia ne nous expédie que les rebuts de ses réserves. »

Sur la placette grouille plus d'une centaine de marchands, interprètes, inspecteurs, serviteurs, espions, laquais, porteurs de palanquin ou livreurs. *Ainsi donc sont les Japonais*, pense Jacob. La couleur de leurs cheveux – qui s'échelonne du noir au gris – et celle de leur peau sont plus uniformes que celles d'une foule batave, et la déclinaison de leurs habits, chaussures et coiffures semble suivre de strictes consignes imposées par leur rang. Quinze ou vingt charpentiers presque nus sont juchés sur l'ossature d'une nouvelle réserve. «Plus oisifs qu'une bande de Finnois gorgés de gin… », marmonne van Cleef. Posté en vigie sur le toit de la douane se tient un singe à la gueule rose, au pelage où le blanc neigeux se mêle au noir de suie, et qui porte un gilet taillé dans une voile. «Je constate que vous avez repéré William Pitt.

– Je vous demande pardon, monsieur ?

– Le Premier ministre de George III, c'est bien lui. Il ne répond à aucun autre nom. Un marin l'a acheté il y a six ou sept saisons commerciales, mais le jour où son propriétaire est reparti en mer, le singe s'est échappé, et cet affranchi de Dejima a attendu le lendemain pour reparaître. Tenez, puisqu'il est question de primates, voyez là-bas… » – van Cleef désigne un paysan à la mâchoire carrée et aux cheveux tressés, occupé à ouvrir des caisses de sucre – «Wybo Gerritszoon, un de nos manœuvres. » Gerritszoon dépose les précieux clous dans la poche de son gilet. Les sacs de sucre défilent devant un inspecteur japonais et un jeune étranger de dix-sept ou dix-huit ans qui ne passe pas inaperçu : ses cheveux de chérubin paraissent d'or ; ses lèvres ont une épaisseur toute javanaise et ses yeux sont ceux d'un Oriental. «Ivo Oost, enfant naturel au sang généreusement métis et de père inconnu. »

Les sacs atterrissent sur un étal placé devant la balance à trépied de la Compagnie.

La pesée est supervisée par un autre trio de dignitaires japonais auquel s'ajoutent un interprète et deux Européens d'une vingtaine d'années. «À gauche, indique van Cleef, vous avez Peter Fischer, un Prussien de Brunswick...» – Fischer a un teint noisette, des cheveux bruns et une calvitie – «... et clerc pleinement qualifié – mais, si j'en crois M. Vorstenbosch, vous avez également cette compétence : nous avons l'embarras du choix. Le comparse de Fischer se nomme Con Twomey, un Irlandais de Cork. » Ce dernier a un visage en croissant de lune et un sourire carnassier. Il a les cheveux ras et des vêtements piètrement coupés dans la toile d'une voile. «Ne craignez point de ne pas retenir tous ces noms : quand le *Shenandoah* aura pris le large, nous aurons l'éternité pour tout apprendre les uns des autres.

— Les Japonais ne se doutent-ils pas que certains de nos hommes ne sont pas néerlandais ?

— Nous donnons le change en prétendant que l'accent bâtard de Twomey vient de Groningen. Y a-t-il jamais eu assez de Néerlandais purs de lignée pour occuper les postes de la Compagnie ? À plus forte raison aujourd'hui » – cette insistance fait référence à la délicate question de l'incarcération de Daniel Snitker – «que nous devons composer avec les moyens du bord. Twomey est notre maître charpentier attitré, mais il endosse également le rôle d'inspecteur les jours de pesée, car si nous cessions de surveiller les coolies, ces satanés rapaces nous voleraient un sac de sucre dès que nous aurions le dos tourné. Il en va de même pour les gardes. Quant aux marchands, ce sont les pires gredins : hier encore, un de ces enfants de putain a glissé une pierre dans un sac qu'il a ensuite feint de découvrir, puis il a tenté d'utiliser cette prétendue preuve en vue de faire baisser le poids du lot.

— Dois-je commencer mon travail maintenant, monsieur van Cleef ?

– Demandez tout d'abord au docteur Marinus de vous saigner, puis rejoignez le troupeau quand vous vous serez remis d'aplomb. Vous trouverez Marinus dans son cabinet au bout de la grand-rue – celle où nous sommes – à côté du laurier. Vous ne pouvez pas vous perdre. Personne ne s'est jamais perdu à Dejima, du moins pas sans avoir ingurgité toute une outre de grog. »

« Une chance pour vous que je passe par ici, dit une voix sifflante, dix pas plus loin. À Dejima, un péquin met moins de temps à se perdre qu'une fiente à sortir du cul d'une oie. Je me présente : Arie Grote, et vous êtes Jacob de Zoet » – il lui claque l'épaule –, « tout droit venu de la Zélande des braves… mais, c'est que Snitker vous a bien arrangé votre nez, dites donc. »

Arie Grote arbore un rictus édenté et un chapeau en peau de requin.

« Mon chapeau vous plaît ? C'était un boa constricteur, avant, dans la jungle sur l'île de Ternate. Il s'était glissé dans la hutte que je partageais avec mes trois servantes indigènes. Je me suis d'abord dit : une de mes gentilles servantes me réveille pour me réchauffer les fèves, vous voyez ? Mais non, non, j'ai senti quelque chose me serrer, puis mes poumons se vider, puis trois de mes côtes ont fait *cric ! crac ! croc !* Alors, à la lueur de la Croix du Sud, je l'ai vu, lui qui me regardait droit dans les yeux que j'avais tout exorbités. Ça, c'est bien ce qui lui a coûté la vie, monsieur de Z., à ce bobineur ! J'avais les bras coincés dans le dos, mais mes mâchoires étaient libres, alors j'ai mordu très, très fort la gueule de ce malpropre… Le hurlement d'un serpent, c'est pas un bruit qu'on oublie de sitôt, croyez-moi ! Le bobineur m'a encore plus embobiné : il n'avait pas dit son dernier mot. Alors j'ai cherché la jugulaire de ce vermisseau et je l'ai tout bonnement tranchée net, d'un seul coup de dents. Les villageois étaient tellement contents qu'ils m'ont fabriqué une toge avec sa peau et m'ont couronné roi de Ternate.

Ce serpent, c'était comme qui dirait le monstre de leur jungle, mais, vous savez bien… » – Arie Grote soupire –, « les marins ne résistent pas à l'appel du large, pas vrai ? Quand je suis retourné à Batavia, un chapelier a transformé ma toge en chapeaux vendus dix rixdales pièce… Mais celui-ci, je m'en séparerai pas, *à moins*, à moins que je fasse une faveur à un jeune péquin qui débarque et qu'en a peut-être plus besoin que moi, hé ? Je vous demande pas dix rixdales en échange de cette merveille, non, non, ni huit mais juste cinq patards. Autant dire une misère.

— Hélas, ce chapelier me semble avoir remplacé votre peau de boa par une peau de requin piètrement tannée.

— Je parie que c'est vous qui sortirez de la table de jeu plein aux as. » Arie Grote paraît ravi. « Nous autres simples manœuvres, on se réunit presque tous les soirs dans mon modeste cantonnement pour chercher un peu de chance et de compagnie. Vous m'avez pas l'air du genre bêcheur-pompeux, joignez-vous donc à nous !

— Je crains que la présence d'un fils de pasteur ne vous ennuie : je bois peu et ne mise guère.

— Dans ce glorieux Orient, n'est-ce pas notre vie même que nous misons ? Sur dix péquins qui prennent le large, six "survivoteront" et quatre finiront enterrés dans un marécage. Quatre contre six : la cote est sacrément mauvaise. Puisqu'on cause de ces choses-là, sur une douzaine de joyaux ou de ducatons dissimulés dans la doublure d'un manteau, onze sont saisis à la porte-de-mer et un seul passe à travers les mailles du filet. Mieux vaut les cacher dans votre trou de balle, et d'ailleurs, si vous comptez faire ainsi usage de cette cavité, monsieur de Z., je vous proposerai un tarif imbattable… »

Jacob s'arrête au carrefour : devant lui se prolonge la courbe de la grand-rue.

« Ça, c'est la ruelle anguleuse » – Grote désigne la droite –, « qui mène à la contre-allée de la Muraille de mer. Et, de l'autre côté » – Grote désigne la gauche –, « c'est la venelle. Puis la porte-de-terre… »

Et par-delà la porte-de-terre, songe Jacob, *s'étend l'empire cloîtré.*

« Le portail ne s'ouvre pas pour les gens comme nous, monsieur de Z., ça non. De temps en temps, le chef, l'adjoint et le docteur M. ont le droit de le franchir, mais nous, jamais. "Les otages du Shogun", nous surnomment les indigènes, et ça sonne assez juste, pas vrai ? Mais écoutez plutôt » – Grote pousse Jacob à avancer. « Je ne me contente pas de faire commerce des pierres précieuses ou des pièces de monnaie. Hier encore, chuchote-t-il, j'ai obtenu pour un client distingué du *Shenandoah* une caisse de cristaux de camphre d'une incroyable pureté en échange d'une cornemuse minable qu'on ne pêcherait même pas dans un canal néerlandais. »

Il cherche à m'appâter, pense Jacob avant de répondre : « Je ne me livre pas à la contrebande, monsieur Grote.

– Que je sois foudroyé sur place si je vous accuse d'avoir ce genre de mauvaises pratiques ! Je vous informe, hé, voilà tout : ma commission représente un quart du prix de vente, d'habitude. Mais un jeune péquin intelligent comme vous repartirait avec sept des dix parts de son gâteau ; que voulez-vous, les Zélandais fougueux font vibrer ma corde sensible. Qu'est-ce que vous en dites ? Et ce sera un plaisir d'assurer la transaction de votre poudre à vérole » – il y a dans la voix de Grote la décontraction d'un homme qui dissimule un fait crucial – « auprès de certains marchands qui m'appellent "frère" et dont l'offre gonfle aussi vite et généreusement que le braquemart d'un étalon, et ce, alors que nous discutons, monsieur de Z. Oui, oui, en ce moment même ! Et savez-vous pourquoi ? »

Jacob s'immobilise. « Comment diable savez-vous que je possède du mercure ?

– Hé, vous prêtez oreille à mes bons augures, oui ? Un des nombreux fils du Shogun » – Grote baisse la voix – « a suivi un traitement à base de mercure, au printemps dernier. Ce pays

42

connaît la recette depuis vingt ans, mais personne n'y croyait. Il aura fallu attendre le petit prince et son cornichon si pourri qu'il en verdoyait! Un peu de mercure à vérole et hop, loué soit le Seigneur! il était guéri. L'histoire s'est répandue comme une traînée de poudre: tous les apothicaires du pays sont prêts à s'arracher l'élixir miracle. Et voilà que vous débarquez avec huit caisses! Confiez-moi les négociations et vous aurez de quoi acheter mille chapeaux. Traitez seul et ils vous écorcheront vif: le chapeau, ce sera vous, mon ami.

— Comment» – Jacob s'aperçoit qu'il s'est remis en route – «savez-vous que je possède du mercure?

— Les rats, chuchote Arie Grote. Oui, les rats. De temps en temps, je leur donne un petit quelque chose. Alors les rats me racontent ceci et cela. *Voilà**. L'hôpital est devant vous. Partager son chemin, ça raccourcit la distance, comme on dit. Nous sommes donc d'accord? Dorénavant, je serai votre agent. Et pas besoin de contrat: un *gentleman* sait tenir parole. Alors à tantôt…»

Arie Grote repart sur la grand-rue en direction du carrefour.

Mais Jacob l'interpelle: «À aucun moment je ne vous ai donné ma parole!»

L'entrée de l'hôpital donne sur un étroit vestibule. En face, une échelle conduit à une trappe maintenue ouverte par un piquet. Sur la droite, une porte mène à la salle de chirurgie, grande pièce que domine un squelette moucheté par le temps et crucifié sur une structure en T. Jacob essaie de ne pas penser à Ogawa décou-vrant son psautier. Il y a une table d'opération équipée de sangles et d'ouvertures aménagées çà et là, et barbouillée de sang. Des étagères où sont rangés les instruments de chirurgie: scies, lancettes, ciseaux, burins, mortiers et pilons. Un meuble gigantesque qui abrite, suppose Jacob, le *materia medica*. Des écuelles à saignée. Plusieurs bancs et plusieurs tables. À l'odeur de sciure fraîche se mêlent celles de la cire, des herbes médicinales et un relent argileux de foie. Derrière une porte se trouve l'infirmerie, dont les trois lits sont vides. Jacob est attiré par une jarre en terre cuite remplie d'eau. Il boit en se servant de la louche : l'eau est fraîche et douce.

Pourquoi n'y a-t-il personne ici qui surveille cet endroit à la merci des voleurs ? s'interroge-t-il.

Surgit un jeune serviteur ou esclave passant le balai, nu-pieds : bel homme, il est vêtu d'un délicat surplis et d'un ample pantalon indien.

Jacob ressent le besoin de trouver une justification à la présence de ce personnage. « Êtes-vous l'esclave du docteur Marinus ?

– Le docteur m'a engagé. » Le jeune homme parle bien néerlandais. « Je suis son assistant.

– Vraiment ? Je suis de Zoet, le nouveau clerc. Et vous êtes ? »

Le jeune homme s'incline, poli mais sans être obséquieux. « Je m'appelle Eelattu, monsieur.

– De quelle partie du monde venez-vous, Eelattu ?

– Je suis né à Colombo, sur l'île de Ceylan, monsieur. »

La suavité qu'il dégage déstabilise Jacob. « Où se trouve votre maître ?

– Dans son étude, à l'étage. Désirez-vous que j'aille le chercher ?

– Inutile. Je monte me présenter à lui.

– Comme vous voudrez, monsieur, mais le docteur n'aime guère recevoir...

– Oh, mais il changera d'avis quand il saura ce que je lui apporte... »

Dans l'embrasure de la trappe, Jacob contemple un grenier tout en longueur et garni de meubles. Au milieu de la pièce trône le clavecin de Marinus, dont Jacob avait ouï dire par son ami M. Zwaardecroone à Batavia. On racontait que c'était le seul clavecin parvenu jusqu'au Japon. Au bout de la pièce, visage rougeaud et silhouette oursine, se trouve un Européen d'une cinquantaine d'années aux cheveux attachés en arrière et gris comme de la roche. Assis à même le plancher devant une table basse baignée de lumière, il dessine une orchidée orange vif. Jacob frappe à la trappe. « Bonjour, docteur Marinus. »

La chemise déboutonnée, le docteur ne réagit pas.

« Docteur Marinus ? Je suis enchanté de faire enfin votre connaissance… »

Le docteur ne semble cependant pas avoir davantage entendu.

Le clerc élève la voix : « Docteur Marinus ? Je vous prie de bien vouloir me pard…

— De quel trou à rat sortez-vous donc ? tempête Marinus.

— Je suis arrivé il y a un quart d'heure par le *Shenandoah*… Je m'appelle…

— Vous ai-je demandé votre nom ? Non. Je vous ai demandé vos *fons et origo*.

— Dombourg, monsieur : une ville côtière située sur l'île de Walcheren, en Zélande.

— Walcheren, tiens donc, j'ai eu l'occasion de visiter Middelbourg.

— Eh bien, docteur, c'est la ville où j'ai été éduqué. »

Le rire de Marinus relève de l'aboiement. « Il n'y a personne d'"éduqué" dans ce repaire d'esclavagistes.

— Peut-être parviendrai-je à faire remonter les Zélandais dans votre estime dans les mois à venir. Je logerai à la Maison haute, nous sommes donc presque voisins.

— Dois-je comprendre que, pour vous, la proximité nous unit par les liens du voisinage ?

— Euh… » Jacob ne sait pas comment prendre cette agression délibérée de la part de Marinus. « Eh bien… je…

— Ce *Cymbidium koran* a poussé sur le fourrage des chèvres. Tandis que vous balbutiez, cette plante se fane, monsieur.

— M. Vorstenbosch suggère que vous me saigniez… »

– Charlatanisme moyenâgeux! La phlébotomie, ainsi que la théorie des humeurs sur laquelle celle-ci repose, a été réduite à néant par Hunter il y a vingt ans. »

Mais la saignée, pense Jacob, *est le gagne-pain de tout chirurgien.* « Mais…

– Mais quoi quoi *quoiii*? Quoi *quoiii*? *Quoiii*? Quoi *quoiii* quoi quoi *quoiii*?

– Nombreux sont ceux qui, de par le monde, croient en sa vertu.

– Ce qui prouve que, de par le monde, nombreux sont les imbéciles. Votre nez me paraît bien enflé. »

Jacob en caresse la bosse. « Snitker, le précédent chef, m'a envoyé un coup de poing que…

– Vous n'avez pas la carrure d'un pugiliste. » Marinus se lève et, s'appuyant sur une robuste canne, boite jusqu'à la trappe. « Trempez-le dans l'eau fraîche deux fois par jour et bagarrez-vous contre Gerritszoon en lui tendant la partie convexe de votre nez, de sorte qu'il vous l'aplatisse. Bonne journée, Dombourgeois. » Et d'un coup de canne bien assené, il chasse le bâton qui maintenait la trappe relevée.

De retour dans la rue aveuglante de soleil, le clerc indigné se retrouve encerclé par l'interprète Ogawa, son serviteur et deux inspecteurs : les quatre individus en nage affichent un air sinistre. « Monsieur de Zoet, commence Ogawa, je veux parler d'un livre que vous apportez. C'est important… »

Jacob perd le fil de la phrase : la nausée et la peur l'assaillent.

Vorstenbosch ne pourra rien pour mon salut, pense-t-il. *Quand bien même, pourquoi s'évertuerait-il à me sauver?*

« Et voilà pourquoi je suis beaucoup étonné de trouver ce livre… monsieur de Zoet? »

Ma carrière est fichue, envisage Jacob, *ma liberté s'envole et Anna m'est perdue…*

«Où serai-je incarcéré?» parvient à geindre le prisonnier.

La grand-rue chaloupe. Le clerc ferme les yeux.

«In-cancer-é?» Ogawa se moque de lui. «Mon néerlandais médiocre me fait le défaut.»

Le cœur du clerc tambourine telle une pompe cassée. «Est-ce humain de vous jouer de moi?

– Jouet?» Ogawa est de plus en plus perplexe. «C'est un proverbe, monsieur de Zoet? Dans le coffre de M. de Zoet, j'ai trouvé le livre de M. Adamu Sumissu.»

Jacob ouvre les yeux. La grand-rue a cessé de chalouper. «Adam Smith?

– "Adam Smith"… Pardonnez, s'il vous plaît. *La Richesse des nations*… Vous connaissez?»

Assurément, je connais ce livre, se dit Jacob, *mais je n'ose pas encore espérer*. «La version originale anglaise est un peu ardue, c'est pourquoi j'ai acquis la traduction néerlandaise à Batavia.»

Ogawa semble surpris. «Alors Adam Smith n'est pas néerlandais mais anglais?

– Il ne vous dirait pas merci, monsieur Ogawa! Smith est un Écossais; il vit à Édimbourg. Mais est-ce bien de *La Richesse des nations* que vous me parlez?

– Oui, quel autre livre? Je suis un *rangakusha*: érudit en science néerlandaise. Il y a quatre ans, j'emprunte *La Richesse des nations* au chef Hemmij. J'ai commencé la traduction pour apporter» – les lèvres d'Ogawa se préparent à la suite – «"la théorie de l'économie politique" au Japon. Mais le Seigneur de Satsuma a donné beaucoup d'argent au chef Hemmij et j'ai rendu le livre. Il est vendu avant que j'aie fini.»

Le soleil incandescent semble pris dans un laurier ardent.

Et Dieu l'appela du milieu du buisson… pense Jacob.

Des mouettes au bec crochu et des cerfs-volants décharnés sillonnent le ciel lustré de bleu.

… et dit: Moïse! Moïse! Et il répondit: Me voici!

« J'ai essayé d'avoir un autre mais » – Ogawa grimace – « c'est beaucoup de difficultés. »

Jacob réprime son envie de rire comme un enfant. « Je comprends.

– Puis, ce matin, dans votre coffre de livres, je trouve Adam Smith. C'est beaucoup de surprise et je vous dis la sincérité, monsieur de Zoet, je voudrais acheter ou louer... »

Dans le jardin de l'autre côté de la rue, les cigales craquettent par intermittence.

« Adam Smith n'est ni à vendre ni à louer, dit le Néerlandais. Mais si vous désirez me l'emprunter, ce sera avec plaisir, monsieur Ogawa, avec un très grand plaisir que je vous le prêterai aussi longtemps que vous le souhaiterez. »

IV

Devant les latrines, près de la Maison au jardin de Dejima

Avant le petit-déjeuner, le 29 juillet 1799

Jacob de Zoet émerge du bourdonnement des ténèbres et voit deux inspecteurs interroger Hanzaburo, son interprète domestique. «À coup sûr, ils ordonnent à ce garçon d'aller fendre vos crottes pour examiner ce que vous avez chié, commente le clerc adjoint, Ponke Ouwehand, surgissant de nulle part. À force de tortures, le sbire qui me suivait a prématurément fini au cimetière il y a trois jours, si bien que la Guilde des interprètes a envoyé ce grand échalas en guise de remplaçant. » D'un hochement de tête, Ouwehand désigne le jeune homme dégingandé qui se tient derrière lui. «Il s'appelle Kichibei mais je le surnomme "Herpès", parce qu'il ne me lâche pas d'une semelle. Je finirai bien par m'en débarrasser. Grote a parié dix florins que je ne réussirai pas à venir à bout de cinq de ces sangsues d'ici le mois de novembre. Vous n'avez pas encore rompu le jeûne, j'imagine ? »

Remarquant sa présence, les inspecteurs interpellent Kichibei.

«Je m'étais mis en chemin, dit Jacob, qui s'essuie les mains.

— Allons-y avant que tous les manœuvres aient pissé dans votre café. »

49

Les deux clercs repartent sur la grand-rue et passent devant deux biches gravides.

«De beaux jarrets de venaison en perspective pour le réveillon de Noël», commente Ouwehand.

Le docteur Marinus et l'esclave Ignatius arrosent le carré de pastèques. «Une autre journée de canicule s'annonce, docteur», l'interpelle Ouwehand de derrière la barrière.

Marinus a sans doute entendu mais ne daigne pas lever la tête.

«Il se montre poli envers ses disciples et son bel Indien, fait remarquer Ouwehand à Jacob, et, d'après van Cleef, il a été d'une extrême gentillesse avec Hemmij quand celui-ci s'est trouvé à l'article de la mort; et quand ses amis érudits lui apportent une mauvaise herbe ou bien une étoile de mer morte, il remue la queue. Alors pourquoi diable se comporte-t-il comme un vieux tyran avec nous? Imaginez un peu: à Batavia, même le consul de France le traitait d'*insupportable mufle**.» Ouwehand pousse un gloussement guttural.

Un groupe de porteurs se rassemble au carrefour afin de débarquer de la fonte. Constatant la présence de Jacob, ils recommencent leur manège: coups de coude, regards insistants et rictus. Jacob préfère effectuer un détour par la ruelle anguleuse plutôt que d'affronter la foule.

«Ne faites pas mine de ne guère apprécier votre célébrité, monsieur le rouquin, lui dit Ouwehand.

– Nullement, lui objecte Jacob. Je ne l'apprécie nullement.»

Les deux clercs s'engouffrent dans la contre-allée de la Muraille de mer et arrivent à la Cuisine.

Sous une canopée de casseroles et de poêles, Arie Grote plume un oiseau. De l'huile frémit, une pile de crêpes improvisées s'amoncelle, et une meule d'édam fatiguée par son voyage ainsi que des pommes aigrelettes sont séparément posées sur deux tables de carré. Piet Baert, Ivo Oost et Gerritszoon sont assis à la table des manœuvres; Peter Fischer, premier clerc, et Con Twomey, maître charpentier, mangent à celle des officiers. En ce mercredi, Vorstenbosch, van Cleef et le docteur Marinus prennent leur petit-déjeuner à l'étage, dans le salon de la Baie.

« On se demandait, dit Grote, ce que vous autres fabriquiez.

— Ce sera une soupe de langues de rossignol en entrée, maître coq, annonce Ouwehand en désignant le pain rassis et le beurre rance, suivie d'une tarte de cailles aux mûres accompagnée de ses artichauts à la crème et, pour finir, diplomate de coing aux pétales de rose blanche.

— Sans les plaisanteries de M. O., commente Grote, la journée manquerait de saveur.

— Mais dites-moi » – Ouwehand se penche –, « c'est dans le cul d'un faisan que votre poing est enfoncé ?

— L'envie, le rabroue le cuisinier, est un des sept péchés capitaux. Pas vrai, monsieur de Z. ?

— Paraît-il. » Jacob essuie une trace de sang sur une pomme. « Oui.

— On vous a préparé votre café. » Baert lui apporte un bol. « Encore tout chaud. »

Jacob regarde Ouwehand dont la moue signifie : *Je vous l'avais bien dit.*

« Merci, monsieur Baert, cependant je crois que je vais m'en abstenir aujourd'hui.

— Mais on l'avait préparé exprès pour vous, proteste l'Anversois. Rien que pour vous. »

Oost bâille à s'en décrocher la mâchoire. Jacob se risque à une plaisanterie. « La nuit fut-elle courte ?

— Je l'ai passée à filouter la marchandise de la Compagnie, vous vous doutez bien.

— Qu'en saurais-je, monsieur Oost ? » Jacob rompt son pain. « Est-ce bien vrai ?

— Moi qui croyais que vous déteniez toutes les réponses avant même d'avoir débarqué.

– La moindre des politesses, rappelle avec prudence Twomey dans un néerlandais aux saveurs gaéliques, voudrait qu'on...

– Il est là et nous juge tous, Con, et c'est ce que tu penses, toi aussi. »

Oost est le seul manœuvre assez fougueux pour s'exprimer de manière aussi abrupte devant le nouveau clerc sans se cacher derrière l'excuse du grog ; cependant, Jacob sait bien que même van Cleef voit en lui le sbire de Vorstenbosch. Toute la Cuisine attend sa réponse. « Afin d'assurer le chargement des navires, le maintien des garnisons et le paiement des dizaines de milliers de salaires, dont le vôtre, monsieur Oost, la Compagnie doit réaliser des profits. Ses différents postes de traite doivent tenir des comptes. À Dejima, ceux des cinq dernières années sont dans un état lamentable. M. Vorstenbosch a pour devoir de veiller à ce que je les raccommode. J'ai pour devoir de lui obéir. Mérité-je pour autant qu'on me rebaptise "Iscariote" ? »

Personne ne prend la peine de lui répondre. Peter Fischer mastique la bouche ouverte.

Ouwehand ramasse un peu de choucroute à l'aide d'un bout de pain rassis.

« Ce qui me surprend, dit Grote tout en retirant les intestins de la volaille, c'est que tout dépende de ce que le chef jugera bon de faire en représailles des "irrégularités" relevées pendant votre travail de reprisage. Aura-t-on droit à un petit sermon ou à une volée de bois vert sur le *derrière**? Hein ? Ou alors à la damnation dans une prison de six pieds de long sur cinq de large et quatre de haut ?

– Si... » – Jacob censure la suite : « ... *vous n'avez rien fait de mal, vous n'avez rien à craindre,* car tous enfreignent les lois relatives au commerce privé. « Je ne suis pas... » Jacob censure de nouveau la fin de sa phrase : ... *le confesseur personnel du chef Vorstenbosch.* « Avez-vous essayé d'interroger directement M. Vorstenbosch à ce sujet ?

– Vous voudriez qu'un péquin comme moi réclame des comptes à son supérieur ? lui répond Grote.

« – Dans ce cas, prenez patience et vous connaîtrez la décision du chef Vorstenbosch. »

Voilà une bien mauvaise réponse, s'aperçoit Jacob, *car je donne l'impression d'en savoir davantage que je n'en dis.*

« Ouaf, ouaf, jappe Oost à voix basse. Ouaf. » Le rire de Baert passerait presque pour un hoquet.

La peau d'une pomme se dévide du couteau de Fischer en une parfaite pelure. « Daignerez-vous nous rendre visite plus tard ? Ou bien serez-vous occupé à votre reprisage dans la réserve Doorn en compagnie de votre ami Ogawa ?

– Je m'appliquerai à faire » – Jacob entend le ton de sa voix monter – « ce que le chef me demandera de faire.

– Oh ? Ai-je touché là une dent gâtée ? Ouwehand et moi souhaitions simplement savoir si…

– Ai-je prononcé le moindre mot ? demande Ouwehand en contemplant le plafond.

– … savoir si le soi-disant troisième clerc nous apporterait son aide aujourd'hui.

– Clerc pleinement qualifié, rectifie Jacob. "Soi-disant" et "troisième" sont superflus, de la même façon que vous n'êtes pas "clerc principal".

– Oh ? J'en déduis que vous avez abordé avec M. Vorstenbosch le sujet de la succession.

– Faut-il que nos oreilles de subalternes, s'interroge Grote, subissent cette édifiante scène de ménage ? »

La porte gauchie de la Cuisine tressaille : entre Cupidon, le serviteur du chef.

« Qu'est-ce que tu veux, moricaud ? lui demande Grote. Tu n'as pas eu ta gamelle, le chien ?

– J'apporte un message pour le clerc de Zoet : "Le chef vous convoque au Grand salon, monsieur." »

Le rire de Baert commence et termine son existence dans un nez congestionné pour l'éternité.

«Je mettrai votre petit-déjeuner de côté.» Grote tranche les pattes du faisan.

«Au pied! chuchote Oost à un chien invisible. Assis! Debout!

– Rien qu'une petite gorgée, insiste Baert qui tend le bol de café à Jacob. Ça va vous ragaillardir.

– Je ne tiens pas à connaître l'amertume de votre adjuvant.» Jacob se lève, prêt à partir.

«Quoi, quel *adjudant*? ricane Baert, se méprenant. Goûtez juste…»

Le neveu du pasteur décoche un coup de pied dans le bol de café, qui décolle des mains de Baert.

Il se fracasse au plafond: les fragments retombent sur le plancher.

Les spectateurs sont stupéfaits. Oost cesse de japper. Baert est trempé.

Même Jacob est surpris. Il empoche son pain et s'en va.

Dans le Vestibule aux bouteilles qui mène au Grand salon, un mur de cinquante ou soixante dames-jeannes solidement prémunies contre les tremblements de terre par des fils de fer rétenteurs exhibe des créatures provenant de l'empire autrefois vaste de la Compagnie. Protégées de la décomposition à l'aide d'alcool, de vessies de porcs et de plomb, elles ne rappellent pas tant que la chair périt – y a-t-il adulte sensé qui oublie trop longtemps cette vérité? – mais que l'immortalité s'acquiert au prix fort.

Un dragon de Kandy ainsi conservé ressemble étrangement au père d'Anna, ce qui évoque à Jacob la fatidique conversation qu'il avait eue à Rotterdam dans le salon de ce *gentleman*. En contrebas, les attelages défilaient et l'allumeur de réverbères faisait sa ronde.

«Anna m'a rapporté, commença son père, les détails surprenants de la situation, de Zoet.»

Le voisin du dragon de Kandy est une vipère de Sulawesi à la gueule béante.

«… aussi ai-je dressé le bilan de vos mérites et démérites.»

Un jeune alligator de Halmahera affiche le rictus ravi d'un démon.

«… à votre crédit, vous êtes un clerc travailleur doté d'un bon tempérament…»

Le cordon ombilical du jeune alligator est relié à sa coquille pour l'éternité.

«… et qui n'a pas abusivement tiré profit de l'affection d'Anna.»

C'était d'un poste à Halmahera que Vorstenbosch avait sauvé Jacob.

«À votre débit, vous n'êtes qu'un clerc : pas un marchand, ni un affréteur…»

Une tortue de l'atoll Diego Garcia semble pleurer.

«… ni même maître de réserve, mais simple clerc. Je ne mets pas en doute vos sentiments.»

Le nez cassé de Jacob touche la bouteille contenant une lamproie de la Barbade.

«Mais les sentiments ne sont que la cerise sur le gâteau. Le gâteau étant la richesse.»

La gueule en O de la lamproie est une meule de V et W tranchants comme des rasoirs.

«Néanmoins, je veux vous donner votre chance d'obtenir ce gâteau, de Zoet – eu égard au pertinent jugement que porte ma fille sur les personnes. Un directeur de la Maison des Indes orientales fréquente mon club. Si vous souhaitez tant devenir mon gendre, il est prêt à vous obtenir pour une durée de cinq ans un poste de clerc à Java. Le salaire officiel est maigre, mais un jeune homme entreprenant saura sans doute y devenir quelqu'un. Cependant, vous devez me donner votre réponse aujourd'hui : le *Fadrelandet* quittera le port de Copenhague dans deux semaines…»

« De nouveaux amis ? » L'adjoint van Cleef l'observe depuis la porte du Grand salon.

Jacob s'arrache à la lamproie. « Je n'ai pas le luxe de les choisir, adjoint van Cleef.

— Hmm, répond van Cleef à la franchise de Jacob. M. Vorstenbosch va vous recevoir.

— Vous ne prendrez pas part à cette réunion ?

— La fonte ne se transporte ni ne se pèse toute seule, de Zoet, ce qui est fort dommage. »

Unico Vorstenbosch plisse les yeux devant le thermomètre accroché à côté du portrait de Guillaume le Taciturne. Rosi par la chaleur, le chef est luisant de sueur. « Je demanderai à Twomey de me façonner un de ces ingénieux éventails de tissu que les Anglais ont rapportés d'Inde... Ah, le mot m'échappe...

— Songeriez-vous à un *panka*, monsieur ?

— C'est exact. Un *panka*, ainsi qu'un esclave pour en tirer le cordon... »

Cupidon entre, portant un plateau sur lequel repose une théière de jade et d'argent familière à Jacob.

« L'interprète Kobayashi arrivera à dix heures accompagné d'un troupeau de dignitaires afin de m'instruire de l'étiquette à respecter au cours de cette audience avec le Magistrat tant de fois reportée, annonce Vorstenbosch. Cette porcelaine antique lui montrera que le chef en exercice est un homme raffiné : en Orient, tout est affaire de symboles, de Zoet. Rappelez-moi en l'honneur de quel aristocrate ce service à thé fut créé, d'après les dires de ce Juif de Macao ?

— Il s'agirait d'une pièce appartenant au trousseau de l'épouse du dernier empereur Ming, monsieur.

— Le dernier empereur Ming, c'est bien cela. Ah oui, je souhaiterais que vous vous joigniez à nous tout à l'heure.

– Lors de votre rencontre avec l'interprète Kobayashi et les dignitaires, monsieur ?

– Non, lors de notre entretien avec le Magistrat Shirai… Shilo… Aidez-moi.

– Le Magistrat Shiroyama, monsieur… Vais-je pouvoir visiter Nagasaki, monsieur ?

– Sauf si vous préférez rester ici à enregistrer les *kati* de fonte entrants ?

– Fouler le sol du Japon… » *– ferait mourir de jalousie Peter Fischer*, songe Jacob – « serait une grande aventure. Je vous remercie.

– Quel chef n'a pas son secrétaire personnel ? Bien, poursuivons nos affaires de la matinée dans la confidentialité de mon bureau… »

La lumière extérieure tombe sur l'écritoire de la petite pièce adjacente. « Bien, commence Vorstenbosch qui s'installe. Après trois jours passés sur la terre ferme, comment trouvez-vous la vie sur l'avant-poste le plus reculé de la Compagnie ?

– Plus salutaire » – la chaise de Jacob craque – « qu'une affectation à Halmahera, monsieur.

– La damnation, rien de moins que cela ! Qu'est-ce qui vous irrite le plus : les espions, le confinement, le manque de liberté… ou l'ignorance de nos compatriotes ? »

Jacob songe à raconter à Vorstenbosch la scène du petit-déjeuner, mais ne voit rien à y gagner. *Le respect*, songe Jacob, *ne s'impose pas par le haut.*

« Les manœuvres me considèrent d'un œil… suspicieux, monsieur.

– Bien entendu. Se cantonner à proscrire tout commerce privé à compter d'aujourd'hui ne les inciterait qu'à recourir à des subterfuges plus ingénieux encore. Restons vagues, voilà pour le moment la meilleure prophylaxie. De cela, oui, les manœuvres s'offusquent ; toutefois, ils n'osent pas me manifester leur colère. C'est vous qui en pâtissez.

– Que je ne vous paraisse pas oublieux du patronage sous lequel vous m'avez placé, monsieur.

– Le poste de Dejima a perdu de son éclat, c'est indéniable. L'époque où les profits réalisés au terme de deux saisons commerciales permettaient à quiconque de jouir d'une confortable retraite est depuis fort longtemps révolue. Ni la fièvre des marais ni les crocodiles ne vous tueront, au Japon. Mais la monotonie… c'est probable. Néanmoins, ne désespérez pas, de Zoet: dans un an, nous retournerons à Batavia, et vous verrez la façon dont je rétribue la loyauté et la diligence. Et puisqu'il est question de diligence, comment la restauration des registres avance-t-elle?

– Les comptes sont dans un état déplorable, mais M. Ogawa se montre d'une grande aide, et ceux des années quatre-vingt-quatorze et quatre-vingt-quinze ont pu être en majeure partie rétablis.

– Comme il est regrettable que nous ne puissions nous fier qu'aux archives japonaises. Mais passons à un sujet plus pressant encore. » Vorstenbosch tourne la clé de son bureau et en retire une plaquette de cuivre japonais. « Le plus rouge du monde, celui dont la teneur en or est la plus haute, et depuis un siècle, l'incarnation de cette fiancée pour qui nous dansons, nous, Néerlandais de Nagasaki. » Il lance le lingot aplati à Jacob, qui le saisit au vol. « Néanmoins, à mesure que s'écoulent les années, cette fiancée se révèle de plus en plus maigre et boudeuse. Selon nos propres chiffres… » – Vorstenbosch consulte une note posée sur son bureau – « … en 1790, nous en exportions huit mille piculs. En 1794, six mille. Gijsbert Hemmij, qui aura été bien inspiré de mourir avant qu'on puisse lui reprocher son incompétence, a permis à ce quota de descendre en dessous de quatre mille, et tomber, au cours de la sinistre gouvernance de Snitker, à trois mille deux cents piculs, lesquels ont tous disparu avec l'*Octavia*, où que son épave puisse reposer. »

L'horloge d'Almelo découpe le temps à l'aide de ses aiguilles incrustées de pierres précieuses.

« Vous souvenez-vous, de Zoet, de ma visite au Vieux Fort avant notre départ ?

— Bien entendu, monsieur. Le gouverneur général s'était entretenu avec vous pendant deux heures.

— Une discussion capitale, dont l'enjeu n'était ni plus ni moins que l'avenir de la Java néerlandaise. Que vous tenez entre vos mains. » D'un mouvement de tête, Vorstenbosch désigne la plaque de cuivre. « Voyez. »

Le métal capture le reflet déformé de Jacob. « Je ne comprends pas, monsieur.

— Le portrait peu flatteur de la Compagnie qu'avait dépeint Daniel Snitker n'était pas caricatural, hélas. Il a cependant omis un point, un élément dont seul le Conseil des Indes a connaissance : les caisses du Trésor de Batavia sont vides. »

Dans la rue, les marteaux des charpentiers tambourinent. Le nez fracturé de Jacob lui fait mal.

« Sans ce cuivre japonais, Batavia ne peut frapper de monnaie. » Les doigts de Vorstenbosch font tournoyer un coupe-papier d'ivoire. « Sans pièces, les bataillons indigènes se dissoudront dans la jungle originelle. À quoi bon adoucir la pilule de cette amère vérité, de Zoet ? Le haut gouvernement parviendra à tenir ses garnisons sous la diète des demi-salaires jusqu'au mois de juillet de l'an prochain. Quand viendra le mois d'août, les premiers déserteurs partiront. Dès octobre, les chefs de tribu flaireront notre faiblesse. Et à Noël, Batavia succombera à l'anarchie, aux rapines, aux massacres et à l'Angleterre. »

Sans en être prié, l'esprit de Jacob se représente le déroulement de ces catastrophes.

« Dans l'histoire de Dejima, tous les chefs qui se sont succédé ont tenté de soutirer d'autres métaux précieux au Japon, poursuit Vorstenbosch. Ils n'ont jamais obtenu rien d'autre que courbettes et fausses promesses. Le commerce s'est poursuivi, mais si nous échouons aujourd'hui, de Zoet, les Pays-Bas perdront l'Orient. »

Jacob dépose le cuivre sur le bureau. «Comment réussir là où…

– Là où tant d'autres ont échoué? Grâce à l'audace, à la pugnacité, et à une lettre qui marquera l'Histoire.» Vorstenbosch pousse jusqu'à Jacob un nécessaire à écrire. «Veuillez prendre une page de brouillon.»

Jacob prépare le support, débouche l'encrier et y trempe une plume.

«"Moi, P. G. van Overstraten, gouverneur général des Indes orientales néerlandaises"» – Jacob regarde son protecteur, mais non, il n'y a pas d'erreur – «"en ce jour du…", était-ce le seizième jour du mois de mai que nous avons quitté la rade de Batavia?»

Le fils du pasteur avale sa salive. «Le quatorzième, monsieur.

– "… en ce jour du neuf mai de l'an mil sept cent quatre-vingt-dix-neuf, envoie mes cordiales salutations à Leurs Augustes Excellences du Conseil des Anciens, comme un ami partage avec un autre ses pensées les plus intimes sans flagornerie ni crainte de disgrâce, au sujet de la vénérable entente établie entre l'Empire du Japon et la République batave", point.

– Les Japonais ne sont pas au courant de la révolution, monsieur.

– Soit, alors ce sera "les Provinces-Unies néerlandaises". "À maintes reprises, les serviteurs du Shogun à Nagasaki ont amendé les conditions du commerce, au grand dam de la Compagnie…" Non, écrivez plutôt: "au détriment de la Compagnie". Puis reprenez: "La taxe des 'fleurs' a atteint un taux usuraire, la rixdale a été dévaluée à trois reprises en dix ans, tandis que le quota de cuivre a réduit comme peau de chagrin"… point.»

La plume de Jacob, sous trop de pression, s'écrase: il en prend une autre.

«"Nonobstant, les doléances de la Compagnie se voient opposer des justifications sans cesse renouvelées. Depuis le naufrage de l'*Octavia*, au cours duquel deux cents Néerlandais ont perdu la vie, les dangers que représente la route entre Batavia et votre Empire reculé ne sont plus à démontrer. Faute d'une juste indemnisation, les échanges commerciaux établis à Nagasaki ne seraient plus viables." À la ligne. "Les directeurs de la Compagnie à Amsterdam ont publié un mémorandum définitif relatif au sort de Dejima. En voici la substance" » – la plume de Jacob saute une tache d'encre : « "si le quota de cuivre n'est pas relevé à vingt mille piculs" – mettez la quantité en italique, de Zoet, et inscrivez-la également en chiffres – "les dix-sept directeurs de la Compagnie néerlandaise des Indes orientales devront en conclure que ses partenaires japonais ne souhaitent plus commercer avec l'étranger. Nous évacuerons Dejima et rapatrierons nos possessions, notre cheptel et toute marchandise entreposée en réserve dans les plus brefs délais." Là. Avec cela, nous devrions parvenir à semer une belle pagaille, n'est-ce pas ?

— À n'en point douter, monsieur. Mais le gouverneur général a-t-il réellement brandi cette menace ?

— Les Asiatiques respectent la *force majeure**. C'est la meilleure manière de les contraindre à obtempérer. »

La réponse est donc négative, constate Jacob. « Et si les Japonais nous accusent de les abuser ?

— Pour déceler un abus, il en faut flairer l'odeur. Vous êtes désormais impliqué dans ce stratagème au même titre que van Cleef, le capitaine Lacy et moi-même ; personne d'autre. Veuillez conclure, à présent : "Afin de recueillir ce quota de vingt mille piculs, j'enverrai un bateau supplémentaire l'année prochaine. Si le Conseil du Shogun venait à offrir", en italique, "*un picul de moins* que les vingt mille escomptés, l'arbre de nos accords commerciaux s'en trouverait abattu, le seul port d'importance du Japon serait voué à la déliquescence, et, de votre Empire, vous mureriez de briques la seule fenêtre donnant sur le monde"… Oui ?

— Il n'y a guère de briques dans ce pays, monsieur : "… vous condamneriez la seule fenêtre…" ?

— Comme vous voudrez. "Cette perte rendra subséquemment le Shogun aveugle aux découvertes venues d'Europe, à la grande satisfaction des Russes et autres ennemis lorgnant avec convoitise sur votre Empire. En cette heure critique, il vous revient d'effectuer le bon choix. Vos descendants à naître vous en implorent, ainsi que", à la ligne, "Votre sincère allié, etc., P. G. van Overstraten, gouverneur général des Indes orientales, Chevalier de l'Ordre du Lion néerlandais" et toute autre fioriture qui vous semblera de bon ton, de Zoet. J'en veux deux exemplaires avant midi, heure de la visite de Kobayashi. Terminez par la signature de van Overstraten – qu'elle paraisse aussi vraie que possible – et cachetez un des deux exemplaires à l'aide de ceci. » Vorstenbosch lui donne un sceau où sont gravés le V, le O et le C de la *Vereenigde Oost-Indische Compagnie.* »

Les deux dernières instructions effraient Jacob. « Est-ce vraiment à moi de signer et cacheter ces lettres, monsieur ?

– Voici… » – Vorstenbosch trouve un modèle – « … la signature de van Overstraten.

– Contrefaire la signature du gouverneur général constituerait… » Jacob se doute bien de la véritable réponse : un crime capital.

« Gardez cette moue pour les latrines, de Zoet ! Je signerais la chose moi-même si j'en avais la possibilité, mais notre stratagème réclame l'écriture ouvragée d'un maître et non pas les acrimonieuses bavures d'un gaucher. Songez à la gratitude du gouverneur général quand nous retournerons à Batavia en ayant sextuplé l'export de cuivre : il ne pourra plus me refuser la place au Conseil. Pourquoi abandonnerais-je alors mon fidèle secrétaire ? Mais, bien entendu, si… les scrupules vous pèsent ou le sang-froid vous manque, je peux convoquer M. Fischer. »

Obéis sur-le-champ, se dit Jacob. *Tu te tourmenteras plus tard.* « Je signerai les documents, monsieur.

– Dans ce cas, ne perdons pas de temps. Kobayashi arrivera dans… » – le chef en poste consulte l'horloge – « … quarante minutes. D'ici là, il faudra que la cire du cachet ait bien refroidi, n'est-ce pas ? »

Le garde de la porte-de-terre termine sa fouille. Jacob monte dans le palanquin que soulèvent deux porteurs. Peter Fischer plisse les yeux sous l'impitoyable lumière de l'après-midi. « Dejima est vôtre pendant une ou deux heures, monsieur Fischer, lui lance Vorstenbosch depuis le palanquin réservé au chef. Je compte sur vous pour me la restituer dans l'état où je vous la confie.

– Bien sûr. » Le Prussien ne parvient qu'à esquisser une flatulente grimace. « Bien sûr. »

Passe le palanquin de Jacob, et la grimace se transforme en regard furieux.

Le convoi franchit la porte-de-terre et traverse le pont de Hollande.

La mer est basse : Jacob aperçoit un chien mort dans la vase…

… Et le voilà survolant à un mètre de hauteur le sol de ce Japon défendu.

Il aperçoit un grand carré de sable et de gravier, qui, si l'on omet la présence de quelques soldats, se révèle désert. L'endroit, lui avait expliqué van Cleef, était baptisé « la place d'Edo » afin de rappeler à la populace de Nagasaki, réputée pour son indépendance d'esprit, où le véritable pouvoir réside. D'un côté se dresse la prison shogunale : pavages, murailles et marches. Passé une autre enfilade de portes, le convoi plonge dans une artère ombragée. Les marchands ambulants s'égosillent, les mendiants implorent, les rétameurs martèlent des récipients, dix mille sandales de bois claquent sur les dallages. Les gardes du convoi crient, eux aussi, ordonnant au petit peuple de s'écarter de leur route. Jacob essaie de capturer chaque impression fugace en vue des lettres destinées à Anna, à sa sœur Geertje et à son oncle. À travers le grillage du palanquin, il hume des odeurs de riz cuit à la vapeur, d'égouts, d'encens, de citron, de sciure, de levure et d'algues en décomposition. Il entrevoit des vieillardes à la silhouette voûtée, des moines à la peau vérolée, des vieilles filles aux dents noircies. *Si j'avais un carnet de croquis*, songe Jacob, *et trois jours devant moi pour le remplir…* Des enfants juchés sur un mur en terre crue miment à l'aide de leurs index et pouces des yeux de hibou tout en scandant : « *Oranda-me, Oranda-me, Oranda-me.* » Jacob comprend alors qu'ils imitent les yeux « ronds » des Européens, et se souvient d'une ribambelle de garnements poursuivant un Chinois dans les rues de Londres. Ils tiraient sur le bord de leurs paupières en scandant : « Chi-nois, Sia-mois, Ja-po-nais, s'il vous plaît. »

Une foule d'individus collés les uns aux autres prie devant un sanctuaire bondé dont le portique ressemble à la lettre π.

Il y a une rangée d'idoles de pierre ; des morceaux de papier entortillés sur les branches d'un prunier.

À proximité, des acrobates chantent une chanson aux accents nasillards destinée à ameuter des spectateurs.

Les palanquins franchissent une rivière encaissée. L'odeur de l'eau est nauséabonde.

Les aisselles, l'entrejambe et les poplités suants de Jacob le démangent. Il s'évente à l'aide de son porte-documents de clerc.

Une fille se tient derrière une fenêtre en surplomb. Des lanternes rouges sont accrochées à l'avant-toit et elle se caresse nonchalamment le creux de la gorge avec une plume d'oie. Son corps n'a pas dix ans, mais ses yeux sont ceux d'une femme bien plus âgée.

Les floraisons d'une glycine écument sur un mur qui s'effrite.

Un mendiant chevelu agenouillé au-dessus d'une flaque de vomi se révèle être un chien.

Une minute plus tard, le convoi s'arrête devant un portail de fer et de chêne.

Le portail s'ouvre et les gardes saluent les palanquins qui pénètrent dans une cour.

Une vingtaine de piquiers manœuvrent sous un soleil féroce.

Sous l'ombre d'un profond balcon, on pose le palanquin de Jacob sur son socle.

Ogawa Uzaemon en ouvre la porte. «Bienvenue à la Magistrature, monsieur de Zoet.»

La longue galerie débouche sur un vestibule abrité du soleil. «Ici, nous attendons», les informe l'interprète Kobayashi en leur faisant signe de s'asseoir sur les coussins que leur apportent des serviteurs. La partie droite du vestibule se termine par une rangée de portes coulissantes décorées de bouledogues rayés, aux longs cils fournis. «Sans doute des tigres, commente van Cleef. Derrière ces portes se trouve notre destination : la Salle aux soixante *tatami*.» La partie gauche du vestibule donne sur une porte plus modeste décorée d'un chrysanthème. À quelques pièces de distance, Jacob entend les pleurs d'un bébé. Devant eux, une vue s'offre sur les murailles et toits brûlants de la Magistrature, et, au-delà, jusqu'à la baie blanchie par la brume où le *Shenandoah* a jeté l'ancre. L'odeur d'été se mêle à celle de la cire d'abeille et du papier frais. Les Néerlandais ont retiré leurs chaussures à l'entrée, et, en son for intérieur, Jacob remercie van Cleef de l'avoir mis en garde contre les bas troués. *Si le père d'Anna pouvait me voir*, pense-t-il, *moi qui suis à la cour du plus grand représentant du Shogun à Nagasaki.* Austères, les dignitaires et les interprètes gardent le silence. «Les planchers, explique van Cleef, sont gauchis à dessein, de sorte à déjouer les plans des assassins.

— Les assassins sont-ils donc légion en ce pays? demande Vorstenbosch.

— Vraisemblablement plus de nos jours, mais les vieilles habitudes ont la peau dure.

— Rafraîchissez-moi la mémoire, dit le chef. Pourquoi la Magistrature a-t-elle deux magistrats?

« – Quand le Magistrat Shiroyama prend ses fonctions à Nagasaki, le Magistrat Ômatsu réside à Edo, et *vice versa*. Il y a une rotation annuelle. Si l'un des deux venait à commettre quelque indiscrétion, son homologue s'empresserait de le dénoncer. Dans tout l'Empire, chaque poste de pouvoir est ainsi divisé et, de ce fait, neutralisé.

– Que pourrait donc bien enseigner Niccolò Machiavelli au Shogun ? Je m'interroge.

– En effet, monsieur. En cette cour, le Florentin serait novice, je suppose. »

L'interprète Kobayashi manifeste sa désapprobation d'entendre associer ces vénérables noms.

« Puis-je attirer votre attention, dit van Cleef qui change de sujet, sur ce vieil épouvantail accroché au mur de cette alcôve ?

– Dieu du ciel ! s'exclame Vorstenbosch qui s'en approche, mais c'est une arquebuse portugaise.

– Les mousquets étaient fabriqués sur une île de la province de Satsuma, après l'arrivée des Portugais. Plus tard, quand on comprit que dix mousquets maniés avec adresse par dix paysans pouvaient tuer dix *samurai*, le Shogun coupa court à leur fabrication. On imagine aisément le sort réservé à un monarque cherchant à imposer semblable décret en Europe… »

Un paravent décoré d'un tigre coulisse et un haut dignitaire au nez cassé surgit et s'approche de Kobayashi. L'interprète s'incline tout bas devant le chambellan Tomine, qu'il présente au chef Vorstenbosch. Le ton glacial de Tomine n'a d'égal que son comportement. « "Messieurs, traduit Kobayashi, dans la Salle aux soixante *tatami*, il y a le Magistrat et beaucoup de conseillers. Vous devez montrer la même obéissance avec le Magistrat qu'avec le Shogun."

– Le Magistrat Shiroyama, lui garantit Vorstenbosch, recevra exactement le respect qu'il mérite. »

Kobayashi ne semble pas vraiment rassuré.

La Salle aux soixante *tatami* est spacieuse et abritée de la lumière extérieure. Cinquante, voire soixante dignitaires en sueur qui agitent leurs éventails – visiblement, des *samurai* influents – délimitent un rectangle au tracé précis. On reconnaît le Magistrat Shiroyama à la position centrale et surélevée qu'il occupe. Son visage de quinquagénaire semble avoir connu les intempéries des hautes fonctions. La lumière qui pénètre dans la grande salle provient d'une cour ensoleillée située au sud et agrémentée de cailloux blancs, de pins aux branches contorsionnées et de rochers recouverts de mousse. Des tentures se balancent au-dessus des ouvertures orientées à l'est et à l'ouest. « *Oranda Kapitan !* » annonce un garde au cou charnu qui conduit les Néerlandais devant trois coussins pourpres placés dans le rectangle réservé aux courtisans. Le chambellan Tomine parle ; Kobayashi traduit : « Que les Néerlandais présentent leurs respects. »

Jacob s'agenouille sur son coussin, dépose son porte-documents sur le côté et s'incline. À sa droite, il sent que van Cleef s'exécute, lui aussi, mais en se redressant, il s'aperçoit que Vorstenbosch est toujours debout.

Le chef en poste se tourne vers Kobayashi : « Où est mon siège ? »

Cette demande provoque la silencieuse agitation qu'escomptait Vorstenbosch.

Le chambellan décoche une brève question à l'interprète Kobayashi.

« Au Japon, dit Kobayashi à Vorstenbosch en rougissant, ce n'est pas le déshonneur, être assis par terre.

– Fort bien, monsieur Kobayashi, mais je serai plus à mon aise sur une chaise. »

Kobayashi et Ogawa doivent calmer le chambellan furieux et apaiser le chef obstiné.

« S'il vous plaît, monsieur Vorstenbosch, dit Ogawa. Au Japon, il n'y a pas les chaises.

– Ne peut-on en improviser une pour un émissaire ? Toi, là ! »

Le dignitaire que Vorstenbosch montre du doigt s'étrangle et désigne la pointe de son nez.

« Oui, toi, va chercher dix coussins. *Dix*. Toi comprendre "dix" ? »

Consterné, le dignitaire dévisage Kobayashi, puis Ogawa, puis Kobayashi.

« Regarde un peu ! » Vorstenbosch agite le coussin quelques secondes, puis le laisse tomber et ouvre les dix doigts. « Apporte dix coussins ! Kobayashi, dites à ce crapaud ce que je souhaite. »

Le chambellan Tomine exige des réponses. Kobayashi explique pourquoi le chef refuse de s'agenouiller, pendant que Vorstenbosch, magnanime, affiche un sourire condescendant.

Toute la Salle aux soixante *tatami* se tait et attend la réaction du Magistrat.

Shiroyama et Vorstenbosch s'affrontent du regard pendant un interminable moment.

Puis le Magistrat, esquissant un sourire détendu et vainqueur, acquiesce d'un signe de tête. Le chambellan claque des mains : deux serviteurs apportent des coussins et les empilent jusqu'à ce que Vorstenbosch rayonne de satisfaction. « Voyez la récompense de l'être résolu, dit le chef néerlandais à ses compatriotes. Le chef Hemmij et Daniel Snitker mettaient à mal notre dignité en courbant l'échine. » Il tape sur l'encombrante pile. « À moi de la reconquérir. »

Le Magistrat Shiroyama s'adresse à Kobayashi :

« Le Magistrat demande, traduit l'interprète : "Vous êtes confortable, maintenant ?"

– Remerciez Son Honneur. Nous voilà à présent assis face à face, d'égal à égal. »

Jacob se doute que Kobayashi ne traduira pas les derniers mots de Vorstenbosch.

Le Magistrat Shiroyama acquiesce et se lance dans une longue phrase. « Il dit, commence Kobayashi, "Félicitations" au nouveau chef en poste, "Bienvenue à Nagasaki" et "Bienvenue encore à la

Magistrature" à l'adjoint. » Jacob, simple clerc, n'est pas pris en considération. « Le Magistrat espère que le voyage n'est pas trop… "ardu" et que le soleil n'est pas trop fort pour la peau faible des Néerlandais.

— Remerciez notre hôte de l'égard qu'il nous accorde, réplique Vorstenbosch, mais assurez-lui qu'en comparaison des mois de juillet que connaît Batavia, s'acclimater à l'été de Nagasaki est un jeu d'enfant. »

Shiroyama acquiesce à la traduction de ce propos, comme si un soupçon de longue date se confirmait enfin.

« Demandez, ordonne Vorstenbosch, si Son Honneur a apprécié le café que je lui ai offert. »

Jacob remarque que cette question provoque l'échange de regards malicieux entre les courtisans. Le Magistrat mesure bien sa réponse. « Le Magistrat dit : "Le goût de café est incomparable", traduit Ogawa.

— Dites-lui que nos plantations sur Java produisent assez pour pouvoir satisfaire même l'estomac goulu du Japon. Dites-lui que les générations futures honoreront le nom de Shiroyama, celui qui fit découvrir ce breuvage magique à son pays. »

Ogawa traduit ces propos avec diplomatie et se heurte à une tranquille objection.

« Le Magistrat dit : "Le Japon n'est pas faim de café", explique Kobayashi.

— Fi donc ! Fut un temps où l'Europe ne connaissait pas le café non plus, et pourtant aujourd'hui il n'est pas une rue de nos grandes capitales qui n'ait son cafetier… voire une dizaine ! L'on en tire de larges profits. »

Shiroyama change à dessein de sujet avant qu'Ogawa ne puisse traduire.

« Le Magistrat donne les condoléances pour le naufrage de l'*Octavia*, pendant la traversée du retour, l'hiver dernier, annonce Kobayashi.

– Dites-lui que c'est une curieuse coïncidence, l'exhorte Vorstenbosch, que notre discussion nous amène aux tourments endurés par notre honorable Compagnie dans sa lutte pour apporter la prospérité à Nagasaki… »

Ogawa, qui devine d'inévitables ennuis, doit néanmoins traduire.

Oh ? signifie l'expression entendue qu'affiche le visage de Shiroyama.

« Je vous apporte un communiqué urgent que vous adresse le gouverneur général et qui porte précisément sur ce sujet. »

Ogawa se tourne vers Jacob. « Que signifie "communiqué"?

– Une lettre, répond tout bas Jacob, un message diplomatique. »

Ogawa traduit. « Qu'on me l'apporte », ordonne la main de Shiroyama.

Du haut de sa tour de coussins, Vorstenbosch adresse un signe de tête à son secrétaire.

Jacob dénoue son porte-documents, en extrait la lettre fraîchement falsifiée et prétendument signée de Son Excellence P. G. van Overstraten, puis l'offre des deux mains au chambellan.

Le chambellan Tomine dépose l'enveloppe devant son maître au visage fermé.

Toute la Salle aux soixante *tatami* observe la scène sans aucunement dissimuler sa curiosité.

« Il paraît opportun, monsieur Kobayashi, avertit Vorstenbosch, de prévenir les bons messieurs ici présents – voire le Magistrat lui-même – qu'il s'agit là d'un ultimatum de notre gouverneur général. »

Kobayashi décoche un regard féroce à Ogawa, qui esquisse une question : « Qu'est-ce qu'un "ultim…"?

– Un ultimatum, répète van Cleef. Une menace, une demande, une forte mise en garde.

– C'est le très mauvais moment, répond Kobayashi en secouant la tête, pour une mise en garde.

– Mais enfin, le Magistrat Shiroyama doit savoir au plus vite » – la

70

malice atténue l'air soucieux du chef Vorstenbosch – «que le poste de traite de Dejima sera abandonné en fin de saison commerciale à moins qu'Edo ne nous fournisse vingt mille piculs, ne pensez-vous pas?

– "Abandonné", ajoute van Cleef, signifie arrêté, fini, terminé.»

Le sang quitte le visage des deux interprètes.

En son for intérieur, Jacob compatit de douleur pour Ogawa.

«S'il vous plaît, monsieur» – Ogawa peine à avaler sa salive –, «pas ces nouvelles ici, pas maintenant…»

À court de patience, le chambellan Tomine exige qu'on traduise ces propos.

«Mieux vaut ne pas faire attendre Son Honneur», suggère Vorstenbosch à Kobayashi.

Livrant chaque mot avec hésitation, Kobayashi annonce la terrible nouvelle.

Des questions fusent de toutes parts, mais quand bien même Kobayashi et Ogawa tenteraient d'y répondre, leurs paroles se noieraient dans le tumulte. Alors que règne le désordre, Jacob remarque la présence d'un homme assis trois places à gauche du Magistrat Shiroyama. Son visage met mal à l'aise le clerc, qui ne saurait cependant pas dire pourquoi. De surcroît, Jacob ne parvient pas à déterminer l'âge de cet homme. Son crâne rasé et son habit bleu océan semblent être ceux d'un moine, voire d'un confesseur. Ses lèvres sont serrées; ses pommettes, hautes; son nez, crochu; et ses yeux, d'une intelligence carnassière. Jacob n'est pas plus capable d'échapper à son regard qu'un livre ne peut, par sa propre volonté, échapper à l'œil scrutateur de son lecteur. Celui qui l'observe en silence incline la tête, tel un chien de chasse guettant les bruits de sa proie.

V

Réserve Doorn de Dejima

Après le déjeuner, le 1ᵉʳ août 1799

Les rouages et leviers du temps se bombent et se tordent sous l'effet de la chaleur. Dans l'obscurité suffocante, Jacob entendrait presque le crissement du sucre qui s'agglomère dans ses caisses. Le jour de l'encan, ce sucre sera vendu aux marchands d'épices à un prix dérisoire : faute de quoi, ils le savent bien, la cargaison sera restituée au *Shenandoah* en vue d'un infructueux réacheminement jusqu'aux réserves de Batavia. Le clerc vide sa tasse de thé vert. L'amertume du dépôt le fait grimacer, amplifie sa migraine mais stimule son cerveau.

Sur un lit de caisses de clous de girofle et de sacs de chanvre, Hanzaburo dort.

Telle une trace d'escargot, le mucus lui coule des narines jusqu'à la saillante pomme d'Adam.

Au grattement de la plume de Jacob se mêle un bruit similaire provenant de la charpente.

Un raclement régulier, bientôt couvert par un minuscule couinement de scie.

Un rat montant sa rate…, comprend le jeune homme.

Il écoute, et des souvenirs de corps de femmes l'assaillent.

Des souvenirs dont il ne tire aucune fierté et dont il ne parle jamais...

À m'attarder sur pareilles choses, songe Jacob, *je déshonore Anna.*

... mais ce sont ces images qui s'attardent sur lui, et, tel de l'arrow-root, lui épaississent le sang.

Concentre-toi sur la tâche qui t'incombe, espèce d'âne..., se réprimande le clerc.

Il retourne péniblement à sa traque des cinquante rixdales qui se cachent dans le maquis des faux reçus de ventes retrouvés dans un des coffres de Daniel Snitker. Il va pour se verser du thé, mais la théière est vide. « Hanzaburo ? » appelle-t-il.

Le garçon ne bouge pas. Les rats en rut sont à présent silencieux.

« *Hai !* » Quelques longues secondes après, le garçon se redresse. « Monsieur Dazûto ? »

Jacob lève sa tasse maculée d'encre. « Apporte-moi du thé, Hanzaburo, je te prie. »

Hanzaburo plisse les yeux, se frotte la tête et laisse échapper un « *Hah ?* ».

« Du thé, s'il te plaît. » Jacob agite sa théière. « *O-cha.* »

Hanzaburo soupire, se lève, saisit la théière et, le pas lourd, quitte la réserve.

Jacob se met à tailler sa plume, mais, déjà, sa tête flanche...

La silhouette d'un nain bossu se découpe dans la lumière blanche et aveuglante de la ruelle anguleuse.

Il tient fermement en main une massue... non, c'est un long jambon biscornu et ensanglanté.

Jacob soulève sa lourde tête. Il a un torticolis.

Le bossu pénètre dans la réserve ; il grogne et renifle.

Le jambon est en réalité une jambe humaine amputée : un tibia auquel sont reliées une cheville et un pied.

Et le bossu n'en est pas un : il s'agit de William Pitt, le singe de Dejima.

Jacob sursaute et se cogne le genou. La douleur lancine de tout son spectre.

William Pitt grimpe au sommet d'une pile de caisses sans lâcher son trophée sanguinolent.

« Comment diable » – Jacob se frotte le genou – « as-tu déniché pareil article ? »

Pour toute réponse, la respiration calme et régulière de la mer…

… et Jacob se souvient : le docteur Marinus a été appelé la veille à rejoindre le *Shenandoah*, car le pied d'un marin estonien a été écrasé suite à la chute d'une caisse. La gangrène gagnant le membre plus rapidement que le lait ne tournerait au soleil d'août nippon, le docteur a prescrit un passage sur la table d'opération. L'intervention se déroule aujourd'hui à l'hôpital, de sorte que quatre étudiants et quelques savants locaux puissent y assister. En tout état de cause, William Pitt se sera introduit dans les lieux et aura volé ce membre : sinon, comment expliquer la chose ?

Entre alors un deuxième personnage, momentanément aveuglé par l'obscurité de la réserve. Son buste gracile est chahuté par l'effort. Un tablier d'artisan barbouillé de taches noires recouvre son *kimono* bleu, et des mèches de cheveux dépassent du fichu qui dissimule en partie le côté droit de son visage. Ce personnage arrive sous la lumière apportée par la fenêtre haute, et Jacob saisit alors que le poursuivant est une jeune femme.

Hormis les blanchisseuses et les quelques « tantes » employées à la Guilde des interprètes, les seules femmes autorisées à franchir la porte-de-terre sont les prostituées, engagées pour une nuit, et les « épouses », qui demeurent quelque temps sous le toit des officiers les mieux rémunérés. Une bonne est au service de ces dispendieuses courtisanes : Jacob en déduit donc que son invitée occupe cette fonction, qu'elle a bataillé contre William Pitt, n'a pas réussi à lui arracher le membre dérobé et a pourchassé le singe qui s'est réfugié dans la réserve.

Des voix – néerlandaises, japonaises, malaises – en provenance de l'hôpital résonnent dans la grand-rue.

Le bâti de la large porte encadre leurs silhouettes qui, rapides comme l'éclair, traversent la ruelle anguleuse.

Jacob passe en revue son maigre vocabulaire japonais et regarde ce qu'il peut y glaner.

Elle remarque la présence de cet étranger aux cheveux roux et aux yeux verts, et s'alarme.

« Mademoiselle, l'implore Jacob en néerlandais, je… je… j… N'ayez crainte… je… »

La femme l'observe et en conclut qu'il ne représente guère une menace.

« Le vilain singe, dit-elle en reprenant sa contenance, vole le pied. »

D'abord, il acquiesce. Puis il se rend compte : « Vous parlez le néerlandais, mademoiselle ? »

Son haussement d'épaules signifie : *Un peu.* Elle continue : « Le vilain singe… entre ici ?

– Oui, oui. Ce diable hirsute est là-haut. » Jacob montre William Pitt au sommet de la pile de caisses. Voulant impressionner la jeune femme, le clerc s'approche à grands pas. « William Pitt, lâche cette jambe. Donne-la-moi. Allons ! »

Le singe dépose la jambe à côté de lui, et, mâchoire serrée et dents découvertes, il attrape son pénis rose comme de la rhubarbe et le pince tel un harpiste échappé d'un asile de fous tout en caquetant. Jacob s'inquiète de ce que ce spectacle puisse offenser la pudeur de sa visiteuse, mais celle-ci est à moitié tournée pour dissimuler son rire, et sa position révèle une large brûlure sur la partie droite de son visage. Une brûlure sombre, qui lui marbre la peau et qui, de près, se révèle très voyante. *Comment une bonne de courtisane peut gagner sa vie, défigurée de la sorte ?* se demande

Jacob. Trop tard, il se rend compte qu'elle le voit l'observer, bouche bée. Repoussant son fichu, elle tend la joue à Jacob. *Là*, semble déclarer ce geste. *Bois tout ton soûl!*

« Je… » Jacob est mortifié. « Veuillez excuser ma grossièreté, mademoiselle… »

Craignant qu'elle ne le comprenne pas, il s'incline bien bas et reste dans cette position cinq secondes.

La jeune femme rajuste son fichu et reporte son attention sur William Pitt. Faisant fi de Jacob, elle s'adresse au singe dans un japonais chantant.

Le voleur reprend la jambe et l'étreint comme une orpheline serrerait sa poupée.

Déterminé à se montrer sous un meilleur jour, Jacob s'approche de la pile de caisses.

Il saute sur un coffre. « Écoute-moi bien, espèce de sac à puces… »

Le fouet d'un liquide chaud aux parfums de rosbif le gifle.

Tentant de dévier le jet, il perd l'équilibre…

… tombe à la renverse et, cul par-dessus tête, atterrit sur la terre battue.

Pour se sentir mortifié, songe Jacob pendant que la douleur diminue, *il faudrait déjà qu'il nous restât un tant soit peu de fierté…*

La jeune femme s'appuie sur la couche improvisée de Hanzaburo.

… *mais de fierté, me voilà dépourvu, moi sur qui William Pitt a uriné.*

Elle s'essuie les yeux, tremblant sous un rire presque inaudible.

Anna rit ainsi, se dit Jacob. *Anna rit exactement ainsi.*

« J'ai désolé. » Elle prend une longue inspiration, puis ses lèvres remuent. « Veuillez excuser ma… *grossaireté?* »

– "Grossièreté", mademoiselle. » Il se dirige vers le seau d'eau. « Du mot "grossier".

– "Grossièreté", répète-t-elle, du mot "grossier". Ça n'a pas de drôle. »

Jacob se rince le visage, mais pour laver l'urine de singe qui imprègne sa deuxième plus belle chemise de lin, il lui faut la retirer. Hors de question pour Jacob de s'exécuter ici.

« Vous voulez » – elle plonge la main dans une poche de sa manche, en extrait un éventail replié qu'elle dépose sur une caisse de sucre non raffiné, puis lui tend un carré de papier – « essuyer le visage ?

– Fort aimable. » Jacob le prend et s'éponge le front et les joues.

« Échangez avec le singe, suggère-t-elle. Échangez la jambe contre une chose. »

Jacob considère cette idée. « L'animal a un faible pour le tabac.

« Ta-ba ? » Elle claque les mains, résolue. « Vous avez ? »

Jacob lui offre sa blague de cuir et le restant de tabac javanais qu'elle contient.

Elle agite l'appât, placé au bout d'un balai hissé à la hauteur du perchoir de William Pitt.

Le singe tend la patte. La jeune femme écarte le balai et marmonne quelque supplique…

Et William Pitt lâche la jambe pour se saisir de son nouveau trophée.

Le membre retombe lourdement au sol et s'immobilise devant la jeune femme. Elle adresse à Jacob un regard triomphal, se débarrasse du balai et ramasse la jambe amputée avec la nonchalance d'un paysan ramassant un navet. L'os sectionné dépasse de son fourreau de chair sanguinolente aux orteils crasseux. En hauteur, l'empilement de caisses résonne : William Pitt s'est échappé par la fenêtre, emportant sa récompense sur les toits de la grand-rue.

« Le tabac est perdu, monsieur, dit la jeune femme. Très désolée.

– Ce n'est rien, mademoiselle. Vous avez récupéré votre jambe. Enfin, non, pas *votre* jambe… »

Des questions et des réponses criées fusent dans la ruelle anguleuse.

Jacob et sa visiteuse reculent chacun de quelques pas.

« Veuillez me pardonner, mademoiselle, mais… êtes-vous la bonne d'une courtisane ?

– Bônu-dûnu-kochi-zânu ? répète-t-elle, perplexe. Qu'est-ce ?

– La servante d'une… d'une… » – Jacob cherche une alternative lexicale – «… d'une putain. »

Elle dépose le membre sur un carré de tissu. « La servante d'une pyûten ? »

Un garde apparaît devant la porte. Celui-ci aperçoit le Néerlandais, la jeune femme et le membre disparu. Il leur décoche un rictus et se met à lancer des cris qui retentissent dans la ruelle anguleuse, et déjà d'autres gardes, inspecteurs et dignitaires arrivent, suivis de l'adjoint van Cleef, de Kosugi, connétable fanfaron se pavanant dans les rues de Dejima, d'Eelattu, l'assistant du docteur Marinus, dont le tablier est aussi sanguinolent que celui de la femme au visage brûlé, d'Arie Grote en compagnie d'un marchand japonais au regard perçant, de plusieurs érudits, et enfin de Con Twomey qui, son mètre pliant en main, demande à Jacob en anglais : « Qu'est-ce donc que cette affreuse odeur, mon salaud ? »

Jacob se souvient du registre en cours de restauration qu'il a laissé grand ouvert sur la table, offert à la vue de tous. Il s'empresse de le cacher, quand arrivent quatre jeunes gens qui ont chacun le crâne rasé des étudiants en médecine et un tablier semblable à celui de la femme au visage brûlé ; ils commencent à interroger celle-ci tous ensemble. Le clerc devine qu'il s'agit là des « séminaristes » du docteur Marinus, mais vite, ceux qui viennent de faire irruption laissent la jeune femme faire son récit. Elle désigne la pile de caisses au sommet de laquelle William Pitt s'était hissé, puis esquisse des gestes en direction de Jacob, qui rougit tandis que pivote vers lui une vingtaine ou une trentaine de têtes. Elle s'exprime dans sa langue avec aplomb. Le clerc guette l'hilarité qui gagnera l'auditoire quand il prendra connaissance de l'épisode du singe le compissant, mais la jeune femme semble passer outre à cette péripétie, et conclut sa narration sous des hochements de tête approbateurs. Twomey sort en emportant le membre de l'Estonien afin de lui tailler une jambe de bois de longueur identique.

«Je t'ai vu, s'exclame van Cleef qui attrape un garde par la manche, fichu gredin!»

Une pluie de noix de muscade rouge vif se répand au sol.

«Baert! Fischer! Expulsez ces satanés voleurs de la réserve!»

L'adjoint gesticule et pousse le troupeau vers la porte en criant «Décampez! Ouste! Grote, fouillez ceux qui vous paraissent suspects, et avec le même ménagement qu'ils nous réservent. De Zoet, surveillez nos marchandises, sans quoi elles prendront d'elles-mêmes la poudre d'escampette.»

Jacob monte sur une caisse afin de mieux examiner les intrus qui repartent.

Il aperçoit la bonne au visage brûlé, qui sort dans la ruelle baignée de soleil en offrant son aide à un frêle érudit.

Contre toute attente, elle se retourne et lui adresse un signe de la main.

Jacob, qui reçoit avec délices ce signal secret, lui retourne le geste.

Non, constate-t-il, *elle se protège de l'éblouissement du soleil…*

Bayant aux corneilles, Hanzaburo revient avec la théière.

Tu ne lui as même pas demandé son nom, Jacob de Sot, réalise-t-il.

Il remarque qu'elle a oublié son éventail, replié sur la caisse de sucre.

L'air furieux, van Cleef repart le dernier, bousculant sur son passage Hanzaburo, immobile devant le seuil, la théière en main. Celui-ci demande : «Il arrive quelque chose?»

Vienne minuit, la salle à manger du chef est enfumée par les pipes. Les serviteurs Cupidon et Filandre jouent «Pommes de Delft» à la viole de gambe et à la flûte.

«Oui, le président Adams est pour ainsi dire notre Shogun,

monsieur Goto » – le capitaine Lacy chasse de sa moustache quelques miettes de tourte –, « mais il a été choisi par le peuple américain. C'est tout l'intérêt de la démocratie. »

Les cinq interprètes échangent ces regards prudents que Jacob sait désormais reconnaître.

« Les grands seigneurs, *et cetera*, choisissent le président ? tente de clarifier Ogawa Uzaemon.

– Pas les grands seigneurs, non. » Lacy se cure les dents. « Les citoyens, oui. Tout un chacun.

– Même… » – les yeux de l'interprète Goto s'arrêtent sur Con Twomey – « … les charpentiers ?

– Les charpentiers, les boulangers et même les chiffonniers, éructe Lacy.

– Les esclaves de Washington et Jefferson ont-ils le droit de vote ? demande Marinus.

– Enfin non, docteur, sourit Lacy. Ni les chevaux, ni les bœufs, ni les abeilles ou encore les femmes. »

Mais a-t-on déjà vu une apprentie geisha courir après un singe pour récupérer une jambe ? s'interroge Jacob.

« Mais si le peuple fait mauvais choix et le président est un homme mauvais ? demande Goto.

– À l'élection suivante – quatre années après, tout au plus –, nous votons contre lui.

– Le vieux président » – l'interprète Hori est grisé par le rhum – « est *exécuté* ?

– Une "élection", non une "exécution", monsieur Hori, dit Twomey. Quand le peuple choisit un chef.

– Assurément, un système meilleur » – Lacy lève son verre pour indiquer à Weh, l'esclave de van Cleef, de le remplir – « que celui qui consiste à attendre la mort d'un shogun corrompu, idiot ou pris de folie, n'est-ce pas ? »

Les interprètes ont l'air mal à l'aise : certes, aucun informateur ne parle assez couramment le néerlandais pour saisir le caractère perfide de ces paroles ; cependant, quelle garantie a-t-on que la Magistrature n'a pas employé un des quatre autres interprètes afin de rapporter le comportement de ses pairs ?

« Je crois que la démocratie, déclare Goto, n'est pas une fleur qui éclôt dans le Japon.

– La terre d'Asie, le rejoint l'interprète Hori, n'est pas correcte pour les fleurs de l'Europe et de l'Amérique.

– Est-ce que M. Washington ou M. Adams » – l'interprète Iwase change de sujet – « a la lignée royale ?

– Le but de notre révolution » – le capitaine Lacy claque des doigts, ordonnant à l'esclave Ignatius de lui apporter le crachoir –, « dans laquelle j'ai joué un certain rôle à une époque où ma panse s'avérait un peu moins ronde, était précisément de purger l'Amérique de son sang bleu. » Il crache une glaire monstrueuse. « Un homme peut devenir un grand dirigeant : prenez le général Washington, par exemple. Mais pourquoi ses rejetons hériteraient-ils des qualités de leur cher papa ? La consanguinité des familles royales n'amène-t-elle pas plus fréquemment des imbéciles et des propres à rien – de véritables "rois George", d'aucuns diraient – que tous ceux qui gravissent l'échelle du monde avec comme seul moyen le talent que Dieu leur a prêté ? » S'adressant au sujet du monarque britannique venu en toute clandestinité, Lacy murmure en aparté et en anglais : « Sans vouloir vous offenser, monsieur Twomey.

– Des salopards ici présents, je serais bien le dernier à m'en offusquer ! » confesse l'Irlandais.

Cupidon et Filandre entonnent « Sept roses blanches pour mon seul et unique amour ».

La tête d'un Baert ivre mort retombe et atterrit dans un plat de haricots rouges.

Avec cette brûlure, ressent-elle une chaleur, une froideur ou un engourdissement quand on la touche ? se demande Jacob.

Marinus redresse sa canne. « Vous voudrez bien m'excuser,

messieurs, j'ai laissé à Eelattu le soin de faire bouillir la jambe de l'Estonien. Faute d'un œil expert, du suif va bientôt couler du plafond. Mes compliments, monsieur Vorstenbosch…» Il s'incline devant les interprètes et sort de la pièce en claudiquant.

«La loi japonaise autorise-t-elle la polygamie? sourit mielleusement le capitaine Lacy.

– Qu'est-ce que po-ri-ga-mi, adjoint van Cleef?» Hori bourre sa pipe. «Pourquoi le besoin de l'autorisation?

– Expliquez-lui, de Zoet, dit van Cleef. Les mots sont votre point fort.

– La polygamie, eh bien…» – Jacob réfléchit – «… c'est un époux, et de nombreuses épouses.

– Ah. Oh.» Hori a un rictus aux lèvres; les autres interprètes acquiescent d'un hochement de tête. «Polygamie.

– Les mahométans ont quatre femmes.» Le capitaine Lacy lance une amande en l'air et la gobe. «Les Chinois en réunissent jusqu'à sept sous le même toit. Combien d'épouses un Japonais peut-il enfermer pour sa collection personnelle, dites-nous?

– Dans tous les pays, la même chose, répond Hori. En Japon, en Hollande, en Chine, la même chose. Je dis pourquoi: tous les hommes épousent une première femme. L'homme» – grivois, Hori esquisse un geste obscène, utilisant son poing et son index – «jusque la femme» – il mime un ventre fécond – «oui? Après, l'homme prend le nombre de femmes que sa fortune accorde. Capitaine Lacy veut une épouse sur Dejima pendant la saison du commerce, comme M. Snitker et M. van Cleef?

– Je préférerais» – Lacy se mord l'ongle du pouce – «visiter le fameux quartier de Maruyama.

– M. Hemmij, se remémore l'interprète Yonekizu, commandait des courtisanes pour ses festins.

– Le chef Hemmij, dit Vorstenbosch d'un air sombre, s'est offert de nombreux plaisirs aux dépens de la Compagnie, tout comme M. Snitker. Aussi ce dernier est-il à présent au pain sec

82

et à l'eau. Quant à nous, nous jouissons des récompenses rétribuant les honnêtes employés. »

Jacob jette un regard en direction d'Ivo Oost : celui-ci le fixe d'un air renfrogné.

Baert soulève son visage truffé de haricots et s'exclame : « Mais, monsieur, ce n'est pas vraiment ma tante ! » avant de rire comme une écolière et de tomber de sa chaise.

« Je propose de porter un toast, déclare l'adjoint van Cleef, à nos femmes absentes. »

Les buveurs et les soupeurs remplissent mutuellement leurs verres.

« À nos femmes absentes !

– Spécial pour M. Ogawa, s'étrangle Hori à qui le gin brûle le gosier. M. Ogawa, il marie cette année une belle femme. » Le coude de Hori est couvert de mousse à la rhubarbe. « Chaque nuit » – il se met à imiter un cavalier – « trois, quatre, cinq galopages ! »

Les rires sont rauques, mais Ogawa sourit à peine.

« Vous demandez à un homme affamé de boire à la santé d'un glouton, intervient Gerritszoon.

– Monsieur Gerritszoon veut une fille ? » Hori est la sollicitude même. « Mon serviteur apporte. Vous dites ce que vous voulez. Grosse ? Étroite ? Tigre ? Bébé chat ? Gentille sœur ?

– Personne ici ne cracherait sur une gentille sœur, se plaint Arie Grote. Mais l'argent, hé ? Pour le prix d'une culbute avec une putain de Nagasaki, on achète un bordel à Siam. Monsieur Vorstenbosch, la Compagnie a-t-elle déjà offert quelque subside pour financer la chose ? Regardez ce pauvre Oost : si l'on considère son salaire *officiel*, monsieur, une… consolation féminine lui coûterait, quoi, un an de travail !

– La diète de l'abstinence n'a jamais fait de mal à quiconque, réplique Vorstenbosch.

– Mais, monsieur, imaginez à quels vices peut être poussé un Néerlandais au sang chaud si, comme qui dirait, il ne décharge jamais les fardeaux de ses besoins naturels ?

– Votre femme en Hollande manque à vous, monsieur Grote ? demande Hori.

– "Au sud de Gibraltar, cite le capitaine Lacy, tous les hommes sont célibataires."

– La latitude de Nagasaki se trouvant, comme nous le savons, au nord de celle de Gibraltar, intervient Fischer.

– Je ne savais pas que vous étiez marié, monsieur Grote, s'étonne Vorstenbosch.

– Si nous pouvions éviter le sujet, explique Ouwehand, je crois qu'il nous en saurait gré, monsieur.

– Une traînée de Frise occidentale. » Le cuisinier se passe la langue sur de noires incisives. « Si je pense à elle, c'est seulement pour prier que les Ottomans envahissent sa région et repartent avec cette chienne.

– Si vous ne aimez pas la femme, demande l'interprète Yonekizu, pourquoi vous ne faites pas le divorce ?

– Plus facile à dire qu'à faire, monsieur, dans nos soi-disant pays chrétiens, soupire Grote.

– Alors pourquoi » – Hori tousse sa bouffée de tabac – « vous avez marié ?

– Oh, c'est une saga trop longue et trop triste, monsieur Hori, elle ne mérite pas…

– La dernière fois que M. Grote est rentré chez lui, se charge de raconter Ouwehand, celui-ci a fait la cour à une jeune héritière qui habitait une maison de ville à Roomolenstraat et lui répétait combien son père souffrant et sans héritier souhaitait qu'un bon gendre reprît les affaires de sa ferme, mais que partout rôdaient de faux prétendants prompts à rafler la mise. M. Grote lui accorda que les mers de la séduction regorgent de requins et lui fit part des préjugés que rencontre un jeune *parvenu* * de retour des colonies : la fortune amassée chaque année grâce aux récoltes de ses plantations à Sumatra n'équivaut-elle pas à quelque richesse héréditaire ? En une semaine, les tourtereaux furent mariés. Au lendemain de la noce, l'aubergiste présenta sa note et chacun dit à l'autre : "Règle les comptes, ô Musique de mon cœur." Mais à leur sincère stupeur, aucun des deux n'était en mesure de solder la dette, car le mari comme l'épouse avaient dépensé leurs dernières piécettes à courtiser l'autre ! Volatilisées, les plantations de M. Grote à Sumatra. La maison de Roomolenstraat n'était qu'un décor prêté par un complice. Le père souffrant se révéla être un livreur de bière certes chauve, mais en pleine santé qui, de surcroît, avait déjà un héritier, aussi... »

Lacy laisse échapper un rot. « Veuillez m'excuser : c'étaient les œufs mimosa.

– Adjoint van Cleef ? s'alarme Goto. Les Ottomans envahissent la Hollande ? Il n'y a pas cette nouvelle dans le dernier rapport *Fusetsuki...* »

Van Cleef époussette sa serviette. « M. Grote plaisantait, monsieur.

– Il plaisantait ? » Le jeune et sérieux interprète fronce les sourcils et cligne des yeux. « Il plaisantait... »

Cupidon et Filandre jouent un air langoureux de Boccherini.

« N'est-il pas consternant, rumine Vorstenbosch, de songer que si Edo venait à refuser l'augmentation du quota de cuivre, ces lieux se mureraient à jamais dans le silence ? »

Yonekizu et Hori grimacent ; Goto et Ogawa affichent une expression neutre.

La plupart des Néerlandais ont demandé à Jacob si cet extraordinaire ultimatum était un coup de bluff. À chacun, il a répondu de poser directement la question au chef, tout en sachant que personne n'oserait. La cargaison de la saison commerciale précédente ayant sombré dans le naufrage de l'*Octavia*, nombreux seraient ceux qui retourneraient à Batavia plus pauvres qu'en la quittant.

« Qui était donc cette étrange femelle » – van Cleef presse un citron dans un verre vénitien – « dans la réserve Doorn ?

– Mlle Aibagawa, répond Goto, est la fille de docteur et savant. »

Aibagawa. Jacob égrène chaque syllabe. *Ai-ba-ga-wa...*

« Le Magistrat donne autorisation pour étudier chez le docteur néerlandais », explique Iwase.

Et moi qui l'ai traitée de « servante d'une putain », frémit Jacob.

« Bien étrange Locuste que celle-ci, à son aise en salle de chirurgie, s'étonne Fischer.

– Le sexe faible, lui objecte Jacob, peut se montrer aussi résistant que le fort.

– Que M. de Zoet ne publie-t-il pas » – le Prussien se cure le nez – « cette éblouissante épigramme. »

– Mlle Aibagawa est sage-femme, intervient Ogawa. Elle a l'habitude du sang.

– Mais je croyais que les femmes n'avaient pas droit de séjour sur Dejima, hormis les courtisanes, leurs bonnes ou les vieilles biques de la Guilde, dit Vorstenbosch.

– Elles ont pas droit de séjour, confirme Yonekizu, indigné. Pas de précédents. Jamais.

– Mlle Aibagawa travaille dur, s'exprime Ogawa. C'est la sage-femme des riches clients et des gens pauvres qui ne peuvent pas payer. Il y a récent, elle a fait naître le fils du Magistrat Shiroyama. La naissance était difficile, et l'autre docteur renonce, mais elle persévère et elle réussit. Le Magistrat Shiroyama était joyeux. Il donne la récompense à Mlle Aibagawa : un souhait. Le souhait, c'est étudier avec le docteur Marinus sur Dejima. Alors le Magistrat a tenu la promesse.

– La femme qui étudie dans l'hôpital, déclare Yonekizu, ce n'est pas bien.

– Pourtant, elle a tenu sans trembler la bassine à sang, note Con Twomey, elle échangeait avec le docteur Marinus dans un néerlandais honnête et a pourchassé un singe ; ses condisciples masculins, eux, semblaient terrassés par la nausée. »

Je poserais une douzaine de questions, si j'en avais le cœur, songe Jacob. *Une douzaine de douzaines.*

« Mais la présence d'une fille ne chatouille-t-elle pas certaines parties embarrassantes de l'anatomie de ces garçons ? demande Ouwehand.

– Pas quand la fille en question » – Fischer fait tournoyer son gin – « a une tranche de jambon collée au visage.

– Ces paroles sont loin d'être galantes, monsieur Fischer, dit Jacob. Elles vous déshonorent.

– Qui oserait prétendre que ça ne se voit pas, de Zoet ? Dans mon village, on dirait d'elle que c'est une "canne d'aveugle", car il n'y aurait qu'un aveugle pour poser la main sur elle. »

Jacob s'imagine fracasser la mâchoire du Prussien à l'aide de la carafe de Delft.

Une bougie s'affaisse. La cire s'en écoule. La coulure durcit.

« Un jour, dit Ogawa, Mlle Aibagawa fait joyeux mariage, je suis sûr.

– Quel est le meilleur remède contre l'amour ? demande Grote. C'est le mariage, moi je vous le dis. »

Un papillon de nuit fonce dans la flamme d'une bougie. Il tombe sur la table, agitant les ailes.

« Pauvre Icare. » Ouwehand l'écrase d'un coup de chope. « N'apprendras-tu donc jamais ? »

Les insectes nocturnes trillent, cliquettent, forent, tintent. Ils brillent, furètent, mordent, chuintent.

Hanzaburo ronfle, couché dans le réduit situé avant la porte palière de Jacob.

Éveillé, Jacob est étendu, couvert d'un drap, sous une moustiquaire.

Ai, la bouche s'ouvre ; *ba*, les lèvres se rejoignent ; *ga*, la racine de la langue ; *wa*, les lèvres.

Sans le vouloir, il se rejoue la scène de la journée en boucle.

Il frémit quand il songe au rustre qu'il a été, et tente en vain de corriger le texte de la pièce.

Il ouvre l'éventail qu'elle a oublié dans la réserve Doorn. Et s'évente.

Le papier est blanc. La base et les lames sont en paulownia.

Un garde frappe ses sandales de bois afin d'indiquer l'heure nippone.

La lune écumeuse est emprisonnée dans cette fenêtre mi-japonaise, mi-néerlandaise…

… Les vitres en atténuent la lumière. Les écrans de papier la filtrent et ne laissent passer qu'une poussière de craie.

L'aube n'est plus très loin. Dans la réserve Doorn, les registres de l'année 1796 attendent Jacob.

C'est cette chère Anna que j'aime, récite-t-il, *et c'est moi qu'Anna aime.*

Sous la couche de sueur qui l'enveloppe, il transpire encore. Le drap de son lit est trempé.

Mlle Aibagawa est aussi inaccessible que la femme d'un tableau…

Jacob s'imagine entendre un clavecin.

… un tableau qu'on verrait à travers la serrure d'une chaumière à laquelle la vie nous aurait un jour mené…

Les notes de musique sont araignées, étoiles, verre soufflé.

Jacob entend réellement un clavecin : il s'agit du docteur, qui joue dans son grenier oblong.

Jacob doit ce privilège au silence de la nuit et à un caprice de l'acoustique : quand on lui demande de jouer, Marinus refuse. Même quand la requête émane de ses savants amis ou d'un éminent personnage en visite.

La musique provoque un furieux désir que la musique apaise.

Comment un cuistre pareil peut-il ainsi toucher au divin ?

Les insectes nocturnes trillent, cliquettent, forent, tintent. Ils brillent, furètent, mordent, chuintent…

VI

Chambre de Jacob, Maison haute de Dejima

Très tôt dans la matinée du 10 août 1799

La lumière saigne par les vantaux de la pièce. Jacob navigue à travers l'archipel des taches maculant les lattes de ce bas plafond de bois. Dehors, les esclaves d'Orsay et Ignatius discutent tout en nourrissant les animaux. Jacob se remémore la fête donnée à l'occasion de l'anniversaire d'Anna, quelques jours avant qu'il parte. Le père de la jeune fille avait invité une demi-douzaine de jeunes prétendants hautement éligibles et offert un somptueux dîner préparé avec tant de maestria que le poulet avait le goût du poisson et le poisson, celui du poulet. Le père avait porté un toast non dénué d'ironie « à la fortune de Jacob de Zoet, prince-marchand des Indes ». Anna avait récompensé d'un sourire l'abnégation de Jacob : ses doigts caressaient le collier d'ambre blanc suédois qu'il lui avait rapporté de Göteborg.

À l'autre bout du monde, Jacob soupire, accablé de désirs et de regrets.

À sa surprise, Hanzaburo lance : « Monsieur Dazûto veut quelque chose ?

— Non, rien. Il est tôt, Hanzaburo, rendors-toi. Dormir. » Jacob pousse un faux ronflement.

«Cochon? Vous voulez cochon? Ah, ah, ah: *doromîru!* Oui… oui, j'aime *doromîru…*»

Jacob se lève et boit à même une cruche ébréchée, puis se met à faire mousser du savon.

Derrière les éphélides de son miroir piqué, il observe ses yeux verts et son visage aux taches de rousseur.

La lame émoussée lui arrache la barbe naissante et lui entaille le sillon du menton.

Une larme de sang perle, rouge comme les tulipes, se mélange au savon et forme une mousse rosâtre.

Jacob se dit qu'une vraie barbe lui épargnerait ce genre de désagrément…

… mais il se souvient du verdict de sa sœur Geertje quand il s'en était revenu d'Angleterre arborant une moustache qui ne fit pas long feu. «Ouh. Noircis-la de suie, cher frère. Ainsi tu pourras cirer nos bottes!»

Il se touche le nez, récemment rajusté par le déchu Snitker.

La cicatrice au niveau de son oreille est le souvenir laissé par un chien qui l'a mordu.

Quand un homme se rase, songe Jacob, *il relit le plus authentique de ses mémoires.*

Tout en suivant le contour de ses lèvres du bout des doigts, il se remémore le matin de son départ. Anna avait persuadé son père de les emmener tous deux au wharf de Rotterdam dans son coche. «Trois minutes, dit-il à Jacob en descendant pour aller parler au clerc principal. Pas une de plus.» Anna sut quoi lui dire. «Cinq ans, le temps sera long. Mais la plupart des femmes mettent toute une vie à trouver un homme gentil et honnête.» Jacob avait tenté de lui répondre, mais elle l'en avait empêché. «Je sais comment les hommes agissent quand ils partent loin; peut-être sont-ils voués à se comporter ainsi – silence, Jacob de Zoet! Aussi, tout ce que je vous demande est d'être prudent à Java: que votre cœur reste à moi, à moi seule. Je ne vous donnerai pas de bague ou de médaillon, car il est possible de perdre ce genre de choses, mais ceci, au moins, vous ne pourrez le perdre…» Anna l'embrassa pour la première et la dernière fois. Un long et triste baiser. Ils contemplèrent la pluie s'abattre sur les fenêtres, les bateaux, et la mer grise comme de l'ardoise, jusqu'à ce que vienne l'heure du départ…

Le rasage de Jacob est terminé. Il s'essuie le visage, s'habille et lustre une pomme.

Mlle Aibagawa, songe-t-il en croquant dans le fruit, *est une érudite, pas une courtisane…*

Depuis la fenêtre, il regarde d'Orsay arroser les haricots grimpants.

… les rendez-vous clandestins, et encore moins les romances clandestines, sont choses impossibles en ces lieux.

Il mange le trognon et recrache les pépins sur le dos de sa main.

Je désire simplement discuter, Jacob en est sûr, *et en savoir davantage à son sujet…*

Il détache la clé qu'il porte en pendentif autour du cou et la tourne dans la serrure de sa malle.

L'amitié est possible entre les deux sexes, telle celle qui me lie à ma sœur.

Une mouche obstinée vrombit au-dessus de l'urine dans le pot de chambre.

Il plonge profondément la main dans la malle, atteignant presque son psautier, et trouve l'*in-folio* relié.

Jacob dénoue les rubans du livre et se met à étudier la première page de musique.

Les notes de ces lumineuses sonates sont accrochées aux portées telles des grappes de raisin.

La capacité de Jacob à lire la musique se limite aux *Cantiques de l'Église réformée.*

Aujourd'hui peut-être est un bon jour pour créer des liens avec le docteur Marinus…

Jacob se livre à une courte promenade à travers Dejima – où toutes les promenades sont courtes – afin de peaufiner son plan d'action et fourbir son argumentation. Les mouettes et les corbeaux se chamaillent sur le faîtage de la Maison au jardin.

Dans le jardin, les roses crème et les lis rouges sont déjà sur le déclin.

À la porte-de-terre, les avitailleurs apportent le pain.

Place du Drapeau, Peter Fischer est assis sur les marches du poste d'observation. « Perdez une heure dans la matinée, clerc de Zoet, lui lance le Prussien, et vous passerez toute la journée à la rechercher. »

Chez van Cleef, à la fenêtre située à l'étage, la nouvelle « épouse » de l'adjoint se peigne les cheveux.

Elle sourit à Jacob ; apparaît Melchior van Cleef, arborant un hirsute poitrail d'ours.

« "Tu ne tremperas point ta plume dans un encrier appartenant à autrui" », déclare-t-il.

Dans un vif coulissement, la fenêtre *shoji* se referme sans laisser à Jacob le temps de clamer son innocence.

À l'ombre, devant la Guilde des interprètes, les porteurs de palanquins se tiennent accroupis. Ils suivent du regard ce rouquin d'étranger qui passe.

Juché sur la Muraille de mer, William Pitt scrute ces nuages arqués comme des côtes de baleine.

Près de la Cuisine, Arie Grote dit à Jacob : « Avec votre chapeau de bambou, vous ressemblez à un Chinois, monsieur de Z. Avez-vous pensé à… ?

– Non », lui répond l'officier des comptes, qui poursuit son chemin.

Devant sa maisonnette située dans la contre-allée de la Muraille de mer, le connétable Kosugi adresse un hochement de tête à Jacob.

Véhéments, les esclaves Ignatius et Weh se querellent en malais tout en trayant les chèvres.

Ivo Oost et Wybo Gerritszoon se lancent une balle en silence.

«Ouaf! Ouaf!» fait l'un des deux au passage de Jacob, qui décide de ne rien entendre.

Con Twomey et Ponke Ouwehand fument leurs pipes sous les pins.

«Je ne sais quel noble est mort à Miyako, soupire Ouwehand, ironique. Les coups de marteau et la musique sont interdits pendant deux jours. Le travail devra attendre. Et pas seulement ici, mais partout dans l'Empire. Van Cleef est persuadé que c'est encore un stratagème pour retarder la reconstruction de la réserve Lelie, et nous rendre plus prompts à vendre...»

Je n'ai pas tant l'impression de peaufiner mon plan d'action que de perdre mes nerfs, reconnaît Jacob.

Dans la salle de chirurgie, le docteur Marinus est étendu sur la table d'opération, les yeux fermés. Il fredonne un air de musique baroque qui résonne dans son cou porcin.

Eelattu masse les bajoues de son maître avec de l'huile parfumée et une délicatesse toute féminine.

De la vapeur s'élève d'un bol rempli d'eau. Le rasoir brillant tranche la lumière.

Au sol, un toucan picore des haricots dans une soucoupe en étain.

Des prunes sont empilées dans un plat en terre cuite, boules indigo poudrées de bleu.

Marinus, à qui Eelattu signale par un murmure en malais l'arrivée de Jacob, ouvre un œil mécontent.

– *Quoi?*

«J'aimerais vous consulter à propos... de quelque chose.

– Continue le rasage, Eelattu. Eh bien, allez-y, Dombourgeois, consultez-moi.

– Je serais plus à l'aise si l'entretien était confidentiel, docteur, car le…

– Eelattu sera "dans la confidence". Dans notre petit Shangri-La, son niveau de connaissance de l'anatomie et des pathologies succède au mien. À moins que ce ne soit ce toucan dont vous vous méfiez ?

– Eh bien… » Jacob voit qu'il doit s'en remettre tant à la discrétion du serviteur qu'à celle de Marinus. « Un de vos disciples m'intrigue…

– Quelle affaire vous lie » – son autre œil s'ouvre – « à Mlle Aibagawa ?

– Aucune, je vous assure. Je souhaitais simplement… m'entretenir avec elle…

– Eh bien dans ce cas, que faites-vous donc à vous entretenir avec moi ?

– … m'entretenir avec elle sans être observé par une dizaine d'espions.

– Ah. *Ah.* Ah. Et vous voudriez que je vous organise un *rendez-vous clandestin* ?

– Ces mots ont une connotation suspecte, docteur, ce n'est pas…

– Il en est hors de question. *Primo*, parce que Mlle Aibagawa n'est pas l'Ève qu'on engage pour gratter Adam de Zoet là où cela le démange. Elle est la fille d'un homme respectable. *Secundo*, quand bien même Mlle Aibagawa fût "à disposition" sur Dejima en tant qu'"épouse" – ce qu'elle n'est *pas*…

– Je sais tout cela, docteur. Et sur mon honneur, je ne suis pas venu ici vous…

– … ce qu'elle n'est *pas* –, des espions rapporteraient dans la demi-heure la nouvelle de votre "liaison", et l'on me reprendrait cette autorisation âprement obtenue d'enseigner, d'effectuer mes recherches botaniques, et de fréquenter les érudits de Nagasaki. Alors disparaissez. Décongestionnez vos testicules *comme à la mode** : en ayant recours soit au souteneur du village, soit au péché d'Onan. »

Le toucan donne des coups de bec sur la soucoupe contenant les haricots puis prononce «Cru!» ou un mot très proche.

«Monsieur, dit Jacob qui rougit, vous vous méprenez cruellement sur mes intentions: jamais je…

— À vrai dire, ce n'est pas tant Mlle Aibagawa que vous convoitez. C'est l'archétype de la "femme orientale" dont vous vous êtes entiché. Mais si, voyons: l'œil mystérieux, les fleurs dans les cheveux, et la docilité que vous croyez voir en elle. Combien de centaines de vos semblables, nigauds d'hommes blancs, ai-je vus se noyer dans ces marécages sirupeux!

— Pour une fois, vous avez tort, docteur. Il n'y a pas de…

— Bien entendu que j'ai tort. L'adoration que voue notre Dombourgeois à sa perle des Indes trouve son fondement dans la chevalerie! Voyez la damoiselle défigurée, que son propre peuple éconduit! Voyez ce chevalier venu d'Occident, seul à percevoir sa beauté intérieure!

— Au revoir.» Jacob est trop meurtri pour en entendre davantage. «Au revoir.

— Vous partez déjà? Sans même tenter de me soudoyer avec ce que vous avez sous le bras?

— Ce n'était pas pour vous soudoyer. Il s'agissait d'un présent en provenance de Batavia. Je caressais l'espoir – vain et stupide, en vérité – de me lier d'amitié avec le docteur Marinus, homme de renom; aussi Hendrik Zwaardecroone, de la Société batave, m'avait conseillé de vous apporter quelque partition. Mais pourquoi un clerc inculte retiendrait-il votre auguste attention? Je ne vous dérangerai plus, soyez-en assuré.»

Marinus étudie Jacob. «Est-il de présent que l'on offre seulement après avoir obtenu ce que l'on souhaitait?

— J'ai bien tenté de vous le remettre lors de notre première rencontre. Mais vous m'avez claqué la trappe au nez.»

Eelattu trempe le rasoir dans l'eau et l'essuie sur une feuille de papier.

« L'irascibilité me gagne parfois, reconnaît le docteur. Quel est » – Marinus tend un doigt en direction de l'*in-folio* – « le compositeur ? »

Jacob lit la page de titre. « "*Chefs-d'œuvre de Domenico Scarlatti, pour clavecin ou pianoforte – Sélection de manuscrits tirés de la collection distinguée de Muzio Clementi…* Édité à Londres et disponible au *Facteur de clavecin*, boutique tenue par M. Broadwood, Great Pulteney Street, Golden Square*". »

Le coq de Dejima chante. On arpente bruyamment la grand-rue.

« Domenico Scarlatti ? La route a dû être bien longue pour lui. »

La désinvolture de Marinus est trop marquée pour être authentique, suspecte Jacob.

« Et celle du retour le sera tout autant. » Jacob tourne les talons. « Je ne vous importunerai guère davantage.

– Oh, attendez, Dombourgeois : cessez de bouder, cela ne vous va pas. Mlle Aibagawa…

– … n'est pas une courtisane, je sais cela. Je ne la vois pas sous ce jour. » Jacob serait prêt à parler d'Anna à Marinus, mais il ne se fie pas assez au docteur pour lui ouvrir son cœur.

« Et sous quel jour la voyez-vous, je vous prie ? le sonde Marinus.

– Je la vois comme… » – Jacob cherche la bonne métaphore – « … comme un livre dont la couverture me fascine, et dont je souhaite consulter un instant les pages. Rien de plus. »

Un courant d'air pousse légèrement la porte grinçante de l'infirmerie.

« Dans ce cas, je vous propose le marché suivant : revenez ici à trois heures de l'après-midi et, pendant vingt minutes, dans l'infirmerie, vous aurez droit de consulter les pages que Mlle Aibagawa sera disposée à vous montrer. Notez bien que la porte restera ouverte tout votre entretien durant, et si vous deviez ne point traiter Mlle Aibagawa avec autant d'égards que votre propre sœur, sachez, Dombourgeois, que ma vengeance serait biblique.

– À trente secondes la sonate, le tarif est loin d'être honnête.

— Dans ce cas, vous et votre inconstant présent savez où la porte se trouve.

— Nous ne ferons donc pas affaire. Au revoir. » Jacob sort et plisse les yeux sous la lumière d'un soleil qui culmine.

Il remonte la grand-rue jusqu'à la Maison au jardin et attend à l'ombre.

En cette chaude matinée, le chant des cigales est féroce et primitif. Sous les pins, Twomey et Ouwehand rient.

Dieu du ciel, songe Jacob, *que je suis seul, ici.*

Marinus n'a pas envoyé Eelattu le rattraper. Il retourne donc à l'hôpital.

« Marché conclu. » Le rasage de Marinus est terminé. « Mais il faudra échapper à la vigilance de l'espion caché parmi mes séminaristes. Cet après-midi, mon cours portera sur la respiration humaine, que j'entends bien illustrer par une expérience pratique. Je demanderai à Vorstenbosch de bien vouloir m'accorder vos services comme sujet de l'expérience. »

Jacob s'entend prononcer : « C'est d'accord…

— Toutes mes félicitations. » Marinus s'essuie les mains. « *Maestro* Scarlatti… vous permettez ?

— … mais vos honoraires seront payés à la livraison.

— Oh ? Ma parole d'honneur ne vous suffit pas ?

— Nous nous reverrons à trois heures moins le quart, docteur. »

Fischer et Ouwehand se taisent au moment où Jacob pénètre dans le bureau des registres.

« Au moins, l'atmosphère est agréable et fraîche, ici, dit le nouveau venu.

— C'est curieux, déclare Ouwehand à Fischer, car elle me paraît chaude et oppressante. »

Fischer pousse un ricanement équin et retourne à son bureau, le plus élevé.

Devant l'étagère où sont entreposés les registres de la décennie, Jacob chausse ses lunettes.

Il a remis en place les comptes des années 1793 à 1798 la veille. Mais ils n'y sont plus.

Jacob regarde Ouwehand. D'un signe de tête, Ouwehand désigne le dos voûté de Fischer.

« Sauriez-vous où se trouvent les registres des années quatre-vingt-treize à quatre-vingt-dix-huit, monsieur Fischer ?

– Je sais très bien où se trouvent les choses de mon bureau.

– Dans ce cas, voudriez-vous bien m'indiquer où je puis trouver les registres quatre-vingt-treize à quatre-vingt-dix-huit ?

– Pourquoi en avez-vous besoin » – Fischer regarde autour de lui –, « au juste ?

– Pour mener à bien les tâches que le chef Vorstenbosch m'a confiées. »

Ouwehand fredonne une mesure entraînante d'une chanson de carnaval.

« S'il y a des erreurs là-dedans » – les mots s'échappent des mâchoires serrées de Fischer qui tape sur la pile de registres devant lui –, « ce n'est pas parce qu'on a *ex*croqué la Compagnie » – son néerlandais se dégrade – « mais parce que Snitker nous a défendu de tenir des registres dignes de ce nom. »

Hypermétrope, Jacob retire ses lunettes afin de ne pas distinguer nettement le visage de Fischer.

« Qui vous a accusé d'escroquer la Compagnie, monsieur Fischer ?

– J'en ai assez, vous comprenez ? Plus qu'assez de vos… de vos insinuations perpétuelles ! »

De l'autre côté de la Muraille de mer, des vagues léthargiques viennent mourir.

« Pourquoi n'est-ce pas à moi que le chef demande de reconstituer les registres ? exige de savoir Fischer.

– N'est-il pas logique de nommer un commissaire aux comptes qui ne soit en rien lié au mandat de Snitker ?

« — Et donc, vous me considérez moi aussi comme un escroc ? »
Les narines de Fischer se dilatent. « Admettez-le ! Vous complotez
contre nous tous ! Je vous mets au défi de le nier !

— Une version de la vérité, une seule, dit Jacob. Voilà tout ce
que le chef demande.

— La puissance de ma logique » – Fischer agite un index tendu
en direction de Jacob – « anéantit votre mensonge ! Je vous avertis :
au Surinam, j'ai descendu plus de nègres que le clerc de Zoet
ne peut en compter sur son abaque. Attaquez-moi : je vous
écraserai sous mon talon. Tenez » – le Prussien colérique place la
pile de registres entre les mains de Jacob. « Flairez donc la trace
de ces "erreurs" ! Je m'en vais discuter avec M. van Cleef… voir
comment la Compagnie peut faire des profits, cette saison. »

Fischer enfonce son chapeau sur son crâne et sort en claquant
la porte.

« Vous le rendez nerveux, commente Ouwehand. C'est un compliment, d'une certaine façon. »

Je ne souhaite rien d'autre qu'effectuer mon travail, songe Jacob.
« Qu'est-ce qui le rend nerveux ?

— Dix douzaines de caisses estampillées "Camphre de Kumamoto"
expédiées en quatre-vingt-seize et quatre-vingt-dix-sept.

— Était-ce autre chose que du camphre ?

— Non, mais la page quatorze de chaque registre indique qu'il
s'agit de caisses de douze livres. Les registres japonais, eux, comme
Ogawa vous le confirmera, précisent qu'elles pèsent trente-six
livres. » Ouwehand s'approche de la cruche d'eau. « À Batavia,
poursuit-il, un dénommé Johannes van der Broeck, officier des
douanes, vend l'excédent : c'est le gendre de van der Broeck, du
Conseil des Indes. De la contrebande qui rapporte beaucoup.
Un godet d'eau ?

— Merci bien. » Jacob boit. « Et vous me dites cela parce que… ?

— Par pur intérêt personnel : M. Vorstenbosch sera en poste
cinq années durant, n'est-ce pas ?

– Oui, ment Jacob qui n'a pas d'autre choix. Je serai sous ses ordres pendant toute la durée de mon contrat. »

Une grosse mouche décrit un ovale paresseux entre ombre et lumière.

« Quand Fischer se rendra compte qu'il devra jurer fidélité à Vorstenbosch et non pas à van Cleef, alors ce sera moi qu'il poignardera.

– À l'aide de quel couteau » – Jacob devine la question qui suivra – « vous poignardera-t-il ?

– Pouvez-vous me promettre que je ne subirai pas le même sort que Snitker ? demande Ouwehand en se grattant la tête.

– Je vous promets » – la saveur du pouvoir est désagréable – « de dire à M. Vorstenbosch que Ponke Ouwehand est un allié et non pas un obstacle. »

Ouwehand mesure la réponse de Jacob. « Les comptes relatifs aux ventes personnelles de l'année dernière montreront que j'ai importé cinquante rouleaux de chintz d'Inde. Du côté japonais, les mêmes comptes montreront que j'en ai vendu cent cinquante. Hofstra, le capitaine de l'*Octavia*, s'était accaparé la moitié du surplus. Mais cela, je ne peux pas le prouver ; et lui non plus, Dieu ait son âme de naufragé.

– Un allié » – la grosse mouche se pose sur le buvard de Jacob – « et non pas un obstacle, monsieur Ouwehand. »

Les disciples du docteur Marinus arrivent à trois heures précises.

La porte de l'infirmerie est grande ouverte, mais impossible pour Jacob de voir ce qui se passe dans la salle de chirurgie.

Quatre voix masculines annoncent en chœur : « Bonjour, docteur Marinus.

– Aujourd'hui, chers séminaristes, commence Marinus, nous ferons une expérience pratique. Pendant qu'Eelattu et moi-même

100

procéderons aux préparatifs, chacun de vous étudiera un texte néerlandais différent et le traduira en japonais. Mon ami le docteur Maeno a accepté d'examiner votre travail dans la semaine. Les paragraphes qui vous sont soumis relèvent chacun de votre centre d'intérêt particulier : à M. Muramoto, notre rebouteux en chef, je confie le *Tabulae sceleti et musculorum corporis humani* d'Albinus ; à M. Kajiwaki, un passage sur le cancer par Jean-Louis Petit, qui prête son nom au *trigonum Petiti* : quelle est donc cette chose et où se situe-t-elle ?

– Orifice triangulaire dans le dos, docteur.

– Monsieur Yano, je vous confie le docteur Olof Acrel, mon ancien maître à Uppsala ; j'avais traduit du suédois son essai sur la cataracte. Pour M. Ikematsu, un extrait de *Chirurgie* de Lorenz Heister portant sur les troubles de la peau… Quant à Mlle Aibagawa, elle se penchera sur un écrit de l'admirable docteur Smellie. Le passage choisi est cependant problématique. Dans l'infirmerie, le volontaire qui participera à l'expérience du jour vous attend, mademoiselle : il est à votre disposition pour les questions relatives au vocabulaire néerlandais… » L'énorme tête de Marinus apparaît dans l'ouverture de la porte. « Dombourgeois ! Je vous présente Mlle Aibagawa, et, de grâce, *Orate ne intretis in tentationem.* »

Mlle Aibagawa reconnaît l'étranger aux cheveux roux et aux yeux verts.

« Bonjour » – sa gorge est sèche –, « mademoiselle Aibagawa.

– Bonjour » – sa voix est limpide –, « monsieur… monsieur "Dombou-joie" ?

– "Dombourgeois". C'est… C'est une petite plaisanterie du docteur. Mon véritable nom est de Zoet. »

Elle installe ce qui lui sert de bureau : un plateau à pieds. « "Dombou-joie" est une plaisanterie drôle ?

– C'est ce que pense le docteur Marinus : ma ville natale est Dombourg. »

Perplexe, elle émet un son à l'inflexion montante: *hmm*. «Monsieur de Zoet est malade?

– Oh, eh bien… un peu, oui. J'ai mal au…» Il se tapote l'abdomen.

«Selles comme l'eau?» La sage-femme reprend le dessus. «Mauvaise odeur?

– Non.» Jacob est déconcerté par ces questions posées sans détour. «J'ai mal au… au foie.

– Votre» – elle s'applique à bien prononcer le *f* – «*foie*?

– Tout à fait. Mon foie me fait souffrir. J'espère que, de son côté, mademoiselle Aibagawa va bien?

– Oui, je vais assez bien. J'espère que de votre côté, votre ami singe va bien?

– Mon… oh, William Pitt? Mon ami le singe… eh bien, il n'est plus.

– Je suis désolée de ne pas comprendre. Le singe… n'est plus quoi?

– N'est plus en vie. J'ai…» – en mime, Jacob brise le cou d'un poulet – «… tué ce vaurien, voyez-vous, puis ai tanné sa peau pour me confectionner une nouvelle blague à tabac.»

Sa bouche et ses yeux s'ouvrent, horrifiés.

Si Jacob avait un mousquet, il se tuerait. «Je plaisante, mademoiselle! Le singe est vivant et se porte bien: il doit être en maraude quelque part – c'est à dire, en train de voler…

– C'est exact, monsieur Muramoto.» La voix de Marinus leur parvient de la salle de chirurgie. «Tout d'abord, il faut faire bouillir les tissus afin d'en éliminer le gras sous-cutané, puis injecter dans les veines une cire colorée…

– Pouvons-nous…» – Jacob se maudit d'avoir décoché cette boutade malvenue – «voir votre texte?»

Elle se demande comment garder une distance respectable.

«Mademoiselle Aibagawa pourrait s'asseoir là-bas.» Il désigne le bout du lit. «Lisez votre texte à haute voix, puis quand vous buterez sur un mot difficile, nous en discuterons.»

Elle hoche la tête pour signaler qu'elle approuve ces dispositions, s'assied et commence sa lecture.

Les courtisanes de van Cleef parlent en prenant une voix perçante qui, dit-on, est féminine ; quand elle lit, Mlle Aibagawa a un timbre plus grave, plus calme et apaisant. Jacob bénit cette opportunité qui lui permet d'étudier son visage partiellement brûlé et ses lèvres prudentes... « "Rapidement après cette oc-currence"... » Elle lève les yeux. « Qu'est-ce, s'il vous plaît ?

— Une occurrence est... un événement, une circonstance.

— Merci. "... après cette occurrence, j'ai consulté tous les écrits de Ruysch concernant les femmes... Je découvris qu'il s'insurgeait contre l'extraction prématurée du placenta ; aussi, son autorité confortait-elle l'opinion que j'avais déjà adoptée... et me conduisit à procéder de manière plus naturelle. Après avoir sectionné le *funis*... et confié l'enfant,... j'introduis mon doigt dans le vagin"... »

De toute sa vie, Jacob n'a jamais entendu ce mot prononcé à voix haute.

Sentant qu'il est choqué, elle lève la tête, presque inquiète. « J'ai trompé ? »

Docteur Lucas Marinus, pense Jacob, *vous n'êtes qu'un monstre de sadisme.* « Non », répond-il.

Les sourcils froncés, elle retrouve l'endroit où elle s'était arrêtée. « ... "afin de déterminer par palpation si le placenta est arrivé à l'*os uteri*... et, le cas échéant,... je puis être certain qu'il descendra de lui-même... Je patiente un certain temps, et d'ordinaire, dix, quinze ou vingt minutes plus tard,... la patiente commence à être saisie de tranchées utérines... qui permettent de décoller et d'expulser progressivement le placenta... Cependant, si l'on tire délicatement sur le *funis*, le placenta descend dans le"... » – elle lève les yeux sur Jacob – « "vagin. Puis, le saisissant, je le guide jusqu'à... jusqu'à l'*os externum*." Voilà. » Elle redresse la tête. « J'ai terminé les phrases. Le foie fait beaucoup de douleur ?

– Les mots du docteur Smellie » – Jacob avale sa salive – « sont pour le moins… directs. »

Elle se renfrogne. « Le néerlandais est langue étrangère. Les mots n'ont pas même… pouvoir, même odeur, même sang. Sage-femme, c'est ma… » – elle fronce les sourcils – « … "vacation" ou "vocation" ? Quel mot ?

– "Vocation", je présume, mademoiselle Aibagawa.

– Sage-femme, c'est ma *vo*cation. La sage-femme qui a peur de sang ne sert pas. »

« Phalanges distales, s'immisce la voix de Marinus, phalanges intermédiaires et proximales… »

« Il y a vingt ans, se décide à lui confier Jacob, quand ma sœur est née, la sage-femme n'a pas été en mesure d'interrompre les saignements de ma mère. Ma tâche consistait à chauffer de l'eau en cuisine. » Il craint de l'ennuyer, mais Mlle Aibagawa le regarde avec attention et calme. « *Si j'arrive à faire chauffer assez d'eau*, pensais-je, *ma mère survivra*. J'avais tort, malheureusement. » C'est maintenant Jacob qui fronce les sourcils, ne sachant plus trop pourquoi il a évoqué ce souvenir personnel.

Une grosse guêpe se pose sur le large pied du lit.

Mlle Aibagawa sort un carré de papier de la manche de son *kimono*. Jacob, au courant des croyances orientales sur la longue ascension de l'âme – de la punaise de lit jusqu'au saint homme –, patiente en attendant que la sage-femme guide la guêpe jusqu'à la fenêtre haute. Mais au lieu de cela, elle écrase l'insecte dans le papier, qu'elle roule ensuite en une boule compacte et lance avec précision par la fenêtre.

« Votre sœur aussi, elle a des cheveux rouges et des yeux verts ?

– Ses cheveux sont plus roux que les miens, au grand embarras de mon oncle. »

Ce mot est nouveau. « "Tam-bara" ? »

Souviens-toi de demander à Ogawa la traduction japonaise de ce mot, songe-t-il. « L'"embarras" ou bien la honte. »

– Pourquoi l'oncle a honte parce que la sœur a des cheveux rouges?

– Selon les croyances populaires, les superstitions – vous comprenez?

– *Meishin*, en japonais. Le docteur dit que c'est "ennemi de la raison".

– Eh bien d'après les superstitions, les Jézabel – les femmes de petite vertu, c'est-à-dire les prostituées – sont censées avoir les cheveux roux, et sont souvent représentées ainsi.

– "De petite vertu"? "Prostituées"? Comme "courtisane" et "servante de putain"?

– Veuillez me pardonner cette offense.» Les oreilles de Jacob bourdonnent. «C'est moi qui suis dans l'embarras, à présent.»

Son sourire est à la fois ortie et oseille. «La sœur de M. de Zoet est fille honorable?

– Geertje est une sœur... très tendre: elle est gentille, patiente et intelligente.»

«Là, le métacarpe, expose le docteur, et là, l'astucieux carpe...»

«Mademoiselle Aibagawa, ose Jacob, appartient à une grande famille?

– C'était une grande famille, c'est maintenant une petite famille. Mon père, nouvelle épouse de mon père, fils de la nouvelle épouse de mon père.» Elle hésite. «Ma mère, mes frères et mes sœurs sont morts, à cause de choléra, il y a beaucoup longtemps. Les gens sont beaucoup morts dans ce temps. Ma famille n'était pas seulement qui mourait. Beaucoup, beaucoup de souffrance.

– Pourtant votre vocation – sage-femme, j'entends – est l'art de... donner la vie.»

Une mèche de cheveux noirs s'échappe de son foulard: Jacob la veut pour lui.

«Dans les anciens temps, explique Mlle Aibagawa, il y a long-temps, avant que les grands ponts sont construits sur les grandes rivières, les voyageurs noyaient souvent. Les gens disaient: "Il meurt parce que les dieux de la rivière sont colère." Les gens ne disaient pas : "Il meurt parce que les grands ponts ne sont pas encore inventés." Les gens ne disent pas : "Il est mort parce que nous avons trop l'ignorance." Mais un jour, des ancêtres intelligents observent les toiles des araignées et tissent des ponts de liane. Ou ils voient les arbres tombés qui coupent les rivières rapides, et ils font des petites îles de pierres dans les larges rivières, et relient les îles avec les arbres tombés. Ils construisent des ponts comme ainsi. Les gens ne se noient plus dans la dangereuse rivière, moins de gens, c'est sûr. Vous avez compris mon néerlandais pauvre ?

– Parfaitement, assure Jacob. Chacune de vos paroles.

– Aujourd'hui, au Japon, quand la mère ou le bébé, ou bien quand la mère *et* le bébé meurent en couches, les gens disent : "Ah… Ils meurent parce que les dieux ont choisi." Ou ils disent : "Ils meurent parce que le karma est mauvais." Ou bien : "Ils meurent parce que *o-mamori* – c'est la magie du temple – pas assez chère." Monsieur de Zoet comprend : c'est pareil que le pont. La vraie raison de beaucoup, beaucoup de morts, est l'ignorance. Je voudrais construire des ponts *depuis* l'ignorance » – ses mains effilées forment un pont – « vers la connaissance. Ceci » – elle soulève respectueusement l'ouvrage du docteur Smellie – « est un morceau du pont. Un jour, j'enseigne cette connaissance… je fais une école… les disciples enseignent aux autres étudiants… Et dans l'avenir, au Japon, beaucoup moins les mères meurent d'ignorance. » Elle se perd dans sa rêverie un bref instant et baisse les yeux. « Un projet stupide.

– Non, non, pas du tout. Je ne puis imaginer de plus noble aspiration.

– Pardon… » – elle fronce les sourcils – « … qu'est-ce que c'est, "noble respiration" ?

– *A*spiration, mademoiselle. Un projet, un but dans la vie.

– Ah… » – un papillon blanc se pose sur sa main – « … un but dans la vie. »

Elle le chasse d'un souffle. Il s'envole jusqu'à une bougie couleur bronze sur une étagère.

Le papillon déploie, replie, déploie, replie ses ailes.

« Le nom japonais, c'est *monshiro*, dit-elle.

– En Zélande, on appelle ce papillon "piéride du chou". Mon oncle…

– "La vie est courte, l'art est long » – le docteur Marinus entre dans l'infirmerie telle une comète claudicante à la grise traîne chevelue –, « l'occasion fugitive, l'expérience…" la suite, mademoiselle Aibagawa ? Ce qui conclut l'aphorisme d'Hippocrate ?

– "L'expérience est trompeuse", complète-t-elle en se levant puis en s'inclinant, "le jugement difficile."

– Cela n'est que trop vrai. » Il invite ses autres disciples à entrer, dont Jacob reconnaît certains de l'épisode à la réserve Doorn. « Dombourgeois, voici mes séminaristes, M. Muramoto d'Edo » – le plus âgé et renfrogné des quatre s'incline –, « M. Kajiwaki, envoyé par la Cour Chôshu de Hagi » – un jeune homme souriant, dont le corps sinueux n'a pas fini de croître, salue –, « puis M. Yano, d'Osaka » – Yano fixe les yeux verts de Jacob – « et enfin, M. Ikematsu, natif de l'île de Satsuma. » Ikematsu, dont le visage est grêlé par une scrofule infantile, s'incline avec enthousiasme. « Chers séminaristes, le Dombourgeois est notre courageux volontaire du jour. Veuillez bien le saluer. »

Une salutation reprise en chœur remplit l'infirmerie blanchie à la chaux : « Bonjour, Dombourgeois. »

Jacob n'arrive pas à le croire : les minutes qui lui étaient allouées sont passées si vite.

Marinus sort un cylindre métallique d'une vingtaine de centimètres de long.

Il est équipé d'un piston et se termine par une canule. « Qu'est-ce donc, monsieur Muramoto ? »

Le jeune homme aux airs de vieillard lui répond : « C'est une seringue à lavement, docteur.

– Une seringue à lavement.» Marinus saisit l'épaule de Jacob. «Monsieur Kajiwaki, comment s'utilise cette seringue?

– On insère dans rectum, et on injure… non : on imprime… non, *aaa nan'dattaka*? On in…

– … jecte, lui souffle Ikematsu, comique.

– … injecte le remède contre constipation, ou contre douleur des intestins ou contre nombreux autres maladies.

– Effectivement, monsieur, effectivement. Monsieur Yano, quels avantages les traitements administrés par voie anale ont-ils sur leurs équivalents oraux?»

Une fois que les disciples masculins ont fait la distinction entre «anal» et «oral», Yano lui répond : «Plus rapide, le corps absorbe le traitement.

– Bien.» Le léger sourire de Marinus paraît menaçant. «À présent, quelqu'un connaîtrait-il la seringue *à fumée*?»

Le conciliabule des séminaristes masculins exclut Mlle Aibagawa. Muramoto finit par annoncer : «Nous ne savons pas, docteur.

– Et pour cause, messieurs : il n'a jamais été donné à voir pareil instrument au Japon, jusqu'à cet instant. Eelattu, s'il vous plaît.» L'assistant de Marinus entre, muni d'un manchon de cuir long comme l'avant-bras et d'une pipe à gros foyer allumée. Il donne le manchon à son maître, qui le brandit tel un acrobate des rues. «Notre seringue à fumée, messieurs, possède en son ventre une valve, ici, dans laquelle on insère le manchon de cuivre, là, grâce auquel on remplit la seringue de fumée. Eelattu, si vous voulez bien…» Le natif de Ceylan tire sur la pipe et recrache la fumée dans le tube de cuir. «"L'intussusception" est la maladie dont cet instrument est le remède. Prononçons tous ce nom à voix haute, chers séminaristes, car comment soigner ce qu'on est incapable de nommer? "In-tus-sus-cep-tion"!» Il agite l'index tel un chef d'orchestre. «Un, deux, trois…

– "In-tus-sus-cep-tion", bredouillent les disciples. "In-tus-sus-cep-tion".

– Une maladie incurable dans laquelle la partie supérieure de l'intestin s'engage dans la partie inférieure, de la façon suivante... » Le docteur montre une sorte de jambe de pantalon taillée dans un morceau de voile. « Voici le côlon. » Il serre dans son poing une extrémité du tube de toile et l'enfonce à l'intérieur vers l'autre bout. « Ouille pour nous et *itai* pour vous. Le diagnostic est difficile à établir : les symptômes étant la fameuse triade alimentaire ; laquelle est, monsieur Ikematsu... ?

– Douleur à l'abdomen, gonflement de l'aine... » Il se masse les tempes comme pour libérer le dernier item. « Ah ! Sang dans les fèces.

– Très bien. La mort par intussusception ou bien » – son regard s'adresse à Jacob –, « en langue vernaculaire, "chier ses tripes", est – on l'imagine aisément – une affaire laborieuse. Le nom latin de cette maladie est *"Miserere mei"*, qu'on peut traduire par "Seigneur, ayez pitié". La seringue à fumée, cependant, peut soigner de ce mal » – il retire l'extrémité enfoncée dans le tube de toile – « en insufflant une telle densité de fumée que le "faux pli" est inversé : l'intestin reprend alors sa position naturelle. Notre Dombourgeois, *in guerno* des faveurs cédées, prêtera son *gluteus maximus* à la science de la médecine de sorte que je puisse démontrer le passage de la fumée "par des grottes à l'homme insondables", comme l'eût dit Coleridge, de l'anus jusqu'à l'œsophage, cette fumée sortant de ses narines tel l'encens s'échappant d'un dragon de pierre, quoique le parfum ne fût hélas pas aussi agréable, la faute incombant à son malodorant parcours... »

Jacob commence à comprendre. « Vous ne comptez tout de même pas...

– Baissez votre culotte. Nous sommes tous des hommes – plus une femme – de médecine.

– Docteur. » L'atmosphère de l'infirmerie est d'une désagréable fraîcheur. « Je n'ai jamais consenti à cela.

– L'appréhension se soigne » – le docteur claudiquant renverse

Jacob avec une aisance insoupçonnée – «par le mépris. Eelattu, montrez le dispositif à nos séminaristes. Puis nous commencerons.

– Une plaisanterie très drôle, suffoque Jacob, écrasé par quatre-vingt-dix kilogrammes de médecin néerlandais, mais…»

Marinus déboutonne les bretelles du clerc, qui désormais s'agite. «Enfin, non, docteur! Non! La plaisanterie a assez du*ré*…»

VII

Maison haute de Dejima

Tôt dans la journée du mardi 27 août 1799

Le lit réveille par ses tremblements le dormeur qu'il héberge ; deux des pieds cassent : Jacob dégringole au sol et se cogne la mâchoire et le genou. *Christ miséricordieux, la poudrière du* She-nandoah *a explosé*, telle est sa première pensée. Mais les spasmes qui secouent la Maison haute gagnent en force et se rapprochent. Les solives grincent ; le plâtre crépite comme de la mitraille ; un battant de fenêtre se déloge du bâti et une lumière couleur abricot pénètre dans la pièce qui chaloupe ; la moustiquaire emmaillote le visage de Jacob, ce déchaînement de violence qu'on ne peut calmer triple, quintuple, décuple, et le lit se traîne dans la pièce tel un animal blessé. *Une frégate nous arrache un flanc*, pense Jacob, *ou bien un bâtiment de guerre*. Un chandelier ivre trace des cercles ; des liasses de papier rangées sur les plus hautes étagères plongent en tournoyant. *Je ne veux pas mourir ici*, prie Jacob, qui imagine son crâne broyé par les poutres et sa cervelle gluante barbouillant la poussière de Dejima. La prière s'empare du fils de pasteur : la voix éraillée, il s'adresse au Jahvé des premiers psaumes : *Ô Dieu ! Tu nous as repoussés, dispersés, Tu t'es irrité : relève-nous !* À cette injonction répondent les tuiles qui viennent se fracasser dans la grand-rue, le mugissement des vaches et le bêlement des chèvres.

Tu as ébranlé la terre, Tu l'as déchirée : répare ses brèches, car elle chancelle ! Les vitres se brisent en mille diamants de pacotille, les charpentes craquent comme des os, la malle de Jacob est chahutée par les ondulations du plancher, la cruche d'eau se renverse et le pot de chambre se retourne, et c'est la Création même qui voit sa perte, et *mon Dieu mon Dieu mon Dieu*, implore-t-il, *que cela cesse que cela cesse que cela cesse !*

L'Éternel des armées est avec nous, Le Dieu de Jacob est pour nous une haute retraite. Jacob ferme les yeux. Le silence est paix. Il remercie la Providence d'avoir fait cesser le tremblement de terre, puis pense : *Dieu du ciel, les réserves ! Mon calomel !* Il saisit ses vêtements, marche sur la porte tombée au sol et croise Hanzaburo, qui sort de son nid. Jacob lui aboie : « Monte la garde devant ma chambre ! » mais le garçon ne comprend pas. Se plaçant alors devant l'entrée, le Néerlandais écarte les bras et les jambes. « Personne n'entre ! Compris ? »

Hanzaburo acquiesce d'un hochement de tête, comme s'il devait apaiser un fou.

Jacob dévale les escaliers, dégonde la porte et découvre la grand-rue telle qu'après le passage d'une armée de pillards britanniques. Au sol, volets fracassés, tuiles brisées et le mur du jardin, entièrement écroulé. Le soleil rouille dans la poussière qui épaissit l'air. Sur les hauteurs orientales de la ville, une fumée noire s'élève, et quelque part, une femme hurle au désespoir. Au carrefour, en chemin vers la maison du chef, le clerc télescope Wybo Gerritszoon.

Bousculé, le manœuvre bredouille une invective : « Ces bâtards, ces bâtards de Français ont débarqué, ils sont partout !

— Monsieur Gerritszoon, allez voir les réserves Doorn et Eik. Je m'occupe des deux autres.

— C'est vous qui me parlez » — le malabar aux tatouages crache —, « *monsieur Jacques* * ? »

Jacob le contourne et vérifie l'état de la porte : la réserve Doorn est en sécurité.

Gerritszoon attrape le clerc par la gorge et rugit : « Retire tes pattes de ma maison et de ma sœur, saleté de Français ! » Il relâche son étreinte afin de lui assener un coup de ses deux poings joints : eût-il visé juste, Jacob y aurait peut-être succombé, mais, au lieu de cela, la force de projection entraîne Gerritszoon au sol. « Bâtards de Français ! Je suis touché ! Je suis touché ! »

Sur la place du Drapeau retentit la cloche appelant au rassemblement.

« Fi de cette cloche ! » Flanqué de Cupidon et Filandre, Vorstenbosch remonte la grand-rue d'un pas décidé. « Même pour nous piller, ces chacals exigeraient que l'on se mette en rang comme des enfants ! » Il remarque Gerritszoon. « Est-il blessé ? »

Jacob se frotte la gorge. « Hélas oui, par un excès de grog, monsieur.

– Laissez-le là. Nous devons nous protéger de nos protecteurs. »

Les dégâts causés par le tremblement de terre sont sévères mais pas désastreux. Des quatre entrepôts néerlandais, la charpente de la réserve Lelie – toujours en restauration après l'« incendie de Snitker » – a tenu bon, les portes de la réserve Doorn sont restées en place, tandis que van Cleef et Jacob sont parvenus à protéger des pillards la réserve Eik – qui a subi des dégâts – le temps que Con Twomey et le charpentier du *Shenandoah*, un Québécois fantomatique, remettent les portes en place. Bien que les secousses n'aient pas été ressenties à bord du navire, le capitaine Lacy rapporte que le bruit était aussi fort que celui de la guerre opposant Dieu au Diable. Des dizaines de caisses se sont néanmoins écrasées au sol des diverses réserves : l'on doit tout passer en revue afin de faire état de la casse et des pertes. Il faut remplacer des douzaines de tuiles ; de nouvelles urnes en terre cuite sont nécessaires ;

démoli, le bâtiment des bains doit être reconstruit, et ce, aux frais de la Compagnie ; le pigeonnier renversé requiert une réparation ; quant au mur nord de la Maison au jardin, il faudra le ravaler en intégralité car tout l'enduit s'en est décroché. L'interprète Kobayashi a déclaré que les hangars où les sampans de la Compagnie sont conservés se sont écroulés, et l'estimation de la réparation atteint, selon ses propres termes, « un prix superlatif ». Vorstenbosch a riposté : « Superlatif pour qui ? » Et de jurer qu'il ne dépenserait pas un *penning* tant que lui et Twomey n'auraient pas pris eux-mêmes la mesure des dégâts. L'interprète est reparti, bouillant d'une colère froide. Du haut du poste d'observation, Jacob a pu constater que les quartiers de Nagasaki n'avaient pas tous eu la chance de s'en tirer à aussi bon compte que Dejima : il a dénombré une vingtaine de bâtiments d'importance effondrés et quatre sérieux incendies déversant leur fumée dans le ciel d'août.

Dans la réserve Eik, Jacob et Weh trient les caisses de miroirs vénitiens renversées : il faut démailloter chaque glace et consigner son état : intacte, fêlée ou brisée. Hanzaburo se pelotonne sur une pile de sacs en toile, et s'assoupit bien vite. Pendant la majeure partie de la matinée, les seuls bruits proviennent des miroirs mis de côté, de Weh qui mâche sa noix de bétel, du grattement de la plume de Jacob, et des porteurs débarquant de l'étain et du plomb à la porte-de-mer. Les charpentiers qui, d'ordinaire, restaurent la réserve Lelie du côté de la Cour aux pesées, ont été affectés – devine Jacob – à des travaux plus urgents dans Nagasaki même.

« Sept ans de malheur ? Plutôt sept cents, je dirais, monsieur de Z. ! »

Jacob n'avait pas remarqué l'entrée d'Arie Grote.

« Si un péquin perdait le fil de ses comptes et, par erreur, inscrivait quelques miroirs brisés en plus, on ne pourrait que lui pardonner, vous ne pensez pas?...

– Est-ce là une invitation à peine voilée à la contrebande? bâille Jacob.

– Que les hyènes m'arrachent la tête si c'est le cas! Bon, je nous ai arrangé une entrevue. Toi, là » – Grote adresse un bref regard à Weh –, «tu peux déguerpir: ta peau couleur crotte contrarierait le gentilhomme qui va venir.

– Weh n'ira nulle part, rétorque Jacob. Et peut-on savoir qui est ce "gentilhomme"? »

Grote entend un bruit et jette un œil à l'extérieur. «Oh, bon sang, ils sont en avance!»

Désignant un mur de caisses, il ordonne à Weh: «Cache-toi là! Monsieur de Z., remisez vos bons sentiments à l'égard de notre frère au pelage de zibeline car un tas, que dis-je, une *montagne* d'argent est en jeu!»

Le jeune esclave regarde Jacob; Jacob, réticent, donne son aval d'un signe de tête; Weh s'exécute.

«Je suis là pour jouer les entremetteurs entre vous et...»

L'interprète Yonekizu et le connétable Kosugi apparaissent dans l'ouverture de la porte.

Ignorant délibérément la présence de Jacob, les deux hommes invitent à entrer un étranger pourtant familier.

Quatre jeunes gardes agiles et menaçants pénètrent d'abord dans la réserve.

Puis vient leur maître: un homme plus âgé qui semble marcher sur l'eau.

Il porte une toge bleu ciel et son crâne est rasé; cependant, le fourreau d'un sabre accroché à sa ceinture dépasse.

De tous les visages, seul le sien n'est pas trempé de sueur.

Quel était ce rêve fugace où je t'ai vu? se demande Jacob.

«Le Seigneur-Abbé Enomoto, du domaine de Kyôga, annonce Grote. Mon associé, M. de Zoet.»

Jacob s'incline. Les lèvres de l'Abbé s'ourlent et se figent en un sourire signifiant qu'il le reconnaît.

Il se tourne vers Yonekizu et parle : on ne pourrait interrompre cette voix cristalline.

« L'Abbé dit : la première fois qu'il voit vous à la Magistrature, il pense que vous avez ensemble des affinités, traduit Yonekizu. Aujourd'hui, il sait qu'il a raison. »

L'Abbé Enomoto demande à Yonekizu de lui apprendre le mot néerlandais « affinités ».

Jacob reconnaît alors son visiteur : c'était l'homme qui était assis à proximité du Magistrat Shiroyama dans la Salle aux soixante *tatami*.

L'Abbé demande par trois fois à Yonekizu de répéter le nom de Jacob.

« Da-zû-to, articule-t-il ensuite, avant de vérifier auprès de Jacob : Je dis bien ?

– Votre Grâce prononce très bien mon nom, lui répond le clerc.

– L'Abbé a traduit Antoine Lavoisier en japonais », précise Yonekizu.

Cela ne manque pas d'impressionner Jacob. « Votre Grâce connaît-elle le docteur Marinus ? »

L'Abbé fait traduire sa réponse par Yonekizu : « L'Abbé voit le docteur Marinus à l'Académie Shirandô souvent. Il dit que il a beaucoup de respect pour le savant néerlandais. Mais l'Abbé a beaucoup de devoirs, alors il ne peut pas consacrer toute la vie dans les arts chimiques… »

Jacob évalue le pouvoir détenu par ce visiteur qui peut ainsi débarquer sur Dejima lors d'une journée chamboulée par un tremblement de terre et côtoyer les étrangers sans avoir à souffrir le cortège d'espions et de gardes shogunaux. Enomoto promène le pouce sur les caisses, comme s'il cherchait à en deviner le contenu. Il rencontre Hanzaburo, toujours endormi, et sa main décrit un mouvement au-dessus du garçon, comme une génuflexion.

Ensommeillé, Hanzaburo balbutie, se réveille, voit l'Abbé, jappe et roule jusqu'au sol. Puis il s'échappe de la réserve, telle une grenouille fuyant une couleuvre.

« Les jeunes hommes, dit Enomoto en néerlandais, pressés, pressés, pressés... »

Détouré par le bâti des doubles portes de la réserve Eik, le monde extérieur s'assombrit.

L'Abbé manipule un miroir intact. « Vif-argent ?

– De l'oxyde d'argent, Votre Grâce, lui répond Jacob. De fabrication italienne.

– L'argent, c'est plus la vérité que les miroirs en cuivre du Japon, juge l'Abbé. Mais la vérité, c'est plus facile de casser. » Il incline le miroir de sorte à y capturer le reflet de Jacob et, en japonais, soumet une question à Yonekizu. Lequel la transmet : « Sa Grâce demande : "En Hollande aussi, les gens morts n'ont pas le reflet ?" »

Jacob se souvient de sa grand-mère disant la même chose. « Ce sont les croyances des vieilles femmes, Votre Grâce, en effet. »

L'Abbé comprend, et cette réponse le ravit.

« Il existe une tribu au cap de Bonne-Espérance qu'on appelle les Basothos, s'aventure Jacob, et qui croit qu'un crocodile est capable de tuer un homme en croquant son reflet dans l'eau. Une autre tribu, les Zoulous, évite les mares sombres, de peur qu'un fantôme ne se jette sur leur reflet et ne dévore leur âme. »

Yonekizu traduit scrupuleusement ces paroles, puis explique à Jacob la réponse d'Enomoto. « L'Abbé dit que l'idée est beau et il désire savoir : "Est-ce que M. de Zoet croit à l'âme ?"

– Douter de l'existence de l'âme, répond Jacob, voilà ce qui me paraîtrait étrange. »

Enomoto demande : « M. de Zoet pense que on peut prendre l'âme de homme ?

– Un fantôme ou un crocodile, non, Votre Grâce. Le Diable, oui. »

Le *hah* d'Enomoto exprime la surprise de se trouver en si bon terrain d'entente avec un étranger.

Jacob s'écarte du champ de réflexion du miroir. « Le néerlandais de Votre Grâce est excellent.

– Écouter, c'est difficile. » Enomoto se retourne. « Très content il y a des interprètes. Autrefois, je parle – parlais – espagnol, mais maintenant, la connaissance a pourri.

– Voilà pourtant deux siècles, dit Jacob, que les Espagnols ont quitté le Japon.

– Le temps… » Nonchalant, Enomoto soulève le couvercle d'une boîte ; Yonekizu s'alarme.

Un *habu* s'y trouve enroulé tel un petit fouet : le serpent se dresse, furieux…

… sa paire de crochets blancs brille ; sa tête bascule en arrière, prête à frapper.

Deux des gardes de l'Abbé traversent la pièce, le sabre dégainé…

… mais Enomoto effectue un étrange mouvement de pression du plat de la main.

« Qu'il ne se fasse pas mordre ! s'exclame Grote. Il ne nous a pas payé le… »

Au lieu de se jeter sur la main de l'Abbé, le serpent se ramollit et retombe au fond de la boîte. Ses mâchoires sont pétrifiées, grandes ouvertes.

Jacob constate que les siennes aussi. Il regarde Grote, lequel semble effrayé.

« Votre Grâce, avez-vous… charmé ce serpent ? Est-il… Est-il endormi ?

– Le serpent est mort. » Enomoto ordonne à un garde de le jeter dehors.

Comment as-tu fait ? se demande Jacob, cherchant à déceler l'astuce employée. « Mais… »

L'Abbé observe la stupéfaction du Néerlandais, puis s'adresse à Yonekizu.

« Le Seigneur-Abbé dit : "Ce n'est pas une astuce, ce n'est pas la magie." Il dit : "C'est la philosophie chinoise : les savants de l'Europe sont trop intelligents pour comprendre." Il dit… veuillez pardonner… c'est très difficile… il dit… "Toutes les vies, c'est la vie, parce qu'il y a la force *ki*."

– La force qui… ? demande Arie Grote, perplexe. Qui quoi ? »

Yonekizu secoue la tête. « Pas "qui". Force *ki*. Le Seigneur-Abbé explique : dans ses études, dans son ordre, il apprend comment… quel mot ?… comment *maniper* la force *ki*, pour soigner des maladies, *et cetera*.

– Ça, de l'*et cetera*, marmonne Grote, maître Serpent en a reçu une bonne dose. »

Au vu du rang de l'Abbé, Jacob se demande s'il ne doit pas présenter des excuses. « Monsieur Yonekizu, veuillez, je vous prie, transmettre à Sa Grâce combien je suis navré qu'un serpent ait menacé sa quiétude dans cette réserve néerlandaise. »

Yonekizu s'exécute. Enomoto secoue la tête. « Serpent mord fort, mais pas beaucoup de poison.

– … et lui dire, poursuit Jacob, que ce que j'ai vu me poursuivra toute ma vie. »

Enomoto réplique par un *hnnnnn* ambigu.

« Dans la prochaine vie, répond l'Abbé à Jacob, vous naissez dans le Japon et vous venez au Sanctuaire, et… pardon, le néerlandais c'est difficile. » Il adresse plusieurs longues phrases à Yonekizu. L'interprète les traduit dans l'ordre. « L'Abbé dit que M. de Zoet ne doit pas croire que l'Abbé est puissant comme le Seigneur de Satsuma. Le domaine de Kyôga mesure seulement trente kilomètres de long et trente kilomètres de large, il y a très beaucoup de montagnes, et il y a seulement deux villes, Isahaya et Kashima, puis les villages sur la route de la mer d'Ariake. Cependant » – peut-être s'agit-il d'un libre amendement de Yonekizu –, « le domaine spécial donne à Seigneur-Abbé un rang élevé : à Edo, il peut rencontrer le Shogun ; à Miyako, il peut rencontrer l'Empereur. Le Sanctuaire de Seigneur-Abbé est en haut du mont Shiranui. Il dit : "Au printemps et automne, très beau ; en hiver, un peu froid, mais en été, c'est frais." L'Abbé dit : "On respire. Et on ne vieillit pas." L'Abbé dit : "Il a deux vies. Le Monde d'en haut, sur le mont Shiranui, c'est l'esprit et la prière et *ki*. Le Monde d'en bas, c'est les hommes et la politique et les savants… et importer les drogues et l'argent."

– Ah, enfin ! marmonne Arie Grote. À nous de jouer, monsieur de Z. »

Perplexe, Jacob regarde Grote. Puis l'Abbé. Puis de nouveau le cuisinier.

« Apportez ce qui fait l'objet de notre commerce. » En silence, Grote articule : « Le mercure. »

Jacob comprend tardivement. « Veuillez me pardonner d'être aussi direct, Votre Grâce » – il s'adresse à Enomoto tout en regardant Yonekizu par intermittence –, « mais quel service pouvons-nous vous rendre en ce jour ? »

Yonekizu effectue la traduction. D'un regard, Enomoto retourne la question à Grote. « En réalité, monsieur de Z., voilà : l'Abbé Enomoto souhaiterait acheter nos huit caisses de poudre de mercure, moyennant cent six *koban* l'une. »

La première pensée de Jacob : *« Nos » huit caisses ?* La deuxième : *Cent six* koban ?

La troisième est un nombre : *Huit cent quarante-huit* koban.

« Encore deux fois plus que l'apothicaire d'Osaka », lui rappelle Grote.

Huit cent quarante-huit *koban* représentent au moins la moitié du chemin vers la fortune.

Attends un peu, pense Jacob. *Pourquoi est-il prêt à débourser une somme aussi élevée ?*

« M. de Zoet est si content, assure Grote à Enomoto, qu'il a perdu sa langue. »

Je sais bien que son numéro avec le serpent t'a étourdi, pense Jacob, *mais pour l'heure, garde la tête sur les épaules…*

« Un péquin plus méritant que vous, dit Grote en lui claquant l'épaule, j'en connais pas. »

… Un monopole. Il cherche à obtenir un monopole temporaire, suppose Jacob.

« Je ne vends que six caisses, annonce le jeune clerc. Pas huit. »

Enomoto comprend : il se gratte l'oreille et regarde Grote.

Le sourire de Grote signifie : *Ne vous inquiétez pas.* « Un instant, Votre Grâce. »

Le cuisinier emmène Jacob dans un coin, près de la cachette de Weh.

« Écoutez un peu : je sais que Zwaardecroone avait fixé son prix à dix-huit *koban* la caisse.

Comment peux-tu être au courant, s'étonne Jacob, *de mon créancier à Batavia ?*

« Peu importe comment je sais cela : je le sais, voilà tout. On est sur le point de remporter près de six fois notre mise et vous trouvez à y redire ? Vous aurez pas de meilleur prix, et puis c'est pas six caisses qui ont été mises sur l'étal. C'est les huit ou rien du tout.

— Dans ce cas, répond Jacob à Grote, ce ne sera rien.

— J'ai l'impression de ne pas bien me faire comprendre ! Notre client est un personnage distingué, comme on dit. Il a des pions placés partout, à la Magistrature, à Edo. C'est le créancier des créanciers, l'apothicaire des apothicaires. On raconte même » – Jacob décèle un relent de foie de poulet dans l'haleine de Grote – « qu'il avance de l'argent au Magistrat, en attendant l'arrivée du prochain bateau de Batavia l'année prochaine ! Alors, quand je lui ai promis tout le stock de poudre de mercure, c'est exactement ce que…

— Eh bien ! vous allez devoir vous dédire de votre promesse.

— Non, non, non ! pleurniche presque Grote. Vous comprenez pas ce que je vous…

— C'est pourtant vous qui avez sorti de votre chapeau un accord de vente sur *ma* cargaison personnelle : je refuse de me soumettre aux caprices de votre flûte. Vous voilà sur le point de perdre vos frais de courtage. Qu'est-ce donc que je ne comprends pas ? »

Enomoto s'adresse à Yonekizu : les Néerlandais mettent un terme à leur dispute.

« L'Abbé dit » – Yonekizu se racle la gorge : « "Aujourd'hui, seulement six caisses à vendre." Alors il achète seulement six caisses aujourd'hui. » Enomoto poursuit. Yonekizu acquiesce, clarifie quelques détails, puis traduit. « Monsieur de Zoet : l'Abbé Enomoto crédite votre compte personnel au Trésor de six cent trente-six *koban*. Le scribe de la Magistrature apporte la preuve de paiement dans le registre de la Compagnie. Ensuite, quand vous avez la satisfaction, ses hommes vont dans la réserve Eik et emportent six caisses de mercure. »

D'une vente si rapide, il n'est pas de précédents. « Votre Grâce ne désire-t-elle pas au préalable examiner la poudre de mercure ?

– Ah, dit Grote, M. de Z. ayant tant à faire, j'avais pris la liberté d'emprunter la clé à l'adjoint v. C. pour montrer à notre invité un échantillon du lot…

– C'est, en effet, une bien grande liberté que vous vous êtes arrogée, le réprimande Jacob.

– À cent six *koban* la caisse, soupire Grote, il faut bien que quelqu'un prenne les devants, hein ? »

L'Abbé attend. « Nous faisons affaire du mercure aujourd'hui, monsieur Dazûto ?

– Mais bien sûr, Votre Grâce. » Arie Grote a un sourire de requin aux lèvres. « Bien sûr.

– Et les formalités, les pots-de-vin, l'acte de vente… ? » demande Jacob.

Enomoto balaie d'un *pfff* ces tracasseries.

« Comme je vous le disais » – Arie Grote affiche un sourire radieux –, « un personnage très distingué.

– Dans ce cas, l'affaire est entendue, Votre Grâce », conclut Jacob, qui n'a plus d'objection.

Telle une grande poche de détresse qui se serait crevée, un soupir échappe à Arie Grote, qui voit son supplice prendre fin.

D'un air posé, l'Abbé donne une phrase à traduire à Yonekizu. «"Cela que vous ne vendez pas aujourd'hui, annonce Yonekizu, vous vendrez bientôt."

— Eh bien, le Seigneur-Abbé» – Jacob ne baisse pas sa garde – «semble connaître davantage mon esprit que moi-même.»

L'Abbé Enomoto a le dernier mot, il le prononce : «Affinités.» Il adresse à Kosugi et Yonekizu un signe de la tête, puis son escorte quitte la réserve sans plus de cérémonie.

«Tu peux sortir de ta cachette, à présent, Weh.» En dépit du fait que, ce soir, Jacob se couchera plus riche qu'il n'était au moment où, ce matin, le tremblement de terre l'a jeté de son lit, une obscure raison le chagrine. *Si tant est*, tempère-t-il, *que le généreux Seigneur-Abbé Enomoto tienne parole.*

Le Seigneur-Abbé Enomoto a tenu parole. À deux heures et demie de l'après-midi, Jacob descend l'escalier de la résidence du chef en possession d'un certificat de dépôt. Avalisé par Vorstenbosch et van Cleef, le document peut être échangé à Batavia ou même dans les bureaux néerlandais de la Compagnie à Flessingue ou Walcheren. La somme représente cinq à six années de salaire au poste qu'il occupait en tant que préposé aux expéditions. Il lui reste certes à rembourser l'ami de son oncle à Batavia qui lui avait prêté les fonds nécessaires à l'achat du mercure médicinal. *Jamais la chance ne m'aura autant souri à un jeu de hasard*, songe Jacob, *et dire que j'ai failli acheter les holothuries au lieu du mercure. Quant à Arie Grote, il tire son épingle du jeu.* La transaction établie avec l'énigmatique Abbé n'en reste pas moins d'une exceptionnelle rentabilité. *Et les caisses restantes*, anticipe Jacob, *atteindront un prix encore plus élevé lorsque les autres courtiers verront les profits réalisés par Enomoto.* À Noël, l'an prochain, il repartira pour

Batavia avec Unico Vorstenbosch, dont le lustre sera alors plus éclatant que jamais, lui qui aura purgé Dejima de cette corruption de sinistre renommée. Il consultera alors Zwaardecroone ou les pairs de Vorstenbosch et investira l'argent de son mercure dans une entreprise plus ambitieuse encore – pourquoi pas le café, ou bien le teck – dont les dividendes seront susceptibles d'impressionner le père d'Anna.

De retour dans la grand-rue, Jacob aperçoit Hanzaburo qui ressort de la Guilde des interprètes. Le clerc retourne à la Maison haute afin de ranger le précieux certificat dans sa malle. Il hésite puis emporte l'éventail en paulownia qu'il met dans la poche de sa veste. Puis il s'empresse de gagner la Cour aux pesées, car aujourd'hui on y pèse des lingots de plomb dont on vérifie ensuite la pureté, avant de les reposer dans leurs caisses, lesquelles sont alors scellées. Même sous les auvents des inspecteurs, la chaleur est assommante, mais il faut garder un œil vigilant sur les balances, les coolies et le nombre de caisses.

« Comme c'est gentil à vous de vous présenter à votre poste », l'accueille Peter Fischer.

La nouvelle du confortable profit réalisé par le nouveau clerc sur la vente de son mercure a largement circulé.

Ne trouvant pas de réplique cinglante, Jacob prend la feuille des comptes. L'interprète Yonekizu surveille l'auvent adjacent. Le travail avance lentement.

Jacob pense à Anna et essaie de se souvenir d'elle telle qu'elle était et pas simplement telle qu'il l'a représentée dans ses dessins.

Les coolies à la peau cuivrée par le soleil arrachent les couvercles cloutés aux caisses…

Cette richesse nous rapproche un peu plus de notre avenir commun, pense-t-il, *mais cinq années n'en demeurent pas moins une très longue période.*

Les coolies à la peau cuivrée par le soleil reclouent les couvercles à leurs caisses.

D'après la montre de gousset de Jacob, quatre heures sonnent et s'envolent…

À un moment, Hanzaburo s'en va sans donner d'explication.

À cinq heures moins le quart, Peter Fischer annonce : « Ceci est la deux centième caisse. »

À cinq heures et une minute, un marchand âgé s'évanouit, écrasé par la chaleur.

Immédiatement, on envoie chercher le docteur Marinus, et Jacob prend sa décision.

« Voulez-vous bien m'excuser une minute ? » demande-t-il à Fischer.

Fischer bourre sa pipe avec une lenteur délibérée. « Combien de temps durera votre minute ? Celle d'Ouwehand en vaut quinze ou vingt. Celle de Baert plus d'une heure. »

Jacob se lève : il a des fourmis dans les jambes. « Je reviendrai dans dix minutes.

— Donc, votre "un" signifie "dix". Sachez qu'en Prusse, un homme dit ce qu'il pense.

— Je m'en vais, marmonne peut-être de façon audible Jacob, car c'est bien ce que je risque de faire. »

Jacob patiente au carrefour animé en observant le manège de la main-d'œuvre. Le docteur Marinus ne tarde pas à arriver : accompagné de deux interprètes domestiques qui portent son nécessaire médical, il se rend d'un pas claudiquant auprès du marchand évanoui. Il aperçoit Jacob mais fait mine du contraire, ce qui arrange le clerc. Les relents de crotte imprégnant la fumée qui s'échappait de son œsophage au terme de la démonstration de la seringue à fumée l'ont définitivement soigné de l'envie de se lier d'amitié avec Marinus. Après l'humiliation endurée ce jour-là, il évite Mlle Aibagawa : désormais, elle ou les autres séminaristes peuvent-ils voir en lui autre chose qu'un ensemble de valves de graisse et de tuyaux de chair ?

Cependant, six cent trente-six koban *offrent un salut à votre amour-propre...*, admet-il.

Les séminaristes quittent l'hôpital : Jacob se doutait que leur séance serait écourtée suite à l'appel du docteur Marinus. Mlle Aibagawa se trouve en queue de cortège, à demi cachée sous une ombrelle. Il bifurque dans la ruelle anguleuse et y avance de quelques pas, comme s'il se dirigeait vers la réserve Lelie.

Je ne fais que restituer un objet à sa propriétaire, se rassure-t-il.

Les quatre jeunes hommes, les deux gardes et la sage-femme empruntent la venelle.

Mais la hardiesse lui fait défaut. Puis il se reprend et repart sur les traces du cortège. « Excusez-moi ! »

La troupe se retourne : Mlle Aibagawa croise et soutient le regard de Jacob un instant.

Muramoto, le plus âgé des disciples, revient sur ses pas pour le saluer. « Domburujiwâ-*san* ! »

Jacob retire son chapeau de bambou. « Encore une chaude journée, monsieur Muramoto. »

Il semble ravi que Jacob se souvienne de son nom. Les autres disciples se rallient à sa courbette. « Chaud, chaud, conviennent-ils avec enthousiasme. Chaud ! »

Jacob s'incline devant la sage-femme. « Bonjour, mademoiselle Aibagawa.

— Comment va » – ses yeux trahissent une curieuse espièglerie – « le foie de monsieur Dombourgeois ?

— Bien mieux, je vous remercie. » Il avale sa salive. « Je vous remercie.

— Ah, dit Ikematsu faussement sérieux, et comment va in-tus-sus-cep-tion ?

— La magie du docteur Marinus m'a guéri. Qu'avez-vous étudié aujourd'hui ?

— *Kon-som-pu-shyôn,* répond Kajiwaki. Quand on tousse le sang.

— Oh, la consomption. Une maladie terrible et répandue. »

Un inspecteur de la porte-de-terre s'approche ; un des gardes se plaint.

« Veuillez excuser, monsieur, explique Muramoto, mais il dit : "Nous devons partir." »

– Bien sûr, bien sûr, je ne veux pas vous retenir. Je souhaitais simplement rendre ceci » – il sort l'éventail de la poche de sa veste et le tend – « à Mlle Aibagawa qui l'a oublié à l'hôpital aujourd'hui. »

Les yeux de la jeune femme s'affolent. Ils demandent : *Que faites-vous ?*

Le courage de Jacob se volatilise. « L'éventail que vous avez oublié à l'hôpital du docteur Marinus. »

L'inspecteur arrive. Furieux, il s'adresse à Muramoto.

Muramoto explique : « Inspecteur veut savoir "Qu'est-ce que c'est ?", monsieur Domburujiwâ.

– Dites-lui » – *quelle terrible erreur* – « que Mlle Aibagawa a oublié son éventail. »

Cela n'émeut pas l'inspecteur : celui-ci émet un ordre bref et tend la main, tel un maître de classe qui demande son cahier à un écolier.

« Il dit : "Montrez, s'il vous plaît", monsieur Domburujiwâ, traduit Ikematsu. Pour inspection. »

Si j'obéis, se rend compte Jacob, *tout Dejima, tout Nagasaki saura que j'ai dessiné son portrait, puis l'ai découpé et collé en bandelettes sur un éventail.* Ce gage d'estime et d'amitié, Jacob le constate, se prêtera à une mauvaise interprétation. Et sera même susceptible de mettre le feu aux poudres et de provoquer un petit scandale.

Les doigts de l'inspecteur bataillent avec le cran d'arrêt revêche.

Jacob, qui rougit déjà, prie pour que survienne un événement salutaire... peu importe sa nature.

Tranquille, Mlle Aibagawa s'adresse à l'inspecteur.

L'inspecteur la regarde : son air sévère s'adoucit un rien...

... puis il pousse une sorte de ricanement amusé et lui tend l'éventail. Elle lui répond par une légère courbette.

Pour Jacob, ce salut inespéré a le goût d'une punition.

Dans la nuit claire résonnent des clameurs de fête provenant de Dejima et du rivage, et qui semblent destinées à chasser les mauvais souvenirs du tremblement de terre survenu le matin. Des lanternes de papier sont accrochées le long des artères principales de Nagasaki, et des beuveries s'improvisent à la maison du connétable Kosugi, dans la demeure de l'adjoint van Cleef, à la Guilde des interprètes et même au poste de garde implanté devant la porte-de-terre. Jacob et Ogawa se sont rejoints au poste d'observation. Ogawa est venu accompagné d'un inspecteur : ainsi, on ne pourra l'accuser de fraterniser avec l'étranger ; mais l'inspecteur étant déjà ivre, il a suffi d'une fiole de *sake* pour qu'il se mette à ronfler. Hanzaburo est assis trois, quatre marches en dessous de la plate-forme avec l'interprète domestique passablement exploité d'Ouwehand : « J'ai réussi à me soigner de mon Herpès », s'était-il vanté ce soir, pendant l'appel. Une lune trop lourde semble rouler sur le mont Inasa ; Jacob profite de la brise, malgré la suie et les odeurs d'effluents qu'elle charrie. « Que sont ces petites nuées lumineuses en haut de la ville ? demande-t-il, le doigt tendu.

– Encore des fêtes *O-bon*, dans… Comment dit-on ? L'endroit où on enterre les cadavres.

– Dans des cimetières ? Ne me dites pas que vos fêtes se déroulent dans vos cimetières ! » Jacob s'imagine des gens danser la gavotte dans un cimetière de Dombourg et manque d'éclater de rire.

« Le cimetière est la porte des morts, dit Ogawa, alors c'est un bon endroit pour faire venir les âmes dans le monde de la vie. Demain soir, des petits bateaux de feu flottent sur la mer et ramènent les âmes dans leur pays. »

À bord du *Shenandoah*, l'officier de quart frappe la cloche à quatre reprises.

«Vous croyez vraiment que les âmes vont et viennent ainsi? interroge Jacob.

– Monsieur de Zoet ne croit pas ce qu'il entendait quand il est enfant?»

Mais ma foi est véritable, pense Jacob, qui éprouve de la pitié pour Ogawa, *tandis que la tienne n'est qu'idolâtrie.*

À la porte-de-terre, un officier aboie sur un subalterne.

Je suis un employé de la Compagnie, se rappelle Jacob, *pas un missionnaire.*

«Enfin.» Ogawa tire une fiole de porcelaine de sa manche.

Jacob est déjà un peu soûl. «Combien encore en dissimulez-vous?

– Je ne suis pas en service...» Ogawa remplit de nouveau les coupelles. «... Alors buvez à votre bon profit d'aujourd'hui.»

La pensée de cet argent et le rugissement du *sake* dans son gosier lui réchauffent le cœur. «Reste-t-il quelqu'un à Nagasaki qui ne soit pas au courant du profit que j'ai tiré de mon mercure?»

Des pétards explosent dans un poste de traite chinois situé de l'autre côté du port.

«Il y a un moine dans la plus haute des plus hautes cavernes» – Ogawa désigne la montagne – «qui ne sait pas. Pas encore. Mais parlons avec sobriété. Le prix monte, c'est bien. Mais vendez le dernier mercure à Seigneur-Abbé Enomoto, pas à une autre personne. S'il vous plaît. C'est un ennemi dangereux.

– Arie Grote éprouve les mêmes craintes vis-à-vis de Sa Grâce.»

La brise rapporte les odeurs de poudre à canon des Chinois.

«M. Grote est sage. Son domaine est petit, mais l'Abbé est...» Ogawa hésite. «Il est beaucoup de puissance. En dehors du sanctuaire de Kyôga, il a une résidence à Nagasaki, une maison à Miyako. À Edo, il est le hôte de Matsudaira Sadanobu. Sadanobu-*sama* est beaucoup de puissance... "Faiseur de rois", on dit? Ses amis proches – par exemple, Enomoto – sont puissance aussi. Et mauvais ennemis. Souvenez cela, s'il vous plaît.

– Mais, en tant que Néerlandais, dit Jacob en buvant, ne suis-je pas protégé de ces "mauvais ennemis" ? »

Devant le silence d'Ogawa, le Néerlandais se sent tout à coup un peu moins en sécurité.

Des feux constellent la grève jusqu'à l'embouchure de la baie.

Jacob se demande ce que Mlle Aibagawa pense de l'illustration sur son éventail.

Les chats se sont donné des rendez-vous galants sur le toit de l'adjoint van Cleef, en contrebas de la plate-forme.

Jacob examine les toitures qui placardent le flanc des collines et se demande où se trouve celle de la sage-femme.

« Monsieur Ogawa, comment un homme fait-il la cour à une femme au Japon ? »

L'interprète décode le message. « Monsieur de Zoet veut se "beurrer l'artichaut" ? »

Jacob recrache une demi-gorgée de *sake* en une gerbe spectaculaire.

Ogawa paraît très soucieux. « Je trompe avec mon néerlandais ?

– Le capitaine Lacy s'est-il une fois de plus employé à enrichir votre vocabulaire ?

– Il a appris "le néerlandais des gentilshommes" à moi et à l'interprète Iwase. »

Jacob décide de ne pas relever. « Pour obtenir la main de votre épouse, vous êtes-vous d'abord rapproché de son père ? Avez-vous plutôt offert une bague à sa fille ? Des fleurs ? Ou que sais-je... ? »

Ogawa remplit les coupelles. « Je n'ai pas vu l'épouse avant le jour du mariage. C'est *nakôdo* qui choisit. Comment expliquer *nakôdo* ? C'est la femme qui connaît les familles qui cherchent un mariage...

– Une fouineuse qui se mêle de tout ? Pardonnez-moi, je plaisante : une entremetteuse.

– "Entremetteuse" ? Ce mot est drôle. Une "entremetteuse" se met entre nos familles, *achi-kochi*. » La main d'Ogawa se déplace, telle une navette. « Elle décrit l'épouse à Père. Le père de l'épouse est un riche marchand de teinture de sapan à Karatsu, une ville située à trois jours de voyage. Nous faisons une enquête sur la famille. Est-ce qu'il n'y a pas de folie, pas de dette secrète, *et cetera*. Son père vient à Nagasaki rencontrer la famille Ogawa de Nagasaki. Le rang des marchands est plus bas que le rang des *samurai*, mais » – les mains d'Ogawa deviennent les plateaux d'une balance – « la rente des Ogawa est assurée, et nous parlons de commerce du sapan à Dejima : alors Père est d'accord. Nous nous voyons ensuite au temple le jour du mariage. »

La lune, qui s'est détachée du mont Inasa, flotte telle une bouée.

« Mais…, commence Jacob dont la franchise est induite par le *sake*,… mais l'amour ?

– On dit : "Quand le mari aime l'épouse, la belle-mère perd son meilleur serviteur."

– Quel sinistre proverbe ! Mais si vous sondez votre cœur, n'êtes-vous pas en quête de l'amour ?

– Oui, monsieur de Zoet dit la vérité : l'amour est la chose du cœur. Ou bien, l'amour est comme le *sake* : on boit, il y a une nuit de joie, oui ; mais le matin froid arrive, et on a de la migraine et le ventre est malade. Un homme peut aimer les concubines car, quand l'amour meurt, il dit "au revoir" : c'est plus aisé et il n'y a pas des blessures. Le mariage est différent. Le mariage, c'est la chose de la tête : le rang… le commerce… la lignée. Ce n'est pas pareil dans les familles en Hollande ? »

Jacob se souvient du père d'Anna. « Hélas, nous sommes exactement pareils. »

Une étoile filante naît, vit et meurt en l'espace d'un instant.

« Ne suis-je pas en train de vous retenir alors que vous devriez accueillir vos ancêtres, monsieur Ogawa ?

– Mon père fait le rite dans la maison de la famille ce soir. »

Contrariée par les pétards, la vache du Coin aux pins mugit.

« Pour dire la sincérité, poursuit Ogawa, mes ancêtres de sang ne sont pas ici. Je suis né dans le domaine de Tosa, sur Shikoku.

Shikoku, c'est une grande île » – Ogawa désigne l'est – «dans cette direction. Mon père était un serviteur humble de Seigneur Yamanouchi du domaine de Tosa. Le Seigneur donne l'éducation et m'envoie apprendre le néerlandais chez Ogawa Mimasaku à Nagasaki pour créer le lien entre Tosa et Dejima. Mais le Seigneur Yamanouchi meurt. Son fils n'a pas l'intérêt des études néerlandaises. Je suis "coincé", on dit? Mais, il y a dix ans, les deux fils d'Ogawa Mimasaku meurent de choléra. Il y avait beaucoup, beaucoup de morts dans la ville cette année. Alors Ogawa Mimasaku fait mon adoption pour que le nom Ogawa continue.

– Mais vos parents de Shikoku?

– La tradition dit : "Après l'adoption, ne reviens pas." Alors, je ne reviens pas.

– Mais, ne vous ont-ils pas... » – Jacob se souvient alors de son deuil – «... manqué?

– J'avais un nouveau nom, une nouvelle vie, un nouveau père, une nouvelle mère, des nouveaux ancêtres. »

La race des Japonais est-elle encline à trouver quelque gratification dans les misères qu'elle s'inflige? se demande Jacob.

«Mon étude du néerlandais me met... du baume au cœur? C'est la correcte expression? demande Ogawa.

– Oui, et votre niveau» – le clerc se montre assez sincère – «reflète votre travail acharné.

– Progresser, c'est difficile. Les marchands, les dignitaires, les gardes ne comprennent pas que c'est très difficile. Ils pensent : "Je fais mon travail. Pourquoi ce interprète paresseux et bête ne fait pas la chose pareille?"

– Au cours de mon apprentissage» – Jacob déplie ses jambes engourdies – «dans une scierie, j'ai travaillé dans les ports de Rotterdam, Londres, Paris, Copenhague et Göteborg. Je sais les contrariétés que suscitent les langues étrangères. Mais, contrairement à vous, j'avais pour moi les dictionnaires et l'enseignement professé par des maîtres de classe français. »

Le «Ah…» d'Ogawa est pétri de convoitise. «Tellement d'endroits, vous pouvez voyager…

– En Europe? En effet, mais, au-delà de la porte-de-terre, je ne puis poser le pied.

– Monsieur de Zoet peut traverser la porte-de-mer, traverser l'océan. Mais moi… tous les Japonais…» – Ogawa prête attention aux conspirations que marmonnent Hanzaburo et son ami – «… sont des prisonniers pour la vie. Celui qui complote de partir est exécuté. Celui qui part et qui revient de l'étranger est exécuté. Mon vœu très cher est d'être un an à Batavia: parler néerlandais… manger néerlandais, boire néerlandais, dormir néerlandais. Un an, un an seulement…»

Ces considérations sont nouvelles pour Jacob. «Vous souvenez-vous de votre première visite à Dejima?

– Je me souviens très bien! Avant Ogawa Mimasaku m'adopte; un jour, le maître annonce: "Aujourd'hui, nous allons à Dejima." Moi…» Ogawa serre la main sur son cœur, feignant d'être intimidé. «Nous traversons le pont de Hollande et mon maître dit: "C'est le pont le plus long que tu traverses, parce que ce pont relie deux mondes." Nous passons la porte-de-terre et je vois les géants des légendes! Les nez sont gros comme des pommes de terre! Il n'y a pas des cordons sur les vêtements: des boutons, des boutons, plein de boutons! Et des cheveux jaunes comme la paille! Et ils sentent mauvais. Alors, d'étonnement, je vois les premiers *kuronbô*, les garçons noirs avec la peau comme l'aubergine. Puis l'étranger ouvre la bouche et dit: "*Schffgg-evingen-flinder-vasschen-morgengen!*" Ça, c'était le néerlandais que j'étudie avec ardeur? Je m'incline, je m'incline, je m'incline, et le maître me tape sur la tête et dit: "Fais ta présentation, stupide *baka*!" Alors je dis: "Je m'appelle Sôzaemon *degozaimasu* quel beau temps fait-il n'est-ce pas je vous remercie, monsieur." Le géant jaune rit et dit: "*Ksssffkkk schevingen-pevingen!*" Et il montre un oiseau blanc merveilleux qui marche comme un homme, aussi grand qu'un homme. Le maître dit : "C'est une autruche." Et puis il y a encore plus gros merveilleux, un animal grand comme une hutte, il cache le soleil. Il trempe son nez *nyoro-nyoro* dans le seau et puis il boit et souffle de l'eau! Maître Ogawa dit : "Éléphant", et je dis : "*Zô ?*" Et le maître dit : "Non, stupide *baka*, c'est éléphant !" Puis on voit les cacatoès dans les cages, et les perroquets qui répètent des mots, puis un jeu bizarre de bâtons et de boules sur une table à bords qui s'appelle "billard". Il y a des langues saignantes par terre, ici, là, ici, là : ce sont les crachats de bétel des serviteurs malais.

– Que faisait un éléphant à Dejima ? » ne peut s'empêcher de demander Jacob.

– C'est un cadeau de Batavia au Shogun. Mais le Magistrat envoie un message à Edo pour dire qu'il mange trop de nourriture alors Edo discute, et dit non : la Compagnie doit reprendre l'éléphant. L'éléphant meurt de maladie mystère très vite… »

De lourds bruits de pas remontent les marches du poste d'observation en vitesse : il s'agit d'un messager.

Jacob devine d'après la réaction de Hanzaburo que les nouvelles sont mauvaises.

« Nous devons partir, le renseigne Ogawa. Des voleurs dans la maison de chef Vorstenbosch. »

« Le coffre-fort étant trop lourd pour être emporté, expose Unico Vorstenbosch à l'auditoire agglutiné dans ses appartements, les voleurs l'ont tourné puis perforé à l'arrière à l'aide d'un marteau et d'un burin : jugez plutôt. » Il retire une latte de teck du cadre en fer. « Une fois le trou suffisamment élargi, ils en ont extrait leur butin et pris la poudre d'escampette. Il ne s'agit en rien d'un menu larcin. Les voleurs étaient dûment équipés. Ils savaient exactement ce qu'ils recherchaient. Ils avaient des sbires, des guetteurs, et assez de savoir-faire pour forcer un coffre-fort en silence. De surcroît, le garde à la porte-de-terre a été saisi d'une opportune cécité. En un mot» – le chef envoie un regard furieux à l'interprète Kobayashi –, «ils avaient des complices.»

Le connétable Kosugi pose une question. «Notre chef demande, traduit Iwase, quand est-ce la dernière fois vous voyez la théière?

– Ce matin, Cupidon a vérifié qu'elle était restée intacte après le tremblement de terre.»

Le connétable pousse un soupir de lassitude puis, d'un ton monocorde, émet une remarque:

«Le connétable dit, traduit Iwase, l'esclave est dernier qui voit la théière sur Dejima.

– Ce sont les voleurs qui ont été les derniers à l'avoir vue, monsieur!» s'exclame Vorstenbosch.

L'interprète Kobayashi incline la tête, avisé. «Quelle valeur avait la théière?

– Un véritable travail d'orfèvre sur le jade et l'argent qu'un millier de *koban* ne pourrait remplacer. Vous-même avez pu l'admirer. Elle appartenait au dernier héritier de la dynastie Ming, plus connu, je crois, sous le nom d'"Empereur Chongzhen". Cette antiquité est unique. J'imagine fort bien quelqu'un préciser cela à ces maudits voleurs.

– L'Empereur Chongzhen, fait remarquer Kobayashi, avait pendu à un sophora.

– Je ne vous ai pas convoqué pour que vous nous fassiez une leçon d'Histoire, interprète Kobayashi!

– J'espère de sincérité qu'il n'y a pas de la malédiction sur la théière, lui explique Kobayashi.

– Oh, mais c'est sur les chiens qui l'ont dérobée que la malédiction s'abattra! La Compagnie en est propriétaire, pas Unico Vorstenbosch. C'est donc la Compagnie qui est victime de ce crime. Interprète, vous allez vous rendre dès à présent à la Magistrature accompagné du connétable Kosugi.

– La Magistrature est fermée ce soir » – Kobayashi se tord les mains – « car il y a la festivité *O-bon.*

– Eh bien, la Magistrature » – le chef en poste frappe son bureau d'un coup de canne – « rouvrira ! »

Jacob reconnaît cet air sur le visage des Japonais. *Ces étrangers sont infernaux*, lit-il.

« Puis-je vous suggérer, monsieur, intervient Peter Fischer, de demander que soient fouillées les réserves japonaises de Dejima ? Ces bâtards rusent peut-être, attendant que l'agitation retombe avant de s'éclipser avec le butin.

– Voilà qui est bien parlé, Fischer. » Le chef regarde Kobayashi. « Transmettez cette demande au connétable. »

La tête inclinée de l'interprète signale une certaine réticence. « Mais il n'y a pas de précédents…

– Au diable les précédents ! Je suis ce précédent, quant à vous, oui, monsieur, vous » – Vorstenbosch frappe de l'index un torse qui, Jacob en mettrait sa main à couper, ne s'est jamais vu recevoir ce geste –, « vous recevez un mirobolant salaire pour protéger *nos* intérêts ! Alors faites votre travail ! Un coolie, un marchand, un inspecteur ou peut-être même un interprète a volé un bien appartenant à la Compagnie ! C'est une atteinte à son honneur. Aussi, je vous jure que j'irai jusqu'à faire fouiller les interprètes de la Guilde ! Il faut traquer les canailles qui ont commis ce méfait et, croyez-moi, on les entendra hurler comme des porcs, vous en avez ma parole ! De Zoet ! Allez dire à Arie Grote de préparer une grande cruche de café. Nous n'allons pas nous coucher tout de suite… »

VIII

Grand salon, maison du chef de Dejima

Le 3 septembre 1799 à dix heures du matin

« La réponse du Shogun à mon ultimatum est un message qui m'a été personnellement destiné, se plaint Vorstenbosch. Pourquoi faut-il qu'un rouleau de papier dans un tube passe la nuit à la Magistrature, tel un invité que l'on bichonne ? Il est arrivé hier soir, que ne me l'a-t-on pas fait directement parvenir ? » *Parce qu'un communiqué du Shogun, se dit Jacob, équivaut à un édit du pape : ce serait un crime de haute trahison que de ne pas lui accorder le cérémonial d'usage.* Cependant, il tient sa langue ; ces derniers jours, son patron s'est montré de plus en plus froid envers lui, a-t-il relevé. La manœuvre est discrète : une louange distillée à Peter Fischer par-ci, une cinglante remarque à Jacob par-là. Il n'en reste pas moins que l'aura de l'« indispensable de Zoet » d'hier faiblit. Van Cleef ne tente pas davantage de répondre aux questions du chef : tel un courtisan, il y a longtemps qu'il a appris à distinguer les questions rhétoriques des questions réelles. Les mains derrière la tête, sifflant très doucement entre ses dents, le capitaine Lacy se laisse aller en arrière sur sa chaise, qui grince. Du côté japonais de la grande table sont assis les interprètes Kobayashi et Iwase, ainsi que deux scribes plus âgés. « Le chambellan du Magistrat, meuble Iwase, apportera bientôt le message du Shogun. »

Unico Vorstenbosch regarde d'un air bougon le sceau en or qu'il porte à l'annulaire.

« Que pensait Guillaume le Taciturne de ce surnom qu'on lui donnait ? » demande Lacy.

L'horloge de parquet émet un son grave et puissant. Les hommes sont en sueur et silencieux.

« Le ciel de l'après-midi est... instable, note l'interprète Kobayashi.

– Le baromètre de ma cabine nous promet un grain », confirme Lacy.

L'expression sur le visage de Kobayashi est polie mais son regard est vide.

« Un "grain" est synonyme de tempête, de bourrasques ou de typhon, lui explique van Cleef.

– Ah, ah, comprend l'interprète Iwase, "typhon"... Nous disons : "*tai-fû*". »

Kobayashi éponge son crâne rasé. « Les funérailles de l'été.

– À moins que le Shogun ne convienne d'augmenter le quota de cuivre, déclare Vorstenbosch en croisant les bras, ce seront des funérailles de Dejima qu'il sera question. Celles de Dejima et de vos fructueuses carrières d'interprètes. À ce propos, monsieur Kobayashi, dois-je comprendre par votre silence délibéré concernant l'article volé à la Compagnie que l'enquête n'a pas progressé d'un pouce ?

– L'enquête continue, réplique l'interprète supérieur.

– À la vitesse d'un escargot, marmonne le chef mécontent. Quand bien même nous resterions à Dejima, sachez que je rendrai compte au gouverneur général van Overstraten de votre indolence dès lors qu'il s'agit de protéger les biens de la Compagnie. »

L'ouïe fine de Jacob lui signale une troupe qui marche au pas ; van Cleef l'a entendue, lui aussi.

L'adjoint va à la fenêtre et scrute la grand-rue. « Ah, enfin. »

Deux gardes se tiennent de part et d'autre de la porte. Un porte-drapeau entre en premier : sa bannière affiche les trois feuilles de primerose du shogunat Tokugawa. Vient ensuite le chambellan Tomine, qui porte un plateau au laquage parfait sur lequel repose l'auguste fourreau contenant le parchemin. Tous les hommes de la pièce s'inclinent devant le rouleau, sauf Vorstenbosch qui dit : « Entrez donc, chambellan, asseyez-vous et découvrons si Son Altesse d'Edo a décidé d'abréger les souffrances de cette maudite île. »

Jacob remarque la grimace à moitié réprimée sur le visage des Japonais.

Iwase se contente de traduire l'invitation à prendre place et désigne une chaise.

Tomine contemple avec dédain cet article du mobilier étranger mais il n'a pas le choix.

Il dépose le plateau laqué devant l'interprète Kobayashi et s'incline.

Kobayashi l'imite, s'incline encore devant le parchemin dans son fourreau, puis fait glisser le plateau jusqu'au chef.

Vorstenbosch prend le cylindre frappé du même sceau aux trois feuilles, et tente de l'ouvrir. N'y parvenant pas, il essaie de dévisser le tube. Échouant encore, il cherche à déceler un tirant ou une encoche.

« Veuillez m'excuser, monsieur, murmure Jacob, mais je crois qu'il faut le tourner dans le sens des aiguilles d'une montre.

– Oh, je vois : de l'arrière vers l'avant et sens dessus dessous, à l'image de ce fichu pays… »

S'en échappe un parchemin enroulé autour de deux baguettes en merisier.

Vorstenbosch le déroule sur la table, verticalement, à la mode européenne.

Jacob a une bonne vue sur le parchemin. Le sens des colonnes ornées de *kanji* tracés au pinceau s'offre aux yeux du clerc par intermittence : les leçons de néerlandais qu'il donne à Ogawa Uzaemon impliquent une certaine réciproque, et le cahier de Jacob contient désormais cinq cents symboles. Le disciple clandestin reconnaît ici *donner* ; là *Edo* ; dans la colonne suivante, *dix…*

« Naturellement, soupire Vorstenbosch, personne à la cour du Shogun ne sait écrire en néerlandais. Si l'un de nos estimés prodiges » – il regarde les interprètes – « veut bien se donner la peine… »

L'horloge de parquet décompte une minute. Puis deux. Puis trois…

Les yeux de Kobayashi se déplacent de bas en haut puis de biais sur les colonnes du parchemin.

Sa lecture ne peut être si ardue, ni si longue, se dit Jacob. *Il fait traîner les choses.*

L'interprète ponctue sa laborieuse lecture par des hochements de tête approbateurs.

Ailleurs, dans la maison du chef, les serviteurs vaquent à leurs occupations.

Vorstenbosch ne fera pas à Kobayashi le plaisir de dire tout haut son impatience.

Kobayashi émet de mystérieux grondements gutturaux, puis ouvre la bouche…

« Je lis encore une fois, pour être sûr il n'y a pas des erreurs. »

Si le regard pouvait tuer, songe Jacob en étudiant Vorstenbosch, *Kobayashi souffrirait le martyre.*

Une minute passe. Vorstenbosch ordonne à son esclave Filandre : « Apporte-moi de l'eau. »

De sa place, Jacob poursuit son étude du parchemin du Shogun.

Deux minutes passent, Filandre revient avec le pichet.

« Comment dit-on » – Kobayashi se tourne vers Iwase – « "*rôju*" en néerlandais ? »

La réponse éclairée de son collègue comporte les mots « Premier ministre ».

« Alors, annonce Kobayashi, je suis prêt pour traduire le message. »

Jacob trempe sa plume la plus affûtée dans l'encrier.

« Le message dit : "Le Premier ministre envoie des salutations très cordiales au gouverneur général van Overstraten et au chef des Néerlandais de Dejima, Vorstenbosch. Le Premier ministre demande…" » – l'interprète scrute le parchemin – « "mille éventails en plumes de paon de première qualité. Le navire néerlandais doit transmettre cet ordre à Batavia : ainsi, les éventails arrivent à la saison de commerce prochaine." »

La plume de Jacob esquisse un résumé.

Le capitaine Lacy laisse échapper un rot. « Les huîtres de mon petit-déjeuner… un peu trop matures… »

Kobayashi regarde Vorstenbosch, comme s'il attendait sa réaction.

Vorstenbosch vide son verre d'eau. « Parlez-moi du cuivre. »

Avec une insolente innocence, Kobayashi cligne des yeux et lui répond : « Le message ne parle pas du cuivre, monsieur le chef.

— Ne me dites pas, monsieur Kobayashi » – une veine palpite sur la tempe de Vorstenbosch –, « qu'il s'agissait là de toute la substance de ce message.

— Non… » Le regard de Kobayashi s'oriente vers la partie gauche du parchemin. « Le Premier ministre espère aussi que l'automne de Nagasaki est clément et que l'hiver est doux. Mais j'ai pensé "pas pertinent".

— Mille éventails en plumes de paon. » Van Cleef pousse un sifflement.

« De première qualité, ajoute Kobayashi sans éprouver la moindre gêne.

— À Charleston, commente le capitaine Lacy, nous parlerions là d'une lettre d'appel à la charité.

— À Nagasaki, réplique Iwase, nous disons "ordre de Shogun".

– Les enfants de putain en place à Edo se joueraient-ils de nous ? s'interroge Vorstenbosch.

– C'est bonne nouvelle, suggère Kobayashi. Le Conseil des Anciens discute encore du cuivre. Pas dire "non", c'est dire à moitié "oui".

– Le *Shenandoah* appareillera dans sept ou huit semaines.

– Le quota de cuivre » – Kobayashi pince les lèvres – « est un sujet compliqué.

– Au contraire, l'affaire est toute simple : si vingt mille piculs de cuivre ne parviennent pas à Dejima d'ici la mi-octobre, la seule fenêtre que ce pays arriéré ait sur le monde sera murée. À Edo, croit-on que le gouverneur général plaisante ? Croit-on que j'aie écrit moi-même cet ultimatum ? »

Hélas, je n'y puis rien..., dit le haussement d'épaules de Kobayashi.

Jacob laisse un peu de répit à sa plume et étudie le parchemin du Premier ministre.

« Que répondre à Edo sur le sujet des éventails ? demande Iwase. "Oui" peut aider le cuivre...

– Pourquoi mes requêtes doivent-elles attendre une éternité, questionne Vorstenbosch, tandis que face à celles de la Cour, nous nous devons de répondre » – il claque des doigts – « *illico presto ?* Le Premier ministre s'imagine-t-il que les paons sont aussi communs que les pigeons ? Quelques moulins à vent ne suffiraient-ils pas à combler de joie Son Auguste Œil ?

– Les éventails en plumes de paon, explique Kobayashi, c'est assez pour le gage d'estime du Premier ministre.

– J'en ai assez, maugrée Vorstenbosch, les yeux tournés vers le ciel, plus qu'assez de ces maudits » – il balance le parchemin sur la table, ce geste irrespectueux provoquant la stupeur des Japonais – « "gages d'estime" ! Lundi, on m'annonce : "Le ramasseur de guano du fauconnier personnel du Magistrat réclame un rouleau de chintz de Bangalore." Mercredi, on m'apprend que "l'éleveur de singes des doyens de la ville demande une caisse de clous de girofle". Vendredi, j'entends : "Le Seigneur Tartempion du domaine de Chose admire vos couverts en os de baleine : il est ami puissant des étrangers." Quant à toi, mon mignon, tu mangeras en te servant de ces couverts d'étain élimés. Mais en revanche, quand nous autres avons besoin d'aide, où sont donc ces "puissants amis des étrangers" ? »

Kobayashi savoure sa victoire derrière un masque d'empathie mal ajusté à son visage.

Ce qui pousse Jacob à une tentative hasardeuse. « Monsieur Kobayashi ? »

L'interprète supérieur regarde le clerc au statut incertain.

« Monsieur Kobayashi, un incident est survenu un peu plus tôt au cours de la vente du poivre en grains.

– Que diable votre poivre en grains a-t-il à voir avec notre affaire de cuivre ? demande Vorstenbosch.

– *Je vous prie de m'excuser, monsieur**, tente Jacob qui, en français, cherche à rassurer son supérieur, *mais je crois savoir ce que je fais**.

– *Je prie Dieu que vous le sachiez**, le met en garde le chef. *Le jour a déjà bien mal commencé sans pour cela que vous y apportiez votre aide**.

– Voyez-vous, commence Jacob en s'adressant à Kobayashi, M. Ouwehand et moi-même nous sommes disputés avec un marchand à propos de l'idéogramme chinois – il me semble que vous les nommez *konji*, n'est-ce pas ?

– *Kanji*, rectifie Kobayashi.

– Pardonnez-moi : à propos du *kanji* correspondant au nombre dix. Lors de mon séjour à Batavia, un marchand chinois m'en a enseigné un petit nombre et, peut-être à tort, j'ai utilisé mes connaissances limitées au lieu de faire appel à un interprète de la Guilde. Le ton est monté et je crains qu'une accusation de malhonnêteté n'ait été formulée à l'encontre de votre compatriote.

– Quel était » – Kobayashi flaire la piste fraîche d'une humiliation néerlandaise – « le *kanji* de dispute ?

– Eh bien, monsieur, Ouwehand disait que le *kanji* qui signifie "dix" s'écrit… » Affichant un air de concentration maladroite, Jacob trace un caractère sur son buvard. « … de la façon suivante… »

« Mais je disais à Ouwehand que non : le caractère qui correspond à "dix" est… celui-ci… »

Jacob se trompe volontairement dans l'ordre d'exécution des traits afin d'amplifier l'impression d'incompétence. « Le marchand, lui, jurait que nous nous trompions : il a tracé » – Jacob soupire et fronce les sourcils – « une croix, si je me souviens bien, de la façon suivante. »

« J'étais alors convaincu que le marchand était un escroc, et le lui ai signifié, ce me semble. L'interprète Kobayashi aurait-il la gentillesse de faire la lumière sur cette histoire ?

– Le nombre de M. Ouwehand » – Kobayashi désigne le caractère en question – « signifie "mille", pas "dix". Le nombre de M. de Zoet est faux : le nombre signifie "cent". Ceci » – il désigne le X – « est la mauvaise mémoire. Le marchand a écrit ceci… » Kobayashi se tourne vers son scribe, qui lui tend un pinceau. « Voici "dix". Seulement deux traits, mais un vertical et un horizontal… »

Jacob, contrit, grogne puis inscrit en chiffres les nombres dix, cent et mille devant les idéogrammes correspondant à chacun. «Il s'agit donc bien là des symboles relatifs aux nombres en question?»

Scrupuleux, Kobayashi examine les nombres une dernière fois et acquiesce d'un hochement de tête.

«Je suis sincèrement reconnaissant, dit Jacob en s'inclinant, des bons conseils qu'a su me livrer l'interprète supérieur.

– Il n'y a» – l'interprète s'évente – «pas d'autres questions?

– Juste une dernière, monsieur, reprend Jacob. Pourquoi avoir prétendu que le Premier ministre du Shogun exige *mille* éventails en plumes de paon alors que, selon les articles numéraux que vous avez eu l'amabilité de m'enseigner, la quantité se limite à une bien plus modeste *centaine*» – tous les yeux de la salle suivent sur le parchemin le doigt de Jacob, qui s'arrête au *kanji* correspondant à cent –, «comme on peut le lire ici.»

L'épouvantable silence se lézarde. Jacob remercie son Dieu.

«Nous la rattrap'rons, la p'tite hirondelle, chantonne le capitaine Lacy. Et nous lui donn'rons trois p'tits coups d'bâton.»

Kobayashi tend la main vers le parchemin. «La requête de Shogun n'est pas pour les yeux des clercs.

– Non pas! bondit Vorstenbosch. Elle est destinée aux miens, monsieur, aux miens! Monsieur Iwase, traduisez cette lettre de sorte que nous puissions vérifier de combien d'éventails il est question : un millier ou bien une centaine pour le Conseil des Anciens et neuf cents pour M. Kobayashi et ses petits camarades? Mais, avant de commencer, monsieur Iwase, rafraîchissez-moi la mémoire : quelle est la peine encourue quand on escamote à dessein la traduction d'un ordre du Shogun?»

À quatre heures moins quatre, Jacob applique son buvard contre la page ouverte sur son bureau de la réserve Eik. Il boit un autre godet d'eau qu'il suera jusqu'à la dernière goutte. Puis il retire son buvard et lit le titre : *Seizième addendum : véritables quantités de mobilier laqué exporté à Batavia depuis Dejima passées sous silence dans les connaissements soumis entre les années 1793 et 1799.* Il referme le livre noir, en noue les cordons et le range dans son porte-documents. « Nous nous en tiendrons là, Hanzaburo. Le chef Vorstenbosch m'a convoqué au Grand salon pour un entretien à quatre heures. Apporte ces papiers au bureau des clercs et donne-les à M. Ouwehand. » Hanzaburo soupire, prend les dossiers et part, se laissant porter par ses pas, l'air abattu.

Jacob sort ensuite et verrouille la réserve. Des graines en suspension saturent l'atmosphère gluante.

Le Néerlandais brûlé par le soleil pense aux premiers flocons d'un hiver zélandais.

Emprunte la venelle, se dit-il. *Tu auras peut-être une chance de l'apercevoir.*

Presque inanimée, la bannière néerlandaise de la place du Drapeau frémit à peine.

Si tu as l'intention de trahir Anna, songe Jacob, *pourquoi chercher à obtenir l'inaccessible ?*

À la porte-de-terre, un garde fouille une charrette à bras pleine de fourrage susceptible de contenir quelque article de contrebande.

Marinus a raison. Engage une courtisane. Tu en as les moyens à présent...

Jacob remonte la grand-rue jusqu'au carrefour, où Ignatius passe le balai.

L'esclave informe le clerc que les disciples du docteur sont partis voilà déjà un moment.

Un regard suffirait à me dire si l'éventail l'a séduite ou offensée. Jacob en est persuadé.

Peut-être se tient-il à l'endroit où elle est passée. Deux espions l'observent.

Alors qu'il arrive à la maison du chef, il est accosté par Peter

Fischer qui surgit du passage aménagé dans le soubassement. «Tiens, tiens, voilà l'étalon qui vient de chevaucher la jument…» Le Prussien empeste le rhum.

Pour Jacob, Fischer ne peut faire allusion qu'à l'épisode des éventails de la matinée.

«Trois années passées dans cette prison que Dieu déserte… Snitker avait juré qu'à la fin de son mandat, je serais l'adjoint de van Cleef. Il l'avait juré! Mais il a fallu que vous arriviez, vous et votre foutu mercure, vous qui êtes dans les petits papiers de l'*autre*…» Fischer regarde en haut de l'escalier de la maison du chef en titubant. «Vous oubliez, de Zoet, que, contrairement à vous, je ne suis pas un petit clerc inoffensif. Vous oubliez…

– Que vous étiez fusilier au Surinam? Vous nous le rappelez à longueur de journée.

– Si vous me dépossédez de la promotion qui me revient de plein droit, je vous briserai tous les os du corps.

– Au revoir, monsieur Fischer, et que votre soirée soit plus sobre que votre après-midi.

– Jacob de Zoet! Mes ennemis, je leur brise les os, un par un…»

Vorstenbosch s'empresse d'inviter Jacob à entrer dans son bureau avec une convivialité qu'il n'avait plus vue depuis bien des jours. «M. van Cleef me rapporte que vous vous êtes exposé au feu du déplaisir de M. Fischer.

– Malheureusement, M. Fischer est persuadé que j'emploie toutes les minutes de ma journée à contrarier ses intérêts…»

Van Cleef verse un riche porto rubis dans trois flûtes.

«… mais peut-être que le rhum de M. Grote est le véhicule de cette accusation.

– Si des intérêts ont été contrariés aujourd'hui, commente Vorstenbosch, ce sont bien ceux de Kobayashi.

– Je ne l'ai jamais vu repartir aussi dépité, la queue entre ses jambes courtaudes. »

Sur le toit au-dessus de leurs têtes, les oiseaux grattent, sautillent et lancent de sinistres avertissements.

« C'est son avidité qui l'a perdu, monsieur, dit Jacob. Je n'ai fait que… le pousser un peu.

– Je ne crois pas » – van Cleef ricane dans sa barbe – « qu'il s'en tienne à cette vision des choses !

– Quand je vous ai rencontré, de Zoet, commence Vorstenbosch, j'ai tout de suite su. Voici une âme honnête dans ce marécage de traîtres, une fine plume parmi les hampes émoussées, et un homme qui, moyennant quelques recommandations, sera nommé chef en poste d'ici sa trentième année ! L'ingéniosité dont vous avez fait preuve ce matin nous a permis de protéger l'argent et l'honneur de la Compagnie. J'en toucherai deux mots au gouverneur général van Overstraten, vous avez ma parole. »

Jacob s'incline. *M'a-t-on convoqué*, s'interroge-t-il, *pour me nommer clerc principal ?*

« À votre avenir », déclare le chef. Lui, l'adjoint et le clerc trinquent.

Peut-être que sa froideur dernière, songe Jacob, *avait pour rôle de dissiper les soupçons de favoritisme.*

« En guise de punition, jubile van Cleef, Kobayashi devra expliquer à Edo que passer commande à un poste d'approvisionnement susceptible de fermer dans une cinquantaine de jours en raison d'un possible manque de cuivre est prématuré et imprudent. Et nous ne manquerons pas de lui arracher davantage de concessions. »

La lumière ricoche sur les armoiries de l'horloge d'Almelo tels des éclats d'étoiles.

« Nous avons » – Vorstenbosch change de ton – « une autre mission pour vous, de Zoet. M. van Cleef va vous expliquer. »

Van Cleef vide son verre de porto. « Avant le petit-déjeuner, qu'il pleuve ou qu'il vente, M. Grote reçoit une visite : un avitailleur qui, au vu et au su de tout le monde, entre chargé d'un sac plein.

– Un sac plus gros qu'une bourse, précise Vorstenbosch, mais plus petit d'une taie d'oreiller.

– Une minute plus tard, il ressort avec le même sac, toujours plein, et toujours au vu et au su de tout le monde.

– Quelle est » – Jacob réprime sa déception de ne pas avoir obtenu une immédiate promotion – «la version des faits de M. Grote ?

– Une version des faits ? répond Vorstenbosch. Voilà assurément ce que le maître coq ne manquerait pas de concocter à M. van Cleef ou à moi-même. Les grandes responsabilités, vous le découvrirez un jour, agrandissent la distance qui sépare un chef de ses hommes. Cela étant, l'épisode de ce matin nous a prouvé que s'il est bien quelqu'un à même de débusquer les gredins, c'est vous. Vous hésitez, n'est-ce pas ? Vous vous dites : "Personne n'aime les délateurs." Hélas, vous avez raison. Mais qui est destiné à exercer de hautes fonctions – hautes fonctions pour lesquelles van Cleef et moi vous pressentons, de Zoet – ne doit pas craindre d'avoir à jouer des coudes. Rendez donc visite à M. Grote, ce soir…»

Il cherche à évaluer ma capacité à me salir les mains, devine Jacob.

«Je répondrai favorablement à l'invitation maintes fois repoussée à rejoindre la table de jeu du cuisinier.

– Vous voyez, van Cleef ? De Zoet ne demande jamais "Faut-il le faire ?" mais seulement "Comment dois-je m'y prendre ?".»

Jacob se complaît à imaginer la réaction d'Anna apprenant la nouvelle de sa promotion.

Dans la pénombre d'après-dîner, une brise s'engouffre dans la contre-allée de la Muraille de mer, et Jacob découvre Ogawa Uzaemon à ses côtés. L'interprète s'adresse à Hanzaburo, lequel disparaît, et accompagne Jacob jusqu'aux pins du coin opposé de l'île. Sous les arbres humides, Ogawa s'arrête et neutralise d'un salut amical le sempiternel espion tapi dans l'ombre, puis déclare à voix basse : « Tout le monde à Nagasaki parle de ce matin. L'interprète Kobayashi et les éventails.

– Dorénavant, il sera peut-être moins tenté de nous mystifier aussi éhontément.

– Récemment, poursuit Ogawa, j'ai averti de ne pas faire ennemi de Enomoto.

– J'ai bien pris la mesure de votre conseil.

– Voici un autre conseil. Kobayashi est un petit Shogun. Dejima, c'est son empire.

– Ma foi, je suis bien aise de ne pas me fier à ses bons offices. » Ogawa ne comprend pas l'expression « bons offices ». « Il vous cause le tort, de Zoet-*san*.

– Votre préoccupation me touche, monsieur Ogawa, mais je n'ai pas peur de cet homme.

– Il peut chercher dans vos appartements » – Ogawa se retourne – « des objets volés… »

Des mouettes bataillent dans le crépuscule au-dessus d'un bateau que dissimule la Muraille de mer.

« … ou des objets interdits. Alors si vous avez des objets ainsi, cachez s'il vous plaît.

– Mais, proteste Jacob, je ne possède rien qui puisse m'incriminer. »

Un muscle minuscule frémit sous la joue d'Ogawa. « S'il y a un livre interdit… cachez. Cachez sous le plancher. Cachez très bien. Kobayashi veut la vengeance. Vous risquez la peine de l'exil. L'interprète qui a fouillé votre bibliothèque quand vous arrivez n'a pas beaucoup de chance… »

Quelque chose m'échappe… Jacob en est persuadé. *Mais quoi ?*

Le clerc ouvre la bouche afin de poser une question, mais celle-ci se volatilise.

Mon psautier : Ogawa était au courant de son existence depuis le début, comprend-il.

« Je vais suivre vos conseils, monsieur Ogawa, et ce, sans tarder… »

Deux inspecteurs surgissent de la ruelle anguleuse et remontent la contre-allée de la Muraille de mer.

Sans rien ajouter, Ogawa se dirige vers eux. Jacob s'éclipse par la Maison au jardin.

Con Twomey et Piet Baert se lèvent, et leurs ombres, projetées par la bougie, glissent sur le mur. La table de jeu improvisée est constituée d'une porte posée sur quatre pieds. Ivo Oost reste assis, chiquant du tabac ; Wybo Gerritszoon vise le crachoir sans toutefois l'atteindre ; quant à Arie Grote, il est aussi accueillant qu'un furet recevant son hôte lapin. « On n'espérait plus vous voir un jour accepter mon hospitalité, vous savez. » Il débouche la première carafe de rhum d'un lot de douze alignées sur une étagère en bois.

« J'avais l'intention de me joindre à vous depuis longtemps, dit Jacob, mais le travail m'en empêchait.

– Achever de couler la réputation de M. Snitker doit être un travail épuisant, commente Oost.

– Vous n'imaginez pas. » Jacob balaie l'attaque d'un revers de main. « Car falsifier avec finesse des livres de comptes est un travail proprement assommant. Comme on se sent à l'aise dans votre appartement, monsieur Grote.

– S'il me plaisait de barboter dans un bain de pisse, répond Grote en lui adressant un clin d'œil, je serais resté à Enkhuizen, hé. »

Jacob prend place. « À quel jeu jouez-vous, messieurs ? »

– Au valet et au diable : un jeu de nos cousins comme qui dirait "germains".

– Ah, le Karnöffel. J'ai eu l'occasion d'en faire quelques parties à Copenhague.

– Vous, jouer aux cartes ? s'étonne Baert. Ça me surprend.

— Les fils de pasteur – ou leurs neveux – sont moins naïfs qu'on ne le croit.

— Chacun de ces clous» – Arie Grote en prélève un de son pactole – «équivaut à un patard en moins sur notre salaire. On dépose un clou dans la cagnotte avant chaque manche. Il y a sept plis par manche, et celui qui remporte le plus grand nombre de plis empoche le magot. Quand tous les clous sont levés, la nuit est terminée.

— Mais comment les gains sont-ils versés, puisque les salaires ne nous sont acquittés qu'à Batavia?

— Un rien de prestidigitation suffit: on écrit là-dessus» – il agite une feuille de papier – «qui doit combien à qui; l'adjoint van Cleef s'occupe de rectifier nos comptes dans le livre de paies. M. Snitker nous y autorisait: il savait combien ces petits plaisirs conviviaux permettaient à ses hommes de garder, comme qui dirait, une certaine vivacité.

— M. Snitker était notre hôte, avant qu'il perde sa liberté, ajoute Ivo Oost.

— Les cartes, très peu pour Fischer, Ouwehand et Marinus. Mais vous, monsieur de Z., vous m'avez l'air d'un naturel un peu plus gai…»

Il reste neuf carafes sur l'étagère. «Alors je m'enfuis de chez le paternel, raconte Grote en caressant ses cartes, car il aurait pas manqué de m'étriper; et me voilà sur la route d'Amsterdam, comme qui dirait en quête de fortune et du véritable amour.» Il se verse un autre verre de ce rhum aux reflets d'urine. «Mais le seul amour que j'aie vu, moi, c'était celui qu'on paie rubis sur l'ongle et qui rapporte des nèfles. Quant à la fortune, alors… Non, la faim, c'est tout ce que j'ai trouvé… et la neige, la glace et ces chiens de détrousseurs qui bouffaient les plus faibles… *Menu profit emplit la bourse*, je me disais. Je décide donc d'acheter une brouettée de charbon, mais une meute de charbonniers renverse ma charrette à bras dans le canal, et moi avec, puis gueule : "C'est notre coin, ici, bâtard de Frison ! Si tu veux un bain, tu sais où nous trouver !" Hormis avoir appris ce que c'était qu'un monopole, faire trempette dans l'eau glacée m'a refilé une telle fièvre que j'ai pas pu quitter mon logis de toute la semaine, jusqu'à ce que le tenancier de la maison me plante le fer de son bottillon au cul. Avec mes chaussures trouées et le brouillard puant pour toute pitance, je me suis assis sur les marches de Nieuwe Kerk en me demandant s'il valait mieux pas voler de quoi manger tant qu'il me restait un peu de force pour détaler, ou bien attendre que le froid m'emporte…

— Il n'y a pas à réfléchir, le coupe Ivo Oost. Vole et détale…

— … quand je vois arriver vers moi en se dandinant comme une oie un gentilhomme en haut-de-forme, une canne au pommeau d'ivoire en main et affichant un air débonnaire. Il demande : "Sais-tu qui je suis, mon garçon ?" Je lui réponds : "Non, monsieur." Il me dit : "Je suis ta future prospérité." Je croyais qu'il parlait de me nourrir si je me joignais à sa congrégation. Moi, j'étais prêt à devenir juif pour un bol de soupe. Mais non : "Tu as entendu parler de la noble et munificente Compagnie néerlandaise des Indes orientales, mon garçon, n'est-ce pas ?" Je lui réponds : "Qui n'en a pas entendu parler, monsieur ?" Il me dit : "Alors tu sais les promesses de richesse que la Compagnie offre aux courageux gaillards qu'elle emploie partout sur le globe bleu et argent de notre Créateur ?" Je finis par comprendre, et je lui réponds : "Ça oui, monsieur." Il me dit : "Eh bien, tu as devant toi le duc van Eys, maître des recrues au quartier général d'Amsterdam. Que dirais-tu d'une avance sur salaire d'un demi-florin ainsi que le gîte et le couvert en attendant le départ de la prochaine flottille sur la route des sirènes de l'Orient et ses mystères ?" Alors je lui réponds : "Duc van Eys, vous êtes mon sauveur." Monsieur de Z., avez-vous quelque chose à reprocher à mon rhum ?

– Mon estomac se dissout, monsieur Grote. En dehors de cela, il est exquis. »

Grote pose un cinq de carreau, Gerritszoon dégaine aussitôt sa reine.

« Pas de quartier ! » Baert sort un cinq d'atout et ramasse la cagnotte de clous.

Jacob se débarrasse d'une faible carte de cœur. « Votre sauveur, monsieur Grote ? »

Grote examine son jeu. « Ce monsieur m'a conduit jusqu'à une maison biscornue derrière le Rasphuis, dans une rue pentue, et, à l'intérieur de la maison, le bureau était minuscule, mais au moins on y était au sec et il y faisait chaud, et puis il y avait cette odeur de bacon qui montait de sous les escaliers. Oh, que ça sentait bon ! Je lui ai même demandé si je pouvais pas en avoir une tranche ou deux, tout de suite. Alors van Eys a ricané et dit : "Signe de ton nom ici, mon garçon, et après cinq années passées en Orient, tu pourras bâtir un château de jambon fumé !" Comme je savais ni lire ni écrire mon nom à cette époque, j'ai trempé mon pouce dans l'encre et l'ai appliqué en bas des pages. "Magnifique, a dit van Eys, et voici une avance sur ton salaire, afin de te prouver que je suis un homme de parole." Il m'a alors donné un demi-florin, une pièce toute neuve : j'avais jamais été aussi heureux. "Le solde te sera versé à bord de l'*Admiraal de Ruyter*, qui lèvera l'ancre le trente ou trente et un de ce mois. Tu n'auras, bien entendu, pas d'objection à partager ton logis avec d'autres courageux gaillards, futurs équipiers et, plus tard, compagnons de fortune ?" Mieux vaut avoir un toit que pas du tout. J'ai donc empoché mon butin et dit que j'avais aucune objection. »

Twomey jette un petit carreau. Ivo Oost se débarrasse du quatre de pique.

« Et donc, deux serviteurs » – Grote examine son jeu – « m'ont fait descendre, mais j'ai pas eu le temps de comprendre ce qui m'attendait qu'on avait déjà verrouillé le cadenas derrière moi. Dans cette cave pas plus grande qu'ici, il y avait *vingt-quatre* gars, ils avaient mon âge ou un peu plus. Y en avait qui étaient là depuis des semaines ; d'autres ressemblaient à des squelettes et crachaient du sang… Ah, je cognais la porte : qu'on me libère ! Et puis ce grand escogriffe s'approche de moi et me dit : "Donne donc ton demi-florin, si tu veux qu'il soit en sécurité. – Quel demi-florin ?" je lui dis. Alors il répond que soit je le lui donne de mon plein gré, soit il saura "m'attendrir" et finira de toute façon par l'avoir. Je lui demande quand c'est qu'on peut sortir se dégourdir les jambes et respirer un peu. "On nous laisse jamais sortir, qu'il me répond, pas avant que le bateau mette les voiles, sauf si on clamse. Hé, l'argent." J'aurais aimé vous raconter que je me suis pas débiné, mais Arie Grote n'est pas un menteur. Et pour le coup de jamais sortir sauf si on clamse, il mentait pas non plus : huit "courageux gaillards" étaient ressortis les pieds devant, à deux par cercueil. Un soupirail barré de fer pour toute source d'air et de lumière, et comme nourriture, une bouillie si infâme qu'on ne savait pas dans quel seau manger et dans quel autre chier.

— Pourquoi ne pas avoir défoncé les portes ? demande Twomey.

— Parce que les portes étaient en acier, et aussi à cause des gardes et de leurs masses d'armes, voilà pourquoi. » Grote chasse les poux de sa tête. « Oh, j'ai comme qui dirait su me débrouiller. Mon passe-temps de prédilection, c'est le noble art de la survie. Mais le jour où on nous a conduits au bateau ravitailleur de l'*Admiraal de Ruyter*, ferrés les uns aux autres comme des prisonniers, je me suis juré trois choses. D'une, ne plus jamais croire le représentant d'une compagnie qui prétend que tes intérêts lui tiennent à cœur. » Il décoche un clin d'œil à Jacob. « De deux, ne plus jamais me retrouver aussi pauvre, quoi qu'il advienne, de sorte que la vermine de la trempe de van Eys n'ait plus l'occasion de m'acheter pour me revendre comme un esclave. De trois ? Reprendre mon demi-florin à ce grand escogriffe avant d'avoir rallié Curaçao. J'ai tenu mon premier serment jusqu'à ce jour. Pour le deuxième, eh bien !

j'ai de bonnes raisons d'espérer qu'Arie Grote aura mieux à s'offrir que la fosse commune quand son heure viendra. Quant au troisième : ça oui, j'ai récupéré mon demi-florin, et la nuit même, en plus. »

Wybo Gerritszoon se cure le nez et demande : « Comment ça ? »

Grote bat les cartes. « À moi de donner, compagnons. »

Cinq carafes de rhum sur l'étagère. Les manœuvres boivent davantage que le clerc ; cependant, Jacob sent ses jambes palpiter d'ivresse. *Ce n'est pas la partie de Karnöffel de ce soir qui fera de moi un homme plus riche*, songe Jacob. « La lecture et l'écriture, raconte Ivo Oost, c'est ce qu'on nous apprenait à l'orphelinat, et puis l'arithmétique, et la Bible aussi : une grande dose de Bible et de chapelle, deux fois par jour. On nous forçait à apprendre tous les versets des Évangiles, et si notre langue venait à fourcher, ça nous valait un coup de bâton. J'aurais pu faire un sacré pasteur ! Mais bon, qui aurait écouté les sermons du "fils naturel d'un inconnu" sur les dix commandements ? » Il distribue sept cartes à chaque joueur. Oost retourne celle située sur le dessus du paquet restant. « Atout à carreau.

— J'ai ouï dire, commence Arie Grote en jouant le huit de trèfle, que la Compagnie avait envoyé à l'école des pasteurs de Leyde un réducteur de têtes aussi noir qu'un ramoneur. L'idée derrière tout ça, c'est qu'à son retour dans la jungle, il montrera aux cannibales la lumière du Seigneur et les rendra pacifiques. Les bibles coûtent moins cher que les fusils.

— Oh, mais on s'amuse plus avec un fusil, fait remarquer Gerritszoon. Pan pan pan !

— À quoi servirait un esclave truffé de mitraille ? » demande Grote.

Baert embrasse sa carte et joue la dame de trèfle.

« C'est bien la seule chienne sur terre qui te laissera faire, commente Gerritszoon.

— Avec mes gains de ce soir, dit Baert, je vais peut-être prendre une de ces demoiselles à la peau dorée.

— Est-ce également l'orphelinat qui vous a baptisé ainsi, monsieur Oost?» *Jamais je n'aurais osé le lui demander sobre*, s'auto-réprimande Jacob.

Mais Oost, sur qui le rhum de Grote semble avoir peu d'emprise, ne s'en offusque pas. «En effet. Le "Oost" de mon nom est celui de la "*Oost-Indische Compagnie*" fondatrice de l'orphelinat, et d'ailleurs, qui peut nier la présence de l'"Est" dans mon sang? Quant à "Ivo", c'est parce qu'on m'a abandonné sur les marches de l'orphelinat un dix-neuf mai, jour du saint du même nom. Là-bas, maître Drijver avait l'amabilité de me rappeler de temps à autre qu'Ivo était le masculin d'Ève, un prénom opportun qui renvoie au péché originel de ma naissance.

— Ce sont aux agissements d'un homme que Dieu s'intéresse, clame Jacob, pas aux circonstances de sa naissance.

— Il n'empêche que c'étaient des loups comme Drijver qui m'élevaient, pas Dieu.

— À vous, monsieur de Zoet», lui rappelle Twomey.

Jacob joue le cinq de cœur; Twomey, le quatre.

Oost promène le coin de ses cartes sur ses lèvres javanaises. «Je grimpais sur le toit par les fenêtres du grenier, j'étais au-dessus des jacarandas, et là-bas, au nord, derrière le Vieux Fort, on voyait une bande bleue… ou verte… ou grise… Et je sentais l'air marin, au-dessus de la puanteur des canaux. Près de l'île d'Onrust, il y avait ces bateaux ballottés par la mer, comme des créatures vivantes, avec leurs voiles gonflées… Et puis: "C'est pas chez moi, ici", j'ai lancé à l'orphelinat. "Et vous, vous êtes pas mes maîtres", j'ai lancé aux loups. "Parce que mon chez-moi, c'est toi", j'ai dit à la mer. Certains jours, je faisais comme si elle m'avait entendu et me répondait: "Oui, c'est vrai, et un jour prochain, je viendrai te chercher." Oh, je savais bien qu'elle ne me parlait pas, mais bon… on porte sa croix comme on peut, hein? C'est ainsi que j'ai grandi, et quand les loups me battaient pour soi-disant me remettre dans le droit chemin… c'était à la mer que je rêvais, même si j'en avais jamais vu les crêtes ni les rouleaux… Même si, de ma vie, je n'avais jamais mis le pied sur un bateau…» Il joue le cinq de trèfle.

Baert remporte le pli. «Ce seront peut-être des jumelles à la peau dorée que je prendrai, cette nuit…»

Gerritszoon joue le sept de carreau et annonce: «Le diable.

– Judas te maudisse, fulmine Baert qui perd son dix de trèfle, satané traître.

– Et donc, comment la mer s'y est-elle prise pour t'appeler, Ivo? demande Twomey.

– Quand on atteignait notre douzième année – c'est-à-dire, un peu quand le directeur le décidait –, nous étions promis à une "fructueuse industrie". Les filles faisaient de la couture, du tissage et remuaient le linge dans les cuves de la blanchisserie. Nous autres garçons, on nous confiait aux fabricants de caisses, aux tonneliers, aux officiers de caserne pour qui on jouait les messagers, ou dans les docks, où on débarquait les marchandises. Moi, j'étais chez un cordelier qui m'employait à récupérer la filasse des vieilles cordes goudronneuses. On était moins coûteux que les serviteurs, et même moins que les esclaves. Drijver empochait ce qu'il appelait sa "quittance", et comme on était plus d'une centaine à la tâche, tu parles d'une "fructueuse industrie" pour lui! Mais au moins, ça nous permettait de sortir de l'orphelinat. On ne nous surveillait pas: où pouvait-on s'échapper? Dans la jungle? Jusqu'alors, je ne savais rien des rues de Batavia, mis à part le trajet de l'orphelinat à l'église, et voilà que je pouvais désormais battre un tantinet la semelle, prendre des détours sur la route du travail et, au retour, faire les commissions que me donnait le cordelier, l'occasion pour moi de traverser le bazar des Chinois et surtout d'aller sur la jetée, content comme un rat dans une graineterie, et regarder le visage de ces marins venus de pays lointains…» Ivo

Oost joue son valet de carreau, et remporte le pli. « Le diable bat le pape, mais le valet bat le diable.

– Ma dent gâtée me fait mal, dit Baert, terriblement mal !

– Comme c'est habilement joué, le complimente Grote, qui perd une carte sans importance.

– Un jour, poursuit Oost, j'avais quatorze ans, à peu près, et j'apportais un rouleau de corde à un avitailleur. Une jolie goélette était amarrée, petite, mignonne, et, en proue, il y avait le visage d'une… d'une bonne dame. *Sara Maria* était le nom de la goélette, et puis, j'ai… j'ai entendu une voix, enfin, comme une voix, mais sans la voix, et elle disait : "C'est *elle*, et c'est aujourd'hui."

– Ah, ça, murmure Gerritszoon, c'est limpide comme le pot de chambre d'un Français.

– Était-ce une sorte d'appel intérieur ? l'interroge Jacob.

– Je ne sais pas, mais en tout cas, j'ai remonté la passerelle et j'ai attendu que le grand type qui donnait les ordres et gueulait remarque ma présence. Il ne me voyait pas, alors j'ai pris mon courage à deux mains et j'ai lancé : "Veuillez m'excuser, monsieur." Il s'est approché pour voir et s'est mis à aboyer : "Qui donc a laissé monter ce garnement à bord ?" Je lui ai demandé de me pardonner, et j'ai dit que je voulais partir en mer : pouvait-il en parler au capitaine ? Je ne m'attendais pas à ce qu'il rie et, pourtant, c'est bien ce qu'il a fait, alors je lui ai encore demandé pardon et lui ai précisé que ce n'était pas une plaisanterie. Il a dit : "Qu'est-ce qu'ils penseraient de moi, tes père et mère, si tu disparaissais avec moi sans leur autorisation ? Et quel marin tu feras, toi qui ne connais ni les affres, ni les maux, ni la froidure, ni la chaleur, ni les humeurs du maître de ce cargo dont tout le monde dit qu'il est le diable incarné ?" Je me suis contenté de l'informer que mon père et ma mère ne diraient rien, parce que j'avais été élevé dans la maison de la bâtardise, et que si j'y avais survécu, eh bien, sans vouloir lui manquer de respect, ce n'étaient pas la mer ou les humeurs du maître de ce cargo qui me feraient peur… Alors, au lieu de se moquer de moi, ou de me baratiner avec sournoiserie, il m'a demandé : "Tes gardiens savent que tu te prépares à la vie de marin ?" "Drijver m'écorcherait vif", je lui ai confié. Ainsi prend-il sa décision et m'annonce : "Je suis Daniel Snitker, maître de cargo du *Sara Maria*, et mon mousse est mort de la fièvre des bateaux." Ils partaient récupérer une cargaison de noix de muscade à Banda le lendemain et il veillerait à ce que le capitaine inscrive mon nom sur le registre du bateau, mais en attendant que le *Sara Maria* mette les voiles, il me demandait de me cacher dans la cabine avec les autres. J'ai obéi presque sur-le-champ, mais comme on m'avait vu monter à bord de la goélette, le directeur n'a pas tardé à envoyer trois grands méchants loups récupérer "le bien qu'on lui avait volé". M. Snitker et ses hommes les ont jetés dans la rade. »

Jacob caresse l'arête brisée de son nez. *Je concours à l'inculpation du père de ce garçon.*

Gerritszoon se débarrasse d'un inoffensif cinq de trèfle.

« Il est temps » – Piet Baert range les clous dans sa bourse – « de rentrer au bercail, mes petits.

– Pourquoi tu ranges tes gains ? demande Gerritszoon. Tu nous fais pas confiance ?

– Je préfère encore cuisiner mon propre foie à la crème fraîche et aux oignons », dit Baert.

Deux carafes de rhum restent sur l'étagère : elles ne survivront sans doute pas à la nuit.

« Mon alliance en poche, renifle Piet Baert, je… je… »

Gerritszoon crache. « Oh, arrête de pleurnicher, espèce de mauviette vérolée !

– Tu dis ça » – le visage de Baert se durcit – « parce que personne ne t'a jamais aimé, toi le gros porc qui barbote dans sa fosse d'aisances ! Moi, ma Neeltje était mon grand amour, et elle ne demandait qu'à m'épouser, alors je pensais : *Enfin, la guigne s'est détournée de moi.* Tout ce qu'il nous fallait, c'était la bénédiction de son père, et à nous le mariage. Un livreur de bière à Saint-Pol-sur-Mer, son paternel : c'est là-bas que j'allais ce soir-là, mais Dunkerque, c'est une ville bizarre et il pleuvait comme vache qui pisse, la nuit tombait et les rues me ramenaient là où elles m'avaient embarqué, alors, quand je me suis arrêté dans une taverne pour demander mon chemin, la tenancière, et ses loches qui sautillaient comme des gorets, elle s'illumine et me dit : "Hé là, tu serais pas un peu perdu, mon mignon, pour échouer dans le mauvais coin de la ville ?" Alors je lui dis : "Excusez-moi, madame, je cherche juste à rejoindre Saint-Pol-sur-Mer." Alors elle m'agite sa paire sous le nez et elle me dit : "Tu m'as l'air bien pressé. Il ne te plaît pas, notre établissement ?" Je lui dis : "Si, si, mademoiselle, mais Neeltje, mon grand amour, m'attend avec son père, pour que je puisse lui demander sa main et dire adieu à la mer." Alors elle dit : "Ainsi donc, tu es marin !" Je lui dis : "Avant, oui, mais c'est fini." Alors elle lance à toute la salle : "Qui veut bien lever son verre à la santé de Neeltje, la plus veinarde des filles des Flandres ?" Elle me fourre un godet de gin dans les mains et dit : "V'là de quoi réchauffer ta carcasse." Puis elle me promet que son frère m'accompagnera à Saint-Pol-sur-Mer : on croise toutes sortes de malfaisants à Dunkerque, une fois la nuit tombée. Alors je me dis : *Enfin, ça y est, la guigne s'est bel et bien détournée de moi*, et je porte le verre à mes lèvres. »

— Une brave fille, commente Arie Grote. Comment s'appelle la taverne, au juste ?

— Elle s'appelait *Les Tisons* avant que je reparte de Dunkerque. Son gin se glisse dans mes entrailles, ma tête chaloupe, et on mouche les lampes. Je fais des cauchemars, puis je me réveille, et tout tangue comme si j'étais en mer, et je suis coincé sous d'autres corps, comme du raisin dans une presse, alors je me dis : *Je rêve encore*, mais le vomi froid qui me bouche l'oreille est bien réel, alors je hurle : "Oh mon Dieu, je suis mort ?" Et une espèce de démon répond en ricanant : "Il est pas encore né, le poisson qui se décrochera de cet hameçon-là !" Et une autre voix, plus sinistre : "On t'a mis aux fers, l'ami. On est sur le *Vengeur du peuple*, qui vogue sur la Manche en direction de l'ouest." Alors je lui dis : "Le *Vengeur du* quoi ?" Puis je me rappelle Neeltje et je me mets à crier : "Mais c'est ce soir que je dois me fiancer à mon grand amour !" Et le démon répond : "Ici, t'auras pas d'autre fiancée que la mer, petit gars." Alors tout d'un coup, je pense : *Grands Dieux, l'alliance de Neeltje !* Et mon bras se faufile comme il peut pour vérifier que l'alliance est toujours dans ma veste, mais elle n'y est plus. Je suis désespéré. Je pleure. J'enrage. Mais ça sert à rien. Au matin, on nous fait monter sur le pont et on nous aligne le long du plat-bord. On était quelques Néerlandais. Puis le capitaine arrive. Un filou de Parisien. Son second est un grand malabar tout ébouriffé, un Basque. "Je suis le capitaine Renaudin, et vous, vous avez la chance d'être mes engagés volontaires. Nous avons pour ordre d'aller à la rencontre d'un convoi acheminant des céréales d'Amérique du Nord et de l'escorter jusqu'au port de notre République. Les Anglais vont tenter de nous en empêcher. Nous en ferons du bois d'allumettes. Des questions ?" » Un Suisse tente sa chance : "Capitaine Renaudin, j'appartiens à l'Église mennonite : ma religion m'interdit de tuer." Renaudin dit à son second : "Dans ce cas, nous n'incommoderons pas davantage cet homme qui vit dans l'amour de son prochain." Alors le malabar s'avance et balance le Suisse par-dessus bord. On l'entend crier à l'aide. On l'entend supplier. Puis on ne l'entend plus. Le capitaine demande alors : "D'autres questions ?" Je retrouve bien vite mon pied marin, et deux semaines plus tard, le 1er juin, quand apparaît la flotte anglaise, je me retrouve à bourrer de poudre un canon de vingt-quatre. S'est ensuivi ce que les Français appellent la troisième bataille d'Ouessant, et qui, pour les Anglais, est « The Glorious First of June ». Ce rosbif de John Harvey, il trouve peut-être ça glorieux, la mitraille que les canons s'envoyaient à trois mètres de distance, mais pas moi. Les hommes éventrés qui se tortillaient dans la fumée, ouais, des hommes plus grands et plus forts que toi, Gerritszoon, qui appelaient leur maman à travers leur gorge déchiquetée... Et la bassine qui ressortait de chez le chirurgien, remplie de... » Baert se sert un verre. « Enfin, quand le *Brunswick* nous a touchés sous la ligne de flottaison et qu'on a su qu'on coulait, le *Vengeur* n'était plus le vaisseau de ligne qu'on connaissait : c'était un abattoir... un véritable abattoir... » Baert plonge le regard dans son rhum, puis lève les yeux vers Jacob. « Ce qui m'a sauvé ce jour-là ? Un tonneau à fromage vide, qui flottait vers moi. Toute la nuit j'y suis resté accroché : j'avais trop froid et je me sentais si mort que je pensais même pas aux requins. L'aube arrive ensuite et amène un sloop battant pavillon britannique. Une chaloupe me hisse à son bord et son équipage me débite ces piaillements de choucas qui leur servent de langage – sauf votre respect, Twomey... »

Le charpentier hausse les épaules. « Pour votre gouverne, l'irlandais est ma langue maternelle, monsieur Baert.

– Alors il y a ce vieux marin qui me traduit : "Le camarade te demande d'où tu viens." Alors je lui réponds : "D'Anvers, monsieur : je me suis fait enrôler par ces maudits Français !" Le marin traduit, le camarade jacasse et le marin fait à nouveau l'interprète. En substance, comme j'étais pas français, j'étais pas prisonnier. Je lui aurais presque baisé les bottes de gratitude ! Mais ensuite, il m'a dit que si je me portais volontaire pour servir dans la Marine de Sa Majesté en tant que matelot, je recevrais un honorable salaire et de nouveaux habits, presque neufs. Si je refusais, on m'y forcerait d'une façon ou d'une autre et je serais payé comme on paie un novice : une misère. Pour me consoler, je demande notre destination, en imaginant pouvoir descendre discrètement une fois à Gravesend ou à Portsmouth, puis retourner à Dunkerque revoir ma chère Neeltje dans une semaine ou deux... Mais le marin répond : "La prochaine escale est un ravitaillement à l'île de l'Ascension – mais tu n'y mettras pas les pieds – puis de là, on continuera notre route jusqu'à la baie du Bengale…" Et tout homme que je suis, j'ai pas pu m'empêcher d'éclater en sanglots…»

Il ne reste plus la moindre goutte de rhum. «Dame Fortune ne vous a pas souri, ce soir, monsieur de Z.» Grote souffle les bougies, en laissant deux allumées. «Mais demain est un autre jour, comme on dit.

– Ne m'a pas souri?» Jacob entend les autres refermer la porte derrière eux. «J'ai été dépouillé.

– Oh, le profit tiré de votre mercure vous gardera bien encore assez longtemps de la famine et des fléaux, hé! Vous avez pris un risque pendant la vente, monsieur de Z., mais tant que vous aurez les faveurs de l'Abbé, vos deux dernières caisses vous rapporteront peut-être davantage. Imaginez la richesse que vous procureraient quatre-vingts caisses, en comparaison de ces huit petites…

– Une telle quantité?» – la tête de Jacob bout sous l'effet de l'alcool – «Ce serait enfreindre le…

– Ce serait *s'arranger* avec le règlement de la Compagnie relatif au commerce privé, oui, mais les arbres qui survivent à la cruauté des vents ne sont-ils pas ceux qui savent s'en accommoder?

– Une astucieuse métaphore ne transforme pas un tort en bienfait.»

Grote range les précieuses bouteilles de verre sur l'étagère. «Vous avez réalisé un profit de cinq cents pour cent: les mots voyagent, il ne faudra pas plus de deux saisons commerciales avant que les Chinois inondent ce marché-là. L'adjoint v. C. et le capitaine Lacy ont tous deux des capitaux à Batavia, et ils ne seront pas du genre à dire: "Oh, mais je ne peux pas: le quota est de huit caisses seulement." Car s'ils ne le font pas, le chef lui-même ne se gênera pas.

– Le chef Vorstenbosch a pour but d'éradiquer la corruption, et non pas de la favoriser.

– Le chef Vorstenbosch voit la guerre amaigrir ses intérêts, les siens comme ceux de quiconque.

– Le chef Vorstenbosch est un homme trop honnête pour tirer profit au détriment de la Compagnie.

– Trouvez-moi un péquin qui, à ses propres yeux » – dans le noir, le visage rond de Grote est une lune de bronze –, « ne se considère pas comme le plus honnête des hommes. C'est pas les bonnes intentions qui pavent la route de l'enfer. C'est les bonnes raisons qu'on se donne. Et puisqu'on cause d'honnêtes péquins, dites-moi la vraie raison qui vous a poussé à nous gratifier de votre présence, ce soir. »

Dans la contre-allée de la Muraille de mer, les gardes marquent l'heure en claquant leurs sandales de bois.

Je suis trop soûl pour jouer au plus fin, se dit Jacob. « Deux délicates affaires m'ont mené ici.

– Mes lèvres resteront cachetées et scellées, je le jure sur la lointaine tombe de mon cher papa.

– Eh bien, voici : le chef soupçonne que des actes de… déprédation se répètent…

– Dieu du ciel ! Des actes de déprédation ! À Dejima ?

– … des actes impliquant un avitailleur qui se rend dans votre Cuisine tous les matins…

– Ils sont plusieurs à se rendre dans ma Cuisine tous les matins, monsieur de Z.

– … un avitailleur qui repart avec son petit sac aussi plein qu'il l'était à son arrivée.

– Vous me voyez content de pouvoir dissiper ce malentendu, hé ! Dites à M. Vorstenbosch que la réponse se résume au mot "oignons". Ouais, des oignons. Des oignons pourris, puants. De tous ces chiens, cet avitailleur-ci est le plus scélérat. Chaque matin, il tente sa chance, et j'ai beau répéter "Hors d'ici, coquin sans vergogne !" cette canaille reste sourde. »

Les voix des pêcheurs voyagent à travers la nuit chaude et salée.

Je ne suis point assez soûl pour ne pas voir le stratagème derrière son insolence, songe Jacob.

«Dans ce cas, dit le clerc en se levant, il est inutile de vous importuner plus longtemps.

– Ah oui?» Arie Grote est dubitatif. «Ah oui.

– En effet. Une longue journée dans la Cour aux pesées nous attend demain, aussi, je vous souhaite une bonne nuit.»

Grote fronce les sourcils. «Vous avez parlé de deux affaires délicates, monsieur de Z.

– Votre histoire d'oignons» – Jacob se baisse pour passer sous la poutre – «me contraint à régler la seconde avec M. Gerritszoon. Je lui en parlerai demain, à la sobre lumière du jour: la nouvelle sera porteuse d'une révélation qui, je le crains, sera mal accueillie.»

Grote bloque à moitié la porte. «Et de quoi relève cette seconde affaire?

– De votre façon de jouer aux cartes, monsieur Grote. Trente-six manches de Karnöffel; desquelles vous avez assuré la donne de douze; desquelles vous en avez remporté dix. Une bien improbable issue! Un jeu de cartes conçu dans le péché passerait inaperçu aux yeux de Baert et Oost, mais pas à ceux de Twomey ou Gerritszoon. J'ai donc écarté cette ruse antédiluvienne. Aucun miroir placé derrière nous, aucun serviteur pour vous donner le mot… J'étais perdu…

– Vous êtes bien méfiant» – le ton de Grote est glacial – «pour un dévot.

– Les clercs apprennent à l'être, monsieur Grote. J'étais perdu, incapable d'expliquer votre chance au jeu, puis j'ai remarqué que vous caressiez le sommet des cartes que vous distribuiez. Aussi vous ai-je imité, et j'ai senti ces encoches, ces imperceptibles entailles: les valets, sept, rois et dames comportent tous des encoches plus ou moins distantes de leurs coins, en fonction de leur valeur. Les mains d'un marin, d'un manutentionnaire ou d'un charpentier sont trop calleuses. Mais la chose est bien différente avec l'index d'un cuisinier ou d'un clerc.

– Pour tout le mal qu'elle se donne, » – Grote avale sa salive – «la maison a bien droit à une petite récompense.

– Nous verrons demain si Gerritszoon est de cet avis. Bien, à présent, je dois…

– C'était pourtant une soirée agréable : et si je vous remboursais vos pertes ?

– La vérité est tout ce qui m'importe, monsieur Grote. Une version de la vérité.

– C'est ainsi que vous me rétribuez, moi qui vous ai rendu riche ? En me faisant du chantage ?

– Dites-m'en davantage sur cette histoire d'oignons. »

Grote soupire, deux fois. «Vous êtes une sacrée teigne, monsieur de Z. »

Jacob se délecte de ce compliment à rebours et patiente.

«Vous connaissez, commence le cuisinier, la racine de ginseng ?

– Je sais que le ginseng est une denrée chère aux apothicaires japonais.

– Un Chinois de Batavia – un bien aimable monsieur – m'en expédie une caisse chaque année. Rien d'anormal jusque-là. Le problème est que, vienne le jour de la vente, la Magistrature taxe ce produit. Ils nous en prenaient six dixièmes, jusqu'à ce que le docteur Marinus mentionne un jour une variété locale de ginseng qui pousse ici, dans la baie, mais qui n'est pas aussi prisée.

– Et donc, votre homme vous apporte des sacs de ce ginseng local…

– … et repart» – une lueur de fierté se lit dans le regard de Grote – «avec un sac de ginseng chinois.

– Les gardes et les fouilleurs de la porte-de-terre ne trouvent pas cela étrange ?

– C'est ce pour quoi on leur graisse la patte. J'ai une question à vous poser : comment le chef va réagir ? Face à ça et tout ce que vous avez trouvé en fouinant ? Parce que, c'est ainsi que les choses fonctionnent, à Dejima. Si vous mettez fin à ces petites combines, vous mettez fin à Dejima. Et ne vous défilez pas en me répondant que "C'est à M. Vorstenbosch d'en juger".

– Mais c'est effectivement à M. Vorstenbosch d'en juger. » Jacob soulève le loquet.

« C'est pas bien, ça. » Grote pousse le loquet. « C'est pas juste. Tantôt, vous dites : "Le commerce privé est ce qui mine la Compagnie", tantôt vous me servez du "Ce n'est pas mon genre de trahir mes hommes". On ne peut pas avoir à la fois une cave à vin bien remplie et une épouse ivre morte.

– Menez honnêtement vos affaires, répond Jacob, et vous échapperez à ces dilemmes.

– Si je mène honnêtement mes affaires, comme vous dites, il ne me restera que des pelures de patates !

– Ce n'est pas moi qui ai écrit le règlement de la Compagnie, monsieur Grote.

– Ouais, mais vous êtes toujours partant pour vous salir les mains pour elle, pas vrai ?

– J'exécute les ordres avec loyauté. Bien, à moins que vous n'escomptiez séquestrer un officier, veuillez ouvrir cette porte.

– La loyauté, ça a l'air simple, lui dit Grote, mais ça l'est pas. »

IX

Appartements du clerc de Zoet, Maison haute

Le matin du dimanche 15 septembre 1799

Jacob extrait le psautier des de Zoet de sous le plancher et s'agenouille dans le coin de la pièce où il prie à genoux chaque soir. La narine posée dans le fin interstice qui sépare le dos du livre de sa reliure, Jacob inhale l'arôme humide du presbytère de Dombourg. Cette odeur lui évoque les dimanches où les villageois remontent la rue pavée jusqu'à l'église en luttant contre les rafales du vent de janvier ; les dimanches de Pâques, quand le soleil réchauffe le dos pâle des garçons qui, coupables, se cachent près de la lagune ; les dimanches d'automne quand le sacristain monte dans le clocher de l'église pour sonner la cloche dans la brume marine ; les dimanches du bref été zélandais, quand les nouveaux chapeaux de la saison arrivent chez les modistes de Middelbourg ; et un dimanche de Pentecôte, où Jacob avait soumis à son oncle l'idée que, à l'image de celui qui est à la fois le pasteur de Zoet de Dombourg, l'oncle de Geertje et de Jacob, et le frère de leur mère, alors Dieu, Son Fils et le Saint-Esprit forment une indivisible trinité. Il avait obtenu en guise de récompense le seul baiser que son oncle lui ait jamais donné : un baiser muet, respectueux, déposé là, sur son front.

Qu'ils soient encore présents quand je reviendrai, prie ce voyageur nostalgique.

La Compagnie professe l'allégeance à l'Église réformée néerlandaise mais se soucie peu du bien-être spirituel de ses employés. À Dejima, le chef Vorstenbosch, l'adjoint van Cleef, Ivo Oost, Grote et Gerritszoon se réclament de cette même Église ; cependant, les Japonais ne toléreraient jamais que se tienne ne fût-ce qu'un semblant de culte religieux. Le capitaine Lacy appartient à l'Église épiscopale. Ponke Ouwehand est un luthérien. Quant au catholicisme, ses représentants sont Piet Baert et Con Twomey. Ce dernier a confié à Jacob qu'il improvisait un « messacre » tous les dimanches, et qu'il avait peur de mourir sans recevoir le sacrement d'un prêtre. Le docteur Marinus parle du Créateur suprême de la même façon qu'il évoque Voltaire, Diderot, Herschel ou certains médecins écossais : avec admiration, mais sans dévotion.

Quel est le dieu que prie une sage-femme japonaise ? se demande Jacob.

Il s'en remet au quatre-vingt-treizième psaume, dit « le psaume de la tempête ».

Les fleuves élèvent, ô Éternel ! Les fleuves élèvent leur voix…

Le Zélandais se représente l'Escaut occidental, entre Flessingue et Breskens.

… les fleuves élèvent leurs ondes retentissantes. Plus que la voix des grandes, des puissantes eaux, des flots impétueux de la mer…

Les tempêtes bibliques sont pour Jacob celles de la mer du Nord, où même le soleil se noie.

… l'Éternel est puissant dans les lieux célestes.

Jacob songe à Anna, à ses mains chaudes, à ses mains vivantes. Il caresse la balle logée dans la couverture du livre et va au cent cinquantième psaume.

Louez-le au son de la trompette ! Louez-le avec le luth et la harpe !

Les doigts fins de la harpiste et ses yeux en forme de lame de faucille sont ceux de Mlle Aibagawa.

Louez-le avec le tambourin et avec des danses! La danseuse du roi David porte la marque d'une brûlure à la joue.

Motogi, l'interprète aux yeux enfoncés, attend sous l'auvent de la Guilde et remarque Jacob et Hanzaburo seulement quand le clerc qu'il a convié se trouve juste devant lui. «Ah! De Zoet-*san*…! Nous avons peur que la convocation avec le délai très court est gênante pour vous.

– C'est un honneur, répond Jacob en lui retournant sa courbette, et en aucun cas une gêne, monsieur Motogi…»

Ayant laissé tomber une caisse de camphre à terre, un coolie écope du coup de pied d'un marchand.

«… et sachez que M. Vorstenbosch m'a accordé toute la matinée, si nécessaire.»

Motogi l'invite à entrer dans la Guilde, où les hommes se déchaussent. Puis Jacob grimpe sur le plancher surélevé à hauteur du genou et passe dans le spacieux bureau du fond, dans lequel il ne s'était jamais aventuré. Assis à des tables disposées comme les pupitres d'une salle de classe se trouvent six hommes : Isohachi et Kobayashi, interprètes du premier ordre ; Narazake – dont le visage est marqué par la vérole – et le charismatique mais néanmoins intrigant Namura, interprètes du deuxième ordre ; Goto, interprète du troisième ordre qui fera office de scribe ; et enfin, un homme au regard profond qui se présente en tant que docteur Maeno et remercie Jacob de lui permettre d'assister à cette séance, souhaitant que ce dernier le soigne de son «néerlandais malade». Hanzaburo est assis dans un coin, faisant mine de prêter attention. Pour sa part, Kobayashi s'efforce de prouver qu'il ne cultive aucun ressentiment à propos de l'incident des éventails en plumes de paon, et présente Jacob : «Clerc de Zoet de Zélande, homme de grande connaissance».

L'homme de grande connaissance refuse ces éloges, et l'on applaudit sa modestie.

Motogi explique que, dans l'exercice de leur métier, les interprètes rencontrent des mots dont la signification est confuse ; c'est pour les éclairer sur ces termes que Jacob a été invité. Le docteur Marinus conduit régulièrement ces séances de tutorat impromptues, mais étant occupé aujourd'hui, il a nommé comme suppléant le clerc de Zoet.

Chaque interprète possède une liste de termes échappant à la connaissance collective de la Guilde et qu'il égrène à voix haute, Jacob se faisant fort d'y répondre du mieux qu'il peut, usant d'exemples, de gestes et de synonymes. Le groupe débat alors d'un équivalent japonais qu'il soumet parfois à Jacob, jusqu'à ce que tout le monde soit satisfait. Les mots univoques tels que «desséché», «plénitude» ou «salpêtre» ne leur prennent que peu de temps. Les noms plus abstraits tels que «comparaison», «chimère» ou «parallaxe» requièrent davantage d'efforts. Ceux pour lesquels il n'existe pas d'analogue japonais, comme «intimité», «mélancolique» ou le verbe «mériter», nécessitent dix, voire quinze minutes d'explication, de même que la terminologie faisant appel à des connaissances particulières : «hanséatique», «terminaisons nerveuses», ou «subjonctif». Jacob remarque que, dans la situation où un élève néerlandais dirait «Je ne comprends pas», les interprètes baissent les yeux. Ainsi, le professeur ne peut se contenter de développer une idée : il doit également évaluer ce que ses élèves en ont saisi.

Deux heures ont filé à la vitesse d'une seule mais ont épuisé Jacob comme s'il venait de s'en écouler quatre. Aussi, le clerc est très reconnaissant de se voir accorder un thé vert et une courte pause. Hanzaburo s'éclipse sans plus d'explications. Lors de la seconde partie, Narazake demande en quoi «Il est parti à Edo» se distingue de «Il a été à Edo» ; le docteur Maeno s'enquiert de savoir dans quelles circonstances on peut dire «Cela ne me fait ni chaud ni froid » ; et Namura souhaite connaître les différences entre « Si je vois », « Si je voyais » et « Eussé-je vu ». Jacob se félicite de s'être si laborieusement employé à apprendre sa grammaire d'écolier. Les dernières requêtes de la matinée émanent de l'interprète Kobayashi. « S'il vous plaît, que le clerc de Zoet explique ce mot : "répercussions".

– Une conséquence, le résultat d'une action. Si je dépense tout mon argent, une des répercussions sera d'être pauvre. Si je mange trop, une des répercussions sera » – il mime un ventre gonflé – « d'engraisser. »

Kobayashi demande qu'il explique l'expression « au grand jour ». « Je comprends chaque mot, mais la signification du tout, c'est confus. On peut dire : "Je rends visite à mon grand ami M. Tanaka au grand jour" ? Je crois que non, peut-être... »

Jacob évoque les connotations criminelles de l'expression. « En particulier quand le mécréant – celui qui commet le méfait – n'éprouve aucune honte ou crainte à se faire appréhender. "C'est au grand jour que mon ami M. Motogi a été cambriolé."

– "La théière de M. Vorstenbosch, tente Kobayashi, a été volée au grand jour" ?

– L'exemple est valide », confirme Jacob, qui est heureux que le chef ne soit pas présent.

Les interprètes discutent de possibles équivalents japonais avant de s'accorder sur un seul.

« Peut-être que le prochain mot, poursuit Kobayashi, est simple... "impuissant".

– Impuissant est le contraire de "puissant" ; cela signifie donc "faible".

– Le lion est fort, propose le docteur Maeno, mais la souris est impuissante. »

Kobayashi acquiesce et examine sa liste. « Ensuite, il y a "vivre dans la douce inconscience".

– L'état d'ignorance vis-à-vis d'un malheur. Tant qu'on demeure inconscient de ce malheur, la vie nous paraît douce. Mais quand on en prend conscience, alors on devient malheureux.

– Un mari vit dans la "douce inconscience" que sa femme aime un autre ? suggère Hori.

– Tout à fait, monsieur Hori. » Jacob sourit et étire ses jambes engourdies.

« Le dernier mot, dit Kobayashi, vient du livre de lois : "faute de preuve formelle". »

Sans laisser le temps au Néerlandais d'ouvrir la bouche, le connétable Kosugi apparaît dans l'embrasure de la porte, l'air sinistre. Hanzaburo, choqué, lui emboîte le pas. Kosugi s'excuse de son intrusion et livre un récit d'une voix grave : récit qui, comme le comprend Jacob dont le malaise grandit, l'implique lui et Hanzaburo. À un tournant clé de l'histoire, les interprètes poussent un cri étranglé de désarroi et se mettent à dévisager le Néerlandais décontenancé.

Dorobô, le mot qui signifie « voleur », est utilisé à plusieurs reprises. Motogi vérifie un détail auprès du connétable et annonce : « Monsieur de Zoet, le connétable Kosugi apporte des mauvaises nouvelles. Des voleurs visitent la Maison haute.

– Comment ? explose Jacob. Mais quand ? Comment sont-ils entrés ? Et pourquoi ?

– Votre interprète domestique croit "dans cette heure", lui affirme Motogi.

– Qu'ont-ils volé ? » Jacob se tourne vers Hanzaburo qui semble avoir peur d'être réprimandé. « Qu'auraient-ils bien pu me voler ? »

L'escalier de la Maison haute est moins lugubre que d'habitude : la porte de l'appartement de Jacob, situé à l'étage, a été dégondée au burin. De plus, une fois à l'intérieur, Jacob constate que sa malle a subi le même sort indigne. Les perforations qu'elle porte sur ses six faces laissent penser que les voleurs cherchaient à en découvrir d'éventuels compartiments secrets. Devant le spectacle douloureux de ses inestimables livres et carnets de croquis jonchant le sol, la première réaction de Jacob est de se mettre à ranger. L'interprète Goto se joint à lui et lui demande : « Est-ce que des livres sont emportés ?

– Je ne puis en être certain, répond Jacob, tant qu'ils n'ont pas tous été réunis... »

Mais il s'avère que non, et, quoiqu'il soit éraflé, son précieux dictionnaire est toujours là.

Mais tant que je ne serai pas seul, songe Jacob, *je ne pourrai pas m'assurer que mon psautier est toujours à sa place.*

Peu de chances que cela arrive dans l'immédiat : alors que Jacob ramasse ses quelques effets personnels, Vorstenbosch, van Cleef et Peter Fischer gravissent les marches, et les voilà plus de dix à s'entasser dans sa petite chambre.

« D'abord, ma théière, déclare le chef. Et maintenant ce nouveau scandale !

– Nous allons faire beaucoup d'efforts pour retrouver les voleurs », promet Kobayashi.

Peter Fischer demande à Jacob : « Où se trouvait votre interprète domestique pendant le vol ? »

L'interprète Motogi pose la question à Hanzaburo, qui répond d'un air penaud. « Il va une heure à Nagasaki, traduit Motogi, pour voir sa mère très malade. »

Fischer pousse un grognement moqueur. « Eh bien je saurais par où commencer mon enquête, moi.

– Qu'est-ce que les voleurs ont emporté, monsieur de Zoet ? l'interroge van Cleef.

– Par chance, le mercure qu'il me reste – ce que, peut-être, convoitaient les voleurs – est en sécurité derrière les triples verrous de la réserve Eik. J'avais sur moi ma montre de gousset de même que, Dieu merci, mes lunettes. Aussi, à première vue, il semblerait que...

– Juste ciel. » Vorstenbosch se tourne vers Kobayashi. « Votre gouvernement ne manque pas de nous détrousser lorsque nous commerçons, n'est-ce déjà point assez pour nous épargner les larcins à répétition dont le personnel et les biens de la Compagnie pâtissent ? Veuillez vous rendre dans la pièce longue dans une heure : je vous dicterai une plainte officielle adressée à la Magistrature qui inclura une liste exhaustive des biens dérobés par ces voleurs... »

« Et voilà. » Con Twomey termine de remettre la porte en place et commence à parler dans son anglais mâtiné d'irlandais. « *Feckin' langers'd need to rip out the feckin' walls, like, to get through that*[1]. »

Tout en balayant la sciure, Jacob demande : « Peut-on savoir qui est ce dénommé Feck Inlangers ? »

Le charpentier tapote le bâti. « Je réparerai votre malle demain. Elle sera comme neuve. Un sale coup, ça, et au grand jour, dites donc.

– Il n'y a pas mort d'homme. » Jacob se ronge les sangs : il pense à son psautier.

S'ils s'en sont emparés, les voleurs chercheront à me faire chanter, songe-t-il.

« Des paroles pleines de bon sens. » Twomey emmaillote ses outils dans un linge huilé. « Nous nous verrons au dîner. »

Tandis que l'Irlandais descend l'escalier, Jacob referme la porte, pousse le verrou, puis déplace le lit de plusieurs centimètres...

Grote aurait-il fomenté ce cambriolage qui viendrait en représailles de cette affaire de ginseng ? s'interroge-t-il.

Jacob soulève une latte du plancher, s'allonge et tend la main pour atteindre le livre, à l'abri dans un sac...

Ses phalanges identifient le psautier, et Jacob pousse un soupir de soulagement. « Le Seigneur protège tous ceux qui L'aiment. »

1. « Il faudra que ces putains de macaques s'attaquent au mur s'ils veulent entrer. » (*N.d.T.*)

Il remet la latte en position et s'assied sur son lit. Il ne lui arrivera rien, ni à lui ni à Ogawa. *Qu'est-ce donc qui cloche?* Jacob a l'intuition qu'un point crucial lui échappe. *Comme lorsque je devine qu'un mensonge ou une erreur se cache dans un registre alors que l'exercice semble à l'équilibre...*

Des coups de marteau retentissent sur la place du Drapeau. Les charpentiers démarrent leur travail en retard.

Ce que je cherche est exposé à l'endroit le plus en vue, se dit Jacob. «*Au grand jour*». La vérité s'abat sur lui telle une pile de briques : *les questions de Kobayashi étaient une rodomontade codée.* Le cambriolage était un message. Une déclaration : « Vous, qui, dans votre *douce inconscience*, avez provoqué ma colère, sachez que les *répercussions* de vos agissements se produisent en ce moment même, *au grand jour. Impuissant,* vous ne pourrez riposter, *faute de preuve formelle.* » Tout en revendiquant la paternité de cet acte, Kobayashi s'est placé au-dessus de tout soupçon : comment le cambrioleur pouvait-il se trouver en compagnie de sa victime au moment des faits ? Si Jacob venait à faire état de ce message codé, il passerait pour un dément.

La brûlante journée fraîchit ; les martèlements se dissipent ; Jacob a la nausée.

Il veut se venger, certes, suppute-t-il, *mais, pour triompher, il lui faut un trophée.*

Après son psautier, quel article lui causerait le plus de tort s'il lui était dérobé ?

De fraîche, la journée passe à brûlante ; les martèlements s'intensifient ; Jacob a une migraine.

Les dernières pages de mon dernier carnet de croquis, sous mon oreiller...

Fébrile, Jacob jette le coussin, attrape son carnet de croquis, peine à en dénouer les rubans, l'ouvre à la dernière page et se met à suffoquer : il y trouve le bord dentelé d'une feuille arrachée. Celle-ci contenait des esquisses du visage, des mains et des yeux de Mlle Aibagawa, représentations dont Kobayashi, non loin de là, se délecte…

Fermer les yeux pour occulter cette scène ne fait qu'en rehausser la netteté.

Faites que cela ne soit pas vrai, implore Jacob, dont la prière reste sans réponse.

La porte donnant sur la rue s'ouvre. De lents bruits de pas gravissent péniblement les marches.

L'événement extraordinaire que constitue la visite du docteur Marinus érafle à peine la détresse absolue de Jacob. *Et si son autorisation d'étudier à Dejima lui était retirée?* Une solide canne frappe à la porte. «Ouvrez, Dombourgeois.

– J'ai reçu déjà bien assez d'importuns pour la journée, docteur.

– Ouvrez cette porte sur-le-champ, espèce d'idiot du village!»

Il paraît plus simple à Jacob d'obéir. «Vous êtes venu fanfaronner, n'est-ce pas?»

Marinus jette un œil à la chambre du clerc, s'appuie sur le rebord de la fenêtre et admire à travers les vitres et les écrans de papier la vue s'offrant sur la grand-rue et le jardin. Il détache et rattache ses longs cheveux gris et soyeux. «Qu'ont-ils emporté?

– Rien…» Il se souvient du mensonge de Vorstenbosch. «Rien qui n'ait de valeur…

– Face aux cas de cambriolage, dit Marinus qui tousse, je prescris généralement une partie de billard.

– Jouer au billard, docteur, est bien la dernière chose que je ferai aujourd'hui», jure Jacob.

La bille de choc de Jacob roule sur la table, ricoche sur la bande opposée et s'arrête à cinq centimètres du bord, battant Marinus de dix centimètres. «Jouez le premier coup, docteur. Quel sera le pointage à atteindre?

« – Hemmij et moi-même avions coutume de fixer la barre à cinq cent un points. »

Eelattu presse des citrons dans des verres ternis ; l'air s'imprègne de leur parfum jaune.

Une brise traverse la salle de billard de la Maison au jardin.

Marinus se concentre, s'apprêtant à effectuer le premier coup de la partie...

Pourquoi cette gentillesse aussi subite qu'étrange ? Jacob ne peut s'empêcher de s'interroger.

... mais le docteur, qui a mal calculé sa trajectoire, frappe la bille rouge et non la bille de choc de Jacob.

Jacob empoche alors facilement la bille de choc de Marinus, puis une rouge. « Voulez-vous que je tienne les comptes ?

– C'est vous le comptable. Eelattu, l'après-midi vous appartient. »

Eelattu remercie son maître et sort, puis le clerc effectue une série de caramboles, faisant ainsi grimper son score à cinquante points. Le bruit feutré des billes calme ses nerfs éprouvés. *Ce cambriolage m'a déstabilisé,* tente-t-il de se persuader, *et je suis allé un peu vite en besogne : même dans ce pays, on ne peut imputer à Mlle Aibagawa le forfait d'avoir été dessinée par un étranger. Ce n'est pas comme si elle avait clandestinement posé pour moi.* Après avoir cumulé soixante points, Jacob passe la main à Marinus. *En outre,* songe le clerc, *une page de croquis ne constitue pas une preuve formelle de mon entichement pour cette femme.*

À la grande surprise de Jacob, le niveau du docteur se révèle très moyen.

Et par ailleurs, se reprend-il, *parler d'« entichement » est inexact...*

« J'imagine que le temps doit passer bien lentement ici, docteur, une fois que le bateau est reparti vers Batavia.

– Pour la plupart, oui. Les hommes trouvent du réconfort dans l'alcool, le tabac, les intrigues, dans la haine qu'ils cultivent de nos hôtes, et dans le sexe. En ce qui me concerne... » – il rate un coup facile – « ... je préfère la compagnie de la botanique, de mes autres études, des enseignements que je dispense et, bien entendu, celle de mon clavecin.

– Et ces sonates de Scarlatti» – Jacob frotte de la craie sur son procédé –, «comment sont-elles?»

Marinus s'assied sur la banquette. «Chercherait-on à obtenir quelque remerciement?

– Jamais de la vie, docteur. Vous êtes un membre de l'Académie des sciences locale, je crois.

– L'Académie Shirandô? Il y manque le patronage du gouvernement. Il est une majorité de soi-disant patriotes à Edo qui se méfient de tout ce qui provient de l'étranger; aussi, nous ne sommes officiellement qu'une école privée parmi d'autres. En réalité, nous faisons office de bourse aux idées pour les *rangakusha* – des érudits en sciences et humanités européennes. Ôtsuki Monjurô, le directeur, possède assez d'influence à la Magistrature, ce qui me garantit une invitation mensuelle à l'Académie.

– Le docteur Aibagawa» – Jacob blouse la bille rouge, placée à distance – «figure-t-il également parmi ses membres?»

Marinus pose sur son jeune adversaire un regard insistant.

«Simple curiosité, docteur.

– Le docteur Aibagawa est féru d'astronomie; il fréquente Shirandô quand son état de santé le lui permet. C'est en réalité le premier Japonais à avoir observé la nouvelle planète de Herschel grâce à un télescope qu'il a fait acheminer jusqu'ici, moyennant une coquette somme. À vrai dire, lui et moi discutons davantage d'optique que de médecine.»

Jacob renvoie la bille rouge derrière la ligne de Baulk et se demande comment ne pas changer de sujet.

«Après la mort de sa femme et de ses fils, poursuit le docteur, le docteur Aibagawa a épousé une femme plus jeune, une veuve dont le fils devait être initié à la médecine néerlandaise et reprendre ainsi le flambeau des Aibagawa. Mais il n'y avait rien à tirer de cet incapable.

– Et Mlle Aibagawa est-elle... » – le jeune homme réussit un coup risqué – « autorisée à fréquenter Shirandô ?

– Vous avez la loi contre vous, sachez-le : votre requête est désespérée.

– La loi. » La bille de Jacob ricoche sur le rebord de la blouse visée. « Une loi qui empêcherait une fille de docteur de devenir l'épouse d'un étranger ?

– Je ne vous parle pas de loi constitutionnelle. Je vous parle de loi essentielle. Celle du *non si fa.*

– Êtes-vous en train de me dire que Mlle Aibagawa ne fréquente pas Shirandô ?

– Il s'avère qu'elle en est la rectrice. Mais, comme j'essaie de vous le dire... » – Marinus blouse la bille rouge qui se trouvait en position vulnérable mais sa bille de choc manque à repartir en arrière –, « ... les demoiselles de sa stature n'ont pas vocation à devenir des petites femmes à Dejima. Quand bien même répondrait-elle à votre *tendresse**, quel espoir de mariage honorable lui resterait-il après qu'un rouquin démoniaque eut posé ses vilaines pattes sur elle ? Si vous l'aimez, la meilleure façon d'exprimer votre dévotion serait de l'éviter. »

Il a raison, songe Jacob, qui demande : « Puis-je vous accompagner à Shirandô ?

– Certainement pas. » Marinus tente de blouser sa bille de choc en même temps que celle de Jacob mais échoue.

Cette détente inattendue a donc ses limites, comprend Jacob.

« Vous n'êtes pas un savant, lui explique le docteur, et je ne suis pas un souteneur.

– Comme il vous sied bien de fustiger les moins favorisés d'entre nous qui s'adonnent aux femmes, au tabac et à la boisson... » – Jacob blouse la bille de choc de Marinus –, « ... alors que vous refusez de contribuer à l'amélioration de leur condition.

– Je ne dirige pas un organisme de charité. Les privilèges dont je jouis, je les ai mérités. »

Cupidon ou Filandre travaille un air à la viole de gambe.

Les chèvres et un chien s'engagent dans une bataille de bêlements et d'aboiements.

«Vous me disiez que vous et M. Hemmij» – Jacob manque son coup – «aviez l'habitude de fixer un enjeu…?

– Vous ne me proposez tout de même pas de parier de l'argent pendant le sabbat? chuchote le docteur, moqueur.

– Si je suis le premier à atteindre cinq cent un points, m'accorderez-vous la permission de me rendre une fois à Shirandô?»

Marinus réussit son coup, incrédule. «Et quelle sera ma récompense, si je gagne?»

Il n'a pas rejeté l'idée en bloc, remarque Jacob. «Ce qu'il vous plaira.

– Six heures de travaux dans mon jardin. Passez-moi donc le reposoir.»

«Pour répondre à votre véritable question…» – Marinus examine le prochain coup à jouer sous tous les angles –, «… ma conscience émergea dans cette existence-ci au cours de l'été diluvien de 1757, sous une mansarde de Haarlem. J'étais un petit garçon de six ans qu'une terrible fièvre venait de conduire aux portes de la mort, lesquelles le restant de ma famille de marchands de tissu avait déjà franchies.»

Vous aussi, pense Jacob. «Je suis navré, docteur. Je ne m'en doutais pas.

– Le monde est une vallée de pleurs. Tel un *penning* sale, je passais de main en main; chacun espérait une part de l'héritage qui, en fait, avait servi à éponger des dettes. Ma maladie faisait de moi» – il tapote sa cuisse défectueuse – «un investissement peu prometteur. Le dernier maillon de cette chaîne de parents éloignés – Cornelis, un grand-oncle au pedigree douteux – déclara un jour que j'avais le mauvais œil et que l'autre ne valait guère mieux; puis il m'emmena à Leyde, où il me laissa sur le perron d'une maison située au bord du canal. Il m'annonça que Lidewijde, ma "pour-ainsi-dire-tante", allait m'accueillir, puis disparut tel un rat dans un siphon. N'ayant plus le choix, je sonnai à la porte. Personne ne répondit. Avec ma jambe, il était inutile d'essayer de me lancer à la poursuite de mon grand-oncle Cornelis, aussi attendis-je sur le perron…»

Marinus manque la bille rouge et la bille de choc de Jacob.

«… jusqu'à ce qu'un aimable agent de police» – Marinus engloutit sa citronnade – «menace de me rosser pour vagabondage. Il faut dire que les hardes de mes cousins ne plaidaient pas en ma faveur. Je remontais et redescendais le Rapenbourg afin de me réchauffer…» Marinus pose son regard au-dessus des eaux, en direction du poste de traite chinois. «… C'était un après-midi épuisant, déserté par le soleil et plongé dans d'implacables ténèbres; les vendeurs de noisettes occupaient les rues; pareils à des chiens flairant une proie, les gamins m'observaient; de l'autre côté du canal, les érables perdaient leurs feuilles, semblables à des femmes déchirant des lettres… Mais allez-vous donc jouer votre coup, Dombourgeois?»

Jacob parvient à effectuer une double carambole, une figure rare: douze points.

«De retour devant la maison, les lampes étaient toujours éteintes. Je sonnai à la porte, implorant l'aide de toutes les divinités que je connaissais, et la vieille bonne d'une vieille fille ouvrit grande la porte, jurant que si ç'avait été la patronne, j'aurais été chassé sur-le-champ, car celle-ci tenait le manque de ponctualité pour un péché, mais comme ce n'était pas elle qui avait ouvert, passait pour cette fois-ci. Klaas m'attendait dans le jardin, mais il me fallait emprunter l'entrée de service, en bas des marches. Elle claqua la porte. Je redescendis et frappai en bas, et ce terrible cerbère en jupons reparut, remarqua ma canne puis me conduisit par un couloir défraîchi de la cave à un joli jardin en contrebas.

Jouez donc votre coup, faute de quoi nous y serons encore à minuit. »

Jacob blouse les deux billes de choc et replace la bille rouge de manière judicieuse.

« Un vieux jardinier sortit de derrière un rideau de lilas et voulut voir mes mains. Intrigué, il me demanda si j'avais déjà travaillé la terre ne serait-ce qu'un jour. Non, lui répondis-je. "Laissons le jardin en décider", trancha Klaas le jardinier, qui parla très peu durant le restant de la journée. Nous mélangeâmes des feuilles de charme à du crottin de cheval, épandîmes de la sciure autour des rosiers, ratissâmes les feuilles mortes dans la pommeraie… Il y avait bien longtemps que je n'avais passé d'heures si douces. Nous mîmes feu au tas de feuilles que nous avions ramassées puis nous y rôtîmes une pomme de terre. Un rouge-gorge se posa sur ma bêche – elle semblait déjà mienne – et se mit à chanter. » Marinus imite l'oiseau : *tchk-tchk-tchk*. « Alors que les ténèbres tombaient, une dame aux cheveux blancs et courts en toge de satrape traversa la pelouse à grands pas. "Je m'appelle Lidewijde Mostaart, déclara-t-elle. Quant à toi, tu es un mystère." Elle venait tout juste d'apprendre que le garçon censé venir aider le jardinier cet après-midi-là s'était fracturé la jambe. Je lui expliquai qui j'étais et ce que mon grand-oncle Cornelis avait décidé… »

Franchissant le seuil des cent cinquante points, Jacob rate son coup à dessein afin que Marinus reste dans la partie.

Dans le jardin, l'esclave Sjako débarrasse les feuilles de salade de leurs pucerons. Marinus se penche à la fenêtre et s'adresse à lui dans un malais impeccable. Sjako lui répond, puis Marinus retourne au billard, amusé. « Il s'avéra que ma mère était la cousine au deuxième degré de Lidewijde Mostaart, qu'elle n'avait jamais rencontrée. Abigail, la vieille bonne, arriva en haletant et maugréa qu'à la vue de mes guenilles, n'importe qui m'aurait pris pour le nouvel aide du jardinier. Klaas déclara que d'un jardinier, j'avais l'étoffe ; puis il se retira dans l'abri. Je demandai à Mme Mostaart de me garder, lui assurai que j'aiderais Klaas. Elle me reprit : c'était "mademoiselle" et non "madame" quand la plupart des gens s'adressait à elle, mais je devais l'appeler "tante Lidewijde" ; puis elle me conduisit à l'intérieur afin que je rencontre Elisabeth. Je mangeai une soupe de fenouil et répondis à leurs questions, puis, au matin, elles m'annoncèrent que je pouvais vivre avec elles aussi longtemps que je le souhaitais. Mes guenilles furent offertes en sacrifice à la divinité de l'âtre. »

Les cigales craquettent dans les pins. Leur chant ressemble au son de la graisse qui frit dans une poêle.

Marinus manque la bille rouge placée à côté de la blouse médiane et empoche par erreur sa propre bille de choc.

« Ce n'est vraiment pas de chance, compatit Jacob qui ajoute les points de cette faute à son total.

– La chance n'entre pas en compte dans un jeu d'adresse. Les bibliophiles ne sont pas rares à Leyde, mais ceux qui ont su tirer quelque sagesse de leurs lectures le sont tout autant qu'ailleurs. Les tantes Lidewijde et Elisabeth appartenaient à cette dernière catégorie, et leur sagacité n'avait d'égale que leur féroce appétit pour les mots. À plusieurs reprises dans sa jeunesse, Lidewijde s'était "liée" avec des troupes de théâtre de Vienne et Naples ; Elisabeth, elle, était ce qu'aujourd'hui nous appellerions un bas-bleu. Leur maison n'était qu'un grand trésor de livres. De ce jardin de l'im- primé, on m'avait donné les clés. Par ailleurs, Lidewijde m'apprit le clavecin, Elisabeth m'enseigna le français et le suédois, sa langue maternelle, et Klaas, illettré mais d'une grande érudition dans son domaine, fut mon premier professeur de botanique. Qui plus est, le cercle des amis de ma tante comptait de très libres penseurs et savants, pour cette époque des Lumières, s'entend. Ce qui insuffla la vie à mon propre éclairement. Chaque jour, je bénis mon grand- oncle Cornelis de m'avoir abandonné là-bas. »

Trois ou quatre fois de suite, Jacob empoche par alternance la bille de choc de Marinus et la rouge.

Une graine de pissenlit atterrit sur le tapis vert de la table de billard.

« Un représentant du genre *Taraxacum*, membre de la famille des *Asteraceae*, dit Marinus, qui la libère et la jette par la fenêtre. Mais l'érudition seule ne remplit ni les estomacs ni les bourses, et mes tantes vivotaient grâce à de maigres rentes annuelles ; aussi, alors que j'atteignais l'âge adulte, il fut décidé que j'étudierais la médecine afin de subvenir à mes aspirations scientifiques. J'obtins une place à l'école de médecine d'Uppsala, en Suède. Le choix, bien évidemment, n'était pas innocent : j'avais passé toute mon enfance à parcourir le *Species plantarum* ainsi que le *Systema naturae*, et, une fois bien installé à Uppsala, je devins un disciple de l'honorable Pr von Linné.

– Mon oncle dit de lui » – Jacob écrase une mouche – « que c'est l'un des grands hommes de notre époque.

– Les grands hommes sont des êtres grandement complexes. Certes, la taxonomie de Linné est à l'origine de la botanique, il n'en reste pas moins qu'il enseignait que les hirondelles hibernaient dans les lacs, que des géants de trois mètres de haut arpentaient les terres de Patagonie, et que les Hottentots étaient monorchides – autrement dit, ils ne posséderaient qu'un seul testicule. Ils en ont bien deux. Je l'ai vérifié. "*Deus creavit*, aimait-il à répéter, *Linnæus disposuit*", et il n'hésitait pas à anéantir la carrière des hérétiques qui n'embrassaient pas pleinement son dogme. Cela étant, il exerça une influence directe sur le cours de ma vie : si je souhaitais obtenir une chaire de professeur, il me conseillait de partir pour l'Orient en tant qu'un de ses "apôtres", d'y dresser un inventaire de la flore des Indes, et de tenter d'obtenir un droit d'entrée au Japon.

– Votre cinquantième anniversaire approche, si je ne m'abuse, docteur ?

– Linné m'a prodigué un dernier enseignement, sans s'en rendre compte : les chaires tuent les philosophes. Oh, j'ai encore en moi assez de vanité pour désirer qu'un jour, ma *Flora japonica* soit publiée – ce sera le cierge de connaissances que j'allumerai – mais rien ne m'attire moins qu'une chaire à Uppsala, Leyde ou Cambridge. Dans cette existence que je traverse, mon cœur sera tout à l'Orient. Ceci est ma troisième année à Nagasaki, et le travail qu'il me reste à accomplir m'en prendra encore trois autres, voire six. Lors de notre ambassade annuelle à la cour d'Edo, j'ai l'opportunité de contempler des paysages que nul autre botaniste européen n'a jamais vus. Mes séminaristes sont de vifs et enthousiastes jeunes hommes – ainsi qu'une jeune femme – et les savants qui nous rendent visite m'apportent des spécimens en provenance de toutes les régions de l'Empire.

– Mais ne craignez-vous point de mourir ici, loin de… ?

– Il faut bien mourir quelque part, cher Dombourgeois. Quel est le pointage ?

– Vous avez quatre-vingt-onze points, docteur, et j'en ai trois cent six.

– Que diriez-vous de monter la barre à mille points et doubler la récompense ?

– Me promettez-vous deux visites à l'Académie Shirandô ? »

Y être vu par Mlle *Aibagawa*, songe-t-il, *c'est être contemplé sous un jour nouveau.*

« Si tant est que vous acceptiez d'amender de crottin de cheval les rangs de betteraves pendant douze heures.

– C'est entendu, docteur… » Le clerc se demande si van Cleef acceptera de lui prêter Weh, son esclave aux doigts de fée, afin que celui-ci reprise l'accroc sur sa plus belle chemise de dentelle. «… J'accepte vos conditions. »

X

Jardin de Dejima

Tard dans l'après-midi du 16 septembre 1799

Jacob termine d'amender les rangs de betteraves avec le restant de crottin de cheval de la journée, puis va puiser l'eau destinée aux derniers concombres dans les tonneaux goudronnés. Il s'est attelé à son travail de clerc une heure plus tôt ce matin afin de pouvoir terminer à quatre heures et commencer à s'acquitter des douze heures de jardinage qu'il doit au docteur. *Marinus est un fieffé gredin de m'avoir caché sa virtuosité au billard*, pense Jacob. *Mais un pari n'en demeure pas moins un pari.* Il dégage le paillis autour des tiges des concombres, vide les deux récipients, puis remet la paille en place afin que l'eau demeure dans la terre assoiffée. De temps à autre, la tête d'un curieux surgit au-dessus du mur longeant la grand-rue. La vue d'un clerc néerlandais arrachant les mauvaises herbes tel un paysan est un spectacle qui vaut le détour. Hanzaburo a éclaté de rire quand Jacob lui a demandé de l'aide, mais lorsqu'il a vu que celui-ci était sérieux, l'interprète domestique a feint un mal de dos et s'en est allé, fourrant une poignée de lavande dans sa poche en franchissant le portail. Arie Grote a tenté de vendre à Jacob son chapeau en peau de requin, de sorte qu'il puisse « effectuer son dur labeur avec élégance, tel un *gentleman farmer* ». Piet Baert lui a proposé des leçons payantes de billard. Et Ponke Ouwehand lui a offert son secours en lui indiquant les endroits où il restait des mauvaises herbes. Le jardinage est un travail plus pénible que ses tâches ordinaires, *et pourtant*, admet Jacob, *j'y prends plaisir*. La verdure est reposante à ses yeux fatigués ; les roselins fouillent dans la terre décaissée, y dénichant des vers, et, perché sur la citerne vide, un bruant masqué dont le chant ressemble à un tintement de couverts observe la scène. Comme le chef Vorstenbosch et l'adjoint van Cleef sont reçus par le Seigneur de Satsuma – beau-père du Shogun – à sa résidence de Nagasaki afin de plaider en faveur d'une augmentation du quota de cuivre, il règne à Dejima comme un air de liberté. Les séminaristes sont à l'hôpital : alors que Jacob bine un rang de haricots, celui-ci perçoit la voix de Marinus à travers la vitre de la salle de chirurgie. Mlle Aibagawa s'y trouve. Jacob ne l'a toujours pas vue, et n'a pas eu l'occasion de lui adresser la parole depuis qu'il lui a remis l'éventail aux audacieuses illustrations. Témoignant par intermittence sa gentillesse à Jacob, le docteur n'ira toutefois pas jusqu'à arranger un rendez-vous. Jacob a songé à demander à Ogawa Uzaemon de porter une lettre à Mlle Aibagawa, cependant si la chose était découverte, on pourrait accuser l'interprète et la sage-femme d'avoir mené des tractations clandestines avec un étranger.

Quand bien même, pense Jacob, *que pourrais-je écrire dans cette lettre ?*

Tandis qu'il ramasse des limaces sur les choux à l'aide de baguettes, Jacob remarque qu'il a une coccinelle sur la main droite. Avec la gauche, il fait un pont que l'insecte, diligent, traverse. Jacob réitère l'exercice plusieurs fois. *La coccinelle doit croire qu'elle accomplit un long voyage alors qu'elle ne va nulle part*, songe-t-il. Il se représente une succession infinie de ponts reliant des îles de chair flottant dans le vide, et se demande si une force invisible ne se joue pas de lui de façon analogue…

… jusqu'à ce qu'une voix de femme le tire de sa rêverie. « Monsieur Dazûto ? »

Jacob retire son chapeau en bambou et se lève.

Le visage de Mlle Aibagawa éclipse le soleil. « Je demande pardon d'interrompre. »

Surprise, culpabilité, nervosité… Jacob ressent de nombreuses choses.

Elle remarque la coccinelle sur son pouce. « *Tentô-mushi.* »

Son oreille trop fervente le trompe : « *O*-ben-*tô-mushi ?*

– *O*-ben-*tô-mushi*, c'est "insecte de boîte-déjeuner". » Elle sourit. « Ceci » – elle désigne la coccinelle –, « c'est *O*-ten-*tô-mushi.*

– *Tentô-mushi* », répète-t-il. Et elle approuve d'un hochement de tête, telle une institutrice.

Son *kimono* d'été bleu foncé et son fichu blanc lui confèrent un air de nonne.

Ils ne sont pas seuls : un sempiternel garde est posté près du portail.

Jacob essaie de faire comme s'il n'était pas là. « Une "coccinelle". L'amie des jardiniers… »

Anna t'aimerait bien, songe-t-il en la regardant, *Anna t'aimerait bien.*

« … car les coccinelles mangent les pucerons. » Jacob porte le pouce à ses lèvres et souffle.

La coccinelle s'envole et ne parcourt qu'un mètre, atterrissant sur le visage de l'épouvantail.

Elle en rajuste le chapeau comme une bonne épouse. « Comment vous l'appelez ?

– Un épouvantail. Pour épouvanter les oiseaux. Mais nous le surnommons Robespierre.

– "William", c'est le singe. Pourquoi l'épouvantail, c'est "Robespierre" ?

– Parce que, lorsque le vent tourne, sa tête tombe. Il s'agit là d'une sinistre plaisanterie.

– La plaisanterie est une langue secrète dans les mots», déclare-t-elle, les sourcils froncés.

Jacob décide de ne pas faire d'allusion à l'éventail, à moins qu'elle n'aborde ce sujet : en tout état de cause, il semblerait qu'elle ne se soit sentie ni offensée ni offusquée. «Puis-je vous aider, mademoiselle ?

– Oui. Le docteur Marinus demande que je viens et demande à vous du *rôma-rê*. Il dit…»

Plus je connais Marinus, pense Jacob, *moins je comprends cet homme.*

«… il dit : "Demandez au *Domburujiwâ* six branches fraîches de *rôma-rê*."

– Par ici, je vous prie, dans le jardin des herbes aromatiques.» Il la mène au bout du sentier, incapable d'imaginer une plaisanterie qui ne tourne pas à l'ineptie.

Elle lui demande : «Pourquoi M. Dazûto travaille comme jardinier à Dejima ?

– Parce que j'apprécie l'atmosphère des jardins, ment le fils de pasteur à regret. Quand j'étais enfant, je travaillais dans le verger d'un proche, amende-t-il de vérité son mensonge. Nous y cultivions les premiers pruniers qu'ait connus notre village.

– Le village Dombourg, dit-elle, dans la province Zélande.

– Fort aimable de vous en souvenir.» Jacob coupe une demi-douzaine de tendres brins. «Voici votre romarin.» L'espace d'un moment inestimable, leurs mains sont liées par quelques centimètres d'herbe amère, et une douzaine de tournesols à la couleur d'oranges sanguines sont leurs témoins.

Je ne veux pas d'une courtisane que l'on paie, se dit-il. *Je veux te conquérir.*

«Merci.» Elle hume les herbes. «"Romarin" signifie quelque chose ?»

Jacob bénit le martinet de son professeur de latin à l'haleine fétide au collège de Middelbourg. «Le nom latin de cette plante est *ros marinus*, "*ros*" signifiant "rosée" – connaissez-vous le sens de ce mot?»

Elle fronce les sourcils, secoue légèrement la tête et fait lentement tourner son ombrelle.

«La rosée est l'eau que l'on trouve tôt le matin, avant que le soleil ne la dissipe.»

La sage-femme comprend. «"La rosée"... nous disons: "*asatsuyu*".»

Tant qu'il vivra, Jacob sait qu'il n'oubliera jamais le mot *asatsuyu*. «"*Ros*" signifie donc "rosée", et "*marinus*" signifie "océan". En somme, *Ros marinus* veut dire: "rosée de l'océan". Les vieillards disent que le romarin ne peut s'épanouir – c'est-à-dire bien pousser – que dans un lieu où il entend l'océan.»

Cette histoire lui plaît. «C'est un conte vrai?

– Il semblerait que...» – *Faites que le temps s'arrête*, prie Jacob – «... ce soit plus joli que vrai.

– "Marinus" signifie "océan"? Alors le docteur est "docteur Océan"?

– Si vous voulez, oui. Le nom "Aibagawa" signifie-t-il quelque chose?

– "*Aiba*" est "indigo"» – sa fierté à porter ce nom est manifeste – «et "*gawa*" est "fleuve".

– Vous êtes donc un fleuve indigo. Votre nom a tous les attraits de la poésie.» *Et toi, tous ceux du coureur de jupons*, se dit Jacob. «Rosemarie est un prénom féminin dérivé de *ros marinus*. Quant à moi, mon prénom» – il fait de son mieux pour avoir l'air décontracté – «est Jacob.

– Qu'est-ce que...» – elle pivote la tête, montrant sa perplexité – «... Ya-ko-bu?

– Le prénom que m'ont donné mes parents: Jacob. Je m'appelle Jacob de Zoet.»

Elle lui adresse un prudent hochement de tête approbateur. «Yakobu Dazûto.»

Si seulement on pouvait capturer les mots et les garder avec soi dans un médaillon, rêve-t-il.

« Mon prononce n'est pas très bien ? demande Mlle Aibagawa.

– Non, non : vous êtes absolument parfaite. Votre prononce est parfaite. »

Les criquets craquettent dans les anfractuosités du muret de pierre.

« Mademoiselle Aibagawa... » – Jacob avale sa salive – « ... quel est votre prénom ? »

Elle le fait languir. « Mon nom donné par ma mère et mon père est Orito. »

Le vent d'été entortille autour de ses doigts invisibles une mèche des cheveux de la sage-femme.

Elle baisse les yeux. « Le docteur attend. Merci pour du romarin. »

Jacob lui répond : « Il n'y a vraiment pas de quoi », et n'ose pas poursuivre.

Elle repart, puis, trois ou quatre pas plus loin, elle se retourne. « J'oublie une chose. » Elle fouille sa manche et en retire un fruit de la taille et de la couleur d'une orange, mais lisse comme une peau glabre. « C'est de mon jardin. J'ai apporté beaucoup à docteur Marinus alors il demande que j'apporte un à M. Dazûto. C'est *kaki*.

– Ainsi en japonais, on nomme *kâki* les plaquemines ?

– Ka-*ki*. » Elle le dépose dans le creux de l'épaule de l'épouvantail.

« Ka-*ki*. Robespierre et moi le mangerons plus tard, merci bien. »

La terre friable crisse sous les sandales de bois de la sage-femme qui repart sur le sentier.

Agis, l'implore le démon des regrets à venir. *Je ne t'en donnerai plus l'occasion.*

En hâte, Jacob passe devant les tomates et rattrape la sage-femme à proximité du portail.

« Mademoiselle Aibagawa ? Mademoiselle Aibagawa. Il faut que vous me pardonniez. »

La main posée sur le portail, elle s'est retournée. « Pourquoi pardonner ?

– De ce que je vais vous dire.» Les œillets d'Inde ont comme fondu sous l'effet du soleil. «Vous êtes belle.»

Elle comprend. Sa bouche s'ouvre et se referme. Elle recule d'un pas…

… et heurte le portail. Encore fermé, il cliquette. Le garde l'ouvre.

Pauvre idiot, maugrée le démon des regrets du présent, *qu'as-tu fait?*

Décomposé, brûlant et frissonnant à la fois, Jacob bat en retraite, mais le jardin a quadruplé de longueur, et il lui faut peut-être l'éternité du Juif errant pour atteindre le rang de concombres, où il s'agenouille derrière le paravent de patiences, là où l'escargot posté sur le seau balance ses cornes courtaudes, là où les fourmis remontent le manche de la houe chargées de morceaux de feuille de rhubarbe. Il aimerait tant que la Terre puisse tourner en arrière et le ramener à l'instant où la sage-femme est apparue pour lui demander du romarin. Alors il recommencerait, et il s'y prendrait autrement, cette fois-ci.

De ses cris, une des biches appelle son faon, sacrifié en l'honneur du Seigneur de Satsuma.

Avant l'appel du soir, Jacob monte dans le poste d'observation et sort le kaki de la poche de sa veste. Ce présent bien mûr porte l'empreinte des doigts d'Aibagawa Orito, où Jacob pose les siens; il le porte à son nez, en inhale la douceur sablonneuse, et roule le fruit girond sur ses lèvres fendillées. *Je regrette ma confession*, pense-t-il, *cependant avais-je le choix?* Il éclipse le soleil avec le kaki: l'astre dégage une lueur orangée, telle une lanterne creusée dans une citrouille. Il y a comme une fine couche de poussière sur le pédoncule noir et ligneux ainsi que sa tige. Faute de couteau ou de cuillère, il pince un bout de peau cirée entre ses incisives et la déchire: du jus suinte de l'entaille; il lape les gouttes sucrées et, par succion, extrait une petite bouchée juteuse de chair filandreuse qu'il presse doucement, très doucement contre son palais, où la pulpe se dissout, se transformant en jasmin fermenté, en cannelle huileuse, en melon parfumé, en quetsche fondue… au sein de cette masse, il découvre dix ou quinze pépins plats et noirs comme les yeux des Asiatiques, dont ils ont aussi la forme. Le soleil est parti ; les cigales se taisent ; les nuances de lilas et de turquoise faiblissent puis se fondent en teintes gris clair et gris foncé. Poursuivie par son propre sillage duveteux, une chauve-souris passe à quelques centimètres. Il n'y a pas le moindre souffle de brise. La fumée jaillit de la cheminée de la cuisine du *Shenandoah* et enveloppe la proue du brick. Les sabords sont ouverts et le bruit des dix douzaines de marins dînant dans les entrailles du navire s'élève au-dessus de la mer. Et puis, tel un diapason qu'on vient de frapper, Jacob se met à vibrer de toutes les parties et de l'entièreté d'Orito, de tout ce qui fait qu'elle *est*. Le serment qu'il a prêté à Anna irrite sa conscience. *Mais tant de kilomètres et tant d'années me séparent d'Anna*, ressasse-t-il, mal à l'aise, *et elle m'a donné son assentiment, presque donné, et elle ne le saura jamais*, et le présent d'Orito serpente jusqu'à l'estomac de Jacob. *La Création ne s'est pas terminée au sixième jour*, comprend le jeune homme. *La Création éclôt partout autour de nous, à la fois en dépit de nous et au travers de nous, jour après jour, nuit après nuit, et cette Création, nous aimons à la nommer « Amour »*.

« *Kapitan* Bôru-suten-bôshu », appelle l'interprète Sekita, un quart d'heure plus tard au pied du drapeau. D'ordinaire, l'appel qui se tient deux fois par jour est mené par le connétable Kosugi, à qui une minute suffit pour vérifier la présence de tous ces étrangers dont il connaît les noms et visages. Mais ce soir, Sekita a décidé d'asseoir son autorité en menant lui-même l'appel ; quant au connétable, il se tient à l'écart, l'air contrarié. « Où est le… » – Sekita plisse les yeux devant sa liste – « … le Bôru-suten-bôshu ? »

Le scribe de Sekita indique à son maître que le chef Vorstenbosch est chez le Seigneur de Satsuma ce soir. Sekita réprimande son scribe et plisse à nouveau les yeux devant le nom suivant. « Où est le… le Banku-rei-fu ? »

Sekita rappelle à son maître que l'adjoint van Cleef est en compagnie du chef en poste.

Le connétable Kosugi se racle la gorge bien fort et sans que cela semble nécessaire.

L'interprète poursuit son appel. « Ma-ri-as-su… »

Marinus se lève, les pouces plantés dans les poches de sa veste. « *Docteur* Marinus, je vous prie. »

Sekita lève des yeux inquiets. « Le Marinus a besoin le docteur ? »

Amusés, Gerritszoon et Baert émettent un ricanement nasal : Sekita sent qu'il a commis une erreur et cite : « Dans le besoin, on reconnaît ses vrais amis. » Il scrute le nom suivant. « Fui… shâ…

– C'est bien moi, répond Fischer. Mais mon nom se prononce : "Fischer".

– Oui, oui : le Fuishâ. » Sekita bataille avec le nom suivant : « Ôe-hando.

– Ici présent. Pour mes péchés, sans doute », répond Ouwehand, qui nettoie les taches d'encre sur ses mains.

Sekita s'éponge le front à l'aide d'un mouchoir. « Dazûto…

– Présent », répond Jacob. *Faire l'appel, c'est assujettir*, songe-t-il.

Plus bas dans la liste, Sekita massacre littéralement le nom des manœuvres. Les railleries de Gerritszoon et Baert n'y changent rien : ils doivent répondre « Présent », et s'y emploient. Les Blancs ayant été passés en revue, Sekita s'adresse aux quatre serviteurs et quatre esclaves divisés en deux groupes rassemblés à gauche et à droite des maîtres. L'interprète commence avec les serviteurs : Eelattu, Cupidon, Filandre, Moïse, puis plisse les yeux devant le nom du premier esclave. « Su-ya-ko. »

Comme la réponse ne vient pas, Jacob se met à chercher le Malais absent.

Sekita scande les syllabes : « Su-ya-ko », mais aucune réponse ne vient.

Il lance un regard chargé de fiel à son scribe, lequel interroge le connétable Kosugi.

Kosugi répond à Sekita – Jacob le devine : « C'est vous qui menez la danse, alors si certains manquent à l'appel, c'est votre problème. » Sekita s'adresse à Marinus : « Où... sont... Su-ya-ko ? »

Le docteur Marinus fredonne une mélodie pour contrebasse. Quand le couplet se termine et que Sekita semble à bout de nerfs, Marinus se tourne vers les serviteurs et esclaves. « Auriez-vous l'amabilité de trouver Sjako et de lui dire qu'il est en retard pour l'appel ? »

Les sept hommes se hâtent de remonter la grand-rue en débattant de l'endroit probable où dénicher Sjako.

« Je débusquerai ce sale cabot plus vite que cette canaille nègre, dit Peter Fischer à Marinus. Venez avec moi, Gerritszoon, vous serez l'homme de la situation. »

Peter Fischer reparaît moins de cinq minutes plus tard par la ruelle du drapeau, la main droite ensanglantée, devant un groupe d'interprètes domestiques qui s'adressent tous à la fois au connétable Kosugi et à l'interprète Sekita. Quelques instants après, Eelattu surgit et fait son rapport en cinghalais à Marinus. Fischer informe les autres Néerlandais. « Nous avons trouvé ce misérable bousier dans la remise des caisses du bout de la ruelle anguleuse, à côté de la réserve Doorn. Je l'y avais vu pénétrer plus tôt dans la journée.

– Pourquoi n'est-il pas avec vous ? » demande Jacob.

Peter Fischer sourit. « Il ne sera pas en mesure de marcher avant un moment, si j'ose dire. »

Ouwehand l'interroge : « Que lui avez-vous fait, nom de Dieu ?

– Moins que ce que cet esclave méritait. Il buvait l'alcool qu'il avait volé et s'est adressé à nous d'une manière aussi insultante qu'impardonnable, et, pis encore, dans sa saleté de langue malaise. Quand M. Gerritszoon s'est attelé à vouloir corriger l'impertinent à l'aide d'une cravache en rotin, il est entré dans une colère noire, s'est mis à hurler tel un loup assoiffé de sang puis a tenté de nous fracasser le crâne avec un pied-de-biche.

– Dans ce cas, pourquoi aucun de nous, demande Jacob, n'a entendu ce soi-disant cri de "loup assoiffé de sang" ? »

Fischer explose : « Parce qu'il avait fermé la porte, clerc de Zoet !

– Pour autant que je sache, Sjako n'a jamais fait de mal à une mouche, intervient Ivo Oost.

– Ma foi, vous êtes peut-être trop proche de lui » – Fischer fait allusion au sang mêlé d'Oost – « pour être impartial. »

Arie Grote retire doucement le couteau de poche qu'Ivo Oost serre dans sa main. Marinus donne un ordre à Eelattu en cinghalais, et le serviteur court à l'hôpital. Le docteur claudique en hâte vers la ruelle du drapeau. Jacob le suit, sans prêter attention aux protestations de Sekita, suivi du connétable Kosugi et de ses gardes.

La lumière du soir recouvre d'un bronze sombre les réserves blanchies à la chaux qui jalonnent la grand-rue. Jacob rattrape Marinus. Au carrefour, ils s'engouffrent dans la ruelle anguleuse, passent devant la réserve Doorn et pénètrent dans la chaude et lugubre remise bourrée de caisses.

« Eh bien, il vous en aura fallu du temps, dites donc, les accueille Gerritszoon, assis sur un sac.

– Où se trouve… ? » Jacob a la réponse sous les yeux.

Le sac se révèle être Sjako. Sa tête, dont la beauté n'est plus qu'un souvenir, repose au sol dans une mare de sang ; sa lèvre est fendue, un de ses yeux n'est presque plus apparent, et il ne semble plus en vie. Des éclats de bois, une bouteille et une chaise brisées gisent tout autour. Gerritszoon s'agenouille à même le dos de Sjako pour lui lier les mains.

Les autres s'agglutinent derrière Jacob et le docteur.

Con Twomey s'exclame en anglais : «*Jesus, Mary and Oliver fecking Cromwell, man!*»

Les témoins japonais de la scène expriment leur émotion dans leur langue.

«Détachez-le, lance Marinus à Gerritszoon, et gardez-vous bien de m'approcher.

— Hé là, vous n'êtes ni le chef ni l'adjoint! Et je jure devant Dieu que je…

— Détachez-le immédiatement, ordonne le docteur, sinon je vous promets que, quand votre calcul atteindra une taille telle que vous urinerez du sang et que, hurlant de douleur tel un enfant terrifié, vous me supplierez que je vous fasse une lithotomie, alors je jure devant le dieu qui est mien que ma main faillira et que vous connaîtrez une lente et tragique agonie.

— C'était notre devoir de le corriger, grogne Gerritszoon. Il fallait chasser le diable en lui.»

Il se lève et s'éloigne. «C'est sa vie que tu as chassée de son corps», déclare Ivo Oost.

Marinus confie sa canne à Jacob et s'agenouille à côté de l'esclave.

«Qu'aurions-nous dû faire? demande Fischer. Le laisser nous tuer?»

Marinus détache les liens. Avec l'aide de Jacob, il tente de retourner Sjako.

«Tout ça ne va guère plaire au chef V., commente Arie Grote, dédaigneux. Lui qui n'aime pas qu'on malmène la marchandise, hé…»

Un cri de douleur s'élève de la poitrine de Sjako, puis s'évanouit.

Marinus glisse son manteau roulé en boule sous la tête de l'esclave, murmure quelque chose en malais à celui qu'on a passé à tabac, et examine le crâne ouvert. L'esclave tremble; Marinus grimace et demande : «Pourquoi y a-t-il du verre dans sa blessure à la tête?

— Comme je le disais, réplique Fischer, si vous écoutiez un peu, il buvait le rhum qu'il avait volé.

— Et il s'est frappé tout seul avec la bouteille qu'il avait en main? demande Marinus.

— Je la lui ai arrachée, dit Gerritszoon, et l'ai battu avec.

— Ce chien a essayé de nous assassiner! crie Fischer. À coups de marteau!

— Un marteau? Un pied-de-biche? Une bouteille? Je vous conseille de mieux ficeler votre récit.

— Je ne tolérerai pas ces… ces insinuations, docteur», le menace Fischer.

Eelattu apporte le brancard. Marinus s'adresse à Jacob : «Aidez-moi, Dombourgeois.»

À coups d'éventail, Sekita chasse les interprètes domestiques sur son chemin et contemple la scène d'un air écœuré. «C'est le Su-ya-ko?»

En entrée du souper des officiers, l'on sert une soupe à l'oignon. Vorstenbosch la mange, silencieux et mécontent. Lui et van Cleef étaient revenus à Dejima très enjoués, mais cette bonne humeur a cessé sitôt la nouvelle du tabassage de Sjako apprise. Marinus se trouve toujours à l'hôpital, où il soigne les nombreuses blessures du Malais. Le chef a même renvoyé Cupidon et Filandre, annonçant ne pas avoir le goût à la musique. Charge à l'adjoint van Cleef et au capitaine Lacy de divertir les convives en partageant les impressions laissées par la résidence et la garde impériale du Seigneur de Satsuma à Nagasaki. Jacob soupçonne que son protecteur n'est pas convaincu par la version des événements survenus dans la remise telle que rapportée par Fischer et Gerritszoon; cependant, douter tout haut équivaudrait à donner davantage de valeur à la parole d'un esclave noir qu'à celle d'un officier et d'un manœuvre blancs. « *Quelle sorte de précédent cela établirait-il dans l'esprit des autres esclaves et serviteurs ?* » Jacob imagine-t-il Vorstenbosch penser. Fischer se montre d'une prudente réserve : il sent bien que le poste de clerc principal risque de lui échapper. Quand Arie Grote et son jeune assistant apportent la tourte au chevreuil, le capitaine Lacy envoie son serviteur chercher une demi-douzaine de bouteilles de vin d'orge, mais Vorstenbosch ne le remarque pas ; plongé dans ses pensées, il marmonne : « Diable, mais qu'est-ce qui retient Marinus ? » Puis il ordonne à Cupidon de ramener le docteur.

Le serviteur est parti depuis longtemps. Lacy livre le récit bien rodé de son combat aux côtés de George Washington lors de la bataille de Bunker Hill et engloutit trois parts de pudding aux abricots avant que Marinus finisse par arriver dans la salle à manger en clopinant.

« Nous désespérions de vous voir nous rejoindre, docteur, l'interpelle Vorstenbosch.

– Une clavicule fêlée, annonce Marinus en s'asseyant, un cubitus fracturé, une mâchoire cassée, une côte brisée, trois dents perdues, de sévères contusions sur tout le corps et en particulier au visage et aux parties génitales, ainsi qu'une rotule désolidarisée de son fémur. Quand il pourra de nouveau marcher, son agilité sera identique à la mienne, et comme vous avez pu le constater, sa beauté lui est à jamais perdue. »

Fischer boit son vin d'orge de Nouvelle-Angleterre comme si l'affaire lui était parfaitement étrangère.

« Ainsi donc l'esclave n'est pas en danger de mort ? l'interroge van Cleef.

– Pas pour l'instant, mais je n'écarte pas une possibilité d'infections et de fièvres.

– Combien de temps » – Vorstenbosch brise son cure-dent – « lui faudra-t-il pour être remis d'aplomb ?

– Le temps qu'il faudra. D'ici sa guérison, je recommande d'alléger sa charge de travail. »

Lacy émet un ricanement nasal. «À Dejima, tous les esclaves connaissent déjà ce traitement : ils vivent ici comme des coqs en pâte.

– Avez-vous pu soutirer à l'esclave sa version des événements ? s'enquiert Vorstenbosch.

– J'ose espérer, monsieur, intervient Fischer, que le témoignage de M. Gerritszoon et le mien constituent davantage qu'une simple "version des événements".

– Cette dégradation d'un bien appartenant à la Compagnie nécessite une enquête, Fischer.»

Lacy s'évente avec son chapeau. «En Caroline, c'est du dédommagement à accorder à M. Fischer par le propriétaire de l'esclave dont nous débattrions.

– Certes, mais seulement après avoir établi les faits. Docteur Marinus, pourquoi l'esclave ne s'est-il pas présenté à l'appel ? Il vit ici depuis des années. Il connaît le règlement.

– C'est à ces mêmes années que la faute incombe.» À l'aide de sa cuillère, Marinus se sert du pudding. «Lesquelles ont entamé son moral et l'ont conduit à une dépression nerveuse.

– Docteur, vous êtes...» – Lacy rit jusqu'à s'en étrangler – «... vous êtes incomparable. Une "dépression nerveuse", dites-vous ? Et puis quoi, ensuite ? Une mule trop mélancolique pour charrier ? Une poule trop larmoyante pour pondre ?

– Sjako a une femme et un fils à Batavia, dit Marinus. Quand Gijsbert Hemmij l'a amené à Dejima il y a sept ans de cela, sa famille a été séparée. Hemmij avait promis de rendre sa liberté à Sjako en contrepartie de ses fidèles services jusqu'à son retour à Java.

– Si j'avais obtenu un dollar à chaque fois qu'une vaine promesse de manumission a été faite à un nègre, j'aurais pu acheter toute la Floride !

– Mais quand le chef Hemmij est mort, objecte van Cleef, sa promesse l'a suivi dans son tombeau.

– Au printemps, Daniel Snitker a annoncé à Sjako que le serment serait honoré sitôt la saison commerciale achevée. Ce qui laissait entendre à l'esclave » – Marinus bourre sa pipe – « qu'il repartirait avec le bateau à Batavia en homme libre quelques semaines plus tard ; aussi s'était-il fixé l'objectif de travailler à la libération des siens quand débarquerait le *Shenandoah* à Batavia.

– Une promesse de Snitker, commente Lacy, ne vaut pas le papier sur lequel elle n'a pas été consignée.

– Hier soir » – Marinus allume une mèche à la flamme de la bougie et ranime sa pipe –, « Sjako a appris que la promesse était caduque et son rêve de liberté, anéanti.

– L'esclave restera ici jusqu'au terme de mon mandat, tranche le chef. Dejima manque de manœuvres.

– Alors pourquoi feindre la surprise » – le docteur recrache un nuage de fumée – « face au désarroi de Sjako ? Il me semble pourtant que sept plus cinq font douze. Oui, douze ans. Sjako avait dix-sept ans quand on l'a mené jusqu'ici : il ne repartira pas avant d'avoir atteint sa vingt-neuvième année. D'ici là, son fils aura été vendu depuis longtemps et sa femme accouplée à un autre.

– Comment voudriez-vous que je rende "caduque" une promesse que je n'ai jamais formulée ? lui rétorque Vorstenbosch.

– Voilà qui est tout à fait pertinent et logique, monsieur, dit Fischer.

– Il y a maintenant huit années, poursuit van Cleef, que je n'ai revu ni ma femme ni mes filles !

– Vous êtes ici en qualité d'adjoint » – Marinus ôte une croûte de sang sur sa manche – « afin de vous enrichir ; Sjako n'est qu'un esclave, ici présent pour le bon plaisir de ses maîtres.

– Un esclave est esclave, déclame Peter Fischer, parce qu'il effectue un travail d'esclave !

– Pourquoi n'organiserions-nous pas » – Lacy se cure l'oreille à l'aide d'une dent de sa fourchette – « une soirée de théâtre afin de lui remonter le moral? Nous pourrions monter *Othello*, qu'en dites-vous?

– Ne sommes-nous pas en train de perdre de vue le point essentiel de l'affaire? demande van Cleef. À savoir, la tentative d'assassinat portée à l'encontre de deux de nos collègues par un esclave?

– Voilà qui, à nouveau, est parfaitement à propos, monsieur, si vous me permettez, dit Fischer.

– Sjako nie s'être attaqué à ses deux agresseurs», déclare Marinus en joignant les deux pouces.

Fischer s'avachit sur sa chaise et s'adresse au lustre: «Pfff!

– Sjako prétend que les deux maîtres blancs s'en sont pris à lui sans avoir été provoqués.

– Cet assassin en puissance est un menteur de la pire espèce, juge Fischer.

– Il est vrai que les nègres mentent comme les oies fientent, dit Lacy en ouvrant sa tabatière.

– Pourquoi» – Marinus pose sa pipe sur son reposoir – «Sjako se serait-il attaqué à vous?

– Comme si ces sauvages avaient besoin d'une raison!» Fischer crache dans le crachoir. «Vous et les énergumènes de votre genre, docteur Marinus, vous rendez dans ces réunions où vous opinez du chef quand un "nègre civilisé" qui porte une perruque et un gilet vous parle du "véritable coût du sucre que nous ajoutons à notre thé". Moi, monsieur, je n'ai pas été façonné dans les jardins de Suède, mais dans les jungles du Surinam, où l'on peut voir le nègre dans son milieu naturel. Quand vous aurez reçu ce type de décoration» – Peter Fischer déboutonne sa chemise, découvrant une cicatrice d'une petite dizaine de centimètres au-dessus de sa clavicule –, «nous verrons si vous reviendrez m'affirmer qu'un sauvage a une âme simplement parce qu'il est capable de réciter le "Notre Père", comme n'importe quel perroquet.»

Lacy se penche tout près, impressionné. «Où avez-vous déniché ce joli souvenir?

« Pendant notre retraite à Goed Accoord, répond Fischer, fixant d'un air furieux le docteur. Une plantation aux abords de la Commewijne, à deux jours de barque en remontant la rivière depuis Paramaribo. Mon régiment avait pour objectif de nettoyer le bassin des fugitifs qui attaquent en bande. Les colons appellent ces esclaves les "rebelles" ; je préfère parler de "vermine". Nous avions mis le feu à bon nombre de leurs nids et champs d'ignames, mais la saison sèche nous avait rattrapés : l'enfer ne connaît de pire recoin que celui-ci. Le béribéri ou la fièvre de la teigne n'avaient pas épargné un seul de nos hommes. Profitant de notre état de faiblesse, les nègres de Goed Accoord nous trahirent et, à l'aube du troisième jour, ils rampèrent jusqu'à la maison puis lancèrent une attaque sur nous. Des centaines de ces vipères sortirent du limon craquelé et tombèrent des arbres. À l'aide de nos mousquets, de nos baïonnettes ou à mains nues, mes hommes et moi nous défendîmes vaillamment, mais une massue vint s'écraser sur mon crâne et je perdis connaissance. Il s'écoula plusieurs heures, je suppose. À mon réveil, mes pieds et poings étaient liés. Ma mâchoire était – comment dit-on ? – *dé*loquée. J'étais allongé dans le salon au milieu d'une rangée d'hommes blessés. Certains demandaient grâce, mais les nègres ne comprennent pas ce concept. Le chef des esclaves arriva et demanda à ses bouchers d'arracher le cœur de mes hommes pour le festin de la victoire. Et ils s'exécutèrent » – Fischer fait tournoyer son vin d'orge dans son verre – « lentement, sans tuer leurs victimes au préalable.

– Tant de barbarie et de méchanceté dépasse l'entendement ! » s'exclame van Cleef.

Vorstenbosch envoie Filandre et Weh chercher du vin de Rhénanie à la cave.

« Mes camarades, un Suisse dénommé Fourgeoud, DeJohnette, et mon très cher Tom Isberg ont eu moins de chance : ils ont connu l'agonie du Christ en croix. Leurs cris me hanteront jusqu'à ma mort, de même que les rires de ces nègres. Ils conservaient les cœurs dans un pot de chambre, à quelques centimètres de l'endroit où j'étais allongé. Une puanteur d'abattoir régnait dans la pièce. L'air était noir de mouches. Il faisait nuit quand vint mon tour ; j'étais l'avant-dernier. Ils me jetèrent sur la table. Malgré la peur, je fis semblant d'être mort et priai Dieu de s'empresser d'emporter mon âme. L'un d'eux dit : *"Son de go sleeby caba. Mekewe liby den tara dago tay tamara."* Ce qui signifiait que le soleil se couchait, qu'ils garderaient les deux derniers "chiens" pour le lendemain. Les tambours, le festin et les fornications avaient commencé, et les bouchers ne voulaient manquer cela pour rien au monde. Alors l'un des deux me cloua sur la table à l'aide d'une baïonnette, comme le papillon d'une collection, puis ils m'abandonnèrent sans surveillance. »

Les insectes volent au-dessus du candélabre, salissant l'air tel un halo maléfique.

Un lézard aux écailles rouille se trouve sur le couteau à beurre de Jacob.

« Je priai Dieu de me donner la force. En tournant la tête, je pouvais saisir la lame de la baïonnette entre mes dents et la libérer, petit à petit. J'avais perdu des litres de sang, mais je refusais de succomber à la faiblesse. Et je conquis ma liberté. Sous la table, il y avait Joosse, le dernier survivant de mon régiment. Joosse était zélandais, comme le clerc de Zoet... »

Allons donc, songe Jacob, *voilà une coïncidence qui tombe à point nommé.*

« ... et Joosse, je le regrette, était un lâche. Trop effrayé, il n'osait pas bouger, et il fallut que ma raison apprivoise sa peur. Sous le manteau des ténèbres, nous quittâmes Goed Accoord. Pendant plusieurs jours, nous nous frayâmes à mains nues un chemin à travers l'enfer vert. Pour toute nourriture, nous avions les asticots qui pullulaient dans nos plaies. À plusieurs reprises, Joosse me demanda de le laisser mourir. Mais l'honneur m'obligeait à protéger le faible Zélandais de la mort. Finalement, par la grâce de Dieu, nous atteignîmes Fort Sommelsdyck, point de confluence entre la Commewijne et le Cottica. Nous étions davantage morts que vivants. Mon supérieur me confia par la suite qu'il s'était attendu à me voir mourir dans les heures qui suivirent mon retour. "Ne sous-estimez plus jamais un Prussien", lui répondis-je. Le gouverneur du Surinam me remit une médaille et, six semaines plus tard, je retournai à Goed Accoord, à la tête d'un régiment de deux cents hommes. Ce fut une glorieuse vengeance que nous prîmes sur cette vermine, mais je ne suis pas homme à me vanter de mes propres exploits. »

Weh et Filandre reviennent avec les bouteilles de vin de Rhénanie.

« Voilà un récit fort édifiant, dit Lacy. Je salue votre courage, monsieur Fischer.

– L'épisode des asticots, ingrédient superflu, a cependant fait retomber votre mayonnaise, juge Marinus.

– L'incrédulité du docteur, déclare Fischer aux officiers supérieurs, est, je le regrette, liée au sentimentalisme qu'il cultive vis-à-vis des sauvages.

– L'incrédulité du docteur, dit Marinus en examinant l'étiquette du vin, est une réaction naturelle à ces sornettes de fanfaron.

– Vos accusations ne méritent aucune réponse, » lui rétorque Fischer.

Jacob découvre le chapelet d'îles formé par les piqûres de moustique sur sa main.

« L'esclavage engendre peut-être quelques injustices commises à l'endroit de certains, commente van Cleef, il n'en reste pas moins que tous les empires ont été bâtis sur la base de cette institution.

– Eh bien, que le Diable » – Marinus enfonce le tire-bouchon – « emporte tous les empires.

– Voilà des propos pour le moins extraordinaires dans la bouche d'un officier des colonies ! déclare Lacy.

– Extraordinaires, convient Fischer, et révélateurs – pour ne pas dire *jacobins*.

– En aucun cas je ne suis "officier des colonies" : je suis médecin, savant et voyageur.

– Vous recherchez la fortune et ce, grâce au concours de l'Empire colonial néerlandais, réplique Lacy.

– Mon trésor est botanique.» Il extirpe le bouchon. «La fortune, je vous la laisse.

– Voilà une attitude "éclairée", *outrée** et bien française, nation qui, soit dit au passage, a tiré les enseignements des dangers que représente l'abolition de l'esclavage : l'anarchie s'est propagée telle une traînée de poudre dans les Caraïbes, les plantations ont été ravagées, les hommes pendus aux arbres, et le temps que Paris remette ses nègres aux fers, Saint-Domingue lui a été perdue.

– Cependant l'Empire britannique, intervient Jacob, est en train de se rendre au principe de l'abolition.»

Vorstenbosch pose un regard de commissaire-priseur sur celui qui fut son protégé.

«Les Anglais se sont fourvoyés dans je ne sais quel jeu de faux-semblants, prévient Lacy. L'avenir nous le prouvera.

– Mais vos concitoyens des États du Nord, l'interroge Marinus, ne reconnaissent-ils pas que les…

– Si ces misérables sangsues yankees engraissent, s'exclame le capitaine Lacy en brandissant son couteau, c'est bien grâce à nos taxes!

– Dans le règne animal, estime van Cleef, ceux que la nature favorise dévorent les vaincus. En comparaison, l'esclavage est une faveur qu'on accorde aux races inférieures, qui peuvent continuer à vivre en échange du travail qu'elles fournissent.

– Une fois dévoré» – le docteur se sert un verre de vin –, «à quoi servirait donc un esclave?»

L'horloge de parquet sonne dix coups.

Vorstenbosch rend son verdict: «Fischer, bien que je sois très mécontent des événements survenus dans la remise des caisses, je veux bien admettre que Gerritszoon et vous étiez en position de légitime défense.

« – Je vous l'assure, monsieur. » Fischer secoue la tête. « Nous n'avions pas d'autre choix. »

Marinus grimace devant son verre de vin. « Quel arrière-goût atroce. »

Lacy se lisse la moustache. « Mais vous avez bien un esclave, docteur ?

– Eelattu, monsieur, n'est pas plus mon esclave que ne l'est votre second. Je l'ai trouvé à Jaffna il y a cinq ans, battu et laissé pour mort par l'équipage d'un baleinier portugais. Il guérissait, et devant la vivacité d'esprit de ce garçon, je fus convaincu de l'engager afin qu'il m'assiste lors de mes opérations chirurgicales, et ce, contre une rémunération issue de mes propres deniers. Libre à lui de quitter ce poste quand il le souhaitera : il percevra ses salaires et je lui fournirai une lettre de recommandation. Qui, à bord du *Shenandoah*, peut en dire autant ?

– Les Indiens » – Lacy se déplace jusqu'au pot de chambre – « singent assez bien les manières de l'homme civilisé, j'en conviens. J'ai d'ailleurs inscrit sur le registre du *Shenandoah* des indigènes des îles du Pacifique ainsi que des Chinois : je sais donc de quoi je parle. Mais, en ce qui concerne les Africains » – le capitaine déboutonne sa culotte et se met à uriner dans le pot –, « l'esclavage est la meilleure option pour eux : si jamais on les relâchait, ils mourraient de faim en moins d'une semaine ou ne se gêneraient pas pour assassiner des familles de Blancs dans l'unique but de piller leur garde-manger. Ils ne connaissent que l'instant présent : impossible pour eux d'élaborer le moindre projet, de cultiver des terres, d'inventer ou d'imaginer. » Il secoue les dernières gouttes d'urine et rentre sa chemise dans sa culotte. « En outre, condamner l'esclavage » – le capitaine Lacy se gratte sous le col de sa chemise –, « c'est condamner les Saintes Écritures. Les Noirs sont la descendance de Ham, le fils de Noé, dont la bestialité le poussa à coucher avec sa propre mère : voilà pourquoi la lignée de Ham est maudite. Les faits sont là, dans le neuvième livre de la Genèse et tout cela est clair comme le jour. "Maudit soit Canaan! qu'il soit l'esclave des esclaves de ses frères!" La race blanche, elle, descend de Japhet: "Que Dieu étende les possessions de Japhet, qu'il habite dans les tentes de Sem, et que Canaan soit leur esclave!" N'est-ce pas la vérité, monsieur de Zoet? »

Tous les regards se tournent vers le neveu du pasteur.

« Ces versets posent un problème, dit Jacob.

– Ainsi, pour le clerc de Zoet la parole de Dieu "pose un problème" ?, le nargue Peter Fischer.

– Le monde se porterait mieux sans l'esclavage, rétorque Jacob, et…

– Le monde se porterait mieux, le coupe van Cleef avec dédain, si des pommes en or poussaient sur les arbres.

– Mon cher monsieur Vorstenbosch, dit le capitaine Lacy en levant son verre, ce vin de Rhénanie est exceptionnel. Et quel goût il nous laisse en bouche: le plus pur des nectars. »

XI

Réserve Eik

Avant le typhon du 19 octobre 1799

Les bruits de lattage, de clouage et de branle-bas franchissent par rafales les portes de la réserve. Hanzaburo, qui se tient sur le seuil, scrute le ciel qui s'assombrit. Assis à la table, Ogawa Uzaemon traduit la version japonaise du document d'expédition 99b rédigé lors de la saison commerciale de l'année 1797, relatif à l'acheminement de cristaux de camphre. Jacob consigne les formidables différences de prix et de quantités annoncées entre ce papier et son équivalent néerlandais. La signature certifiant « la fidélité et l'authenticité de ce document d'expédition » est celle de l'adjoint en charge, Melchior van Cleef : il s'agit jusqu'à présent de la vingt-septième entrée falsifiée que Jacob a percée à jour. Le clerc a fait part à Vorstenbosch de cette liste croissante, mais le zèle avec lequel le chef en poste s'employait à réformer Dejima s'amenuise de jour en jour. Les métaphores employées par Vorstenbosch se sont transformées : il ne parle plus d'« exciser le cancer de la corruption » mais de « faire le meilleur usage possible des outils en notre possession ». L'indicateur le plus fiable montrant le changement d'attitude du chef est le comportement d'Arie Grote, qui se révèle un peu plus affairé et un peu plus enjoué chaque jour.

« Il fait bientôt trop sombre pour voir, dit Ogawa Uzaemon.

« – De combien de temps disposons-nous avant de devoir cesser le travail ? demande Jacob.

– Encore une heure, mais il faut de l'huile dans la lampe. Ensuite, je dois partir. »

Jacob rédige une brève note dans laquelle il demande à Ouwehand de sortir de la remise aux fournitures une jarre d'huile qu'il remettra à Hanzaburo, à qui Ogawa traduit le message. Le garçon sort : le vent se met alors à tirer sur ses vêtements.

« Les derniers typhons de la saison font des attaques très féroces sur le domaine Hizen, explique Ogawa. Nous pensons : *Que les dieux protègent Nagasaki des typhons cette année. Et puis…* »

À l'aide de ses mains, Ogawa mime un coup de bélier.

« En Zélande, les tempêtes d'automne sont de sinistre mémoire, elles aussi.

– Veuillez m'excuser » – Ogawa ouvre son carnet –, « mais qu'est-ce que la "sinistre mémoire" ?

– L'expression sert à qualifier une chose connue pour être mauvaise.

– Monsieur de Zoet a dit que son île est en dessous de la mer, se souvient Ogawa.

– Walcheren ? En effet, oui. Nous autres Néerlandais vivons en dessous des poissons.

– Empêcher la mer qui inonde la terre, c'est une guerre éternelle, suppose Ogawa.

– Une guerre, c'est bien le mot. Et parfois, nous perdons des batailles… » – Jacob remarque sous l'ongle de son pouce la crasse qui provient de la dernière heure passée à travailler dans le jardin du docteur Marinus – « … et les digues cèdent. Pourtant, bien que la mer soit l'ennemie du Néerlandais, elle est aussi celle qui le nourrit et, pour ainsi dire, celle qui façonne son ingéniosité. Si, comme nos voisins, la Nature nous avait gratifiés de terres fertiles situées en hauteur, quel besoin aurions-nous eu d'inventer la Bourse d'Amsterdam, les sociétés par actions et cet empire d'intermédiaires qui est le nôtre ? »

Les charpentiers solidarisent les poutres de la réserve Lelie, en cours de restauration.

Jacob décide d'aborder un sujet délicat avant le retour de Hanzaburo. «Monsieur Ogawa, quand vous avez inspecté mes livres au matin de mon arrivée, j'imagine que vous avez remarqué mon dictionnaire, n'est-ce pas?

— *Nouveau Dictionnaire de néerlandais.* C'est un livre très bien et très rare.

— Il serait d'une grande utilité à un Japonais spécialisé dans les études néerlandaises, n'est-ce pas?

— Un dictionnaire néerlandais est une clé magique qui ouvre beaucoup des portes verrouillées.

— Eh bien, je désire…» — Jacob hésite — «… je désire l'offrir à Mlle Aibagawa.»

Des voix déformées par le vent leur parviennent, tels les échos d'un puits profond.

Ogawa affiche un air grave, indéchiffrable.

«Selon vous, tente Jacob, comment réagira-t-elle devant pareil présent?»

Les doigts d'Ogawa tirent sur un nœud de sa ceinture. «Beaucoup de surprise.

— Ce ne sera pas une mauvaise surprise, j'espère?

— Nous avons un proverbe.» L'interprète se verse un bol de thé. «"Rien n'est plus coûteux que l'objet sans prix." Quand Mlle Aibagawa reçoit ce présent, elle a peut-être du souci: "Quel est le véritable prix si j'accepte?"

— Mais cela ne l'engage en rien. Absolument en rien, je vous en donne ma parole.

— Alors…» — Ogawa sirote son thé, évitant toujours de croiser le regard de Jacob — «… pourquoi monsieur de Zoet offre?»

Ceci est encore plus pénible que la discussion dans le jardin avec Orito, songe Jacob.

«Eh bien parce que…, s'agite le clerc. Eh bien ce pour quoi

je désire lui offrir pareil gage, j'entends la raison première de ce besoin, ce qui, pour ainsi dire, motive le marionnettiste, est en réalité, comme pourrait l'exprimer le docteur Marinus… un des grands impondérables.»

Quelle espèce de baragouin me sors-tu là? lui rétorque l'expression sur le visage d'Ogawa,

Jacob retire ses lunettes, regarde à l'extérieur et voit un chien qui lève la patte.

«Le livre est…» – Ogawa examine Jacob comme si ce dernier se trouvait derrière un cadre – «… un gage d'amour?

– Je sais bien cependant…» – Jacob se sent comme un acteur forcé à monter sur scène sans avoir eu l'occasion de jeter le moindre coup d'œil à son texte – «… qu'elle – Mlle Aibagawa, j'entends – n'est pas une courtisane, qu'un Néerlandais ne représente pas un mari idéal, bien que, grâce à mon mercure, je ne sois pas sans le sou… Mais tout cela n'a aucune importance, et même si je sais que, à n'en point douter, certains me considéreraient comme le plus grand des idiots…»

Le ruban entortillé d'un muscle palpite sous l'œil d'Ogawa.

«Certes oui, on pourrait peut-être parler là d'un gage d'amour, mais si Mlle Aibagawa n'éprouve pas de sentiments pour moi, cela n'a pas d'importance. Elle pourra garder le livre. L'imaginer se servir de l'ouvrage suffira…» – *à mon bonheur*, ne parvient pas à ajouter Jacob. «Si je devais lui remettre moi-même ce dictionnaire, explique-t-il, quelque espion, inspecteur ou bien ses camarades séminaristes ne manqueraient pas de le remarquer. Il m'est également impossible de me rendre à son domicile un soir. Cependant, un interprète de haut rang portant sur lui un dictionnaire n'attirerait pas les soupçons… On ne peut, de surcroît, assimiler la chose à de la contrebande, puisqu'il s'agit d'un simple présent. Aussi… je souhaiterais vous demander de le lui remettre de ma part.»

Twomey et l'esclave d'Orsay démontent le grand tripode installé dans la Cour aux pesées.

Ogawa ne paraît pas surpris, ce qui suggère qu'il s'attendait à cette requête.

«Il n'y a personne d'autre à Dejima en qui je puisse avoir confiance», dit Jacob.

Non, personne, en effet, convient le murmure râpeux qu'émet Ogawa.

«À l'intérieur du dictionnaire, je vais… j'ai inséré une… disons, une brève lettre.»

Ogawa lève la tête et scrute cette déclaration d'un œil suspicieux.

«Cette lettre dit… que, dorénavant, ce dictionnaire lui appartient, mais si jamais» – *Voilà que je me mets à parler comme un camelot enjôlant les ménagères au marché,* pense Jacob – «elle voulait bien voir en moi… un bienfaiteur, ou plutôt un protecteur, ou… ou…

– La lettre fait la demande de mariage?» Le ton d'Ogawa est brusque.

«Oui. Non. Pas si elle…» Regrettant d'avoir ouvert la bouche, Jacob sort de sous sa table le dictionnaire, enveloppé dans un carré de voilure noué par une ficelle. «Et puis, au diable! Oui, c'est une demande en mariage. Je vous en supplie, monsieur Ogawa, mettez fin à mon supplice et veuillez bien lui porter ce maudit paquet.»

Le vent est sombre et gronde. Jacob verrouille la réserve et traverse la place du Drapeau, se protégeant les yeux de la poussière et des gravillons. Ogawa et Hanzaburo sont repartis chez eux pendant qu'il est encore possible de sortir sans courir de danger. Au pied du mât, van Cleef s'époumone à invectiver d'Orsay qui, Jacob le constate, éprouve des difficultés à grimper. «Si c'était une noix de coco, il te faudrait moins d'une seconde, alors dépêche-toi donc de me décrocher ce drapeau!»

Le palanquin d'un interprète de haut rang passe: sa fenêtre est obstruée.

Van Cleef remarque la présence de Jacob. «Ce fichu drapeau s'est emmêlé, et on ne peut plus le baisser. Mais il est hors de question que je le laisse finir en lambeaux simplement parce que ce paresseux est trop froussard pour le défaire!»

L'esclave atteint le sommet, serre le mât entre ses cuisses, libère le vieux drapeau tricolore des Provinces-Unies, et redescend, cheveux au vent et trophée en main, pour le remettre à van Cleef.

«Et maintenant, file demander à Twomey à quelle tâche ton cuir pourra contribuer!»

Au pas de course, d'Orsay disparaît entre les maisons de l'adjoint et du capitaine.

«L'appel est annulé.» Van Cleef plie le drapeau, le fourre à l'intérieur de sa veste et s'abrite sous un auvent. «Allez prendre un bol de ce que Grote aura bien pu préparer et rentrez chez vous. Ma dernière épouse en date a prédit que le vent redoublera de férocité avant que l'œil du typhon soit au-dessus de nous.

– Je pensais aller admirer la vue.» Jacob désigne le poste d'observation.

«Contentez-vous d'une vue plus modeste, ou vous serez emporté jusqu'au Kamchatka!»

Van Cleef remonte la ruelle d'un pas traînant jusqu'au fronton de sa maison.

Jacob grimpe les marches deux par deux. Une fois le Néerlandais au-dessus du niveau des toits, le vent se met à l'attaquer: Jacob s'agrippe aux balustres et se couche à plat ventre sur le plancher de la plate-forme. Du haut du clocher de l'église de Dombourg, Jacob avait observé la cavalcade de nombreuses tempêtes provenant de Scandinavie; mais les typhons sont comme doués de conscience et autrement plus menaçants. La lueur du jour semble talée, les arbres battent les montagnes prématurément crépusculaires, les vagues lacèrent d'une folle écume la baie noircie, les embruns éclaboussent les toitures de Dejima, les charpentes grondent et soupirent, l'équipage du *Shenandoah* jette la troisième ancre, le second du capitaine se tient sur le gaillard d'arrière, vociférant d'inaudibles ordres. À l'est, les marchands chinois et les marins s'affairent également à protéger tout ce qui leur appartient. Le palanquin de l'interprète traverse une place Edo déserte; la rangée de platanes ploie et donne des coups de fouet; aucun oiseau ne vole; les pêcheurs remontent avec peine leurs barques sur la grève et les harnachent les unes aux autres. Nagasaki se recroqueville sur elle-même et se prépare à une très mauvaise nuit.

Parmi ces centaines de toits agglutinés les uns aux autres, lequel est le tien? s'interroge-t-il.

Au carrefour, le connétable Kosugi attache le battant de la cloche.

Ogawa n'ira pas lui remettre le dictionnaire ce soir, se rend compte Jacob.

Twomey et Baert clouent la porte et les fenêtres de la Maison au jardin.

Ce présent et cette lettre sont maladroits et déraisonnables, reconnaît Jacob, *mais impossible ici de faire une cour subtile.*

Plus loin, dans le jardin, quelque chose se fracasse.

Au moins, à présent, je puis cesser de maudire ma lâcheté.

Marinus et Eelattu sont aux prises avec des arbres en pots et une brouette…

… et vingt minutes plus tard, les deux douzaines de jeunes pommiers sont sains et saufs dans le hall de l'hôpital.

«Je vous dois, ou plutôt, nous vous devons» – le docteur essoufflé désigne les arbrisseaux – «une fière chandelle.»

Eelattu monte dans les ténèbres et disparaît par la trappe du grenier.

«Il faut dire que je les ai arrosés.» Jacob est lui aussi à bout de souffle. «Je me suis senti le devoir de les protéger.

– Je n'avais pas songé aux dégâts qu'aurait pu provoquer le sel marin, jusqu'à ce qu'Eelattu soulève la question. J'ai rapporté ces jeunes arbres de Hakine: ils auraient pu tous périr alors qu'ils n'ont même pas reçu de nom binominal latin, vieil imbécile que je suis.

– Personne n'en saura rien, lui promet Jacob, pas même Klaas. »

Marinus fronce les sourcils, réfléchit, puis demande : « Klaas ?

– Oui, le jardinier, dit Jacob. Chez vos tantes.

– Ah, Klaas ! Ce cher Klaas s'est changé en compost il y a bien des années. »

Le typhon hurle comme mille loups ; la lampe du grenier est allumée.

« Bien, dit Jacob, je ferais mieux de filer à la Maison haute pendant qu'il en est encore temps.

– Que Dieu fasse qu'elle demeure haute jusqu'à demain matin. »

Jacob pousse la porte de l'hôpital mais celle-ci, frappée par une puissante rafale, repousse le clerc. Jacob et le docteur jettent un œil à l'extérieur et voient un tonneau rouler à travers la grand-rue en direction de la Maison au jardin, contre laquelle il termine sa course, en petit bois.

« Mieux vaut vous réfugier en haut le temps que durera le typhon, lui propose Marinus.

– Je ne voudrais pas m'imposer, lui répond Jacob. Je sais combien vous chérissez votre intimité.

– Quelle serait l'utilité de votre cadavre pour mes séminaristes si vous subissiez le même sort que ce tonneau ? Montez en premier : ainsi, dans l'éventualité de ma chute, nous ne finirions pas tous deux écrasés… »

Le crachouillis de la lanterne révèle les trésors préservés de la bibliothèque de Marinus. Jacob penche la tête et plisse les yeux devant les titres : *Novum Organum* de Francis Bacon, *Versuch die Metamorphose der Pflanzen zu erklären* de Goethe, la traduction d'Antoine Galland des *Mille et Une Nuits*. « Imprimés, les mots sont nourriciers, déclare Marinus, et vous me semblez affamé, Dombour-geois. » *Système de la nature*, de Jean-Baptiste de Mirabaud – tous les neveux de pasteurs néerlandais savent bien qu'il s'agit là du pseudonyme d'un athée : le baron d'Holbach –, *Candide ou l'Optimisme*, de Voltaire. « Il y a là bien assez de kilos d'hérésie pour écraser la cage thoracique d'un inquisiteur », fait remarquer Marinus. Jacob n'ajoute aucun commentaire, puis son regard croise *Philosophiæ naturalis principia mathematica* de Newton, les *Satires* de Juvénal, l'*Inferno* de Dante – dans le texte –, et *Kosmotheeros*, ouvrage plus sobre de Christiaan Huygens, un compatriote. Voici pour une étagère de la bibliothèque, qui en compte vingt ou trente réparties sur toute la largeur du grenier. Sur le bureau de Marinus est posé un *folio* : *Osteographia* de William Cheselden.

« Voyez donc qui vous attend à l'intérieur », dit le docteur.

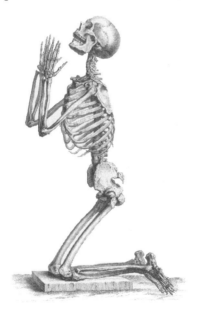

Pendant que Jacob contemple les détails de la gravure, le diable en profite pour planter une graine en lui.

Et si cette machinerie d'os, germe la graine, *constituait l'intégralité de l'homme…*

Les rafales s'écrasent contre les murs telles des dizaines d'arbres abattus.

… et que le divin amour ne fût qu'un moyen de lui soutirer d'autres petites machines d'os ?

Jacob songe aux questions de l'Abbé Enomoto lors de leur rencontre. « Docteur, croyez-vous en l'existence de l'âme ? »

Le clerc s'imagine que Marinus prépare une réponse savante et impénétrable. « Oui.

– Dans ce cas… » – Jacob désigne ce squelette pieux et profane – « … où se trouve-t-elle ?

– L'âme est un verbe, dit-il en empalant sur une pointe une bougie allumée. Pas un nom. »

Eelattu apporte des figues sèches et deux béchers remplis de bière…

Chaque fois, Jacob est certain que le vent ne pourra pas s'attaquer au toit avec plus de férocité sans que ce dernier cède. Et le vent s'intensifie, mais le toit tient bon, du moins jusqu'ici. Les solives et les pannes ploient, craquent et frissonnent comme un moulin à vent battant à tout rompre. *Quelle effroyable nuit*, pense Jacob, *et malgré cela, la monotonie parvient à s'y instiller.* Eelattu reprise une chaussette tandis que le docteur se remémore son voyage à Edo en compagnie du défunt chef Hemmij et de l'ancien clerc principal van Cleef. « Ils raillaient l'absence de bâtiments comparables à la basilique Saint-Pierre ou à la cathédrale Notre-Dame : mais le génie de la race japonaise tient dans ses routes. La grande voie Tôkaido s'étire d'Osaka à Edo, ou du ventre de l'Empire à sa tête, si vous préférez. Et, je vous en donne ma parole, elle ne connaît d'égale, tant en modernité qu'en ancienneté, nulle part ailleurs dans le monde. Cette voie est une véritable ville ; elle ne mesure pas cinq mètres de large mais elle s'étend sur cinq cents kilomètres bien drainés, bien entretenus et bien ordonnés que jalonnent cinquante-trois postes où les voyageurs peuvent embaucher des porteurs, changer de monture et se reposer ou bien faire la noce à la nuit tombée. Mais, par-dessus tout, savez-vous quelle grande et pourtant très triviale joie cette route offre ? La circulation s'effectue par la gauche : ainsi les nombreux accrochages, collisions et impasses qui obstruent les artères d'Europe sont choses inconnues ici. Dans les portions les moins fréquentées de la route, je mettais les nerfs de nos inspecteurs à l'épreuve, car je me glissais en dehors de mon palanquin afin d'examiner les plantes aux abords. J'ai ainsi inclus dans ma *Flora japonica* plus de trente nouvelles espèces qui avaient échappé au regard de Thunberg et Kaempfer. Et puis enfin, au bout de la route, il y a Edo.

– Qui n'a été vue que par… combien ? Une douzaine d'Européens ?

– Moins que cela. Prenez le poste de clerc principal d'ici les trois prochaines années, et vous la verrez de vos propres yeux. »

Je ne serai plus ici, espère Jacob, qui pense ensuite à Orito avec embarras.

Eelattu coupe un fil. Par-delà la rue et la muraille, la mer est en proie à des convulsions.

« Edo compte un million d'habitants répartis sur un canevas de rues s'étirant aussi loin que porte le regard. Edo, c'est le tumulte et le fracas des sandales, des métiers à tisser, des cris, des aboiements, des pleurs, des chuchotements. Edo est un codex rassemblant à la fois tous les besoins humains possibles et toutes leurs satisfactions. Tout *daimyo* digne de ce nom se doit d'y avoir une résidence où logent son héritier désigné et sa principale épouse, et les plus grandes bâtisses sont de véritables villes fortifiées. Le Grand Pont d'Edo – auquel chaque borne milliaire japonaise fait référence – mesure deux cents pas de long. Si seulement j'avais pu me glisser dans la peau d'un autochtone et parcourir ce dédale…

Mais bien entendu, Hemmij, van Cleef et moi-même sommes restés confinés dans notre auberge – "pour notre sécurité" – jusqu'au jour convenu de notre entrevue avec le Shogun. Le flux des savants et visiteurs était comme un remède contre l'ennui, et en particulier ceux qui se présentaient avec des plantes, des bulbes ou des graines.

– À quel sujet venait-on vous consulter?

– Pour des requêtes d'ordre médical, des questions érudites, et d'autres puériles : "L'électricité est-elle un fluide? Si les étrangers portent des bottes, est-ce parce qu'ils n'ont pas de chevilles? Si □ est un nombre réel, la formule d'Euler permet-elle de garantir que la fonction exponentielle $e^{i\square} = cos\ \square + sin\ \square$? Comment construit-on une montgolfière? Est-il possible de procéder à l'ablation d'un sein cancéreux sans tuer la patiente?" Et on m'a même demandé : "Étant donné que le Déluge n'a jamais atteint le Japon, peut-on en conclure que le Japon est un pays dont l'altitude est supérieure aux autres?" Les interprètes, dignitaires et aubergistes monnayaient l'audience auprès de la Pythie mais, comme je vous l'ai déjà laissé entendre,... »

Le bâtiment vacille de la même façon qu'au cours du tremblement de terre : les poutres poussent des cris perçants.

« ... je trouve que l'inaptitude du genre humain, confesse Marinus, a quelque chose de réconfortant. »

Jacob ne peut se résoudre à l'approuver. « Quant à cette entrevue avec le Shogun?

– Il y avait dans nos costumes toute la pompe préservée par un siècle et demi de naphtaline : Hemmij arborait une veste aux boutons de perles portée par-dessus un gilet de style mauresque, un chapeau à plumes d'autruche, et des *tapijns* blanches sur ses chaussures, et ajoutez à cela van Cleef et moi-même, tous deux vêtus de bric et de broc, nous formions un véritable trio de pâtisseries rassises. Nous nous rendîmes aux portes du château en palanquin, puis au cours des trois heures suivantes, nous traversâmes à pied des couloirs, des cours intérieures, franchîmes des portes pour entrer dans des antichambres où nous échangeâmes des galanteries avec des dignitaires, des conseillers et des princes, jusqu'à ce que, enfin, nous parvînmes à la salle du Trône. Là, toute velléité à prétendre que l'Ambassade à la Cour impériale est véritablement une ambassade, et non point un pèlerinage de dix semaines où l'on passe son temps à lécher des bottes, se révèle impossible à défendre. Le Shogun – à demi caché par un paravent – était assis au fond de la salle sous un dais. Lorsque son porte-parole annonça *"Oranda Kapitan"*, Hemmij, à la manière d'un crabe, fila en direction du Shogun et s'agenouilla à l'endroit désigné, d'où il n'avait pas même le droit de poser les yeux sur ce très haut personnage, puis attendit en silence que le généralissime étrangleur de barbares lève un doigt. Un chambellan récita un texte qui n'avait pas changé depuis la décennie 1660 : nous avons l'interdiction de faire tout prosélytisme vis-à-vis de la malfaisante foi chrétienne, de nous rapprocher des jonques chinoises ou des insulaires de Ryûkyû, et nous devons signaler tout dessein défavorable au Japon qui reviendrait à nos oreilles. Hemmij repartit à toute vitesse de la même façon dont il était arrivé, et le rituel fut accompli. Ce soir-là, je consignai dans mon journal que Hemmij se plaignait de crampes d'estomac, lesquelles se révélèrent être, sur le chemin du retour, une fièvre dysentérique – un diagnostic incertain, je vous avoue. »

Eelattu a terminé de repriser la chaussette. Il déroule le matelas.

« Une mort horrible. Une incessante pluie tombait. Nous étions à Kakegawa. "Pas ici, Marinus, pas ainsi", grogna-t-il. Puis il mourut… »

Jacob se figure une tombe creusée en terre païenne ; et imagine que c'est son corps qu'on y descend.

« … comme si, moi entre tous, je pouvais intercéder auprès de Dieu. »

Ils prennent conscience que le rugissement du typhon change de timbre.

« Son œil » – Marinus lève la tête – « est au-dessus de nous. »

XII

Grand salon, maison du chef de Dejima

Quelques minutes après dix heures,
le 23 octobre 1799

« Nous sommes tous pressés. » Unico Vorstenbosch fixe du regard l'interprète Kobayashi, assis en face de lui à la grande table. « Je vous prierais de bien vouloir, pour une fois, m'épargner les fioritures habituelles et m'annoncer ce nombre. »

La bruine crépite sur les toits. Jacob trempe sa plume dans l'encre.

L'interprète Iwase effectue la traduction pour le chambellan Tomine, qui a apporté le rouleau à parchemin orné des trois feuilles shogunales, arrivé d'Edo le matin même.

Kobayashi en est à la moitié de sa traduction…

« Le nombre ?

– Quelle est » – Vorstenbosch surjoue la patience – « la proposition du Shogun ?

– Neuf mille six cents piculs, annonce Kobayashi. Le meilleur cuivre. »

9 600 piculs de cuivre, griffonne la plume de Jacob.

« Cette offre, affirme Iwase Banri, c'est une bonne et grande augmentation. »

Une brebis bêle. Jacob ne parvient pas à deviner ce que pense son protecteur.

«Nous demandons vingt mille piculs, résume Vorstenbosch, et nous nous en voyons attribué moins de dix mille? Le Shogun cherche-t-il à insulter le gouverneur van Overstraten?»

Iwase n'est pas un imbécile: «Tripler le quota en une année, ce n'est pas l'insulte.

– Cette générosité» – Kobayashi feint d'être offensé –, «il n'y a pas de précédents! Je travaille très sérieusement pendant des semaines pour obtenir le résultat.»

Le regard qu'adresse Vorstenbosch à Jacob signifie: *Ne consignez pas cela.*

«Le cuivre peut arriver dans deux ou trois jours, si vous ordonnez, indique Kobayashi.

– La réserve est à Saga, précise Iwase, ville fortifiée du domaine de Hizen. C'est proche. J'étonne que Edo donne autant de cuivre. Comme le haut conseiller dit dans le message» – il désigne le parchemin –, «la plupart des réserves sont vides.»

Guère impressionné, Vorstenbosch saisit la traduction néerlandaise et la lit.

Le balancier de l'horloge gratte le temps comme la pelle d'un sacristain.

Guillaume le Taciturne scrute un avenir depuis fort longtemps changé en passé.

«Pourquoi cette lettre» – Vorstenbosch s'adresse à Kobayashi, qu'il regarde par-dessus ses lunettes en demi-lune – «ne fait-elle aucune mention de l'imminente fermeture de Dejima?

– Je n'étais pas présent à Edo quand la réponse est fait, lâche innocemment Kobayashi.

– On se demande si votre traduction de la lettre du gouverneur van Overstraten n'a pas été arrangée *à la mode** de ces plumes de paon de sinistre mémoire...»

Kobayashi regarde Iwase comme pour dire: *Comprends-tu quelque chose à cette remarque, toi?*

« La traduction a l'approuvation des quatre interprètes supérieurs, déclare Iwase.

— Ali Baba, marmonne Lacy, avait quarante voleurs : l'ont-ils rendu plus honnête ?

— La question qui nous intéresse, messieurs, la voici. » Vorstenbosch se lève. « Ces neuf mille six cents piculs accorderont-ils à Dejima un sursis de douze mois à son exécution ? »

Iwase traduit ces paroles au chambellan Tomine.

Les avant-toits dégoulinent ; les chiens aboient ; sous son bas, une furieuse démangeaison tourmente Jacob.

« Le *Shenandoah* a suffisamment d'espace libre pour accueillir tout ce qui est entreposé à Dejima. » Plongeant la main dans sa veste, Lacy cherche sa tabatière incrustée de pierres précieuses. « Nous pouvons nous atteler au chargement dès cet après-midi.

— Devons-nous encourir la colère de nos maîtres à Batavia » – Vorstenbosch tapote le baromètre – « en acceptant cette piètre augmentation et en laissant Dejima ouverte ? Ou bien… » – il marche jusqu'à l'horloge de parquet et examine son vénérable cadran – « … devons-nous abandonner ce poste de traite infructueux et priver une île arriérée d'Asie de son unique allié européen ? »

Lacy prise une énorme pincée de tabac. « Seigneur tout-puissant : quel coup de fouet ! »

Kobayashi garde les yeux rivés sur la chaise que Vorstenbosch a abandonnée.

« Ces neuf mille six cents piculs offriront une année de répit à Dejima, tranche Vorstenbosch. Envoyez ce message à Edo. Qu'on apporte le cuivre de Saga. »

Le soulagement d'Iwase, qui traduit la nouvelle à Tomine, est manifeste.

Le chambellan du Magistrat hoche la tête en signe d'approbation, comme si aucune autre décision n'aurait été envisageable.

Kobayashi effectue la sardonique et sinistre courbette qui lui est habituelle.

Le chef en poste Unico Vorstenbosch, écrit Jacob, *accepte l'offre…*
« Mais le gouverneur van Overstraten n'essuiera pas un second refus », avertit le chef.

… *mais prévient les interprètes*, ajoute la plume du clerc, *que cet accord n'est pas définitif.*

« Nous redoublerons d'efforts pour apporter à la Compagnie la juste récompense qui vient en rétribution des terribles risques encourus et des dépenses accrues concédées par ce poste de traite. Mais pour l'heure, la séance est levée.

– Un moment, monsieur le chef en poste, je vous prie, demande Kobayashi. Encore une bonne nouvelle. »

Jacob sent comme une atmosphère délétère s'inviter dans le Grand salon.

Vorstenbosch s'adosse à sa chaise. « Ah ?

– J'ai beaucoup enquis à la Magistrature pour la théière volée. Je dis : "Si nous ne trouvons pas la théière, le grand déshonneur tombe sur notre nation." Alors le chambellan envoie beaucoup… » – il demande de l'aide à Iwase – « … oui, beaucoup de "connétables" pour découvrir la théière. Aujourd'hui, à la Guilde, quand je termine » – Kobayashi désigne sa traduction de la réponse du Shogun – « un messager de la Magistrature arrive. La théière de jade de l'Empereur Chongzhen est découverte.

– Ah, bien. Mais… » – Vorstenbosch cherche à déceler un piège – « … dans quel état est-elle ?

– Dans le très bon état. Deux voleurs ont avoué de commettre.

– Un voleur, poursuit Iwase, construit une boîte dans le palanquin de connétable Kosugi. L'autre voleur met la théière dans la boîte du palanquin, et c'est ainsi qu'elle passe la porte-de-terre en clandestin.

– Comment les voleurs ont-ils été capturés ? demande van Cleef.

– Je conseille le Magistrat Ômatsu d'offrir une récompense, pour qu'ainsi les voleurs sont trahis, développe Kobayashi tandis qu'Iwase explique au chambellan ce dont il est question. Mon idée fonctionne. La théière arrive aujourd'hui, plus tard. Il y a encore une meilleure nouvelle : le Magistrat Ômatsu demande une permission d'exécuter les voleurs sur la place du Drapeau.

– Ici ? » La satisfaction de Vorstenbosch s'assombrit. « À Dejima ? Quand cela ?

– Avant le départ du *Shenandoah*, répond Iwase, et après l'appel du matin.

– Pour que, ainsi, les Néerlandais » – le sourire de Kobayashi est angélique – « voient tous la justice du Japon. »

L'ombre d'un rat audacieux traverse un écran de papier huilé.

Vous avez demandé que coule le sang pour compenser le vol de votre précieuse théière…, les met au défi Kobayashi.

Le coup de cloche du changement de quart retentit sur le *Shenandoah*.

… Ce sang, avez-vous assez de cran pour le voir couler ? L'interprète attend.

Les coups de marteau sur le toit de la réserve Lelie cessent.

« Excellent, déclare Vorstenbosch. Veuillez transmettre mes remerciements au Magistrat Ômatsu. »

Dans la réserve Doorn, Jacob trempe sa plume dans l'encre et inscrit sur toute la largeur de la page de garde encore vierge : *Enquête véritable et exhaustive sur les écarts de gouvernance survenus à Dejima durant les résidences de Gijsbert Hemmij et Daniel Snitker, incluant les rectifications apportées aux faux registres soumis par les personnes susnommées.* L'espace d'un instant, il songe à ajouter son nom, mais cette audacieuse idée lui passe. En tant que supérieur, Vorstenbosch est en droit de s'accaparer la propriété du travail de son subalterne. D'ailleurs, pense Jacob, c'est peut-être plus sûr ainsi. N'importe quel conseiller à Batavia dont les illicites intérêts se verraient entravés par l'*Enquête* de Jacob pourrait détruire la carrière d'un simple clerc d'un seul coup de crayon. Jacob place une feuille de papier buvard sur la page de garde et exerce une pression égale sur toute sa surface.

Voilà, c'est terminé, se dit le clerc aux traits tirés.

Le nez rougi, Hanzaburo éternue et s'essuie les narines sur une poignée de paille.

Un pigeon pousse des trilles sur le rebord de la fenêtre haute.

La voix pénétrante d'Ouwehand traverse en hâte la ruelle anguleuse.

Que l'on crût ou que l'on ne crût pas à la rumeur de fermeture imminente de Dejima, les nouvelles de la matinée ont tiré le poste de traite de sa léthargie. Le cuivre – plusieurs centaines de caisses – arrivera dans quatre jours maximum. Le capitaine Lacy souhaite qu'on ait achevé de les embarquer dans les soutes du *Shenandoah* d'ici six jours, puis qu'on mette les voiles dans une semaine, avant que l'hiver ne transforme la mer de Chine en montagnes déchaînées. Les questions que Vorstenbosch a évoquées durant tout l'été trouveront leurs réponses dans les tout prochains jours. Les manœuvres devront-ils se plier au quota officiel limitant à une quantité dérisoire les biens personnels qu'ils peuvent emporter à bord du *Shenandoah*, ou le système instauré par les prédécesseurs de Vorstenbosch perdurera-t-il ? Les négociations auprès des marchands sont menées dans l'urgence et la ferveur. De Peter Fischer ou Jacob de Zoet, lequel sera le prochain clerc principal, aura un salaire supérieur et contrôlera le bureau des expéditions ? *Et Vorstenbosch utilisera-t-il mon* Enquête *pour faire porter le chapeau à Daniel Snitker seul*, s'interroge Jacob en rangeant son rapport dans sa mallette, *ou bien voudra-t-il la peau des autres protagonistes ?* La cabale des contrebandiers opérant au fond des réserves de Batavia a des appuis à des niveaux aussi élevés que le Conseil des Indes ; cependant le rapport de Jacob fournit suffisamment de preuves pour qu'un gouverneur général ne craignant pas de réformer soit en mesure de faire cesser ces activités.

Cédant à un caprice, Jacob grimpe au sommet d'une pile de caisses.

Hanzaburo lâche un *Heh?* Puis éternue.

Du haut du nid du perchoir de William Pitt, Jacob aperçoit les érables flamboyants sur les montagnes fatiguées.

Orito était absente du séminaire de la veille à l'hôpital…

Et Ogawa n'est pas reparu à Dejima depuis le typhon.

Un simple cadeau ne peut lui avoir valu d'être bannie de l'île…, se rassure-t-il.

Jacob barre les volets, descend, ramasse sa mallette, accompagne Hanzaburo dans la ruelle anguleuse et verrouille la porte de la réserve.

Jacob surgit au niveau du carrefour et rencontre Eelattu, qui remonte la venelle. Eelattu épaule un jeune homme émacié qui porte le pantalon large et resserré aux chevilles des artisans, une veste molletonnée et un chapeau à la mode européenne d'il y a cinquante ans. Jacob remarque les yeux du jeune homme enfoncés dans leurs orbites, son teint lunaire, son allure léthargique, et se dit : *Une consomption.* Eelattu salue Jacob mais ne lui présente pas cette personne dont il a la charge, laquelle, Jacob le constate, n'est pas un Japonais de lignée pure, mais un eurasien aux cheveux plus châtains que bruns et aux yeux aussi ronds que les siens. Le visiteur ne relève pas la présence de Jacob, posté à l'entrée de la ruelle, et poursuit sa traversée de la grand-rue en direction de l'hôpital.

Des filaments de pluie dérivent à travers la scène que la ruelle découpe.

« Au milieu de notre vie, on se retrouve dans la mort, comme qui dirait. »

Hanzaburo sursaute et Jacob laisse tomber sa mallette.

« Désolé si je vous ai surpris, monsieur de Z. » Arie Grote n'a pas l'air désolé du tout.

Piet Baert apparaît aux côtés de Grote, un énorme sac jeté sur l'épaule.

« Il n'y a pas de mal, monsieur Grote. » Jacob ramasse sa mallette. « Je m'en remettrai.

– C'est pas ce sang-mêlé-là » – d'un hochement de tête, Baert désigne l'eurasien – « qui peut en dire autant. »

Comme sur commande, le jeune homme au pas traînant tousse : plus de doute sur le diagnostic.

Un inspecteur oisif appelle Hanzaburo, qui le rejoint de l'autre côté de la rue.

Jacob regarde l'eurasien qui s'accroupit et tousse encore. « Qui est ce jeune homme ? »

Grote crache. « Shunsuke Thunberg. Si votre question est "*De qui* est ce jeune homme ?", son papa, j'ai ouï dire, était un certain Carl Thunberg, un Suédois venu jouer les docteurs ici il y a vingt ans, le temps de deux saisons commerciales. Comme notre docteur M., c'était un type cultivé et féru de botanique, à ce qu'on raconte ; mais vous pourrez constater qu'il ne se cantonnait pas à ramasser des graines, hé. »

Un chien à trois pattes lèche le crachat du cuisinier chauve.

« M. Thunberg n'a-t-il donc pas pourvu à l'avenir de son fils ?

– Qu'il ait ou qu'il ait pas » – Grote inspire un peu d'air, les dents serrées –, « pourvoir, c'est entretenir, et la Suède, c'est aussi lointain que Saturne, hé. La Compagnie s'occupe des bâtards de ses employés par charité, mais pour eux, pas question de quitter Nagasaki sans blanc-seing, et c'est le Magistrat qui a le dernier mot sur leur vie, leur mariage, et tout le tintouin. Les filles sont bien loties, tant qu'elles sont encore fraîches : "les coraux de Maruyama", les appellent les souteneurs. Pour les garçons, c'est plus difficile : Thunberg fils élève des poissons rouges, à ce qu'il paraît. Mais d'ici peu, je vous le dis, c'est des asticots qu'il élèvera. »

Marinus et un vieil érudit japonais arrivent de l'hôpital.

Jacob reconnaît le docteur Maeno de la Guilde des interprètes.

La toux de Shunsuke Thunberg s'apaise, enfin.

J'aurais dû lui apporter mon aide, se dit Jacob. «Ce pauvre homme parle-t-il néerlandais?

– Ça non. Il était encore au berceau quand son père a mis les voiles.

– Et sa mère? Une courtisane, je suppose?

– Morte depuis longtemps. Vous voudrez bien nous excuser, monsieur de Zoet, mais trois douzaines de poulets à charger à bord du *Shenandoah* nous attendent à la douane: l'année dernière, la moitié était moribonde; l'autre moitié était bel et bien morte; et dans le tas, il y avait trois pigeons – une variété japonaise rare de poulets, d'après le fournisseur.

– "C'est des asticots qu'il élèvera"!» Baert se met à rire. «Je viens de comprendre, Grote.»

Quelque chose se débat dans le sac de Baert, et Grote semble soudain pressé de partir.

«Allons-y, foudre de guerre.» En hâte, ils repartent dans la grand-rue.

Jacob regarde Shunsuke Thunberg, qu'on aide à entrer dans l'hôpital.

Les oiseaux s'enfoncent dans un ciel bas. L'automne vieillit.

Au palier intermédiaire des deux volées de marches qui mènent à la maison du chef, Jacob croise Ogawa Mimasaku, le père d'Ogawa Uzaemon, qui redescend.

Jacob se range sur le côté: «Bonjour, interprète Ogawa.»

Les mains du vieil homme sont dissimulées dans leurs manches. «Clerc de Zoet.

– Je n'ai pas vu M. Ogawa fils depuis… cela doit faire quatre jours.»

Le visage d'Ogawa Mimasaku est plus altier et plus dur que celui de son fils.

Une excroissance s'étale près de son oreille, noire comme l'encre.

« Mon fils, annonce l'interprète, a beaucoup à faire en dehors de Dejima en ce moment.

– Savez-vous quand il regagnera la Guilde ?

– Non. » Ce rabrouement est volontaire.

As-tu découvert la commission que j'ai demandée à ton fils ? s'interroge Jacob.

De la douane éclatent des cris de poules scandalisées.

Une pierre négligemment jetée provoque parfois un éboulement, s'inquiète-t-il.

« Je craignais qu'il ne fût malade ou… ou indisposé. »

Les serviteurs d'Ogawa Mimasaku regardent le Néerlandais d'un œil désapprobateur.

« Il se porte bien, dit le vieil homme. Je fais part de votre aimable inquiétude. Au revoir. »

« Vous me trouvez là… » – Vorstenbosch observe un crapaud-buffle bouffi dans sa bouteille à spécimen – « … en plaisante conversation avec l'interprète Kobayashi. »

Jacob scrute la pièce et finit par se rendre compte que le chef parle du crapaud. « J'ai laissé mon sens de l'humour dans mon lit ce matin, monsieur.

– Ce qui n'est pas le cas, comme je peux le constater » – Vorstenbosch regarde la mallette de Jacob –, « de votre rapport. »

Que cache cette transformation de « notre » en « votre » ? se demande Jacob.

« Nos fréquents entretiens, monsieur, vous auront donné l'occasion d'en appréhender l'essentiel.

– La justice n'est pas une appréhension de l'essentiel mais un minutieux examen des détails. » Le chef en poste tend la main pour recevoir le cahier noir. « Les détails engendrent des faits, et les faits, judicieusement utilisés, deviennent des assassins. »

Jacob sort son *Enquête* de la mallette et la remet au chef. Vorstenbosch la soupèse, comme s'il cherchait à en déterminer le poids.

« Monsieur, je vous prie de m'excuser, mais j'aimerais savoir…

– … la position que vous occuperez l'année prochaine, je le sais. Mais vous devrez patienter jusqu'au souper, jeune monsieur, comme tout le monde. Le quota de cuivre était la pénultième composante de mes projets d'avenir et ceci » – il lève le cahier noir – « est la dernière. »

Au cours de l'après-midi, Jacob travaille en compagnie d'Ouwehand dans le bureau des clercs à recopier le connaissement de la saison commerciale en vue de son archivage. Peter Fischer fait d'incessantes entrées et sorties, irradiant la pièce d'une hostilité encore plus accrue qu'à l'accoutumée. « C'est là un signe, dit Ouwehand à Jacob. Il croit que le poste de clerc principal est déjà vôtre. » Le soir est porteur d'une pluie soutenue et de la plus fraîche atmosphère qu'ait connue la saison, aussi Jacob décide-t-il de se laver avant de souper. Les modestes bains de Dejima sont accolés à la cuisine de la Guilde. Les marmites d'eau sont posées sur des plaques de chauffe recouvertes de cuivre jaillissant du mur de pierre, et, du fait de quelques précédents, les interprètes de haut rang se servent de l'endroit comme si c'était le leur, et ce, malgré le prix prohibitif auquel la Compagnie paie le charbon et les fagots de bois. Jacob se déshabille dans le vestiaire situé à l'extérieur et s'accroupit afin de pouvoir pénétrer dans l'étuve, à peine plus large qu'un grand placard. Il y règne une odeur de cèdre. La chaude moiteur remplit les poumons de Jacob et débouche les pores obstrués de son visage. L'unique lampe-tempête, embuée, lui fournit suffisamment de lumière pour reconnaître Con Twomey baignant dans une des deux baignoires. «Mais serait-ce le soufre de Jean Calvin qui m'assaille les narines? s'interroge l'Irlandais.

– Tiens donc» – Jacob se passe de l'eau tiède sur le corps –, «le papiste hérétique. Toujours le premier au bain, à ce que je vois. Le manque de travail, j'imagine?

– Le typhon m'a donné tout ce que je pouvais souhaiter. C'est la lumière du jour qui me fait défaut.»

Jacob se frotte la peau à l'aide d'un morceau de voilure replié. «Où est votre espion?

– Sous mon gros cul: je l'ai noyé. Où est votre cher Hanzaburo?

– Tout à s'empiffrer dans la cuisine de la Guilde.

– Qu'il engraisse, tant qu'il le peut car le *Shenandoah* appareillera la semaine prochaine.» Twomey s'enfonce dans l'eau jusqu'au menton, tel un dugong. «Passent douze mois, et mon mandat de cinq ans prendra fin…

– Êtes-vous décidé» – Jacob se tourne afin de se frotter l'entrejambe – «à rentrer chez vous?»

Ils entendent les cuisiniers qui discutent dans la Guilde des interprètes.

«Ma foi, je me dis que prendre un nouveau départ dans le Nouveau Monde me conviendrait davantage.»

Jacob retire le couvercle en bois de la baignoire.

«Lacy m'a raconté que l'ouest de la Louisiane est en passe d'être débarrassé de ses Indiens…», poursuit Twomey.

La chaleur s'insinue dans les moindres muscles et os du corps de Jacob.

«… et pour qui ne ménage pas sa peine, nul besoin de s'aventurer hors de cette région. Les pionniers ont besoin de carrioles pour atteindre leur destination, et de maisons, une fois rendus. Lacy pense que je pourrai payer la traversée de Batavia à Charleston en travaillant à bord comme charpentier de marine. Je n'ai pas le goût à la guerre, ni à être enrôlé sur le champ de bataille par les

Anglais. Retourneriez-vous en Zélande, au vu du climat actuel ?

– Je ne sais pas. » Jacob imagine le visage d'Anna derrière une fenêtre battue par la pluie. « Non, je ne sais vraiment pas.

– Je vous vois devenir un des rois du café, vous aurez une plantation en haut des collines de Buitenzorg ; ou bien prince-marchand, vos réserves seront bâties le long de la Ciliwung...

– Mon mercure ne m'a pas rapporté autant que cela, Con Twomey.

– Certes, mais quand Unico Vorstenbosch siégera au Conseil et tirera les ficelles pour vous... »

Jacob grimpe dans la seconde baignoire, songeant à son *Enquête*. *Unico Vorstenbosch est un protecteur bien inconstant*, aimerait-il lui confier.

La chaleur se coule dans ses articulations et le dépossède du besoin de spéculer à voix haute.

« Ce qu'il nous faudrait, de Zoet, c'est un peu de tabac. Je vais chercher deux pipes. »

Con Twomey se lève tel un roi Neptune trapu. Jacob s'enfonce dans la baignoire jusqu'à ce que de l'eau n'émerge plus qu'une petite île de lèvres, de narines et d'yeux.

Quand Twomey revient, Jacob est comme dans une transe chaude, les paupières closes. Il écoute le bruit du charpentier qui se rince et s'immerge de nouveau dans son bain. Twomey ne parle pas du tabac. Jacob marmonne : « Plus la moindre petite feuille de tabac, je devine ? »

Son voisin se racle la gorge. « C'est Ogawa, monsieur de Zoet. »

Dans son sursaut, Jacob répand plein d'eau. « Monsieur Ogawa ! Je... Je croyais que...

– Vous êtes si tranquille, dit Ogawa Uzaemon, je ne veux pas déranger.

– J'ai rencontré votre père tantôt, et... » Jacob s'essuie les yeux, mais la noirceur de l'étuve cumulée à son hypermétropie n'aide pas à mieux y voir. «Je ne vous ai pas croisé depuis les prémices du typhon.

– Je suis désolé que je ne peux pas venir. De très nombreuses choses sont arrivées.

– Avez-vous eu l'occasion… d'accomplir ma requête relative à ce dictionnaire?

– Le jour après le typhon, j'envoie un serviteur à la demeure des Aibagawa.

– Vous n'êtes pas allé remettre le dictionnaire en personne?

– Mon serviteur de confiance est allé. Il ne dit pas: "C'est un paquet du Néerlandais de Zoet", il dit: "C'est un paquet de l'hôpital de Dejima." Vous savez, c'était déconvenable que j'y vais. Le docteur Aibagawa était malade. Rendre visite à ce moment, c'est très… mal *dressé?*

– Je suis navré d'apprendre cela. Est-il rétabli, à présent?

– Ses funérailles sont célébrées un jour avant hier.

– Oh.» *Tout s'explique*, se dit Jacob. «Oh. Alors Mlle Aibagawa…»

Ogawa est hésitant. «Il y a des mauvaises nouvelles. Elle doit quitter Nagasaki…»

Jacob patiente et écoute, tandis que des gouttelettes de vapeur se condensent et retombent.

«… très longtemps, beaucoup d'années. Elle ne revient plus à Dejima. Pour votre dictionnaire, pour votre lettre, pour ce qu'elle pense, je n'ai pas des nouvelles. Je suis désolé.

– Au diable le dictionnaire! Mais… où part-elle et pourquoi?

– Elle va dans le domaine de l'Abbé Enomoto. L'homme qui achète votre mercure…»

L'homme qui a le don de tuer des serpents. L'Abbé émerge de la mémoire de Jacob.

«… Il veut qu'elle rentre dans le sanctuaire des…» – Ogawa bredouille – «… des moines femmes. Comment c'est?

– Des nonnes? Ne me dites pas que Mlle Aibagawa entre au

couvent !

– C'est un type de couvent, oui… Sur le mont Shiranui. C'est là qu'elle va.

– Qu'irait donc faire une sage-femme parmi des nonnes ? Est-ce elle qui souhaite cela ?

– Le docteur Aibagawa a beaucoup de dettes avec les créanciers, pour acheter des télescopes… » La douleur déforme la voix d'Ogawa. « Être un homme de science coûte cher. Sa femme doit payer les dettes. Enomoto a fait un contrat, ou un marché avec la veuve. Il paie les dettes. Elle donne Mlle Aibagawa à son couvent.

– Mais cela équivaut à faire d'elle une esclave ! proteste Jacob.

– La tradition japonaise, énonce Ogawa d'une voix creuse, est différente de…

– Mais que disent les amis de son défunt père, à l'Académie Shirandô ? Vont-ils rester les bras croisés alors qu'une talentueuse érudite est en train d'être vendue telle une mule et condamnée à une vie de servitude en haut de je ne sais quelle sinistre montagne ? Vendrait-on de la sorte son fils à un monastère ? Enomoto est lui aussi homme de science, n'est-ce pas ? »

À travers le mur, on entend rire les cuisiniers de la Guilde des interprètes.

« Mais j'y pense » – Jacob découvre une autre implication –, « je lui ai offert l'asile sur cette île.

– Il n'y a rien à faire. » Ogawa se lève. « Je dois partir.

– Donc… elle préfère la réclusion à la vie sur Dejima ? »

Ogawa sort de la baignoire. Son silence est abrupt et plein de reproches.

Jacob se rend compte combien il a dû paraître grossier aux yeux de l'interprète : Ogawa n'a pas pris de menus risques en essayant d'aider un étranger languissant d'amour, et voici que ce dernier, en guise de remerciement, lui renvoie tout son mépris. « Veuillez me pardonner, monsieur Ogawa, mais vous comprendrez bien que… »

La porte extérieure coulisse et quelqu'un entre en sifflant

joyeusement.

Une ombre coupe la voilure en deux et lance, en néerlandais :
« Qui est là ?

– C'est Ogawa, monsieur Twomey.

– Ah, bien le bonsoir, monsieur Ogawa. Monsieur de Zoet, il faudra remettre notre pipe à plus tard. Le chef Vorstenbosch désire s'entretenir avec vous dans son bureau au sujet d'une affaire importante. Tout de suite. Mon petit doigt me dit que de bonnes nouvelles vous attendent. »

« Quelle est cette mine sinistre, de Zoet ? » *L'Enquête sur les écarts de gouvernance survenus à Dejima* est posée devant Unico Vorstenbosch. « Les affres de l'amour ? »

Jacob est mortifié : même son protecteur connaît son secret.

« Je vous raillais, de Zoet ! Rien de plus. Twomey m'a dit que vous étiez en pleines ablutions.

– J'allais quitter les bains, monsieur.

– L'hygiène emboîte le pas à la dévotion, paraît-il.

– Je ne prétends nullement être un dévot, mais se baigner préserve des poux ; de plus, les soirées se font plus fraîches, à présent.

– Vous avez l'air exténué, de Zoet. Vous ai-je un peu trop sollicité ? Ai-je été trop exigeant pour ce qui fut de… » – les doigts de Vorstenbosch tambourinent sur l'*Enquête* – « … de votre mission ?

– Peu importe, monsieur : le travail, c'est le travail. »

Le chef en poste acquiesce, tel un juge écoutant un témoignage.

« Puis-je espérer que mon rapport soit à la hauteur de vos attentes, monsieur ? »

Vorstenbosch ôte le bouchon d'une carafe de madère rouge rubis.

Dans la salle à manger, les serviteurs mettent le couvert.

Le chef remplit son verre sans en proposer un à Jacob. « Des honteux errements auxquels s'est livrée Dejima lors de cette décennie, nous avons établi non sans effort ni mérite l'indéniable preuve, laquelle viendra conforter et amplifier les mesures de rétorsion que je prendrai à l'égard de Daniel Snitker, précédent chef en exercice… »

Jacob relève l'utilisation de ce « nous » et l'omission du nom de van Cleef.

« … si tant est que notre preuve soit présentée au gouverneur van Overstraten avec la ferveur nécessaire. » Vorstenbosch ouvre la vitrine derrière lui et sort un deuxième verre.

« Personne ne doute, dit Jacob, que le capitaine Lacy saura remplir ce devoir.

– Qu'importe à un Américain la corruption régnant au sein de la Compagnie, tant qu'il réalise des profits. » Vorstenbosch remplit un verre et le tend à Jacob. « Anselm Lacy n'est pas un croisé, mais un employé. Une fois débarqué à Batavia, il remettrait dûment notre *Enquête* au secrétaire personnel du gouverneur général, puis n'y songerait plus. Le secrétaire personnel irait très vraisemblablement la jeter dans un canal tranquille et avertirait les personnes nommées dans votre rapport, ainsi que les acolytes de Snitker, qui affûteraient alors leurs longs couteaux en prévision de notre retour. Non. Les tenants et les aboutissants de la crise à Dejima, les mesures de redressement mises en œuvre et la juste sanction prise à l'encontre de Daniel Snitker doivent être exposés par un homme dont l'avenir est lié à celui de la Compagnie. Voilà pourquoi, de Zoet, je repartirai *seul* » – il appuie sur l'adverbe à dessein – « à bord du *Shenandoah* pour Batavia afin d'y défendre notre cause. »

L'horloge d'Almelo tonne dans le bruit étouffé de la bruine et le crachouillis de la lampe.

« Quant aux projets que vous formez pour moi, monsieur ? » La voix de Jacob reste neutre et inflexible.

« Vous serez mes yeux et mes oreilles à Nagasaki, jusqu'à la saison prochaine. »

Sans protection, se dit Jacob, *il suffira d'une semaine pour qu'on ne fasse de moi qu'une seule bouchée…*

«Par conséquent, je nommerai Peter Fischer au poste de clerc principal.»

La déflagration de cette nouvelle étouffe le bruit de l'horloge d'Almelo.

Sans stature, songe Jacob, je ne serai rien de moins qu'un chien de salon jeté dans la fosse aux lions.

«Le seul prétendant au poste de chef, poursuit Vorstenbosch, est M. van Cleef…»

Il y a loin, s'inquiète Jacob, de Dejima à Batavia…

«… mais que vous inspire le son des mots "chef adjoint Jacob de Zoet"?»

XIII

Place du Drapeau, Dejima

Pendant l'appel du matin,
le dernier jour d'octobre 1799

« Pour un miracle, c'est un miracle. » Piet Baert regarde le ciel. « Envolée, la pluie…

– Moi qui nous croyais partis pour quarante jours et quarante nuits, dit Ivo Oost.

– Il y avait des cadavres dans la rivière, fait remarquer Wybo Gerritszoon. J'ai vu comment les bateaux les ont remontés, avec des grappins fixés à des gaules.

– Monsieur Kobayashi ? » Melchior van Cleef réitère, plus fort : « Monsieur Kobayashi ? »

Kobayashi se retourne et regarde à peu près dans la direction de van Cleef.

« Il nous reste beaucoup de travail à accomplir si nous voulons terminer le chargement du *Shenandoah*. Pourquoi tant de retard ?

– L'inondation a cassé les ponts pratiques de la ville. Il y a beaucoup de retardement aujourd'hui.

– Dans ce cas, pourquoi le convoi n'est-il pas parti de la prison plus tôt ? » demande Peter Fischer.

Mais l'interprète s'est retourné et observe la place du Drapeau. Transformée en place de Grève, elle accueille la plus grosse foule que Jacob ait jamais vue au Japon. Dos à l'étendard, les Néerlandais forment un arc de cercle. Un rectangle a été tracé dans la terre battue, à l'endroit où les voleurs seront décapités. En face, trois gradins ont été installés sous un auvent : sur le rang supérieur est assis le chambellan Tomine et une douzaine de hauts représentants de la Magistrature ; divers dignitaires de Nagasaki occupent le rang intermédiaire ; et les seize interprètes attitrés sont assis sur le rang inférieur, sauf Kobayashi, qui officie aux côtés de Vorstenbosch. Ogawa Uzaemon, que Jacob n'a plus croisé depuis leur entrevue aux bains, semble bien las. Trois prêtres shintô en tunique blanche et aux coiffes chargées d'ornements entonnent des chants et jettent du sel dans le cadre d'un rituel de purification. De part et d'autre se tiennent les serviteurs, quatre-vingts ou quatre-vingt-dix interprètes sans grade, des coolies et des journaliers ravis de prendre part à ce divertissement aux dépens de la Compagnie, ainsi qu'un attroupement de gardes, de fouilleurs, de rameurs et d'ouvriers charpentiers. Quatre hommes vêtus de hâillons attendent près d'une charrette à bras. Le bourreau est un *samurai* au regard de faucon dont l'assistant porte un tambour. Le docteur Marinus se tient sur le côté en compagnie de ses quatre séminaristes masculins.

Orito était une fièvre, se répète Jacob. *Une fièvre qui est retombée.*

« À Anvers, les pendaisons sont plus joyeuses qu'ici », relève Baert.

Le capitaine Lacy regarde le drapeau, et songe aux vents et marées.

Vorstenbosch demande : « Pensez-vous que nous aurons besoin de remorqueurs tantôt, capitaine ? »

Lacy secoue la tête. « Le vent suffira, si la brise tient bon. »

Van Cleef le met en garde : « Quand bien même, les remorqueurs s'arrimeront à vous.

– Eh bien ces pirates auront de nombreuses cordes tranchées à remplacer, *a fortiori* si… »

Près de la porte-de-terre, la foule remue, gronde de plus belle et se coupe en deux.

Les prisonniers sont amenés dans de grands filets accrochés à des perches, et portés par quatre hommes chacun. Le convoi défile devant les gradins puis on laisse tomber les prisonniers dans le rectangle avant d'ouvrir les filets. Le plus jeune des deux n'a que seize ou dix-sept ans. Sans doute était-il beau, avant son arrestation. Son complice, plus âgé, est comme brisé, et il tremble. Ils ont pour tout vêtement un simple linge noué aux reins ainsi qu'une carapace formée par le sang séché, les marques de coups et les entailles. Plusieurs de leurs doigts et orteils ne sont plus que des bouts de chair marron et croûteux. Le connétable Kosugi, en austère maître de cette macabre cérémonie, déroule un parchemin. La foule se tait. Kosugi entame la lecture d'un texte japonais.

« C'est une déclaration d'accusement et de confession », explique Kobayashi aux Néerlandais.

Une fois sa lecture terminée, le connétable Kosugi se dirige vers l'auvent et s'incline pendant que le chambellan Tomine se livre à une brève déclaration. Le connétable Kosugi se dirige alors vers Unico Vorstenbosch afin de relayer le message du chambellan. Kobayashi le lui traduit avec une concision appuyée : « Est-ce que le chef néerlandais accorde le pardon ? »

Quatre ou cinq cents yeux se tournent vers Unico Vorstenbosch.

De la miséricorde, supplie le futur adjoint de Zoet en cet instant d'expectation. *Faites preuve de miséricorde.*

« Demandez aux voleurs si, en commettant leur crime, ils connaissaient le châtiment auquel ils s'exposaient », ordonne Vorstenbosch à Kobayashi.

Kobayashi pose la question aux deux hommes agenouillés.

Le plus vieux des voleurs ne peut pas parler. Rebelle, le plus jeune déclare : « *Hai.*

— Je n'ai donc aucune raison de m'immiscer dans les affaires japonaises. La réponse est *non.* »

Kobayashi livre le verdict au connétable Kosugi, qui repart vers le chambellan Tomine. Le message est transmis, et la foule murmure de désapprobation. Le jeune voleur s'adresse à Vorstenbosch ; Kobayashi demande alors : «Vous voulez que je traduis ?

— Expliquez-moi ce qu'il veut, répond le chef en poste.

— Le criminel dit : "Souvenez-vous de mon visage quand vous buvez le thé." »

Vorstenbosch croise les bras. «Assurez-lui que, dans vingt minutes, j'aurai à jamais oublié son visage. Dans une vingtaine de jours, rares seront ses amis qui auront un souvenir précis de ses traits. Dans une vingtaine de mois, même sa mère se demandera à quoi son fils ressemblait.»

Kobayashi traduit ce propos avec une solennité jubilatoire.

Les spectateurs alentour entendent cela et regardent les Néerlandais avec une hostilité accrue.

«Je fais la traduction très fidèle», certifie Kobayashi à Vorstenbosch.

Tandis que le connétable Kosugi demande au bourreau de s'apprêter à faire son office, Vorstenbosch s'adresse aux Néerlandais : «Messieurs, sachez que, parmi nos hôtes, certains espèrent nous voir nous étrangler en dégustant le mets de cette vengeance légitime : je vous conjure de bien vouloir les priver de ce plaisir.

— Je vous demande pardon, monsieur, intervient Baert, mais je ne comprends pas ce que vous dites là.

— Ni ne vomis, ni ne te pâme devant nos hôtes au teint jaune, explique Arie Grote.

— Tout à fait, Grote, confirme Vorstenbosch. Nous sommes ici en ambassadeurs de notre race.»

On commence par le plus âgé des voleurs. On lui passe une cagoule de toile sur la tête. On le force à s'agenouiller.

Le tambour tambourine un rythme aride. Le bourreau dégaine son sabre.

Sous la victime qui tremble, de l'urine noircit le sol.

À côté de Jacob, Ivo Oost trace du bout du pied une croix dans la poussière.

Sur la place d'Edo, deux chiens, peut-être plus, se mettent à aboyer avec frénésie.

Gerritszoon marmonne : « Là, ça arrive, mon tout beau… »

Le brillant du sabre affûté que brandit le bourreau est terni par l'huile dont sa lame est enduite.

Jacob perçoit un accord qui résonne toujours mais qu'on entend rarement.

Le tambour frappe son instrument pour la quatrième ou cinquième fois.

Survient le son d'une bêche qui fend la terre…

… et la tête du voleur retombe lourdement sur le sable, encore encagoulée.

Le sang jaillit du cou tranché dans un fin sifflement.

Le moignon béant s'avachit vers l'avant, sur les genoux du voleur, et vomit son sang.

Gerritszoon murmure : « Bravo, mon tout beau ! »

Je suis comme de l'eau qui s'écoule, récite Jacob en fermant les yeux, *et ma langue s'attache à mon palais ; Tu me réduis à la poussière de la mort.*

« Mes chers séminaristes, demande Marinus, observez bien l'aorte, la jugulaire et la moelle épinière ; et voyez le sang veineux, dont la nuance tire sur un rouge prune prononcé, tandis que le sang artériel, lui, est écarlate comme un hibiscus en pleine floraison. En outre, les deux diffèrent par leur goût : le sang artériel a une acidité métallique, tandis que le veineux est plus fruité.

— Pour l'amour de Dieu, docteur, se plaint van Cleef. Est-ce nécessaire ?

— Autant que ce vain acte de barbarie serve à quelque chose. »

Jacob observe Unico Vorstenbosch, qui prend soin de ne pas intervenir. Peter Fischer tire une moue dédaigneuse. « La protection des biens de la Compagnie constitue donc un "vain acte de barbarie" ? Et si cet article dérobé était votre cher clavecin, docteur ?

– Alors je lui dirais adieu. » Le corps décapité est jeté sur la charrette. « Le sang versé en gripperait les marteaux, et son timbre ne serait plus jamais le même. »

Ponke Ouwehand demande : « Que font-ils des cadavres, docteur ?

– Ils en extraient la bile afin de la vendre aux apothicaires, puis un boucher dissèque le reste des corps pour le bon plaisir de tous ceux prêts à payer pour assister à ce spectacle. Voici ce à quoi sont confrontés les hommes de science de ce pays qui cherchent à développer leurs connaissances en chirurgie et en anatomie… »

Le jeune voleur semble refuser sa cagoule.

On l'amène jusqu'aux sombres taches laissées par son ami décapité.

Le tambour frappe son instrument une première fois…

« C'est tout un art, de couper des têtes, explique Gerritszoon sans s'adresser à quelqu'un en particulier. Les bourreaux doivent prendre en compte le poids de leur client et puis la saison, aussi – en été, on a plus de gras sur la nuque qu'à la fin de l'hiver –, et puis il faut savoir si la peau a été mouillée par la pluie… »

Le tambour frappe son instrument une deuxième fois…

« Un philosophe parisien, raconte le docteur à ses disciples, a été condamné à mort il y a peu de cela, pendant la Terreur… »

Le tambour frappe son instrument une troisième fois…

« … Il avait fait une expérience étonnante : il s'était entendu avec un assistant, l'ayant prévenu qu'il se mettrait à cligner des yeux dès que la lame de la guillotine tomberait… »

Le tambour frappe son instrument une quatrième fois…

« … et continuerait à cligner aussi longtemps que possible. En comptant les clignements, son assistant pourrait ainsi mesurer la brève durée de vie d'une tête tranchée. »

Cupidon profère des paroles en malais, sans doute une incantation destinée à chasser le mauvais esprit.

Gerritszoon se retourne et dit : « Eh, le noiraud, cesse ton baragouin. »

Le futur adjoint Jacob de Zoet ne peut se résoudre à observer la scène une fois de plus.

Il examine ses chaussures et décèle une éclaboussure de sang sur la pointe de l'une d'elles.

Le vent traverse la place du Drapeau, doux comme l'ourlet d'une robe.

« Ce qui nous amène presque au terme de nos affaires… », poursuit Vorstenbosch.

L'horloge d'Almelo du bureau du chef sortant affiche onze heures.

Vorstenbosch écarte la dernière pile de formalités, sort les actes de délégation de pouvoir, trempe sa plume dans l'encrier et signe le premier. « Monsieur Melchior van Cleef, chef du poste de traite de Dejima, que la fortune vous sourie pendant toute votre mandature. »

La barbe qui dissimule le sourire de van Cleef se soulève. « Merci, monsieur.

– Et enfin, la dernière et non moins importante nomination » – Vorstenbosch signe le deuxième acte –, « chef adjoint Jacob de Zoet. » Il repose sa plume. « Et dire, de Zoet, qu'en avril, vous n'étiez qu'un modeste clerc destiné à rejoindre une fosse marécageuse à Almahera.

– Une tombe à ciel ouvert. » Van Cleef souffle. « Échappez aux crocodiles, et la malaria vous rattrape. Échappez à la malaria, et une fléchette empoisonnée mettra fin à vos jours. Non seulement vous devez un avenir radieux à M. Vorstenbosch, mais également la vie. »

Quant à toi, fieffé aigrefin, se dit Jacob, *tu lui dois la liberté grâce au sort qu'il a réservé à Snitker.*

« Ma gratitude envers M. Vorstenbosch est aussi profonde que sincère.

– Nous avons tout juste le temps de porter un toast. Filandre!»

Filandre entre, prenant garde à ne pas renverser les trois verres de vin sur le plateau d'argent qu'il apporte.

Chacun prend une coupe : ils trinquent.

Une fois son verre vidé, Vorstenbosch remet à Melchior van Cleef les clés des réserves Eik et Doorn, ainsi que celle du coffre-fort dans lequel repose l'autorisation de commercer délivrée il y a quinze ans par le Grand Shogun. « Que Dejima prospère sous votre gardiennage, chef van Cleef. Vous héritez d'un adjoint compétent et prometteur. L'année prochaine, je souhaite qu'ensemble, vous surpassiez ce que j'ai pu accomplir en arrachant vingt mille piculs de cuivre à nos misérables hôtes aux yeux bridés.

– Si la chose est humainement possible, lui promet van Cleef, nous y parviendrons.

– Je prierai pour que votre voyage se déroule sans encombre, monsieur», dit Jacob.

«Je vous remercie. Et maintenant que la question de la succession est réglée...» Vorstenbosch sort une enveloppe de son manteau et déplie un document. «... les trois officiers supérieurs de Dejima peuvent signer le récapitulatif des biens exportés puisque, désormais, le gouverneur van Overstraten y tient.» Il inscrit son nom dans le premier espace réservé à la fin d'un catalogue de trois pages recensant les commodités de la Compagnie stockées dans les soutes du *Shenandoah*, lesquelles se répartissent en trois catégories : «cuivre», «camphre» et «autres», catégories elles-mêmes sous-réparties par numéros de lot, quantités et qualités.

Van Cleef signe l'inventaire qu'il a dressé sans y regarder davantage.

Jacob prend la plume qui lui est tendue et, réflexe professionnel, passe en revue les chiffres : c'est le seul document de la matinée qui n'ait été rédigé de sa main.

«Adjoint de Zoet, le réprimande van Cleef, vous n'allez tout de même pas faire attendre M. Vorstenbosch?

– La Compagnie, monsieur, désire de moi que je sois en tout point méticuleux. »

Cette remarque, relève Jacob, est accueillie par un silence glacial.

« Le soleil est en train de remporter la bataille du jour, monsieur Vorstenbosch, constate van Cleef.

– En effet. » Vorstenbosch termine son verre de vin. « Si Kobayashi avait l'intention de porter le guignon à notre équipée avec les exécutions de ce matin, eh bien son plan a échoué. »

Jacob découvre une surprenante erreur. *Total de cuivre exporté : 2 600 piculs.*

Van Cleef se racle la gorge. « Y a-t-il quoi que ce soit qui fasse défaut, adjoint de Zoet ?

– Monsieur… là, dans la colonne des totaux : le "neuf" ressemble à un "deux". »

Vorstenbosch intervient : « Tout est en règle dans ce récapitulatif, de Zoet.

– Mais, monsieur, nous exportons *neuf mille* six cents piculs. »

La légèreté de van Cleef est empreinte de menace. « Contentez-vous de signer ce document, de Zoet. »

Jacob regarde van Cleef, qui regarde Jacob, lequel se tourne vers Vorstenbosch. « Monsieur, quiconque, n'étant point familier de votre réputation d'homme intègre, serait pardonnable si celui-ci, en voyant ce récapitulatif, supposait que vous avez délibérément omis sept mille piculs de cuivre dans l'inventaire. »

Le visage de Vorstenbosch est celui d'un homme résolu à ne plus se laisser battre aux échecs par son fils.

« Escomptez-vous » – la voix de Jacob tremble un rien – « voler ce cuivre ?

– "Voler" est un terme réservé à Snitker, mon garçon. Je ne fais que prendre ce qui me revient de plein droit.

– Ce qui vous revient de plein droit ! explose Jacob. Le même argument auquel Snitker a eu recours !

– Je vous saurai gré, si vous tenez à votre carrière, de ne pas me comparer à ce rat de fond de cale.

– Non pas, monsieur. » Jacob tapote sur le récapitulatif des biens exportés. « C'est ce rapport qui établit la comparaison entre vous et lui.

– Les épouvantables décapitations auxquelles nous avons assisté ce matin ont embrumé votre esprit, monsieur de Zoet, juge van Cleef. Vous avez de la chance : M. Vorstenbosch n'est pas rancunier. Aussi, présentez vos excuses pour vous être emporté ainsi, signez ce papier et oublions cette fausse note. »

Vorstenbosch est mécontent mais ne contredit pas van Cleef.

De faibles rayons de soleil illuminent les carreaux de papier composant la fenêtre du bureau.

Est-il un de Zoet de Dombourg qui ait prostitué sa conscience ? songe Jacob.

Melchior van Cleef sent l'eau de Cologne et le gras de porc.

« Qu'est-il arrivé à votre "gratitude aussi profonde que sincère", dites ? » l'interroge van Cleef.

Une mouche bleue se noie dans son vin. Jacob vient de déchirer le récapitulatif en deux…

… puis en quatre. Son cœur palpite comme celui d'un assassin après un meurtre.

Ce bruit de papier qui se déchire me poursuivra toute ma vie, devine Jacob.

L'horloge d'Almelo bat le temps à l'aide de ses minuscules marteaux.

« Moi qui croyais » – Vorstenbosch s'adresse à van Cleef – « que ce jeune homme avait de la jugeote.

– Et moi qui croyais, répond Jacob à Vorstenbosch, que vous étiez quelqu'un d'exemplaire. »

Vorstenbosch prend l'acte de délégation de pouvoir de Jacob et le déchire en deux…

… puis en quatre. « J'espère que vous aimez la vie sur Dejima, de Zoet : vous n'en connaîtrez pas d'autre avant cinq ans. Monsieur van Cleef, qui désignerez-vous comme adjoint : Fischer ou bien Ouwehand ?

– Un choix de misère. Aucun n'a ma préférence. Mais soit : ce sera Fischer. »

Dans le Grand salon, Filandre dit : « Pardon, les maîtres toujours occupés.

– Hors de ma vue, dit Vorstenbosch, ne daignant même pas regarder Jacob.

« Imaginons, se demande Jacob à voix haute, que le gouverneur van Overstraten apprenne…

– Allez-y, proférez vos menaces, putois de dévot zélandais, lui répond calmement Vorstenbosch, mais sachez que là où Snitker s'est fait plumer, vous serez dépecé. Dites-moi, chef van Cleef, quelle est la peine encourue pour avoir falsifié une lettre de Son Excellence le gouverneur général des Indes orientales néerlandaises ? »

Jacob sent une soudaine faiblesse gagner ses cuisses et ses mollets.

« Cela dépend des motifs et des circonstances, monsieur.

– Et si un clerc inconscient envoyait une lettre contrefaite destinée au Shogun en personne, brandissant la menace d'abandon par la Compagnie de son honorable avant-poste si vingt mille piculs de cuivre n'étaient pas envoyés à Nagasaki – cuivre que, de toute évidence, il comptait revendre lui-même, sinon, pourquoi aurait-il dissimulé son méfait à ses collègues ?

– Vingt années de geôle, monsieur, dit van Cleef. Si la sentence est clémente.

– Vous… » Jacob regarde dans le vide. « Vous aviez tout manigancé depuis juillet ?

– Il faut savoir se prémunir des contrariétés. Je vous ai dit de disparaître. »

Je ne retournerai pas en Europe plus riche qu'à mon départ, comprend Jacob.

Tandis que ce dernier ouvre la porte du bureau, Vorstenbosch appelle : « Filandre ! »

Le Malais feint de ne pas avoir écouté au trou de la serrure. « Maître ?

– Va immédiatement chercher Fischer. Nous avons de bonnes nouvelles pour lui.

– J'irai les lui porter moi-même ! lance Jacob par-dessus l'épaule. Il pourra terminer mon vin ! »

« Ne t'irrite pas contre les méchants, n'envie pas ceux qui font le mal. » Jacob étudie le trente-septième psaume. « Car ils sont fauchés aussi vite que l'herbe, et ils se flétrissent comme le gazon vert. Confie-toi en l'Éternel, et pratique le bien ; aie le pays pour demeure et la fidélité pour pâture… »

Le soleil teinte de rouille l'appartement à l'étage de la Maison haute.

La porte-de-mer est désormais fermée jusqu'à la prochaine saison commerciale.

Peter Fischer emménagera dans la spacieuse maison réservée à l'adjoint.

À l'ancre depuis quinze semaines, le *Shenandoah* déroulera ses voiles ; ses marins ont soif de grand large et de la petite fortune qui les attend à Batavia.

Ne te lamente pas sur ton sort, se dit Jacob. *Conserve au moins ta dignité.*

Les bruits de pas qui remontent l'escalier sont ceux de Hanzaburo. Jacob referme son psautier.

Même Daniel Snitker doit être impatient que le voyage commence…

… Au moins, dans la prison de Batavia, il recevra la visite de ses amis et de sa femme.

Hanzaburo s'affaire dans le cagibi sur le palier.

Orito a préféré la réclusion dans un couvent…, lui chuchote sa solitude.

Dans le laurier, un oiseau entonne une mélodie traînante.

… à un mariage et une vie avec toi sur Dejima. Les bruits de pas de Hanzaburo redescendent les marches.

Jacob s'inquiète de ce que deviendront ses lettres destinées à Anna, à sa sœur et à son oncle.

Vorstenbosch les jettera dans les latrines du Shenandoah, redoute-t-il.

Hanzaburo est parti sans même un au revoir, se rend compte le clerc.

Les nouvelles unilatérales de sa déchéance voyageront d'abord jusqu'à Batavia, puis jusqu'à Rotterdam.

«L'Orient est révélateur du caractère d'un homme», jugera le père d'Anna.

Jacob effectue un calcul : elle n'aura pas de nouvelles de lui avant le mois de janvier 1801.

D'ici là, le moindre prétendant bien nanti et en rut que compte Rotterdam lui fera la cour…

Jacob rouvre son psautier mais se montre trop agité pour lire ne fût-ce que les psaumes de David.

Je suis un homme vertueux, se dit-il, *mais voici ce que la vertu m'a rapporté.*

L'idée d'aller dehors lui paraît intolérable. Rester à l'intérieur l'est tout autant.

Les autres songeront que tu as peur de te montrer. Il enfile sa veste.

Au bas de l'escalier, Jacob glisse sur quelque chose, tombe en arrière…

… et se fracasse le coccyx sur le bord d'une marche. Il voit et sent l'odeur de ce qui est à l'origine de l'accident : un énorme étron humain.

Mis à part deux coolies qui, un rictus aux lèvres, regardent l'étranger aux cheveux roux en mimant des cornes de démon, tels des Français désignant un cocu, la grand-rue est déserte.

L'air grouille d'insectes qui ont émergé des terres humides que le soleil d'automne a réchauffées.

Arie Grote dévale l'escalier de la maison du chef van Cleef.

« L'absence de M. de Zoet aux adieux de M. Vorstenbosch a comme qui dirait été remarquée.

– Nous nous sommes dit au revoir » – Jacob constate qu'il lui barre le chemin – « un peu plus tôt.

– Quand j'ai appris la nouvelle, les bras m'en sont tombés !

– Je constate qu'ils ont retrouvé leur altitude habituelle.

– Ainsi donc, vous continuerez à purger votre peine à la Maison haute et non pas à celle de l'adjoint… "une divergence d'opinions sur le rôle d'un adjoint", je crois comprendre, hé ? »

Hormis les murs, les caniveaux ou le visage d'Arie Grote, Jacob n'a nulle part où poser les yeux.

« Ce qui veut dire, à ce que les rats m'ont rapporté, que vous n'avez pas signé le récapitulatif trafiqué, hein ? C'est que ça coûte cher, l'honnêteté. La loyauté, ce n'est pas simple. Je vous avais prévenu, pas vrai ? Vous savez, monsieur de Z., un péquin qu'aurait l'esprit mal tourné et qui ragerait depuis qu'on lui aurait retiré ses gentilles petites parties de cartes serait sacrément tenté de jubiler devant l'infortune de son antagoniste… »

Sjako, qui passe devant eux en claudiquant, porte le toucan de Marinus en cage.

« … mais je crois que je vais laisser ce plaisir à Fischer. » Le cuisinier coriace pose la main sur son cœur. « Tout est bien qui finit bien, ai-je envie de vous dire. M. V. me permet d'expédier la totalité de ma cargaison, moyennant dix pour cent de sa valeur. L'année dernière, ce vieux renard de Daniel Snitker me proposait de faire moitié-moitié pour l'entreposer dans un recoin moisi de l'*Octavia* – étant donné son destin, heureusement qu'on ne s'est pas entendus! Le *Shenandoah*» – d'un hochement de tête, il désigne la porte-de-mer – «est fiable et appareillera les cales pleines à craquer : le fruit de trois années de dur labeur. Le chef V. m'a même accordé un cinquième des quatre grosses de figurines d'Arita, en guise de frais de courtage.»

Suspendus de part et d'autre sur la perche du porteur, des seaux d'excréments empuantissent l'atmosphère.

«Je me demande s'ils s'appliquent bien à les fouiller, à la porte-de-terre, pense Grote tout haut.

– Quatre grosses de figurines» – Jacob vient de saisir la quantité annoncée – «et non pas deux?

– Quarante-huit douzaines, c'est ça. La vente va nous rapporter un joli magot. Pourquoi posez-vous la question?

– Pour rien.» *Vorstenbosch a menti depuis le début*, comprend Jacob. «Bien, si je ne puis plus rien pour vous…

– En réalité» – Grote sort un petit paquet de son gilet –, «c'est moi…»

Jacob reconnaît sa blague à tabac, qu'Orito avait donnée à William Pitt.

«… qui peux quelque chose pour vous. Cet article solidement cousu vous appartient, ce me semble.

– Comptez-vous me vendre ma propre tabatière?

– Je me contente de la restituer à son propriétaire, monsieur de Z., à titre gracieux…»

Jacob attend que Grote annonce son véritable prix.

«… mais le moment est peut-être comme qui dirait opportun de vous rappeler qu'il serait sage de vendre vos deux caisses de mercure à Enomoto, et le plus tôt sera le mieux. Les jonques des Chinois reviendront chargées à plein de tout le mercure qu'il est possible de trouver dans leur sphère de négoce, et puis, soit dit entre nous, hé, MM. Lacy et Vorstenbosch en enverront une tonne l'année prochaine, et quand on inonde un marché, faut pas s'étonner que les prix ramollissent.

– Je ne vendrai rien à Enomoto. Trouvez-moi un autre acheteur. Peu importe qui.

– Clerc de Zoet!» Peter Fischer, qui émerge d'une contre-allée, parade en direction de la grand-rue, radieux et vengeur. «Clerc de Zoet. Dites un peu ce qu'est ceci?

– On appelle cela "un pouce", en néerlandais.» Jacob ne peut pas encore se résoudre à ajouter «monsieur».

«Je sais bien que c'est un pouce. Mais qu'est-ce que j'ai, sur le pouce?

– Ce doit être» – Jacob devine qu'Arie Grote s'est éclipsé – «une trace de saleté.

– Les clercs et les manœuvres doivent m'appeler» – Fischer se plante devant lui – «"adjoint Fischer", ou "monsieur". C'est compris?»

Deux années de cette comédie en deviendront cinq s'il est nommé chef, calcule Jacob.

«Je comprends très bien ce que vous dites, adjoint Fischer.»

Fischer sourit, tel César victorieux. «De la saleté! Oui. De la saleté. Sur les étagères du bureau des clercs. Aussi, je vous ordonne d'aller les nettoyer.

– D'ordinaire» – Jacob avale sa salive –, «*monsieur,* c'est un des serviteurs qui…

– Oui, je sais, mais c'est à *vous*» – le pouce sale de Fischer martèle le sternum de Jacob – «que je demande d'aller les nettoyer toutes affaires cessantes, à vous qui voudriez abolir l'esclavage, l'asservissement et les inégalités.»

Une brebis qui s'est échappée de son enclos va l'amble à travers la grand-rue.

Il cherche à ce que je le frappe, se dit Jacob. «Je les nettoierai plus tard.

– Vous êtes tenu de m'appeler "adjoint Fischer" en toute occasion.»

Des années et des années de cette comédie, songe Jacob. «J'irai les nettoyer plus tard, adjoint Fischer.»

Les deux rivaux se toisent. La brebis s'accroupit et se met à uriner.

« Je vous ordonne d'aller nettoyer ces étagères immédiatement, clerc de Zoet. Si vous ne… »

Le souffle coupé par une fureur qu'il sait bientôt incontrôlable, Jacob préfère partir.

« Je parlerai au chef van Cleef de votre insolence !

– Longue est la chute » – Ivo Oost fume sur le pas d'une porte – « qui mène aux tréfonds du gouffre…

– N'oubliez pas que c'est grâce à ma signature que vous percevez votre salaire ! » crie Fischer.

Jacob grimpe dans le poste d'observation en espérant que personne ne se trouve sur la plate-forme.

Comme une arête, la colère et l'auto-apitoiement lui restent coincés dans la gorge.

Au moins cette prière-ci aura été entendue, constate-t-il en arrivant à la plate-forme déserte.

Le *Shenandoah* s'est éloigné d'un demi-mille dans la baie de Nagasaki. Les remorqueurs sont charriés dans son sillage, tels d'indésirables oisons. La baie à l'étroite embouchure, les nuages et la pluie qu'ils déversent, et le brick dont les voiles se gonflent font penser à un bateau miniature que l'on extrairait par le goulot de sa bouteille.

À présent je comprends pourquoi j'ai le poste d'observation à moi tout seul.

Le *Shenandoah* salue les garnisons côtières d'une salve de canons.

Y a-t-il prisonnier qui jouirait de voir claquer la porte qu'on referme sur lui ?

Le vent effeuille les corolles de fumée qui jaillissent des canons du *Shenandoah*…

… et leur détonation se réverbère comme le couvercle d'un clavecin qu'on laisserait retomber.

Le clerc hypermétrope retire ses lunettes afin de mieux voir.

La petite tache bordeaux sur le gaillard d'arrière est sans doute le capitaine Lacy...

... et celle de couleur olive doit être l'incorruptible Unico Vorstenbosch. Jacob imagine celui qui fut son protecteur se servir de l'*Enquête sur les écarts*... pour faire chanter de hauts représentants de la Compagnie. «L'hôtel de la Monnaie de la Compagnie nécessite d'avoir à sa tête un dirigeant possédant mon expérience et ma discrétion», argumentera Vorstenbosch avec force persuasion.

Côté terre, les citoyens de Nagasaki assis sur les toits assistent au départ du navire néerlandais en rêvant aux destinations qu'il ralliera. Jacob pense à ses pairs et compagnons de route à Batavia, aux collègues avec qui il a travaillé quand il était clerc attaché aux expéditions, à ses camarades de classe de Middelbourg et à ses amis d'enfance de Dombourg. *Tandis qu'ils profiteront de la liberté de ce vaste monde, que chacun trouvera sa voie et sa douce amie, je passerai mes vingt-sixième, vingt-septième, vingt-huitième, vingt-neuvième et trentième années – les plus belles de ma vie – enfermé dans un poste de traite moribond, partageant le sort des pauvres diables qui s'échoueront ici.*

En contrebas, invisible, la fenêtre récalcitrante de la maison de l'adjoint s'ouvre.

«Gare à la tapisserie, pauvre mule!...», prévient Fischer.

Jacob cherche une feuille de tabac dans sa blague mais n'en trouve pas.

«... sinon, je me servirai de ta peau de boudin noir pour la raccommoder, c'est bien compris?»

Jacob s'imagine retourner à Dombourg et trouver des inconnus dans le presbytère.

Sur la place du Drapeau, des prêtres accomplissent un rituel de purification à l'endroit de l'exécution.

La veille, quand l'avenir de Jacob était encore radieux, sinon doré, Kobayashi avait mis en garde van Cleef: «Si vous ne payez pas des prêtres, les fantômes des voleurs ne trouvent pas le repos et se transforment en démons, et les Japonais ne viennent plus à Dejima jamais. »

Au-dessus de l'esquif d'un pêcheur remontant ses filets, deux mouettes au bec crochu se battent en duel.

Le temps passe, et quand Jacob regarde au loin dans la baie, il a tout juste le temps de voir le beaupré du *Shenandoah* disparaître derrière Tempelhoek…

Puis le promontoire rocheux engloutit le gaillard d'avant et les trois mâts…

… jusqu'à ce que le goulot de la bouteille redevienne aussi bleu et vide qu'au troisième jour de la Création.

Une voix claironnante de femme tire Jacob de sa somnolence. La voix est toute proche et semble pleine de colère, ou de peur, ou les deux à la fois. Curieux, il regarde autour de lui, cherchant la source de cette agitation. Sur la place du Drapeau, les prêtres continuent de scander des prières destinées aux exécutés.

La porte-de-terre a été ouverte afin de laisser sortir le bœuf du porteur d'eau.

Devant la porte, Aibagawa Orito et les gardes ont un vif échange.

Le poste d'observation chancelle : Jacob se rend compte qu'il s'est étendu sur la plate-forme et se trouve hors du champ de vision d'Orito.

Elle brandit son sauf-conduit de bois et le pointe en direction de la venelle.

Le garde examine le document d'un œil suspicieux ; elle jette un regard derrière elle.

Une cruche vide suspendue à chaque flanc, le bœuf est conduit sur le pont de Hollande.

Orito était une fièvre. Jacob se cache derrière ses paupières. *Une fièvre qui est retombée.*

Il se remet à observer la scène. Le capitaine de la garde inspecte le sauf-conduit.

Cherche-t-elle à échapper à Enomoto ? s'interroge-t-il.

Sa proposition de mariage lui revient comme un golem qu'on aurait réveillé.

C'est vrai, je la désirais quand je savais impossible qu'elle fût mienne, redoute-t-il.

Le porteur d'eau administre des coups de badine aux jarrets alourdis du bœuf.

Peut-être se rend-elle simplement à l'hôpital, tente de se rassurer Jacob.

Il remarque son désarroi : il lui manque une sandale et ses cheveux d'ordinaire impeccables sont mal arrangés.

Mais où sont les autres étudiants ? Pourquoi les gardes ne la laissent-ils pas entrer ?

Le capitaine interroge Orito sur un ton cinglant.

L'intelligibilité d'Orito s'effiloche, son désespoir grandit. Le motif de sa visite n'a rien d'ordinaire.

Agis ! s'ordonne Jacob. *Montre aux gardes qu'elle est attendue. Va chercher le docteur Marinus. Va chercher un interprète : tes actes sont encore susceptibles de peser dans la balance.*

Les trois prêtres tournent lentement autour de la flaque de poussière ensanglantée.

Ce n'est pas toi qu'elle désire, lui souffle sa fierté, *mais l'incarcération à laquelle elle veut échapper.*

À dix mètres de là, le capitaine de la garde, guère convaincu, retourne son sauf-conduit à Orito.

Imagine que c'est Geertje qui viendrait chercher l'asile en Zélande, lui demande sa compassion.

Parmi le chapelet de mots que dévide bruyamment le capitaine, Jacob reconnaît un nom : « Enomoto ».

Sur la place d'Edo se profile une silhouette au crâne rasé et à la tunique bleu ciel.

Apercevant Orito, il lance un appel derrière lui et gesticule : *Pressez-vous !*

Un palanquin gris comme la mer apparaît, porté par huit hommes : son propriétaire est donc un personnage de très haut rang.

Jacob a l'impression de pénétrer dans la salle d'un théâtre alors que le dernier acte est déjà bien avancé.

Je l'aime, rayonne la vérité d'une pensée.

Jacob, qui dévale les escaliers, s'écorche le tibia sur un poteau cornier.

Il saute les six ou huit dernières marches et traverse la place du Drapeau.

À la fois trop lentes et trop rapides, les choses sont confuses.

Sur son passage, Jacob heurte un prêtre éberlué, et atteint la porte-de-terre au moment où celle-ci est en train de se refermer.

Le capitaine de la garde brandit sa lance, le sommant de ne pas effectuer un pas de plus.

Le rectangle du champ de vision de Jacob rétrécit à mesure que le portail se referme.

Il aperçoit le dos d'Aibagawa Orito, menée de force à réemprunter le pont de Hollande.

Jacob ouvre la bouche pour l'appeler…

… mais la porte-de-terre claque.

Bien graissé, le verrou coulisse dans son logement.

II

Une forteresse en montagne

Dixième mois de la onzième année de l'ère Kansei

XIV

En amont du village de Kurozane, domaine de Kyôga

Tard dans la vingt-deuxième journée du dixième mois

La froidure du crépuscule porte la menace d'une chute de neige. Les contours de la forêt se dissolvent et s'embrument. Assis sur un affleurement, un chien noir attend. Il flaire la chaude puanteur d'un renard.

Sa maîtresse aux cheveux d'argent peine à remonter le sentier noueux.

De l'autre côté du torrent tonitruant, une branche de bois mort craque sous le sabot d'un cerf.

Dans ce cèdre ou bien ce sapin, une chouette chuinte… Un cri, deux cris. Là : envolée.

Otane porte un vingtième de *koku* de riz, de quoi subsister un mois.

Avec ardeur, sa plus jeune nièce a tenté de la persuader de passer l'hiver au village.

Face à sa belle-mère, songe Otane, *cette pauvre enfant a besoin d'alliés à ses côtés.*

« Et elle est encore enceinte. Tu l'as remarqué, toi aussi ? » demande-t-elle à son chien.

La nièce a accusé sa tante de donner du souci à toute la famille, qui craint pour sa sécurité. «Oh, mais je serai en sécurité, répète la vieille femme en s'adressant aux marches que forment les racines. Je suis trop pauvre pour les assassins et trop flétrie pour les bandits.»

Sa nièce a ensuite argué qu'il serait plus facile aux patients de venir la consulter à Kurozane. «Qui voudra faire la pénible ascension du mont Shiranui, jusqu'à mi-chemin du sommet, en plein hiver?

– Ma maisonnette n'est pas à mi-chemin du sommet, enfin! Il y a moins d'un kilomètre et demi jusqu'au village.»

Une grive musicienne dans un eucalyptus géant parle des choses qui prennent fin.

C'est une chance pour une vieille bique sans enfants d'avoir des proches prêts à l'héberger..., admet Otane.

Mais elle sait aussi que quitter sa hutte sera plus facile qu'y revenir.

«Au printemps, marmonne-t-elle, ce sera: "Tante Otane ne peut tout de même pas retourner dans cette cabane en ruine!"»

Plus haut, deux ratons laveurs grognent quelque menace criminelle.

L'herboriste de Kurozane poursuit son ascension, son sac se faisant plus lourd à chaque marche.

Otane arrive à la terrasse cultivée où se dresse sa maisonnette. Des oignons sont suspendus sous le large avant-toit. Au-dessous s'entasse le bois de chauffe. Elle pose son riz sur le porche surélevé. Son corps la fait souffrir. Elle passe voir les chèvres dans l'enclos et y dépose une demi-botte de foin. Enfin, elle jette un œil dans le poulailler. «Qui a pondu un œuf pour tantine? Je me demande bien...»

Tâtonnant dans la pénombre fétide, elle en trouve un encore tout chaud. «Merci, mesdames.»

Elle referme et verrouille la porte sur la nuit, s'agenouille devant l'âtre et, à l'aide de sa boîte à amadou, ranime un feu destiné à chauffer sa marmite. Elle y prépare une soupe de racines de bardane et de patates douces. Quand celle-ci est bien chaude, elle y ajoute l'œuf.

Dans la pièce du fond, l'armoire médicale appelle Otane.

Les patients et les visiteurs sont surpris de voir cette magnifique armoire qui atteint presque le plafond de son humble maisonnette. À l'époque de son arrière-arrière-grand-père, six ou huit solides hommes l'avaient acheminée depuis le village ; mais quand Otane était enfant, il lui était plus simple de croire que cette armoire avait poussé ici tel un vieil arbre. Les uns après les autres, elle ouvre chacun des tiroirs soigneusement cirés et en hume le contenu. Ici, du persil *toki*, bon pour la diarrhée des enfants. Ensuite, d'âcres morceaux d'écorce de *yomogi* réduits en poudre dont on fait des moxas. Dernier de la rangée : des baies de *dokudami* – qu'on appelle aussi « menthe fraîchineuse » – et qui permettent de se purger du mal. Cette armoire représente à la fois le gagne-pain d'Otane et tout son savoir. Elle renifle les feuilles de mûrier et entend la voix de son père : « C'est bon pour les maladies de l'œil... et, mélangée à l'épimède, ça guérit des ulcères, fait office de vermifuge et soigne les furoncles... » Puis Otane atteint les baies amères d'agripaume.

Le souvenir de Mlle Aibagawa l'ayant rattrapée, elle retourne près du feu.

Elle nourrit les flammes chétives d'une bûche bien grasse. « Deux jours de marche depuis Nagasaki, raconte l'herboriste. Juste pour "demander à être reçue par Otane de Kurozane". Ce sont les mots de Mlle Aibagawa. Un jour, alors que j'étais en train d'amender mon rang de potirons avec du crottin de cheval... »

Les flammes se reflètent en petits éclats dans les yeux clairs du chien.

« ... qui vois-je arriver au portail ? Le chef du village et le prêtre. »

La vieillarde mâche un morceau filandreux de racine de bardane et se remémore ce visage marqué par une brûlure.

« Trois pleines années, déjà ? J'ai plus l'impression que c'était il y a trois mois. »

Le chien roule sur le dos et se sert du pied de sa maîtresse comme oreiller.

Il la connaît bien, cette histoire, songe Otane, *mais ne me refusera pas ce petit plaisir.*

« Quand j'ai vu sa brûlure, je pensais qu'elle venait chercher un traitement, mais le chef du village m'a présenté "la fille de l'illustre docteur Aibagawa, qui pratique la profession de sage-femme à la mode néerlandaise" – comme s'il savait ce que ça voulait dire, cet imbécile ! C'est alors qu'elle m'a demandé si j'avais l'amabilité de lui apporter mes conseils sur les plantes appropriées pour les accouchements et... eh bien, j'ai cru que mes oreilles me jouaient un tour. »

Otane fait rouler l'œuf dur sur son écuelle en bois.

« Quand elle m'a dit que, parmi les apothicaires et les savants de Nagasaki, le nom d'"Otane de Kurozane" était garantie de pureté du savoir, je me suis sentie mortifiée à l'idée que des gens d'un rang aussi élevé connaissent mon misérable nom... »

Du bout de ses ongles teintés par les baies, la vieillarde débarrasse l'œuf de sa coquille et se souvient avec quelle grâce Mlle Aibagawa avait congédié le chef du village et le prêtre, et toute l'attention qu'elle mettait à noter les remarques d'Otane. « Elle écrivait aussi bien qu'un homme. Le *yakumôso* l'intéressait particulièrement. "Il faut en étaler sur des déchirures de l'entrejambe, lui ai-je dit, ça évite les fièvres et répare la peau. Et ça calme les tétons du feu de l'allaitement..." » Otane attaque son œuf dur, le cœur réchauffé par le souvenir de cette fille de *samurai* qui semblait à son aise dans cette humble maisonnette, tandis que ses deux serviteurs réparaient l'enclos des chèvres et consolidaient un mur. « Tu n'auras pas oublié le fils aîné du chef, lui qui nous avait apporté le déjeuner, dit-elle au chien. Du riz blanc, des œufs de caille et de la daurade, cuite à la vapeur dans des feuilles de plantain… Ah, toutes les deux, on se croyait dans le palais de la princesse de la Lune ! » Otane soulève le couvercle de la bouilloire et y jette une poignée d'un thé rustique. « J'ai plus parlé cet après-midi-là qu'au cours de toute l'année. Mlle Aibagawa voulait me verser des "honoraires" pour ce que je lui apprenais. Comment veux-tu que je lui réclame ne serait-ce qu'un *sen* ? Alors elle a acheté toute ma réserve d'agripaume au triple du prix habituel… »

Dans le coin opposé de la pièce, une tache sombre remue, s'étire et se transforme en chat.

« Où étais-tu, toi ? On parlait de la première visite de Mlle Aibagawa. Elle nous avait envoyé de la daurade séchée au Nouvel An. Son serviteur avait effectué tout le trajet depuis la ville afin de nous en apporter. » Tandis que la bouilloire noircie se met à chuinter, Otane se remémore la deuxième visite de la sage-femme, pendant le sixième mois de l'année qui suivit, quand les chapelières étaient en fleur. « Elle était amoureuse cet été-là. Oh, je ne lui ai pas posé la question, mais elle ne pouvait pas s'empêcher de faire référence à un jeune interprète issu d'une bonne famille, un certain Ogawa. Sa voix changeait » – le chat lève la tête – « quand elle prononçait ce nom. » Dehors, la nuit remue les arbres qui craquent. Otane se verse du thé avant que celui-ci ne bouille et que les feuilles ne deviennent amères. « Je priais pour qu'Ogawa-*sama*, quand ils seraient mariés, autorise son épouse à retourner au domaine de Kyôga et réchauffer mon cœur, et je priais pour que cette deuxième visite ne soit pas la dernière. » Elle sirote son thé, se rappelant le jour où la nouvelle est parvenue jusqu'à Kurozane, relayée par une chaîne de proches et de serviteurs : le chef des Ogawa avait interdit à son fils d'épouser la fille du docteur Aibagawa. Puis, au Nouvel An, Otane apprenait que l'interprète Ogawa en avait épousé une autre. « Malgré cette déconvenue, déclare Otane en tisonnant le feu, Mlle Aibagawa ne m'a pas oubliée. Elle m'a envoyé un cadeau pour le Nouvel An : ce châle fait de cette très chaude laine venue de l'étranger. »

Le chien se tortille afin de gratter son dos piqué par les puces.

Otane se souvient de la visite de Mlle Aibagawa l'été dernier : c'était la plus étrange des trois excursions de la sage-femme à Kurozane. Deux semaines auparavant, quand les azalées étaient en fleur, à l'auberge *Harubayashi*, un marchand de sel avait rapporté que la fille du docteur Aibagawa avait accompli un « miracle néerlandais » en ressuscitant le fils mort-né du Magistrat Shiroyama. Alors, quand la sage-femme vint lui rendre visite, la moitié du village fit le trajet jusqu'à la maisonnette d'Otane, espérant d'autres miracles à la mode néerlandaise. « La médecine est connaissance et non pas magie », expliqua Mlle Aibagawa aux villageois. Elle donna des conseils aux gens attroupés, qui la remercièrent mais repartirent déçus. Quand toutes deux furent seules, la jeune femme lui confia que l'année fut éprouvante. Son père avait été malade, et le soin avec lequel elle s'appliquait à ne pas mentionner Ogawa l'interprète témoignait des blessures de son cœur. Elle lui annonça une autre nouvelle plus lumineuse, cependant : plein de reconnaissance, le Magistrat l'avait autorisée à se rendre à Dejima afin d'étudier sous l'égide du docteur néerlandais. « Je devais avoir l'air bien soucieuse. » Otane caresse son chat. « On raconte de ces histoires sur les étrangers. Mais elle m'a assuré que ce docteur néerlandais-là était un grand professeur, et que même le Seigneur-Abbé Enomoto le connaissait. »

Un battement d'ailes résonne dans le conduit de cheminée. La chouette est partie chasser.

Puis, il y a six semaines, vint la nouvelle la plus effarante qu'Otane ait entendue de toute sa nouvelle vie.

Mlle Aibagawa s'apprêtait à prendre l'habit au Sanctuaire du mont Shiranui.

Otane avait tenté de se rendre à l'auberge *Harubayashi* auprès de Mlle Aibagawa la nuit précédant l'escorte de cette dernière jusqu'au sommet de la montagne, mais ni leur amitié ni les livraisons bisannuelles de plantes médicinales que la vieillarde fournit au Sanctuaire ne convainquirent le moine de lever l'interdiction. Otane ne fut même pas autorisée à lui laisser une lettre. On lui répliqua que la sœur néophyte n'aurait plus aucun contact avec le monde extérieur pendant vingt ans. *Quelle sorte d'existence mènera-t-elle là-haut ?* s'interroge Otane. « Personne ne le sait, marmonne-t-elle toute seule. C'est bien ça, le problème. »

Elle passe en revue les quelques faits avérés à propos du Sanctuaire du mont Shiranui.

Il s'agit du siège spirituel du Seigneur-Abbé Enomoto, *daimyo* du domaine de Kyôga.

La déesse de ce Sanctuaire est garante de la fertilité des cours d'eau de Kyôga et de ses rizières.

Seuls les maîtres et acolytes de cet ordre peuvent y entrer et en sortir.

Ces hommes sont au nombre de soixante ; les sœurs, elles, sont une douzaine. Celles-ci vivent dans un couvent dédié dans l'enceinte du Sanctuaire et qui est tenu par une abbesse. Les serviteurs de l'auberge *Harubayashi* parlent de défauts ou de difformités qui, dans la plupart des cas, voueraient ces filles à gagner leur vie en tant que monstres dans un bordel, et l'on révère l'Abbé Enomoto, qui accorde à ces malheureuses une existence meilleure…

… *mais tout de même*, se tracasse Otane, *la fille d'un* samurai *et, qui plus est, un docteur…*

« Avec une brûlure au visage, c'est plus compliqué de se marier, marmonne-t-elle, mais pas impossible… »

Dans les lacunes que présentent ces rares informations s'engouffrent les rumeurs. De nombreux villageois ont ouï dire qu'un logement et une pension sont offerts aux anciennes sœurs de Shiranui pour le restant de leur vie, mais comme ces nonnes à la retraite ne s'arrêtent jamais à Kurozane, nul villageois n'en a vu de ses propres yeux. Buntarô, le fils du forgeron qui monte la garde au poste intermédiaire situé en haut de la gorge de Mekura, prétend que les moines de maître Kinten reçoivent un entraînement les formant à l'assassinat : voilà pourquoi le Sanctuaire cultive tant son secret. Une coquette femme de chambre de l'auberge a rencontré un chasseur qui lui a juré avoir vu des monstresses ailées déguisées en nonnes voler autour du Pic nu, le sommet de Shiranui. Le même après-midi, à Kurozane, la belle-mère de la nièce d'Otane fit remarquer que la semence de ces moines était aussi féconde que celle de quiconque ; et de demander à Otane combien de boisseaux d'herbes «faiseuses d'anges» le Sanctuaire commandait. Cette dernière, honnête, avait nié livrer tout abortif à maître Suzaku avant de comprendre que c'était précisément ce qu'avait cherché à découvrir la belle-mère.

Les villageois se perdent en conjectures, mais se gardent bien de se lancer sur la piste de véritables réponses. Ils cultivent une certaine fierté à être associés à ce monastère reclus qu'ils approvisionnent contre rémunération : poser trop de questions reviendrait à mordre la main qui les nourrit si généreusement. *Ces moines ne sont sans doute que des moines*, ose espérer Otane, *et les sœurs y mènent une vie de nonnes…*

Elle entend l'antique silence de la neige qui tombe.

«Non, dit-elle à son chat. Tout ce qu'on peut faire, c'est demander à Notre Dame de la protéger. »

La niche en bois enfoncée dans le mur de boue et de bambou, qui abrite un vase ébréché contenant quelques branches vertes et les tablettes mortuaires portant le nom des parents d'Otane, ressemble à n'importe quel autel de maisonnette. Cependant, après avoir vérifié à deux reprises que le verrou était bien poussé, la vieillarde retire le vase et relève le panneau du fond. Dans ce petit espace dérobé se tient le véritable trésor, hérité de ses ancêtres, que recèle la hutte d'Otane : une statuette à la glaçure blanche, voilée de bleu, aux craquelures poussiéreuses et qui représente Maria-*sama*, mère de Iesu-*sama* et Impératrice du Ciel, façonnée jadis à l'effigie de Kannon, la déesse de la Pitié. Maria-*sama* tient un enfant dans ses bras. On raconte que le grand-père du grand-père d'Otane l'avait reçue des mains d'un saint nommé Xavier, qui avait quitté le Paradis pour venir au Japon sur un vaisseau magique tiré par des cygnes d'or.

Un rosaire de glands à la main, Otane s'agenouille ; ses genoux lui font mal.

« "Sainte Maria-*sama*, mère d'Adan et Ewa, qui ont volé le kaki sacré de Deusu-*dono* ; Maria-*sama*, mère de Pappa Maruji et ses six fils aux six barques qui ont survécu à la grande inondation qui a purifié toutes les terres ; Maria-*sama*, mère de Iesu-*sama*, qui a été crucifié contre quatre cents pièces d'argent ; Maria-*sama*, écoutez ma…" »

Otane retient son souffle : *Était-ce une brindille craquant sous le pied d'un homme ?*

Quoique la plupart des dix ou douze plus anciennes familles de Kurozane soient, comme Otane, des « chrétiens cachés », il faut rester en permanence sur ses gardes. Ses cheveux d'argent ne lui garantiraient aucune espèce de clémence, si ses croyances étaient percées à jour : seules l'apostasie et la dénonciation d'autres fidèles seraient susceptibles de muer son exécution en exil, mais alors San Peitoro et San Pauro lui barreraient les portes du Paradis, et quand viendrait le temps où la mer se changerait en huile et que le monde brûlerait, elle tomberait dans cet enfer que l'on nomme Benbô.

L'herboriste est certaine qu'il n'y a personne dehors. « Mère vierge, c'est Otane de Kurozane qui vous parle. Une fois de plus, la vieillarde que je suis implore Notre Dame de veiller sur Mlle Aibagawa dans le Sanctuaire du mont Shiranui. Et de la protéger des maladies. Et des mauvais esprits. Et des… des hommes dangereux. S'il vous plaît, rendez-lui ce qui lui a été pris. »

Aucune rumeur n'évoque de nonne libérée avant l'heure, songe Otane.

«Mais si cette misérable vieillarde en demande trop à Maria-*sama*...»

L'engourdissement qui ankylose les genoux d'Otane gagne ses hanches et ses chevilles.

«... dites au moins à Mlle Aibagawa que son amie Otane de Kurozane pense...»

On frappe un coup à la porte. Otane s'étrangle. Le chien se dresse sur ses pattes et grogne...

Otane rabat le panneau de bois au moment même où un deuxième coup retentit.

Le chien aboie, à présent. Elle perçoit la voix d'un homme. Elle remet l'autel en ordre.

Au troisième coup, elle s'avance vers la porte et lance : «Il n'y a rien à voler, ici.

— Est-ce bien la maison d'Otane l'herboriste? lui répond une faible voix d'homme.

— Puis-je demander à mon honorable visiteur de se présenter, en cette heure tardive?

— Jiritsu d'Akatokiyamu : c'est ainsi qu'on m'appelait», réplique-t-on.

Otane est surprise de reconnaître le nom de l'acolyte de maître Suzaku.

Est-ce là un signe de Maria-sama? se demande-t-elle.

«Nous nous rencontrons au corps de garde du Sanctuaire deux fois par an», dit la voix.

Elle ouvre et trouve devant elle une silhouette couverte de neige, emmitouflée dans un épais vêtement de montagne et coiffée d'un chapeau en bambou. Il trébuche sur le seuil; la neige qui tourbillonne en profite pour s'engouffrer. «Asseyez-vous près du feu, acolyte.» Otane repousse la porte. «Le temps est mauvais, cette nuit.» Elle l'accompagne jusqu'à un billon qui fait office de tabouret.

Péniblement, il dénoue son chapeau, sa cape et ses guêtres de montagne.

Il est épuisé ; son visage est figé et ses yeux sont perdus dans l'autre monde.

Plus tard, les questions, se dit Otane. *D'abord, il faut le réchauffer.* Elle lui sert du thé et l'aide à refermer ses doigts gelés autour du bol.

Elle défait l'habit trempé du moine puis enroule son châle de laine autour de lui.

Alors qu'il boit, les muscles de sa gorge émettent des craquements.

Il faisait peut-être la cueillette, suppose Otane, *ou bien il méditait dans une grotte.*

Elle entreprend de réchauffer le restant de soupe. Ils ne parlent pas.

« J'ai fui le Sanctuaire du mont Shiranui, annonce Jiritsu, sortant brusquement de sa coquille. J'ai brisé mon serment. »

Otane est stupéfaite, mais, un mot de travers, et il serait susceptible de retomber dans son silence.

« Ma main, cette main-ci, et mon pinceau : ils savaient avant moi. »

Elle pilonne un morceau de racine de *yogi*, elle patiente, attendant des paroles porteuses de sens.

« J'ai accepté la… la voie de l'immortalité. Mais un nom plus juste serait "le mal". »

Le feu crépite, les animaux respirent, la neige tombe.

Jiritsu tousse, comme s'il était à bout de souffle. « *Elle* voit loin ! Tellement loin… Mon père était un colporteur de tabac à Sakai. Et un joueur aussi. On était juste un échelon au-dessus des parias… et, une nuit, les cartes l'ont perdu : il m'a vendu à un tanneur. Un intouchable. J'avais été dépossédé de mon nom et je dormais dans l'abattoir. Des années durant, pour mériter ma pitance, j'ai tranché la gorge des chevaux. Zip… zip… zip… Ce que les fils du tanneur m'ont fait, je… je… j'aurais tellement voulu que quelqu'un me la tranche, ma gorge. En hiver, la seule chaleur que je connaissais, c'était quand je bouillais les carcasses pour en tirer de la glu. En été, les mouches se fourraient dans vos yeux, dans votre bouche, et nous, on raclait le sang séché et la merde huileuse qu'on mélangeait aux algues appelées *konbu* pour fabriquer de l'engrais. Il doit régner la même puanteur, en Enfer…»

La charpente du toit de la maisonnette craque. La neige s'amoncelle.

«Une fois, au Jour de l'An, j'ai escaladé la muraille de ce village réservé aux *eta* comme nous et j'ai fui jusqu'à Osaka, mais le tanneur a envoyé deux hommes à ma poursuite. Ils ont sous-estimé mon habileté à manier les couteaux. Personne ne m'a vu, sauf *Elle*. *Elle* m'a entraînée, de jour en jour, de rumeur en rumeur, de carrefour en carrefour, de rêve en rêve, de mois en mois, de larcin en larcin, c'est *Elle* qui me poussait à aller vers l'est, toujours plus loin vers l'est… à traverser le détroit jusqu'au domaine de Hizen, puis jusqu'à celui de Kyôga… puis à grimper…» Jiritsu lève les yeux au plafond; en direction du sommet, peut-être…

– L'acolyte-*sama* fait-il référence» – Otane manipule son pilon – «à quelqu'un du Sanctuaire?

– Ils représentent tout» – orienté vers elle, le regard de Jiritsu scrute le vide –, «telle la scie aux yeux du charpentier.

– Alors la vieille bique que je suis ne comprend pas qui est ce "*Elle*"…»

Les larmes de Jiritsu jaillissent. «Ne sommes-nous rien de plus que le cumul de nos actes?»

Otane décide alors d'être directe. «Acolyte-*sama*, au Sanctuaire du mont Shiranui, avez-vous vu Mlle Aibagawa?»

Il cligne des yeux, semblant y voir plus clair. «La sœur néophyte. Oui.

– Est-elle...» Que peut-elle bien lui demander, à présent? «...
Est-elle en bonne santé?»

Il pousse une sorte de ronronnement profond et triste. «Ces
chevaux savaient bien que j'allais les tuer.

– Comment Mlle Aibagawa est-elle...» – le mortier et le pilon
d'Otane s'immobilisent – «... traitée?

– Si jamais *Elle* l'apprenait» – Jiritsu divague de plus belle –,
«*Elle* me transpercerait le cœur en se servant de son index à lui...
Demain... je dirai tout... de cet endroit; elle entend beaucoup
mieux la nuit. Puis ma destination sera Nagasaki. Je... je... je...
j...»

Du gingembre pour sa circulation, se dit Otane qui se dirige vers
son armoire, *et de la partenelle pour calmer ses délires.*

«Ma main et mon pinceau: ils savaient avant moi.» La voix
désincarnée de Jiritsu la suit dans l'autre pièce. «Il y a trois nuits,
mais c'était peut-être il y a trois siècles, j'étais dans le scriptorium,
attelé à écrire la lettre d'un Présent. Ces lettres sont un moindre
mal; des "actes de compassion", dit Genmu... mais... mais je me
suis absenté de moi-même, et quand je suis revenu, ma main et
mon pinceau... ils avaient écrit... retranscrit...» Il chuchote et se
recroqueville. «J'avais retranscrit les Douze Préceptes. Couchés là,
noir sur blanc! Ne serait-ce que les prononcer constitue déjà un
sacrilège, sauf pour maître Genmu ou le Seigneur-Abbé. Mais les
consigner par écrit! N'importe quel profane pourrait les lire... *Elle*
devait être occupée ailleurs, sinon *Elle* m'aurait tué sur-le-champ.
Maître Yoten est passé derrière moi, à quelques centimètres...
Sans bouger, j'ai lu les Douze Préceptes et, pour la première fois,
j'ai vu... En comparaison, les abattoirs de Sakai sont des jardins
d'agrément.»

Otane ne comprend pas grand-chose. Elle râpe du gingembre,
le froid gagne son cœur.

Jiritsu sort un étui à parchemin en cornouiller de l'intérieur
de son vêtement. «Il reste à Nagasaki quelques rares hommes de

pouvoir qui échappent à l'emprise d'Enomoto. Qui sait, le Magistrat Shiroyama se révélera peut-être un homme de conscience… et peut-être que les abbés des ordres rivaux auront à cœur d'apprendre le pire, et ceci…» – fronçant les sourcils, il désigne l'étui à parchemin – «… est pire que le pire.

– Acolyte-*sama*, vous comptez vous rendre à Nagasaki ? demande Otane.

– Vers l'est.» Le jeune homme aux traits de vieillard peine à la discerner. «Kinten me suivra.

– Pour vous persuader de revenir au Sanctuaire, acolyte-*sama* ?» espère-t-elle.

Jiritsu secoue la tête. «Les Sentiers sont sans équivoque en ce qui concerne ceux qui… s'en détournent.»

Otane jette un regard à la pénombre qui baigne l'alcôve de son *butsudan*. «Cachez-vous donc ici.»

L'acolyte Jiritsu regarde au travers de ses doigts levés devant le feu. «Alors que je trébuchais dans la neige, je me disais : *Otane de Kurozane m'hébergera…*

– La vieillarde que je suis est contente…» – les rats grattent le chaume du toit – «… très contente que vous y ayez pensé.

– … *une nuit seulement*. Si je reste deux nuits, Kinten nous tuera.» Il présente la chose sans ambages, comme l'on énonce un simple fait.

Le feu consume le bois, se dit Otane, *et le temps nous consume*.

«Mon père m'appelait "gamin", poursuit-il. Le tanneur m'appelait "chien". Maître Genmu appelait son nouvel acolyte "Jiritsu". Quel est mon nom, à présent ?

– Vous souvenez-vous de la façon dont vous appelait votre mère ? l'interroge-t-elle.

– Quand je vivais à l'abattoir, je rêvais de… d'une femme maternelle qui m'appelait Mohei.

– C'était sans doute elle.» Otane mélange le thé aux poudres. «Buvez.

— Quand le Seigneur Enma me demandera mon nom afin de l'inscrire sur le Registre de l'Enfer, déclare le fugitif en prenant la coupe, voici celui que je lui donnerai : "Mohei l'Apostat". »

Otane rêve d'ailes écailleuses, d'obscurité pleine de grognements et de coups lointains. Elle se réveille dans son lit de paille et de plume retenues entre des draps de chanvre. Ses joues et son nez qui dépassent sont mordus par le froid. À la lueur bleue du jour que renvoie la neige, elle aperçoit Mohei, recroquevillé près du feu moribond : alors, tout lui revient. Elle l'observe un instant, sans savoir s'il dort ou s'il est éveillé. Le chat surgit du châle et avance à pas de velours vers Otane, qui retrace leur conversation, cherchant à faire le tri entre ce qui relève du délire et des illusions, ou des indices et de la vérité. *La raison qui l'a poussé à fuir*, comprend-elle, *est ce qui menace Mlle Aibagawa…*

C'est écrit dans le parchemin de cet étui en cornouiller. Lequel est encore dans sa main.

… et peut-être qu'il vient comme une réponse de Maria-sama à mes prières.

Elle pourrait le persuader de rester quelques jours, le temps que ses poursuivants abandonnent leurs recherches.

Il y a de la place dans les combles, songe-t-elle, *si jamais quelqu'un venait…*

Son soupir trace une plume blanche dans l'air froid. L'haleine du chat dessine des nuages plus petits.

Que Deusu-dono soit loué pour cette nouvelle journée, récite-t-elle en silence.

Une buée pâle s'échappe de la truffe humide du chien qui rêve.

Emmitouflé dans ce châle chaud venu de l'étranger, Mohei, lui, est on ne peut plus immobile.

Otane se rend compte qu'il ne respire pas.

XV

Couvent, Sanctuaire du mont Shiranui

Le vingt-troisième matin du dixième mois, au lever du soleil

Les trois détonations de bronze qui jaillissent de la Cloche de la raison première se réverbèrent sur les toits, en chassent les pigeons, se poursuivent en échos dans tous les cloîtres, se glissent sous la porte de la cellule de la sœur néophyte et viennent trouver Orito qui, les yeux fermés, supplie : *Laissez-moi encore un peu imaginer que je suis ailleurs...* Mais l'odeur aigre du *tatami,* les relents de suif des bougies et le remugle de fumée froide lui refusent toute illusion de liberté. Elle entend le *tac-tac-tac* des pipes de celles qui fument du tabac.

Au cours de la nuit, les puces et les poux ont festoyé sur son cou, ses seins et le haut de son ventre.

À Nagasaki, songe-t-elle, *à seulement deux jours de marche en direction de l'est, les érables sont encore rouges...*

Les manju *en fleurs sont rose et blanc, et les bancs de* sanma *bien gras abondent en cette saison.*

Deux jours de marche suffisent, se dit-elle, *mais il me faudra peut-être vingt ans...*

Sœur Kagerô passe devant sa cellule. Sa voix scande : «Ah, ce froid! Ce froid!»

Orito ouvre les yeux et étudie le plafond de cette pièce dont la surface équivaut à celle de cinq *tatami*.

Elle se demande à quelle solive l'occupante précédente s'est pendue.

Le feu s'est éteint et, chose inhabituelle, un soupçon de bleu teinte la blancheur de la lumière doublement filtrée.

Les premières neiges, pense alors Orito. *La gorge qui descend vers Kurozane n'est sans doute plus praticable.*

Du bout de l'ongle de son pouce, Orito creuse une minuscule encoche dans la plinthe du mur.

Le Couvent me détient peut-être, se résout-elle, *mais il ne détiendra pas le temps.*

Elle compte les encoches : *un jour, deux jours, trois jours…*

… quarante-sept jours, quarante-huit jours, quarante-neuf jours…

Ce matin, a-t-elle compté : cela fait cinquante jours qu'on l'a capturée.

« Tu seras encore là, se moque le gros rat, après *dix mille* encoches. »

Ses yeux sont deux perles noires ; il disparaît dans un sillage de fourrure aux contours flous.

Si c'était un rat, se raisonne Orito, *il n'a pas pu parler car les rats en sont incapables.*

Elle entend sa mère qui chantonne dans le couloir, comme presque tous les matins.

Elle sent l'odeur des *onigiri* de sa servante Ayame – des boules de riz grillées et roulées dans le sésame.

« Ayame n'est pas là non plus, dit Orito à voix haute. Ma belle-mère l'a renvoyée. »

Ces « décalages » du temps et des sens – Orito en est certaine – sont provoqués par le traitement que maître Suzaku concocte pour chaque sœur avant le souper. Il nomme « Réconfort » celui qu'il destine à Orito. Elle sait que le plaisir qu'il procure est néfaste et addictif, mais on ne la nourrit pas tant qu'elle ne l'a pas bu. Affamée, quelle chance aurait-elle de s'échapper d'un sanctuaire de montagne en plein hiver ? Mieux vaut s'alimenter.

Plus difficiles à endurer sont les pensées de sa belle-mère et son demi-frère se réveillant dans la demeure de Nagasaki. Orito se demande ce qui peut bien rester des affaires de son père et des siennes, et ce qui aura été vendu : les télescopes, leurs instruments de chirurgie, leurs livres et leurs remèdes ; les *kimono* et bijoux de sa mère… Tout appartient à sa belle-mère, désormais : libre à elle de céder ces choses au plus offrant.

C'est bien ainsi qu'elle m'a vendue, songe Orito, qui sent la colère lui brûler l'estomac…

… puis elle entend Yayoi, sa voisine : vomissements, grognements, et vomissements derechef.

Orito s'extirpe de son lit puis enfile son sur-*kimono* rembourré.

Elle noue son fichu et cache sa brûlure, puis se précipite dans le couloir.

Je ne suis plus la fille de la famille, mais je n'en demeure pas moins sage-femme.

… Où est-ce que j'allais ? Orito se tient dans le couloir humide séparé des cloîtres par des rangées de paravents en bois coulissants. La lumière du jour pénètre par une claire-voie qui court en haut des panneaux. Grelottante, Orito regarde son haleine en sachant bien qu'elle se rendait quelque part, mais où ? Ces oublis sont encore un des effets du Réconfort de Suzaku. Elle cherche un indice autour d'elle. La veilleuse au détour des latrines est éteinte. Orito place la paume de la main sur le paravent de bois noirci par le passage de nombreux hivers. Elle le pousse et le paravent récalcitrant s'ouvre de quelques centimètres. Par l'interstice, elle aperçoit des stalactites de glace suspendues à l'avant-toit du cloître.

Les branches d'un vieux pin croulent sous la neige. Neige qui encroûte également les rocailles.

Une pellicule de glace recouvre le bassin carré. Des veines neigeuses marbrent le Pic nu.

Émergeant de derrière le tronc, sœur Kiritsubo longe le côté opposé du cloître en traînant sur les panneaux de bois les doigts joints de son bras atrophié. Elle fait le tour de la cour cent huit fois. En atteignant l'interstice, elle annonce : « La sœur s'est levée tôt ce matin. »

Orito n'a rien à dire à sœur Kiritsubo.

La troisième sœur Umegae remonte le couloir. « Ce n'est que le début de l'hiver à Kyôga, néophyte. » Baignées dans la lumière renvoyée par la neige, les taches qui pommellent la peau d'Umegae sont aussi violettes que des baies. « Un Présent dans vos entrailles, c'est une pierre chaude dans votre poche. »

Orito sait qu'Umegae lui dit cela pour l'effrayer. Et ce stratagème fonctionne.

La sage-femme qu'on a enlevée entend des bruits de vomissements et se souvient : *Yayoi…*

Cette femme âgée de seize ans se penche au-dessus d'un seau en bois. Des glaires gastriques lui pendent aux lèvres tandis qu'une nouvelle coulée de vomi jaillit. À l'aide d'une louche, Orito brise la croûte de glace formée en surface du récipient d'eau, qu'elle apporte ensuite à Yayoi. Les yeux vitreux, celle-ci hoche la tête, comme pour dire : *Le pire est passé.* Orito lui essuie la bouche avec un carré de papier et lui tend une tasse d'eau si froide qu'elle engourdit. « La majeure partie » – Yayoi dissimule ses oreilles de renard sous son bandeau – « a fini dans le seau, au moins.

– C'est en pratiquant » – Orito nettoie les éclaboussures – « qu'on atteint la perfection, n'est-ce pas ? »

Yayoi s'essuie les yeux sur le revers de sa manche. «Pourquoi est-ce que je vomis encore si souvent, ma sœur?

– Les vomissements se prolongent parfois jusqu'à la naissance...

– La dernière fois, j'avais envie de *dango*. Mais maintenant, rien que la pensée de ces sucreries me...

– Toutes les grossesses sont différentes. Allonge-toi donc un peu.»

Yayoi s'étend sur le dos, pose les mains sur son ventre et se renfrogne, soucieuse.

Orito devine ses pensées. «Tu sens toujours ton bébé te donner des coups de pied, n'est-ce pas?

– Oui. Mon Présent...» – elle se caresse le ventre – «... est content de t'entendre... mais... mais l'année dernière, sœur Hotaru avait vomi jusqu'à la fin du cinquième mois avant de faire une fausse couche. Son Présent était mort plusieurs semaines avant. J'étais là, l'odeur était...

– Il y avait donc plusieurs semaines que sœur Hotaru n'avait plus senti les coups de pied de son enfant?»

Yayoi est à la fois désireuse et réticente à l'idée de le concéder. «Je... je suppose..., oui.

– Le tien bouge toujours. Que peux-tu en conclure?»

Yayoi fronce les sourcils, se laisse rasséréner par la logique d'Orito et se réjouit: «Louée soit la Déesse de t'avoir conduite ici.»

Enomoto m'a achetée, s'efforce de taire Orito, *ma belle-mère m'a vendue...*

Elle s'attelle à imprégner le ventre distendu de Yayoi de graisse de chèvre.

... Maudits soient-ils, et je ne manquerai pas de le leur signifier à la prochaine occasion.

Elle sent un coup de pied, sous le nombril retourné de Yayoi; sous la dernière côte, une résonance...

... Puis un coup de pied, à côté du sternum; à l'opposé, sur la gauche, elle sent quelque chose remuer.

«Il y a des chances que tu aies des jumeaux», décide de lui annoncer Orito.

Yayoi est bien assez aguerrie pour être consciente des dangers que cela représente. «Tu en es sûre?

– Presque certaine. Et cela expliquerait les vomissements qui perdurent.

– Sœur Hatsune a eu des jumeaux, à la deuxième Offrande qu'elle avait reçue. Elle a gravi deux échelons en un seul accouchement. Si la Déesse me gratifiait de deux…

– Qu'est-ce qu'un simple morceau de bois connaît de la douleur? aboie Orito.

– S'il te plaît, ma sœur, la supplie Yayoi, effrayée. C'est comme si tu insultais ta propre mère!»

De nouvelles crampes assaillent les intestins d'Orito. Elle a le souffle coupé.

«Tu vois, ma sœur? Elle t'entend. Dis-lui que tu es désolée, et elle arrêtera.»

Plus mon corps absorbe de Réconfort, devine Orito, *plus il lui en faut.*

Emportant le seau de Yayoi et son odeur fétide, elle effectue le tour du cloître et va jusqu'à la charrette aux ordures.

Les corbeaux se juchent sur le rebord du toit pentu et observent la captive.

«De toutes les femmes que vous auriez pu acheter, pourquoi m'avoir dépossédée de mon existence?» brûle-t-elle de demander à Enomoto.

Mais en cinquante jours, l'Abbé de Shiranui n'a pas daigné une seule fois venir à son propre Sanctuaire.

«Chaque chose en son temps.» Telle est la sempiternelle réponse de l'abbesse Izu face à toutes les questions et objurgations d'Orito. «Chaque chose en son temps.»

Dans la cuisine, sœur Asagao remue une soupe qui mijote dans un chaudron placé au-dessus d'un feu qui siffle. La mutilation qui touche Asagao est sans doute la plus stupéfiante de toute la maison : ses lèvres semblent comme fondues en un petit cercle qui affecte également son élocution. Son amie Sadaie est née avec une malformation du crâne : à cause de l'apparence féline de sa tête, ses yeux semblent anormalement gros. Apercevant Orito, elle s'interrompt au beau milieu d'une phrase.

Pourquoi me regardent-elles comme deux écureuils surveillant un chat affamé, ces deux-là ? s'interroge Orito.

Leurs visages lui indiquent que, une fois de plus, elle a proféré ces paroles tout haut.

C'est encore un effet humiliant du Réconfort et du Couvent.

« Sœur Yayoi est malade, dit Orito. Je voudrais lui apporter un bol de thé. S'il vous plaît. »

Sadaie désigne la bouilloire d'un regard furtif : elle a un œil marron et l'autre gris.

Sous sa tunique, le ventre fécondé de Sadaie commence à poindre.

Une fille, se dit l'enfant du docteur Aibagawa tout en versant le breuvage amer.

À l'instant où l'acolyte Zanô au nez congestionné claironne : « On ouvre les portes, mes sœurs ! » Orito se précipite vers un endroit bien précis du couloir intérieur, un point situé entre les chambres de l'abbesse Izu et de l'intendante Satsuki depuis lequel elle écarte le panneau de bois. De là, elle avait eu, au cours de la première semaine, une occasion unique de jeter un œil à travers les deux portails qui mènent à l'enceinte du Sanctuaire et d'apercevoir des marches, un massif d'érables, un maître en toge bleue et un acolyte en tunique de chanvre brut...

... mais ce matin, comme à l'accoutumée, l'acolyte au poste de garde a été prudent. Orito ne voit que le portail extérieur refermé et deux acolytes qui apportent une charrette à bras contenant les victuailles de la journée.

Revenant de la grande salle, sœur Sawarabi arrive en trombe. « Acolyte Chûai ! Acolyte Maboroshi ! La neige ne vous a pas trop gelé les os, j'espère ? Faut-il que maître Genmu ait un cœur de pierre pour laisser dépérir ses deux jeunes étalons.

— Nous trouvons bien le moyen de nous réchauffer, neuvième sœur, lui répond Maboroshi, tout aussi enjôleur.

— Oh, mais comment pourrais-je oublier ? » Sawarabi promène le bout de ses doigts sur son sein du milieu. « N'était-ce pas au tour de ce misérable cossard de Jiritsu de nous ravitailler ? »

La légèreté de Maboroshi disparaît. « L'acolyte est gravement malade.

— Voyez-vous ça. Gravement malade, vous dites ? Ce n'est pas… un simple rhume de début d'hiver ?

— Son état » – Maboroshi et Chûai commencent à décharger les vivres dans la cuisine – « est critique, paraît-il.

— Espérons que le pauvre acolyte Jiritsu n'est pas en danger de mort. » La sœur Hotaru, défigurée par un bec-de-lièvre, est sortie de la grande salle.

« Son état est critique », répète Maboroshi, laconique. « Nous devons nous préparer au pire.

— Eh bien ! la sœur néophyte était la fille d'un célèbre médecin, dans sa vie d'avant : maître Suzaku ne perdrait rien à faire appel à elle. Je suis sûre qu'elle accepterait, et avec joie encore… » Sawarabi porte ses mains à sa bouche afin d'amplifier le son de sa voix, puis s'oriente en direction de la cachette d'Orito et crie : « … parce qu'elle meurt d'envie de visiter l'enceinte du Sanctuaire : une évasion, ça se prépare. N'est-ce pas, sœur Orito ? »

Rouge de honte et en larmes, l'indiscrète bat en retraite jusqu'à sa cellule.

Toutes les sœurs, à l'exception de Yayoi, de l'abbesse Izu et de l'intendante Satsuki s'agenouillent, prenant place à la table basse de la pièce longue. Les portes qui mènent à la salle des prières, qui abrite la statue dorée à la feuille de la Déesse enceinte, sont grandes ouvertes. La Déesse surveille les sœurs, dardant son regard par-dessus la tête de l'abbesse qui frappe le gong tubulaire. Le sutra de la Gratitude commence.

«À l'Abbé Enomoto-*no-kami*, entonnent les femmes en chœur, notre guide spirituel…»

Orito s'imagine en train de cracher sur l'illustre collègue de son défunt père.

«… dont la sagacité guide le Sanctuaire du mont Shiranui…»

L'abbesse Izu et l'intendante Satsuki remarquent que les lèvres d'Orito sont immobiles.

«… nous, filles d'Izanazô, exprimons la gratitude de l'enfant repu.»

Cet acte de résistance passive est futile, mais Orito n'est pas en mesure de s'offrir une contestation plus constructive.

«À l'Abbé Genmu-*no-kami*, dont la sagesse protège le Couvent…»

Orito décoche un regard furieux à l'intendante Satsuki qui, gênée, détourne les yeux.

«Nous, filles d'Izanazô, exprimons la gratitude du sujet soumis à une juste gouvernance.»

Orito décoche un regard furieux à l'abbesse Izu qui, d'un air bienveillant, encaisse cette bravade.

«À la Déesse de Shiranui, source de la Vie et mère de nos Présents…»

Orito regarde les parchemins suspendus au-dessus des têtes des sœurs assises en face d'elle.

«… nous, sœurs de Shiranui, livrons les fruits de nos entrailles…»

Les parchemins montrent des représentations des saisons et des citations tirées de textes shintoïstes.

« … pour que la fertilité coule sur Kyôga, que famine et sécheresse en soient bannies… »

Au centre trône un tableau de classement des sœurs, dont le rang dépend du nombre de naissances.

Exactement comme dans une écurie de sumotori, songe Orito avec dégoût.

« … et que la roue de la vie tourne pour l'éternité… »

La tablette en bois où est inscrit le prénom d'Orito est située tout à droite.

« … jusqu'à ce que la dernière étoile se consume et que la roue du temps se brise. »

L'abbesse Izu frappe son gong une nouvelle fois, marquant la fin du sutra. L'intendante Satsuki referme les portes de la salle des prières tandis qu'Asagao et Sadaie, arrivant de la cuisine adjacente, apportent le riz et la soupe *miso*.

Quand l'abbesse Izu frappe à nouveau le gong, les sœurs rompent leur jeûne.

Il est interdit d'échanger des paroles ou des regards, mais les amies se versent mutuellement de l'eau.

Quatorze bouches – Yayoi est dispensée de petit-déjeuner – mâchent, lapent et déglutissent.

Quels bons mets ma belle-mère dégustera-t-elle aujourd'hui ? La haine remue les viscères d'Orito.

Chaque sœur laisse de côté quelques grains de riz afin de nourrir les esprits de ses ancêtres.

Orito fait de même, se résolvant à l'idée que, en ces lieux, tout allié est bon à prendre.

L'abbesse Izu frappe le gong tubulaire, indiquant que le repas est terminé. Tandis que Sadaie et Asagao débarrassent, Hashihime, une sœur aux yeux roses, demande à l'abbesse Izu des nouvelles de Jiritsu, l'acolyte souffrant.

« Il est dans sa cellule ; on le soigne, répond l'abbesse. Il a de la fièvre et des tremblements. »

Plusieurs sœurs se mettent la main sur la bouche et murmurent, désemparées.

Pourquoi éprouver de la pitié envers un de vos geôliers ? brûle de leur dire Orito.

« Un livreur de Kurozane est mort de cette maladie : le pauvre Jiritsu a peut-être respiré les mêmes vapeurs. Maître Suzaku nous a demandé de prier pour le rétablissement de l'acolyte. »

La plupart des sœurs hochent la tête en approbation et promettent de le faire.

L'abbesse Izu assigne ensuite les tâches domestiques aux sœurs. « Sœurs Hatsune et Hashihime, vous continuerez le tissage de la veille. Sœur Kiritsubo balaiera les cloîtres. Sœur Umegae, vous filerez le lin en réserve. Les sœurs Minori et Yûgiri vous assisteront. Quand viendra l'heure du Cheval, vous irez dans le grand Sanctuaire et vous briquerez le sol. Étant porteuse d'un Présent, sœur Yûgiri pourra être dispensée de cette dernière tâche, si elle le souhaite. »

Voilà des paroles abjectes, songe Orito, *et qui expriment des idées tout aussi abominables.*

Toutes les têtes de la pièce se tournent vers elle : Orito a encore pensé tout haut.

« Les sœurs Hotaru et Sawarabi, poursuit l'abbesse, époussetteront la salle des prières, puis iront nettoyer les latrines. Les sœurs Asagao et Sadaie étant de corvée de cuisine, sœur Kagerô et notre néophyte » – l'abbesse darde sur Orito un œil cruel qui signifie : *Voyez donc cette fille de bonne famille qui doit désormais travailler comme une de ses anciennes servantes* – « iront à la blanchisserie. Si la sœur Yayoi se sent mieux, elle pourra se joindre à elles. »

La blanchisserie, une longue annexe de la cuisine, dispose de deux foyers destinés à chauffer l'eau, deux grandes cuves réservées au lavage du linge, et un étendoir en bambou où le linge est mis à sécher. Orito et Kagerô apportent des seaux remplis d'eau tirée du bassin situé dans la cour. Pour remplir chaque cuve, il faut faire au moins quarante ou cinquante voyages, sans compter que les deux femmes ne se parlent pas. Au début, ce travail épuisait la fille du *samurai*, mais désormais, ses jambes et ses bras se sont musclés et une peau calleuse recouvre les ampoules sur la paume de ses mains. Yayoi s'occupe d'alimenter les feux.

« Bientôt » – le gros rat est en équilibre sur la charrette aux ordures –, « ton ventre ressemblera au sien.

– Je ne laisserai pas l'occasion à ces chiens de poser la main sur moi, murmure Orito. Je serai partie.

– Ton corps ne t'appartient plus. » Le gros rat lui décoche un rictus. « Il appartient à la Déesse. »

Orito trébuche sur le seuil de la cuisine et renverse le seau d'eau.

« Je me demande comment on s'en sortait, avant toi, commente Kagerô avec froideur.

– De toute façon, le sol avait bien besoin d'être nettoyé. » Yayoi aide Orito à essuyer les dégâts.

Une fois l'eau assez chaude, Yayoi s'emploie à y brasser les couvertures et les chemises de nuit. Sandales de bois aux pieds, Orito transfère le linge trempé et pesant sur une sorte de table en pente munie d'un battant que Kagerô replie à fin d'essorage. Cette dernière étend ensuite le linge humide sur l'étendoir en bambou. À travers la porte de la cuisine, Sadaie raconte à Yayoi son rêve de la nuit. « On frappait au portail. Je suis sortie de ma chambre… C'était l'été, mais ça n'en donnait pas l'impression, et ce n'était ni la nuit ni le jour… Le Couvent était désert. Comme on frappait toujours, j'ai demandé : "Qui va là ?" et la voix d'un homme m'a répondu : "C'est moi, c'est Iwai." »

– Sœur Sadaie a accouché de son premier Présent l'année dernière, explique Yayoi à Orito.

– Né le cinquième jour du cinquième mois, dit Sadaie. Le Jour des Garçons. »

Cette date évoque aux femmes les cerfs-volants en forme de carpe et l'innocence des jours de fête.

« Alors l'Abbé Genmu l'a nommé Iwai, synonyme de "célébration", poursuit Sadaie.

– C'est la famille Takaishi qui l'a adopté, ajoute Yayoi, une famille de brasseurs de Takamatsu. »

Des volutes de vapeur cachent Orito. « Ah, je comprends. »

Asagao intervient : « Et la *fh*uite de ton rê*fh*e, *nh*a sœur ?

– Eh bien, continue Sadaie qui gratte une croûte de riz brûlé au fond d'une casserole, j'étais surprise qu'Iwai ait grandi si vite, et puis comme la Loi interdit aux Présents de revenir au mont Shiranui, j'avais peur qu'il ait des problèmes. Mais bon » – elle tourne la tête en direction de la salle des prières et baisse la voix –, « il fallait que je déverrouille le portail intérieur.

– Le *fh*errou était côté intérieur, tu dis ? l'interroge Asagao.

– Oui, je sais. Ça ne m'a pas frappée pendant mon rêve. Alors les portes se sont ouvertes... »

Yayoi glapit d'impatience. « Qu'as-tu vu, ma sœur ?

– Des feuilles mortes. Envolé, mon Présent. Envolé, Iwai. Rien que des feuilles mortes. Le vent les a emportées.

– Si *ça* » – Kagerô s'appuie de tout son poids sur le battant de la presse à linge –, « ce n'est pas de mauvais augure... »

L'assertion catégorique de Kagerô perturbe Sadaie. « Tu le penses vraiment, ma sœur ?

– Je ne vois pas comment un Présent qui se change en feuilles mortes pourrait être bon signe.

– Arrête, sœur Kagerô, intervient Yayoi qui brasse le contenu du chaudron. Tu vas faire de la peine à Sadaie.

– Oh, je vous dis juste » – Kagerô essore le linge – « ce que j'en pense.

– Tu *sh*aurais reconnaître la *fh*oix du *fh*ère d'Iwai ? demande Asagao à Sadaie.

– Mais oui, c'est ça, s'exclame Yayoi. Ce rêve, c'était un indice à propos du père d'Iwai. »

Même Kagerô manifeste de l'intérêt à l'égard de cette hypothèse. « Quels sont les moines qui t'ont porté l'Offrande ? »

L'intendante Satsuki pénètre dans la blanchisserie chargée d'une nouvelle caisse de noix de lavage.

Dans le crépuscule et l'air raréfié, les veines neigeuses qui marbrent le Pic nu virent au rose saumon sanguinolent, et l'étoile du berger semble aussi pointue qu'une aiguille. De la fumée et des odeurs de nourriture émanent de la cuisine. À l'exception des deux cuisinières de la semaine, les femmes ont un peu de temps libre en attendant maître Suzaku, qui arrive avant le dîner. Orito parcourt les cloîtres dans le sens inverse des aiguilles d'une montre, tentant de faire oublier à son corps son impérieux besoin de Réconfort. Plusieurs sœurs sont réunies dans la pièce longue et se blanchissent mutuellement le visage ou se noircissent les dents. Yayoi se repose dans sa cellule. Minori, la sœur aveugle, apprend à Sadaie comment jouer « Huit lieues sur le col d'une montagne » au *koto*. Umegae, Hashihime et Kagerô font elles aussi de l'exercice, parcourant les cloîtres dans le sens des aiguilles d'une montre. Quand elle les croise, Orito doit s'écarter. Pour la millième fois depuis son enlèvement, Orito se lamente de n'avoir pas de quoi écrire. Elle sait bien que les lettres destinées au monde extérieur sont proscrites, et plutôt brûler ses écrits qu'exposer ses pensées à la vue de tous. *Mais un pinceau est le passe-partout de l'esprit en captivité,*

songe-t-elle. L'abbesse Izu a promis de lui offrir un nécessaire à écrire une fois qu'Orito sera porteuse d'un Présent.

Comment, après avoir enduré une épreuve de la sorte, frémit Orito, *trouverai-je la force de vivre ?*

Orito franchit le coin suivant : de rose, le Pic nu a viré au gris.

Elle pense aux douze femmes du Couvent qui trouvent bien cette force, elles.

La sœur néophyte songe à celle qui l'a précédée, et qui s'est pendue.

« L'orbite de Vénus, lui racontait son père, suit le sens des aiguilles d'une montre. Toute sa fratrie de planètes tourne autour du Soleil dans le sens inverse... »

... Mais le souvenir de son père est chassé par une série de « si » railleurs.

Umegae, Hashihime et Kagerô forment un mur mouvant de *kimono* molletonnés.

Si Enomoto ne m'avait jamais vue ou n'avait pas choisi de m'ajouter à sa collection...

Orito entend le *tchac tchac tchac* des couteaux en cuisine.

Si ma belle-mère était cette femme pleine de compassion qu'elle prétend être...

Orito doit se coller au panneau de bois pour les laisser passer.

Si Enomoto ne s'était jamais porté garant des emprunts de Père auprès de ses créanciers...

« Certaines parmi nous ont été si bien éduquées, fait remarquer Kagerô, qu'elles pensent que le riz pousse sur des arbres. »

Ou si Jacob de Zoet avait su que j'étais à la porte-de-terre de Dejima, lors de mon dernier jour de liberté...

Les trois femmes passent, traînant l'ourlet de leur vêtement sur les planches du sol.

Le V de l'alphabet néerlandais formé par des oies traverse le ciel ; dans la forêt, un singe pousse un cri perçant.

Mieux vaut le sort d'épouse de Dejima, juge Orito, *protégée par l'argent d'un étranger…*

Perché sur le vieux pin, un oiseau de montagne brode un chant complexe.

… que ce qui m'attend pendant la semaine des Offrandes si je ne parviens pas à m'échapper.

Alimentant le bassin, le ruisseau entre et ressort de la cour via un canal aménagé sous le plancher surélevé du cloître. Orito se colle au panneau de bois.

« Elle s'imagine qu'un nuage magique viendra l'emporter loin d'ici… », dit Hashihime.

Les étoiles pollinisent les rives du fleuve du Paradis, germent et fleurissent.

Les Européens la nomment « Voie lactée », se rappelle Orito. Son père et sa voix douce lui reviennent. « Voici Umihebi, le Serpent de mer ; là Tokei, l'Horloge. Et là-bas, c'est Ite, l'Archer… » Elle sent son odeur chaude. « Et là, au-dessus, c'est Ranshinban, le Compas… »

Le verrou du portail intérieur se libère : « On ouvre les portes ! »

Toutes les sœurs entendent cette annonce. Toutes pensent : *maître Suzaku.*

Les sœurs se rassemblent dans la pièce longue, habillées de leurs plus beaux vêtements, sauf Sadaie et Asagao, qui préparent toujours le dîner, et Orito, qui ne possède que le *kimono* de travail qu'elle portait quand on l'a capturée, un *hakata*, chaude veste matelassée, et deux fichus. Même les sœurs de rang inférieur telles que Yayoi ont déjà deux ou trois *kimono* de bonne qualité – un pour chaque enfant né – ainsi que de modestes colliers et peignes en bambou. Année après année, les sœurs supérieures comme Hatsune et Hashihime ont acquis une garde-robe digne de l'épouse d'un puissant marchand.

Sa soif de Réconfort a beau la harceler sans relâche, Orito sera pourtant celle qui attendra le plus longtemps. Chacune à son tour, selon l'ordre défini par la Liste de Préséance, les sœurs sont appelées à rejoindre la salle carrée, où Suzaku donne ses consultations et administre ses potions. Suzaku passe deux ou trois minutes avec chaque patiente ; les menus détails de leurs maux et les pensées qu'ils inspirent au maître exercent sur certaines sœurs une fascination que seules les lettres du Nouvel An parviennent à détrôner. La première sœur Hatsune ressort de sa consultation en annonçant que la fièvre de l'acolyte Jiritsu a empiré : d'après le maître Suzaku, il ne passera pas la nuit.

La plupart des sœurs expriment leur désarroi.

« Nos maîtres et leurs acolytes sont si rarement malades… », assure Hatsune.

Orito se surprend à se demander quels fébrifuges lui ont été administrés, avant de se reprendre : *Je n'ai que faire de son état.*

Les femmes échangent déjà des souvenirs de Jiritsu au passé.

Plus tôt que ne s'y attendait Orito, Yayoi lui met la main sur l'épaule. « C'est ton tour. »

« Comment se porte donc notre sœur néophyte, ce soir ? » Le maître Suzaku semble être constamment sur le point d'éclater d'un rire qui ne vient jamais. La chose est d'un effet sinistre. L'abbesse Izu et un acolyte occupent chacun un coin de la pièce.

Orito lui livre sa réponse habituelle : « Comme vous le voyez, je suis en vie.

— A-t-on déjà rencontré » — Suzaku désigne le jeune homme — « l'acolyte Chûai ? »

Kagerô et les sœurs les plus mesquines surnomment Chûai « le Crapaud boursouflé ».

« Bien sûr que non. » Orito ne regarde même pas l'acolyte.

« La première neige » — Suzaku clappe — « n'affecte pas notre constitution ? »

Ne lui réclame pas de Réconfort. « Non », lui répond-elle. *Il aime tant cela.*

« Nous n'avons donc pas de symptômes à signaler ? Douleurs ? Saignements ? »

À ses yeux, le monde n'est qu'une vaste plaisanterie dont il est l'auteur. « Rien.

— Constipation ? Diarrhée ? Hémorroïdes ? Mycoses ? Migraines ?

— S'il y a une chose dont je souffre, lâche Orito harcelée par ces provocations, c'est de mon incarcération. »

Suzaku sourit à l'acolyte Chûai et à l'abbesse. « Nos liens avec le Monde d'en bas nous mutilent tel un fil de fer. Coupe ces liens et tu seras aussi libre que tes chères sœurs.

— Mes "chères sœurs", comme vous dites, ont été arrachées à des bordels et des montreurs de phénomènes, et peut-être qu'ici, la vie leur est meilleure. Pour ma part, j'ai perdu davantage, et Enomoto » – l'abbesse Izu et l'acolyte Chûai grimacent de l'entendre prononcer le nom de l'Abbé avec tant de mépris – « n'a même pas daigné se confronter à moi depuis qu'il m'a achetée. Et ne vous avisez pas » – Orito se retient de pointer Suzaku du doigt, tel un Néerlandais furieux – « de me débiter vos lieux communs sur le destin et l'équilibre divin. Contentez-vous de me donner mon Réconfort. S'il vous plaît. Les autres ont faim.

— La sœur néophyte, intervient l'abbesse, ne s'imagine tout de même pas qu'elle est en mesure d'adresser ses… »

Suzaku l'interrompt d'un respectueux geste de la main. « Montrons-lui un tant soit peu d'indulgence, abbesse, bien qu'elle ne le mérite pas. Il est souvent plus aisé d'apprivoiser un esprit réfractaire par la gentillesse. » Le moine verse un liquide trouble dans une coupelle en pierre de la taille d'un dé à coudre.

Vois avec quelle minutie et quelle lenteur il agit, afin d'intensifier ta soif…, pense-t-elle.

Orito empêche sa main de se précipiter sur la coupe déposée sur le plateau qui lui est présenté.

Elle se détourne pour boire, dissimulant derrière le revers de sa manche la trivialité de ce geste.

« Quand tu porteras un Présent, lui promet Suzaku, ton sentiment d'appartenance grandira. »

Jamais, se dit Orito. *Jamais*. Sa langue absorbe le liquide huileux...

... puis son cœur bat plus vite, ses artères se dilatent et un sentiment de bien-être envahit ses articulations.

« La Déesse ne t'a pas choisie, déclare l'abbesse Izu. C'est toi qui as choisi la Déesse. »

Des flocons de neige chauds se déposent sur la peau d'Orito et murmurent en fondant.

Tous les soirs, la fille du docteur brûle de demander à Suzaku la composition du Réconfort. Tous les soirs, elle s'en empêche. *Cette question* – elle le sait bien – *marquerait le début d'une conversation, premier pas vers la résignation...*

« Ce qui est bon pour le corps, dit Suzaku en s'adressant à la bouche d'Orito, est bon pour l'âme. »

Comparé au petit-déjeuner, le dîner a des allures de fête. Après une brève bénédiction, l'intendante Satsuki et les sœurs mangent du *tofu* enrobé de pâte à *tempura* et frit avec de l'ail puis roulé dans le sésame, de l'aubergine vinaigrée, des pilchards et du riz blanc. Même les sœurs les plus hautaines se rappellent leurs jours de roturières où ce régime quotidien n'était qu'un rêve inaccessible ; aussi en savourent-elles chaque bouchée. L'abbesse est repartie avec maître Suzaku afin de dîner en compagnie de maître Genmu : l'atmosphère dans la pièce longue est détendue. Une fois les couverts débarrassés et lavés, les sœurs fument leurs pipes autour de la table, se racontent des histoires, jouent au mah-jong, relisent ou font relire à haute voix leurs lettres du Nouvel An, et écoutent Hatsune jouer de son *koto*. Les effets du Réconfort s'amenuisent plus tôt chaque soir, remarque Orito. Comme à son habitude, elle quitte l'assemblée sans dire bonsoir. *Attends un peu qu'elle porte un Présent*, entend-elle les autres penser. *Attends un peu que son ventre soit aussi gros qu'un rocher, quand elle nous demandera de l'aider à frotter, apporter, soulever.*

De retour dans sa cellule, Orito constate que quelqu'un a allumé le feu pour elle. *Yayoi.*

Le mépris d'Umegae ou l'hostilité de Kagerô stimulent son rejet du Couvent.

Mais la gentillesse de Yayoi, redoute-t-elle, *rend la vie d'ici plus supportable…*

… et la rapproche du jour où le mont Shiranui deviendra sa maison.

Qui sait si Yayoi ne se comporte pas ainsi à la demande de Genmu ? s'interroge-t-elle.

Orito, inquiète et tremblante dans l'air glacé, se nettoie à l'aide d'un linge.

Sous ses couvertures, étendue sur le côté, elle plonge son regard dans le paysage du feu.

Les branches du plaqueminier croulent sous les kakis mûrs. Ceux-ci brillent dans le crépuscule.

Un cil perdu dans le ciel grossit et se transforme en héron. L'oiseau dégingandé descend.

Ses yeux sont verts et ses cheveux, roux. Orito a peur de son grand bec maladroit.

Le héron dit – en néerlandais, bien entendu : *Vous êtes belle.*

Orito ne souhaite ni l'encourager ni lui faire de peine.

Elle se retrouve alors dans la cour du Couvent : elle entend Yayoi grogner.

Les feuilles mortes volent, pareilles à des chauves-souris ; les chauves-souris volent, pareilles à des feuilles mortes.

Mais comment m'échapper ? Désemparée, sa question ne s'adresse à personne. *La grande porte est verrouillée.*

Depuis quand, la taquine le matou gris comme la lune, *les chats ont-ils besoin de clés ?*

Je n'ai pas le temps – l'exaspération lui noue la gorge – *d'écouter tes énigmes.*

D'abord, persuade-les que tu es heureuse ici, lui conseille le chat.

Pourquoi leur offrirais-je cette satisfaction illusoire ? demande-t-elle.

Car c'est seulement à ce prix qu'ils cesseront de te surveiller, lui répond l'animal.

XVI

Académie Shirandô,
résidence Ôtsuki de Nagasaki

Le vingt-quatrième jour du dixième mois,
au coucher du soleil

«J'en conclus» – Yoshida Hayato, l'auteur encore vaillant d'une savante monographie portant sur l'âge véritable de la Terre, scrute son auditoire constitué de quatre-vingts voire quatre-vingt-dix érudits – «que cette croyance communément répandue selon laquelle le Japon est une imprenable forteresse n'est qu'une dangereuse illusion. Honorables académiciens, notre pays n'est plus qu'un corps de ferme délabré dont les murs s'effritent et le toit s'écroule, et que ses voisins convoitent.» Une maladie des os ronge Yoshida : projeter sa voix dans l'immense Salle aux soixante *tatami* est épuisant. «Au nord-ouest de notre pays, à une demi-journée de traversée depuis l'île de Tsushima, vit l'orgueilleux peuple de Corée. Qui pourra oublier les provocations inscrites sur les étendards que leur dernière délégation exhibait? "Inspectorat des dominions" et "Nous sommes la pureté", ce qui, évidemment, implique "Et pas vous"!»

Plusieurs érudits manifestent leur accord en maugréant.

«Au nord-est s'étend le vaste domaine d'Ezo, pays des farouches Ainu et de ces Russes qui ont cartographié nos côtes et prétendent que Karafuto leur appartient. Sakhaline, nomment-ils cette île.

Voilà déjà douze ans qu'un Français, un certain… » – les lèvres de Yoshida s'apprêtent à prononcer le patronyme – « … La Pérouse, a baptisé de son nom le détroit qui sépare Ezo de Karafuto ! Les Français toléreraient-ils l'existence d'un détroit Yoshida au large de leurs côtes ? » L'argument, qui fait mouche, est salué. « Les récentes incursions menées par les capitaines Benyowsky et Laxman sont annonciatrices d'un avenir proche dans lequel les Européens en errance ne se contenteront plus de réclamer des vivres, mais demanderont à établir des comptoirs commerciaux, des quais de débarquement, des réserves, des fortifications pour leurs ports, des traités inégaux. Les colonies pousseront comme du chiendent. Seulement alors comprendrons-nous que notre imprenable forteresse n'était qu'une vue de l'esprit et que nos mers ne sont pas les "infranchissables douves" que l'on croyait, mais plutôt, comme l'écrivait mon collègue visionnaire Hayashi Shihei, "une route océane dépourvue de frontières qui relie la Chine, la Hollande et le pont Nihonbashi d'Edo". »

Dans l'auditoire, certains acquiescent et d'autres paraissent soucieux.

Hayashi Shihei, se souvient Ogawa Uzaemon, *est mort assigné à résidence, à cause de ses écrits.*

« Mon allocution est terminée. » Yoshida s'incline. « Je remercie l'Académie Shirandô de son aimable attention. »

Ôtsuki Monjurô, le directeur barbu de l'Académie, hésite à lui poser des questions, mais le docteur Maeno, très respecté, se racle la gorge et lève son éventail. « D'abord, je souhaite remercier Yoshida-*san* d'avoir partagé avec nous ses stimulantes pensées. Deuxièmement, je désirerais savoir comment nous pourrions nous prémunir au mieux des menaces énoncées. »

Yoshida boit une gorgée d'eau chaude et prend une grande inspiration.

À cette question, se dit Uzaemon, *mieux vaut donner une réponse évasive.*

« Par la création d'une flotte japonaise, de deux grands arsenaux et d'une académie où des instructeurs venus de l'étranger formeront des architectes navals, des armuriers, des officiers et des marins japonais. »

L'auditoire ne s'attendait pas à entendre l'audacieuse vision de Yoshida.

L'algébriste Awatsu est le premier à retrouver ses esprits. « Rien de plus ? »

L'ironie d'Awatsu fait sourire Yoshida. « Que non pas ! Il nous faut une armée nationale conçue sur le modèle français. Une armurerie capable de reproduire les derniers fusils de Prusse. Un empire qui s'étend à l'étranger. Si nous voulons éviter de devenir une des colonies de l'Europe, ce sont nos propres colonies que nous devrons établir.

— Mais pour ce faire, Yoshida-*san*, lui objecte le docteur Maeno, il faudrait… »

… *un gouvernement et un Japon entièrement réformés*, pense Uzaemon.

Un chimiste jusqu'alors inconnu de l'interprète émet une suggestion : « Une délégation commerciale à Batavia ? »

Yoshida secoue la tête. « Batavia n'est qu'une fosse d'aisances, et quoi que les Néerlandais nous disent, la Hollande n'est qu'un pion. La France, l'Angleterre, la Prusse ou les États-Unis et leur dynamisme doivent être nos professeurs. Il nous faut envoyer deux cents des plus brillants et plus aptes de nos savants — ce qui m'exclut d'emblée, dit-il en souriant — vers ces pays afin qu'ils y apprennent les différents arts de l'industrie. À leur retour, ils diffuseront leur savoir librement aux esprits les plus doués issus de toutes les couches de la société, et c'est ainsi que nous pourrons nous atteler à bâtir une véritable "imprenable forteresse". »

Haga, un apothicaire au nez simiesque, soulève l'objection à laquelle tout le monde pense : « Mais le décret dit "de la Nation isolée" interdit à tout sujet de quitter le Japon, sous peine de mort. »

Même Yoshida Hayato n'osera suggérer son abrogation, estime Uzaemon.

« D'où la nécessité » – Yoshida Hayato paraît très calme – « de son abrogation. »

Cette déclaration provoque des objections motivées par la crainte ainsi que plusieurs fébriles signes d'approbation.

Ne faudrait-il pas que quelqu'un le protège de lui-même ? signifie le regard que lance l'interprète Arashiyama à Uzaemon.

Il est en train de mourir, se dit Uzaemon. *Il est maître de ses décisions.*

« Yoshida-*san* calomnie le Troisième Shogun…, lance Haga l'apothicaire.

– … avec qui on ne débat pas, le rejoint le chimiste. Car c'est une déité !

– Yoshida-*sama* est un patriote et un visionnaire, riposte Ômori, un peintre de style néerlandais. Sa voix doit être entendue !

– Notre société de savants, dit Haga en se levant, a pour vocation de philosopher sur la Nature…

– … et non pas sur les questions d'État, le soutient un forgeron d'Edo. Il ne faut donc…

– Tout est philosophie, déclare Ômori, sauf ce que la peur décide d'exclure de cette discipline.

– Doit-on en conclure que quiconque se trouve en désaccord avec vous n'est qu'un lâche ? l'interroge Haga.

– Le Troisième Shogun a fermé les frontières du pays afin de se prémunir des rébellions chrétiennes, argumente Aodo, un historien. Mais cette décision aura eu pour effet de plonger le Japon dans un bain de vinaigre, telle une curiosité mise en bocal ! »

Le vacarme éclate ; le directeur Ôtsuki frappe deux bâtons l'un contre l'autre afin de faire revenir le calme.

Lorsque l'ordre est à peu près rétabli, Yoshida obtient la permission de répondre à ses détracteurs. « Le décret de la Nation isolée avait sa raison d'être à l'époque du Troisième Shogun. Mais le monde est aujourd'hui façonné par de nouveaux instruments de pouvoir. Les rapports néerlandais et les sources chinoises nous adressent une sérieuse mise en garde. Dans le meilleur des cas, les peuples qui n'acquièrent pas ces instruments sont assujettis aux autres, comme les Indiens. Sinon, ils sont exterminés, comme les habitants de la Terre de Van Diemen.

– Je ne remets pas en cause la loyauté de Yoshida-*san*, concède Haga. Ce dont je doute est la probabilité de voir débarquer à Edo ou Nagasaki une armada de navires de guerre européens. Vous préconisez des changements radicaux au sein de notre État, mais tout cela pourquoi ? Pour parer aux attaques d'un fantôme. Pour répondre à de simples spéculations.

– Le présent est un champ de bataille » – Yoshida se tient aussi droit que possible – «où plusieurs spéculations concurrentes se disputent la réalité future. Comment une spéculation donnée triomphe-t-elle de ses adversaires ? Si l'on répond… » – une quinte de toux saisit l'homme malade – « … Si l'on répond à cette question : "Par le pouvoir des armes et de la politique, bien entendu !" on se détourne de la raison première. Car qu'est-ce qui gouverne la pensée des puissants ? Les convictions. Des convictions ignobles ou utopistes. Démocratiques ou confucéennes. Occidentales ou orientales. Modérées ou radicales. Lucides ou démentes. Les convictions informent le pouvoir que c'est ce chemin-ci qu'il faut emprunter, et pas un autre. Mais la matrice des convictions, quelle est-elle ? Ou plutôt, où se trouve-t-elle ? Quel est le creuset de l'idéologie ? Où réside-t-il ? Je vous le dis, académiciens de Shirandô : ce creuset, c'est nous. Nous sommes cette matrice. »

On profite de la première pause pour allumer les lanternes, alimenter les braseros qui chassent le froid, et attiser gentiment les conversations. Les interprètes Uzaemon, Arashiyama et Goto Shinpachi s'asseyent auprès de cinq ou six autres académiciens.

L'algébriste Awatsu s'excuse de déranger Uzaemon, «mais j'espérais entendre que l'état de santé de votre père s'était amélioré…

— Il est toujours alité, répond Uzaemon, cependant il trouve encore le moyen d'imposer sa volonté.»

Ceux qui connaissent Ogawa l'Ancien, interprète du premier ordre, sourient pour eux-mêmes.

«Quel est le mal qui ronge ce noble personnage?» Yanaoka est un médecin de Kumamoto au teint rougi par le *sake*.

«Le docteur Maeno pense que Père souffre d'un cancer de…

— Un diagnostic bien compliqué à établir, c'est connu. Venez me consulter demain.

— C'est très gentil de la part du docteur Yanaoka, mais Père est très difficile et ne se laisse pas…

— Voyons, cela fait vingt ans que je connais ton honorable père.»

Oui, songe Uzaemon, *et cela en fait quarante que lui te méprise.*

«"Trop de capitaines à bord, cite Awatsu, et vogue le navire jusqu'au sommet de la montagne." Je suis certain que le docteur Maeno effectue un excellent travail. J'irai prier pour le prompt rétablissement de votre père.»

Les autres promettent de faire de même, et, comme il est d'usage, Uzaemon exprime sa gratitude.

«Il est un autre visage qui manque à ces lieux, relève Yanaoka. Celui, brûlé, de la fille du docteur Aibagawa.

— J'en déduis que vous n'êtes pas au courant de l'heureuse destinée qui s'est offerte à elle? dit l'interprète Arashiyama. Les finances du défunt docteur étaient dans un état si lamentable qu'il était question pour la veuve de perdre sa maison. Quand le Seigneur-Abbé Enomoto a été instruit des difficultés que traversait la famille, non seulement il a remboursé la dette jusqu'à son dernier *sen*, mais, de plus, il a trouvé une place pour la fille du docteur dans son Couvent du mont Shiranui.

— Je ne vois pas ce qu'il y a d'"heureux" à cette destinée-là.»

Uzaemon regrette déjà d'avoir ouvert la bouche.

« Un bol de riz assuré chaque jour, dit Ozono, le chimiste trapu, contre quelques sutras ? Pour une femme que cette vilaine brûlure condamne à rester vieille fille, c'est un destin miraculeux ! Oh, je sais bien que son père l'encourageait à singer les médecins, mais enfin, il faut comprendre la veuve. À quoi bon laisser la fille d'un *samurai* jouer les accoucheuses et fréquenter des Néerlandais en sueur ? »

Uzaemon s'ordonne de se taire.

Banda est un truculent ingénieur venu de la région marécageuse de Sendai. Il intervient : « Au cours de mon séjour à Isahaya, on m'a rapporté de drôles de choses au sujet du Sanctuaire de l'Abbé Enomoto.

– À moins que vous ne vouliez jeter l'opprobre sur un ami proche de Matsudaira Sadanobu et un illustre membre de Shirandô, le met plaisamment en garde Awatsu, vous devriez oublier ces bruits qui courent sur le Sanctuaire du Seigneur Enomoto. Les moines y mènent une vie de moines, et les nonnes, une vie de nonnes. »

Uzaemon aimerait écouter ces rumeurs que tait Banda, et redoute aussi de les entendre.

« D'ailleurs, où est le Seigneur-Abbé Enomoto, ce soir ? s'interroge Yanaoka.

– À Miyako, répond Awatsu. Il y règle un obscur problème d'ordre clérical.

– À la cour de Kashima, annonce Arashiyama. Il y rend justice, j'ai ouï dire.

– Il paraîtrait qu'il est sur l'île de Tsu, intervient Ozono, afin d'y rencontrer des commerçants coréens. »

La porte coulissante s'ouvre : un chaleureux brouhaha s'engouffre dans le hall.

Le docteur Marinus et Sugita Genpaku, qui figure parmi les plus admirés des érudits en sciences néerlandaises encore vivants, se tiennent devant le seuil. À moitié estropié, le docteur Marinus s'aide de sa canne ; le vieux Sugita s'appuie sur un jeune domestique. Les deux se lancent dans une joute verbale afin de déterminer qui entrera en premier. Ils décident de régler la question par une partie de « Pierre, feuille, ciseau ». Marinus gagne mais se sert de cette victoire pour que Sugita le précède.

« Regardez-moi cet étranger ! s'exclame Yanaoka qui tend le cou. Vous avez vu ses cheveux ? »

Ogawa Uzaemon voit Jacob se cogner le sommet du crâne au chambranle.

« Il y a tout juste trente ans » – Sugita s'assied sur l'estrade réservée aux orateurs –, « le Japon ne comptait que trois érudits en sciences néerlandaises et un seul livre. Le vieil homme que vous avez devant vous, le docteur Nakagawa Jun'an et mon cher ami le docteur Maeno, dont les découvertes les plus récentes » – les doigts de Sugita s'enroulent autour de sa barbe blanche effilochée – « incluent vraisemblablement l'élixir de l'immortalité, car il n'a pas pris une ride. »

Le docteur Maeno hoche la tête, tout à la fois embarrassé et ravi.

« Quant au livre, poursuit Sugita, il s'agissait de *Tafel Anatomia*, de Kulmus, ouvrage imprimé en Hollande. J'avais eu l'occasion de le parcourir lors de ma première visite à Nagasaki. Je désirais ce livre de tout mon être, mais, au vu du prix demandé, il ne m'était guère plus accessible que la Lune. Mon clan en fit l'acquisition en mon nom, et cet acte détermina mon destin. » Sugita marque une pause puis écoute avec une attention toute professionnelle comment l'interprète Shizuki traduit ses propos à Marinus et de Zoet.

Uzaemon a évité de se rendre à Dejima depuis le départ du *Shenandoah* et s'efforce de ne pas croiser le regard de de Zoet. Pour Uzaemon, ses remords vis-à-vis du sort d'Orito sont irrémédiablement associés au Néerlandais.

« Maeno et moi emportâmes *Tafel Anatomia* sur la place de

Grève d'Edo, poursuit Sugita, où une prisonnière surnommée "la-vieille-Madame-Thé" a été condamnée à une lente strangulation pour avoir empoisonné son mari. » Shizuki bute sur «strangulation» : il décide de mimer l'action. «Nous passâmes un accord : en contrepartie d'une indolore décapitation, elle nous autorisa à disposer de son corps et à effectuer la première dissection médicale de l'histoire du Japon, puis promit par écrit de ne pas revenir nous hanter… En comparant les organes internes du sujet et l'illustration de l'ouvrage, nous vîmes, à notre grande stupéfaction, que les sources chinoises qui avaient prévalu dans notre apprentissage étaient d'une grossière inexactitude. Il n'y avait ni "oreilles des poumons", ni "reins à sept lobes", et les intestins étaient bien différents de la description qu'en faisaient les sages de jadis…»

Sugita attend que Shizuki le rattrape.

De Zoet semble encore plus amaigri qu'à l'automne dernier, constate Uzaemon.

«… les planches de mon *Tafel Anatomia* correspondent précisément à notre corps disséqué, si bien que les Drs Maeno, Nakagawa et moi-même fûmes d'un seul et même avis : la médecine des Européens surpasse celle des Chinois. Alors qu'aujourd'hui, chaque grande ville compte une école de médecine néerlandaise, cette affirmation semble aller de soi. Mais il y a trente ans, l'idée était parricide. Pourtant, bien qu'à nous trois, nous ne cumulions que quelques centaines de mots, nous nous résolûmes à traduire *Tafel Anatomia* en japonais. Certains parmi vous ont peut-être entendu parler du *Kaitai Shinsho*? »

L'auditoire savoure cet euphémisme.

Shizuki traduit «parricide» en néerlandais par «grand crime».

«Notre mission était formidable. » Sugita hausse ses sourcils blancs et broussailleux. «Nous passions souvent plusieurs heures à chercher un simple mot pour finalement découvrir qu'il n'existait pas d'équivalent japonais. Nous inventions des mots que notre peuple» – la vanité n'épargne pas le vieil homme – «utilisera à jamais. À titre d'exemple, j'ai conçu le mot *"shinkei"* pour le néerlandais "nerf" alors que nous dînions d'huîtres. Nous étions, comme l'énonce le proverbe, "le chien qui aboie au vent et à qui mille autres chiens répondent"... »

Au cours de la dernière pause, Uzaemon va se cacher dans ce qui s'apparente à un jardin d'hiver dans la cour, pour ne pas avoir affaire à de Zoet. À une plainte inhumaine jaillissant dans la Salle aux soixante *tatami* succèdent des rires effarés : le directeur Ôtsuki fait une démonstration de la cornemuse qu'il a acquise plus tôt cette année auprès d'Arie Grote. Uzaemon s'assied sous un gigantesque magnolia. Il n'y a pas d'étoiles dans le ciel et le jeune homme se remémore cet après-midi où, il y a un an et demi de cela, il demanda à son père s'il voyait en Aibagawa Orito une possible épouse. « Le docteur Aibagawa est un savant remarquable, mais ses dettes le sont encore davantage, m'a-t-on rapporté. Et il y a pire : imagine que sa fille transmette à mes petits-enfants son visage roussi. La réponse ne peut qu'être négative. Si toi et sa fille avez partagé des... sentiments » – à l'expression sur son visage, on aurait cru que le père venait de sentir une mauvaise odeur –, « révoque-les sans plus attendre. » Uzaemon le pria de ne pas rejeter d'emblée l'idée de leurs éventuelles fiançailles, mais Ogawa l'Ancien écrivit une lettre scandalisée au père d'Orito. Le serviteur revint avec une courte note du docteur, qui le pria de l'excuser du trouble qu'avait provoqué sa fille trop gâtée, et lui assura que le sujet était clos. Cette journée lugubre se conclut quand Uzaemon reçut d'Orito une lettre clandestine, la plus courte que leur correspondance secrète ait connue. Elle s'achevait sur ces mots : « Je ne pourrais jamais souffrir que votre père vînt à regretter votre adoption... »

L'« incident Aibagawa » incita les parents d'Uzaemon à lui trouver une épouse. Une entremetteuse connaissait à Karatsu une famille de rang inférieur qui tirait cependant de riches profits de son commerce de teintures et recherchait un beau-fils lui donnant accès au bois de sapan importé à Dejima. On organisa des rencontres en vue de l'*omiai*, et le père d'Ogawa indiqua à son fils que la fille serait une épouse acceptable. On les maria le jour du Nouvel An, à une heure jugée propice par l'astrologue de la famille. *On en attend toujours les faveurs*, constate Uzaemon. Sa femme a fait une deuxième fausse couche il y a quelques jours à peine, un malheur que son père et sa mère ont attribué respectivement à sa «désinvolture» et à son «manque de volonté». La mère d'Uzaemon met un point d'honneur à rendre la vie dure à sa belle-fille, à l'instar de ce qu'elle a vécu quand, jeune mariée, elle arriva à la demeure des Ogawa. *J'ai de la pitié pour mon épouse*, admet Uzaemon, *mais la plus mauvaise partie de moi-même ne lui pardonne pas de ne pas être Orito*. Sur ce que la sage-femme endure au mont Shiranui, Uzaemon ne peut que spéculer : l'isolement, la monotonie, le froid, la douleur liée à la disparition de son père et de cette vie qu'on lui a volée, et sans doute aussi le mépris que lui inspirent les savants de l'Académie Shirandô, qui voient en son ravisseur un grand bienfaiteur. Et si Uzaemon interrogeait Enomoto, le plus éminent mécène de Shirandô, à propos du sort de la néophyte de son Sanctuaire ? La chose serait contraire à l'étiquette et déclencherait à coup sûr un scandale : ce serait l'accuser à demi-mot de malfaisance. Mais enfin, le mont Shiranui est aussi fermé aux requêtes provenant des autres domaines que le Japon est fermé au monde. Sans aucune garantie qu'Orito se porte bien, l'imagination d'Uzaemon le tourmente tout autant que sa mauvaise conscience. Alors que le docteur Aibagawa était à l'article de la mort, Uzaemon avait espéré qu'en encourageant – ou, du moins, en ne décourageant pas – Jacob de Zoet de se proposer comme époux temporaire, il se serait assuré qu'Orito pourrait rester à Dejima. Par anticipation, Uzaemon avait songé que le temps viendrait où Jacob repartirait du Japon ou bien, comme tous les étrangers, qu'il finirait par se lasser de son trophée et qu'elle serait alors encline à accepter la protection d'Uzaemon et deviendrait sa deuxième épouse. « Faible, dit-il au magnolia, bravache, buté…

– Buté ? Qui donc ? » Les foulées d'Arashiyama font crisser les galets.

« Yoshida-*sama* et ses provocations. Il a tenu de dangereux propos. »

Arashiyama se pelotonne, cherchant à se protéger du froid. « Il neige en montagne, paraît-il. »

La culpabilité vis-à-vis d'Orito me suivra tel un chien pour le restant de mes jours, redoute Uzaemon.

« C'est Ôtsuki-*sama* qui m'envoie, dit Arashiyama. Le docteur Marinus est prêt ; si nous voulons souper, il nous faudra chanter. »

« L'antique peuple d'Assyrie » – Marinus s'assied en plaçant sa jambe inerte de façon incongrue – « se servait de verre bombé pour allumer un feu. À Syracuse, Archimède le Grec, peut-on lire, a détruit la flotte romaine de Marc Aurèle à l'aide de gigantesques miroirs ardents, et l'on rapporte que l'empereur Néron se servait d'une lentille pour corriger sa myopie. »

Uzaemon explique ce qu'est l'Assyrie et ajoute « l'île de » devant « Syracuse ».

« L'Arabe Ibn al-Haytham, poursuit le docteur, que les traducteurs du latin ont rebaptisé Alhazen, a écrit son *Traité d'optique* il y a huit siècles. L'Italien Galilée et le Néerlandais Lippershey, s'appuyant sur les découvertes d'al-Haytham, ont inventé les instruments que, de nos jours, nous appelons microscope et télescope. »

Arashiyama se fait répéter le nom arabe avant de livrer sa traduction avec assurance.

« La lentille, son cousin le miroir et les principes mathématiques qui les régissent ont connu une longue évolution dans le temps et l'espace. À force de percées successives, les astronomes peuvent désormais observer, par-delà Saturne, Georgium Sidium, une planète récemment découverte et invisible à l'œil nu. Les zoologues sont à même d'admirer le véritable portrait du plus fidèle compagnon de l'homme…

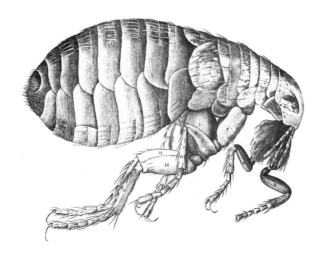

… le *Pullex irritans*. » Un des séminaristes de Marinus montre l'illustration tirée de la *Micrographie* de Hooke, décrivant lentement un arc de cercle, tandis que Goto traduit les propos du docteur. Les savants ne relèvent pas qu'il a omis à dessein les « percées successives », locution qu'Uzaemon ne comprend pas, lui non plus.

Sur le côté, à quelques mètres seulement, de Zoet observe la scène. Quand Uzaemon y a pris place, les deux ont échangé un bref « Bonsoir », mais le Néerlandais, délicat, a senti la réserve de l'interprète et ne s'est pas davantage imposé. *Peut-être aurait-il été un bon époux envers Orito.* La jalousie et le regret entachent la pensée magnanime d'Uzaemon.

Marinus jette un œil à travers la fumée qu'illuminent les lampes. Uzaemon se demande si ses discours sont toujours écrits à l'avance ou bien s'il capture les mots qui passent dans l'atmosphère lourde au petit bonheur. «Microscopes et télescopes sont les fruits de la science. Leur utilisation par l'homme et, si elle y est autorisée, par la femme fait fructifier la science, et les mystères de la création se dévoilent dans des mesures jusqu'alors inimaginables. C'est ainsi que le champ des connaissances scientifiques s'élargit, s'approfondit et se dissémine, notamment grâce à l'imprimerie – autre invention de la science – ses spores et ses graines parviennent à germer, même à l'intérieur de cet empire cloîtré.»

Uzaemon s'efforce au mieux de traduire cette tirade, mais la tâche est difficile. Le terme néerlandais «semence» n'a sans doute rien à voir avec «disséminer», ce verbe qui lui est inconnu. Goto Shinpachi devine l'embarras de son collègue et lui suggère «distribuer». Uzaemon suppose que «germer» signifie «être accepté», mais les regards suspects de l'auditoire de l'Académie Shirandô le mettent en garde : *Si nous ne comprenons pas l'orateur, la faute incombe à l'interprète.*

«La science opère» – Marinus gratte son large cou –, «année après année, une transformation sur elle-même. Alors que, par le passé, l'homme était le sujet et la science son objet, il me semble aujourd'hui que ce rapport tend à s'inverser. La science, messieurs, commence tout juste à se doter d'une conscience.»

Goto prend un risque mesuré en traduisant «conscience» par «vigilance», comme une sentinelle. Sa retranscription en japonais est frappée d'un certain mysticisme – à l'instar, après tout, de l'original.

«La science, tel un général, identifie ses ennemis : la doxa et les suppositions qu'on prend pour argent comptant, la superstition et le charlatanisme, le tyran qui craint les roturiers instruits, et, par-dessus tout, la dangereuse tendance de l'homme à se voiler la face. Bacon l'Anglais a bien décrit le phénomène : "L'entendement humain, semblable à un miroir faux, réfléchissant les rayons qui jaillissent des objets, et mêlant sa propre nature à celle des choses, gâte et défigure toutes les images qu'il réfléchit." Notre honorable collègue M. Takaki connaîtra, j'imagine, ce passage?»

Arashiyama contourne le problème que pose le mot «charlatanisme» en l'omettant dans sa traduction, censure de l'énumération le tyran et les roturiers puis se tourne vers Takaki, le traducteur de Bacon, qui, raide comme un piquet, livre la version japonaise de la citation de sa voix grincheuse.

«La science en est toujours à apprendre à marcher et parler. Mais le jour viendra où celle-ci transformera l'essence de l'*être* humain. Les académies comme Shirandô, messieurs, sont ses pouponnières, ses écoles. Il y a plusieurs années, un sage Américain nommé Benjamin Franklin s'émerveilla en voyant une montgolfière dans le ciel de Londres. Son compagnon jugeait que la montgolfière n'était qu'une babiole, une frivolité, et il interrogea Franklin : "Oui, mais à quoi cela sert-il?" Franklin répondit : "À quoi sert un nouveau-né?"»

Uzaemon estime effectuer une traduction correcte de cette dernière saillie jusqu'à ce qu'il bute sur «babiole» et «frivolité» : Goto et Arashiyama indiquent d'une mine contrite leur incapacité à l'aider. L'auditoire fixe Uzaemon d'un œil critique. Jacob de Zoet dit alors tout bas : «le jouet d'un enfant». L'emploi de ce substitut redonne tout son sens à l'anecdote : la centaine de savants acquiescent.

«Si un homme s'était endormi il y a deux cents ans, spécule Marinus, et réveillé ce matin même, il reconnaîtrait le monde d'autrefois, inchangé dans son essence. Les bateaux sont toujours de bois ; les maladies, toujours endémiques. Un humain ne peut se déplacer plus vite qu'un cheval au galop et il lui est impossible de tuer son prochain d'un simple regard. Mais si notre gaillard se couchait ce soir et dormait cent ans, ou bien quatre-vingts, voire seulement soixante, alors, à son réveil, il ne reconnaîtrait pas cette planète tant la science en aurait transformé la nature.»

Goto suppose que «endémiques» signifie «mortelles» et, par

ailleurs, il restructure la proposition finale.

Entre-temps, l'attention de Marinus est partie à la dérive : son regard flotte au-dessus des têtes érudites.

Yoshida Hayato se racle la gorge, signalant qu'il souhaite poser une question.

Ôtsuki Monjurô se tourne vers Marinus, toujours absent, puis donne son aval d'un hochement de tête.

Yoshida écrit le néerlandais plus couramment que de nombreux interprètes, mais le géographe, craignant de faillir devant tous, s'adresse en japonais à Goto Shinpachi. «Veuillez, je vous prie, demander ceci au docteur Marinus, interprète : si la science est dotée d'une conscience, quels sont ses ultimes désirs? Ou bien, en d'autres termes, quand le dormeur du docteur se réveillera en 1899, le monde ressemblera-t-il davantage à l'Enfer ou bien au Paradis?»

Sous le vent contraire soufflant du japonais vers le néerlandais, Goto met plus de temps à relayer cette question qui ravit toutefois Marinus. Il se balance doucement d'avant en arrière. «Je ne peux vous répondre avant de l'avoir vu, monsieur Yoshida.»

XVII

Salle de l'autel du Couvent,
Sanctuaire du mont Shiranui

Le vingt-sixième jour du onzième mois

Faites que ce ne soit pas moi, prie Orito. *Faites que ce ne soit pas moi.* Pour l'annonciation de l'Offrande, on ôte à la Déesse son habit : sa poitrine mise à nu est gonflée de lait et son ventre dénué de nombril abrite le fœtus d'une fille si fertile que, selon l'abbesse Izu, son minuscule utérus contient lui-même un fœtus plus petit encore, lequel est porteur lui aussi d'une fille… et ainsi de suite, à l'infini. Au cours du sutra d'Imploration, l'abbesse observe les neuf sœurs qui ne portent pas de Présents. Pendant dix jours, Orito a joué les pénitentes en vue d'obtenir un accès à l'enceinte du Sanctuaire, projetant de s'échapper en escaladant la muraille, mais cet espoir s'est révélé vain. Elle redoutait l'avènement de cette journée depuis qu'elle avait vu le ventre rond de Yayoi et compris ce que cela impliquait ; et voici que l'heure était venue. Qui la Déesse choisirait-elle ? Les spéculations étaient allées bon train. Pour Orito, ç'avait été insupportable. « La sœur néophyte figurera forcément parmi les deux élues », avait déclaré Umegae d'un air cruel et satisfait. « La Déesse voudra que sœur Orito se sente au plus vite ici comme chez elle. » Minori, la sœur aveugle et présente depuis dix-huit ans, prétend que les néophytes reçoivent l'Offrande au plus tard le quatrième mois, mais pas systématiquement le deuxième. Yayoi avait suggéré que la Déesse déciderait de donner une seconde chance à Kagerô et Minori, car bien qu'élues le mois dernier, aucune des deux n'avait conçu de Présent. Mais Orito soupçonne Yayoi d'avoir simplement tenté de la rassurer par ces paroles.

Le silence gagne la salle des prières. Le sutra est terminé.

Faites que ce ne soit pas moi. L'attente est interminable. *Faites que ce ne soit pas moi.*

L'abbesse Izu frappe son gong tubulaire. Par vagues successives, le tintement s'élève et retombe.

Les sœurs posent le front sur le *tatami* en signe de soumission.

Comme des criminelles qui attendent le coup de sabre de leur bourreau, songe Orito.

L'habit de cérémonie de l'abbesse bruisse. « Sœurs du mont Shiranui… »

Le front des neuf femmes reste rivé au sol.

« La Déesse a indiqué à maître Genmu qu'en ce onzième mois… »

Une stalactite de glace s'écrase sur la promenade du cloître : Orito sursaute.

« … qu'en ce onzième mois de la onzième année de l'ère Kansei… »

Ma place n'est pas ici, pense Orito. *Ma place n'est pas ici.*

« … les deux sœurs qui recevront l'Offrande en Son nom seront Kagerô et Hashihime. »

Orito parvient à étouffer un grognement de soulagement mais n'arrive cependant pas à calmer son cœur qui tambourine.

Tu ne me remercies pas de t'avoir épargnée ce mois-ci ? demande la Déesse à Orito.

Je ne t'entends pas. Orito prend bien soin de garder la bouche fermée. *Tu n'es qu'un morceau de bois.*

Le mois prochain, ricane la Déesse, telle la belle-mère d'Orito. *Promis.*

Les jours d'Offrande insufflent un air de vacances au Couvent. Dans les minutes qui suivent, Kagerô et Hashihime reçoivent des félicitations dans la pièce longue. Orito est sidérée : les autres sœurs sont véritablement envieuses des deux élues. Le sujet de la conversation dérive et l'on parle des vêtements, parfums et huiles que ces dernières porteront pour accueillir ceux qui leur amèneront l'Offrande. Au petit-déjeuner, l'on sert des beignets de riz cuits à la vapeur et des haricots *azuki* arrosés de miel. On apporte du *sake* et du tabac en provenance de la réserve de l'Abbé Enomoto. Les cellules de Kagerô et de Hashihime sont ornées de papier décoratif. La célébration de cette fécondation obligatoire donne la nausée à Orito, qui éprouve du soulagement après le lever du soleil, quand l'abbesse Izu lui demande, ainsi qu'à Sawarabi, d'aller chercher toutes les literies du Couvent afin de les aérer et les battre. Les matelas garnis de paille sont étendus sur une perche dans la cour et rapidement tapés à l'aide d'un battoir en bambou : une brume presque invisible de poussière et d'acariens flotte dans l'air froid et lumineux. Sawarabi est une robuste fille de paysans du plateau de Karashima ; la fille de docteur, elle, se retrouve rapidement à la traîne. Remarquant cela, Sawarabi a la gentillesse de suggérer qu'elles prennent toutes deux une courte pause, puis s'assied sur une pile de futons. « J'espère que tu n'es pas trop déçue que la Déesse ne t'ait pas élue ce mois-ci, sœur néophyte. »

Orito, encore essoufflée, répond non de la tête. Dans le cloître opposé, Asagao et Hotaru donnent des miettes à un écureuil.

Sawarabi sait bien cerner les autres. « N'aie pas peur de l'Offrande. Tu constateras par toi-même les privilèges dont jouissent Yayoi et Yûguri : davantage de nourriture, une meilleure literie, du charbon… et, à présent, les services d'une sage-femme instruite !

Y a-t-il une princesse à ce point choyée? Les moines sont plus doux que les maris, plus propres que les clients des bordels et, ici, tu ne verras pas une belle-mère te maudissant d'avoir accouché d'une fille ou devenant folle de jalousie si tu donnes naissance à un héritier.»

Orito fait mine d'être convaincue. «Oui, ma sœur. Tu as raison.»

La neige fondue glisse des branches du vieux sapin et s'écrase au sol dans un bruit sourd.

Cesse de mentir. Le gros rat l'épie depuis le sous-plancher des cloîtres. *Et cesse de lutter.*

«Sincèrement, ma sœur …» – Sawarabi hésite – «… en comparaison de ce que les filles maudites comme nous subissent…»

La Déesse est ta douce et patiente mère, déclare le gros rat dressé sur ses pattes arrière.

«… dans le Monde d'en bas, cet endroit est un palais.»

L'écureuil d'Asagao et Hotaru remonte à toute vitesse le pilier d'un cloître.

Les contours du Pic nu sont si nets qu'il semble gravé à l'aiguille sur une plaque de verre.

Ma brûlure n'atténue en rien l'ignominie de mon enlèvement, s'efforce de taire Orito.

«Finissons de battre les futons, dit-elle, sans quoi les autres s'imagineront que nous tirons au flanc.»

Le milieu de l'après-midi venu, les corvées ménagères sont terminées. Un triangle de lumière demeure inscrit sur le bassin de la cour. Dans la pièce longue, Orito aide l'intendante Satsuki à repriser des chemises de nuit: la couture émousse son besoin de Réconfort. Du terrain d'entraînement situé dans l'enceinte du Sanctuaire parvient le ressac du bruit des moines s'exerçant à manier des sabres en bambou. Dans le brasero, le charbon et les aiguilles de pin grondent et craquent. L'abbesse Izu est assise en bout de table, brodant un bref mantra sur la cagoule qu'enfilent les sœurs quand elles reçoivent l'Offrande. Hashihime et Kagerô, qui portent de larges ceintures rouge sang – marque symbolique des faveurs de la Déesse –, se poudrent mutuellement le visage ; le miroir figure parmi les quelques objets que même les sœurs du plus haut rang se voient refuser. Dissimulant piètrement ses mauvaises intentions, Umegae demande à Orito si celle-ci s'est remise de sa déception.

« J'apprends à me soumettre à la volonté de la Déesse, parvient-elle à répondre.

– La Déesse t'élira la prochaine fois, lui assure Kagerô.

– La sœur néophyte a l'air plus heureuse dans sa nouvelle vie, constate Minori l'aveugle.

– Il lui aura fallu du temps pour revenir à la raison, murmure Umegae.

– Il faut parfois du temps pour s'habituer au Couvent, riposte Kiritsubo. Tu te souviens de cette pauvre fille de l'île de Goto ? Pendant deux ans, elle avait pleuré chaque soir, elle. »

Sous l'avant-toit des cloîtres, les pigeons se bagarrent et lancent des trilles.

« La sœur de Goto a trouvé la joie dans ses trois Présents pleins de santé, déclare l'abbesse Izu.

– Mais pas dans le quatrième, qui l'a tuée, soupire Umegae.

– Ne dérangeons pas les morts » – la voix de l'abbesse est cinglante – « en rappelant sans raison leurs infortunes, ma sœur. »

On ne la voit pas rougir sous sa peau marron, mais Umegae s'incline afin de marquer son assentiment et demander pardon.

Les autres sœurs, soupçonne Orito, se souviennent de la précédente néophyte, retrouvée pendue dans sa cellule.

« Eh bien, pour ma part, dit l'aveugle Minori, j'aimerais demander à la sœur néophyte ce qui l'a aidée à accepter le Couvent comme son nouveau foyer.

« – Le temps, répond Orito qui passe un fil dans le chas de son aiguille, et la patience de mes sœurs. »

Tu mens, tu mens, siffle la bouilloire, *même moi, je l'entends...*

Plus son besoin de Réconfort se fait ressentir, remarque Orito, plus le Couvent semble jouer des tours à son imagination.

« Quant à moi, je remercie la Déesse tous les jours » – sœur Hatsune retend les cordes de son *koto* – « de m'avoir conduite au Couvent.

– Et moi, je remercie la Déesse » – Kagerô dessine les sourcils de Hashihime – « cent huit fois avant le petit-déjeuner. »

L'abbesse Izu dit : « Sœur Orito, la bouilloire m'a tout l'air d'avoir soif... »

Tandis qu'Orito s'agenouille sur la dalle de pierre placée au bord du bassin afin d'y plonger la louche dans l'eau glacée, l'inclinaison de la lumière produit alors, l'espace d'un instant, un miroir aussi parfait qu'une glace néerlandaise. Orito n'a pas regardé son visage depuis sa fugue de la maison de Nagasaki. Ce qu'elle contemple la choque : cette tête reflétée sur la peau d'argent du bassin est bien la sienne, mais elle a trois ou quatre ans de plus. *Qu'est-il arrivé à mes yeux ?* Ils sont ternes et enfoncés dans leurs orbites. *Encore un tour que me joue le Couvent ?* Pas si sûr. *J'en avais vu de tels dans le Monde d'en bas.*

Le chant d'une grive dans le vieux pin est diffus, comme à moitié oublié.

Qu'essayais-je donc de retenir ? se demande Orito

Les sœurs Hotaru et Asagao la saluent depuis les cloîtres.

Orito leur répond d'un signe de main, remarque qu'elle tient une louche et se souvient de sa commission. Elle regarde dans l'eau et y reconnaît les yeux d'une prostituée qu'elle avait soignée à Nagasaki, dans un bordel détenu par deux frères à moitié chinois. La fille avait la syphilis, la scrofule, une fièvre pulmonaire et seuls les Neuf Sages savaient quoi d'autre encore, mais ce qui l'avait détruite était sa sujétion à l'opium.

« Mais Aibagawa-*san*, l'implora la fille, je n'ai pas besoin d'autres médicaments… »

Prétendre accepter le contrat du Couvent…, songe Orito.

Du fond de leurs puits noirs, les yeux jadis magnifiques de la prostituée la fixaient.

… c'est déjà y souscrire à moitié.

Orito entend le maître Suzaku éclater d'un rire insouciant de l'autre côté de la grande porte.

Cette envie et ce besoin de drogues font le reste…

L'acolyte qui garde l'entrée se lance : « On ouvre la porte intérieure, mes sœurs ! »

Et quand on t'aura infligé cela une première fois, à quoi bon résister par la suite ?

« Si tu ne recouvres pas ta propre volonté, lui dit la fille dans le bassin, tu finiras comme les autres. » *Dès demain*, se résout Orito, *je renoncerai aux drogues de Suzaku.*

L'eau du ruisseau ressort du bassin par une grille moussue.

« *Dès demain* », relève Orito. *Voilà bien la preuve que je dois arrêter dès aujourd'hui.*

« Comment se porte notre sœur néophyte, ce soir ? » demande maître Suzaku.

L'abbesse Izu observe la scène depuis un coin de la pièce ; l'acolyte Chûai est assis dans un autre.

« Je me porte très bien, maître Suzaku, merci.

— Le ciel de ce soir n'était-il pas celui de la Terre pure, sœur néophyte ?

— Dans le Monde d'en bas, les couchers de soleil n'étaient jamais aussi beaux. »

Satisfait, l'homme mesure cette déclaration. « La décision de la Déesse ne t'a-t-elle pas attristée, ce matin ? »

Je dois cacher mon soulagement, songe Orito, *et cacher que je cache quelque chose.* « Il faut bien apprendre à accepter les décisions de la Déesse, n'est-ce pas ?

— Tu as effectué un long voyage en peu de temps, sœur néophyte.

— L'illumination peut survenir en un instant, crois-je comprendre.

— Oui. Oui, bien sûr. » Suzaku regarde son assistant. « Après de nombreuses années d'efforts, l'illumination change un homme en un simple battement de son cœur. Maître Genmu est tellement ravi de te savoir dans de meilleures dispositions qu'il en a fait part au Seigneur-Abbé dans une lettre. »

Il cherche à déceler mon embarras, soupçonne Orito.

« Je ne mérite pas l'attention du Seigneur Enomoto, dit la sœur néophyte.

— Sois-en certaine : tel un père, le Seigneur-Abbé s'intéresse à toutes nos sœurs. »

Orito pense à son propre père, et la douleur de ses blessures récentes se ravive.

De la pièce longue proviennent les sons et les odeurs du dîner qu'on sert.

« Nous n'avons donc pas de symptômes à signaler ? Pas de douleurs ou de saignements ?

— En toute sincérité, maître Suzaku, je n'imagine pas me sentir mal au Couvent.

— Pas de constipation ou de diarrhée ? Pas d'hémorroïdes ? De démangeaisons ? De maux de tête ?

— Une dose de… de mon remède quotidien, voilà tout ce que je demande, si vous me permettez.

— Mais avec le plus grand plaisir. » Suzaku verse le liquide trouble dans une coupelle de la taille d'un dé à coudre qu'il présente ensuite à Orito ; elle se détourne et cache sa bouche, à la manière des filles de bonne famille. Son corps brûle de douleur, anticipant le soulagement que le Réconfort lui apportera. Mais sans se laisser le temps de changer d'avis, Orito verse à l'intérieur de sa manche molletonnée le contenu de la minuscule coupelle, que le chanvre bleu marine absorbe.

«Le remède avait-il un… un goût de miel ce soir, prononce Orito, ou était-ce mon imagination?

– Ce qui est bon pour le corps, dit Suzaku, les yeux rivés sur sa bouche, est bon pour l'âme.»

Orito et Yayoi lavent les couverts tandis que les autres sœurs encouragent Kagerô et Hashihime – par des paroles prudes et d'autres beaucoup plus grivoises, à en juger par leurs éclats de rire – avant que l'abbesse Izu les conduise dans la salle de l'autel afin qu'elles adressent des prières à la Déesse. Un quart d'heure plus tard, l'abbesse les emmène dans leurs cellules, où elles attendent ceux qui leur apporteront l'Offrande. Une fois les couverts lavés, Orito préfère demeurer dans la pièce longue afin de ne pas rester seule à ressasser la pensée que, dans un mois, ce sera peut-être elle qui, une cagoule brodée sur la tête, s'allongera et s'offrira à un maître ou un acolyte. Son corps se plaint de s'être vu refuser sa dose de Réconfort. Tantôt elle est aussi chaude qu'une soupe, tantôt elle est gelée. Quand Hatsune lui propose de lire la dernière lettre du Nouvel An écrite par le premier Présent – aujourd'hui, une jeune femme de dix-sept ans – de la première sœur, Orito est ravie de cette diversion qui lui permet d'échapper à sa douleur.

«"Très chère mère"» – Orito scrute les traits de pinceau féminins à la lueur de la lampe –, «"les baies sont bien rouges aux abords des chemins et on ne croirait pas que déjà le temps de l'automne est venu."

– Pour ce qui est des mots, murmure Minori, elle a hérité de l'élégance de sa mère.

– Mon Tarô est si fruste, soupire Kiritsubo, en comparaison de Noriko-*chan*.»

Dans les lettres du Nouvel An, remarque Orito, *les «Présents» recouvrent leurs prénoms.*

«Comme si un gaillard aussi dur à la peine que Tarô chez son brasseur avait le temps de remarquer les baies d'automne, objecte la fière et pudique Hatsune. Je prie la sœur néophyte de bien vouloir continuer.

– "Une fois de plus, lit Orito, le moment est venu d'envoyer une lettre à ma chère mère sur ce lointain mont Shiranui. Au printemps dernier, quand votre lettre du premier mois est arrivée à l'atelier de la *Grue blanche*, Ueda-*san*..."

– C'est le maître de Noriko-*chan*, explique Sadaie. Un célèbre tailleur à Miyako.

– Ah oui?» Cela fait dix fois qu'Orito entend cette histoire. «"... Ueda-*san* m'a accordé une demi-journée de congé pour fêter son arrivée. À ce propos, avant que je n'oublie, Ueda-*san* et sa femme vous envoient leurs sincères salutations."

– Quelle chance, commente Yayoi, d'être tombée sur une famille aussi honorable.

– La Déesse prend toujours soin de ses Présents, récite Hatsune.

– "Vos nouvelles, mère, m'apportent un plaisir égal à celui que vous dites ressentir devant mes ridicules gribouillis. Quelle merveille que la bénédiction de ce nouveau Présent dont vous êtes porteuse. Je prierai pour qu'il trouve une famille aussi affectueuse que les Ueda. Veuillez transmettre mes remerciements à sœur Asagao pour s'être occupée de vous quand vous souffriez de cette maladie des bronches, ainsi qu'à maître Suzaku pour ses soins quotidiens."» Orito s'interrompt et demande : «Une maladie des bronches?

– Oh, l'agitation provoquée par ma toux! Maître Genmu avait envoyé l'acolyte Jiritsu – que son esprit repose en paix – à Kurozane afin que l'herboriste lui fournisse des herbes médicinales fraîches.»

Un corbeau ne mettrait qu'une demi-heure à atteindre la cheminée d'Otane, brûle Orito.

Elle se souvient de son voyage de l'été dernier à Kurozane, et il lui vient l'envie de pleurer.

« Ma sœur ? remarque Hatsune. Quelque chose ne va pas ?

– Ce n'est rien. "Avec les deux grands mariages de la Cour lors du cinquième mois et les deux funérailles du septième mois, la *Grue blanche* a croulé sous les commandes. L'année passée, mère, m'a été en tout point favorable, bien que je rougisse de vous l'écrire. Le principal fournisseur de brocarts d'Ueda-*san*, un marchand nommé Koyama-*san*, effectue tous les deux ou trois mois une visite à la *Grue blanche* accompagné de ses quatre fils. Durant deux ans, le plus jeune, Shingo-*san*, m'a fait une aimable conversation pendant que je travaillais. L'automne dernier, cependant, lors des festivités de l'*O-bon*, je fus invitée à rejoindre la maison de thé du jardin où, à ma grande surprise, Shingo-*san*, ses parents, Ueda-*san* et ma maîtresse buvaient du thé." » Orito lève les yeux sur l'auditoire béat des sœurs. « "Vous avez déjà deviné ce qui se préparait, mère, mais moi, sotte que je suis, je n'avais pas compris."

– Elle n'est *fh*as *sh*otte, assure Asagao à Hatsune, elle est *fh*ure et inno*sh*ente, *fh*oilà tout.

– "Nous échangeâmes de menus propos, poursuit Orito, sur les nombreux talents de Shingo-*san* et mes pitoyables aptitudes. Je fis de mon mieux pour maîtriser ma timidité, sans néanmoins me montrer trop directe. Peu après…"

– Comme tu le lui avais conseillé il y a deux ans, ma sœur », glousse Sawarabi.

Orito regarde Hatsune, qui se gonfle d'orgueil. « "Peu après, ma maîtresse me félicita de la favorable impression que j'avais laissée. Je retournai à mon travail, enchantée par cette louange, sans toutefois escompter entendre reparler des Koyama avant leur prochaine visite à la *Grue blanche*. À cet égard, ma bêtise fut de courte durée. Quelques jours plus tard, à la naissance de l'Empereur, Ueda-*san* emmena tous ses apprentis au jardin de Yoyogi pour assister au feu d'artifice tiré au-dessus du fleuve Kamo. La magie de ces éphémères floraisons de rouges et de jaunes dans le ciel du soir! À notre retour, mon maître me convoqua dans son bureau, où ma maîtresse annonça que les Koyama proposaient que je devienne l'épouse de leur plus jeune fils, Shingo. Je tombai à genoux, mère, l'on eût cru qu'un renard m'avait jeté un sort! Puis la femme d'Ueda-*san* précisa que Shingo avait lui-même formé le vœu de cette union. Qu'un jeune homme si probe désire me prendre pour épouse, *moi*... les larmes me roulaient sur les joues." »

Yayoi tend un carré de papier à Hotaru pour qu'elle se sèche les yeux.

Orito replie la dernière page lue et déplie la suivante. « "J'ai demandé à Ueda-*san* la permission de parler en toute franchise. Mon maître m'y enjoignit. Mes origines seraient trop obscures aux yeux des Koyama, annonçai-je. Je devais fidélité à l'atelier de la *Grue blanche*. De plus, si je prenais place chez les Koyama en tant qu'épouse, les langues raconteraient que j'avais certainement usé de quelque fourberie pour qu'un si bon parti se prenne dans ma toile."

– Oh, attrape donc ce dragon par la queue! caquette Yûgiri, grisée par le *sake*.

– Un peu de tenue, ma sœur, la réprimande l'intendante Satsuki. Que la sœur néophyte reprenne sa lecture.

– "Maître Ueda répliqua que les Koyama savaient parfaitement que j'étais née dans un sanctuaire, mais n'y voyaient aucun inconvénient. Ils souhaitaient simplement que leur belle-fille soit dévouée, modeste, dégourdie et non pas" » – à la voix d'Orito se mêlent celles des sœurs, qui récitent avec délices ce passage appris par cœur – « "une demoiselle bégueule qui ne songe qu'à s'empiffrer de sorbets et pour qui 'dur labeur' est le nom d'une ville de Chine. Enfin, mon maître me rappela que j'étais une Ueda par adoption ; aussi, en vertu de quoi considérais-je à ce point les Ueda comme inférieurs aux Koyama ? Je rougis et demandai à mon maître de bien vouloir pardonner l'ineptie de mes paroles."

– Mais ce n'est pas du tout ce que voulait dire Noriko-*san*!» proteste Hotaru.

Hatsune se réchauffe les mains devant le feu. «Il cherche à la guérir de sa timidité, je pense.

– "L'épouse d'Ueda-*san* déclara que mes objections étaient tout à mon honneur, mais qu'en ce qui concernait les deux familles, la chose était déjà entendue : nos fiançailles dureraient jusqu'à ma dix-septième nouvelle année…"

– C'est-à-dire jusqu'au Nouvel An, explique Hatsune à Orito.

– "… et, si les sentiments de Shingo-*sama* n'ont pas changé,…"

– Je prie la Déesse pour la constance du cœur de Shingo, confie Sadaie. Tous les soirs.

– "… nous serons mariés lors du premier mois, au premier jour qu'on jugera propice. Ueda-*san* et Koyama-*san* investiront alors dans un atelier spécialisé dans la confection des ceintures *obi* : mon mari et moi travaillerons ensemble et nous aurons nos propres apprentis."

– Tu imagines ! s'exclame Kiritsubo. Le Présent de Hatsune, ses propres apprentis ?

– Et des enfants, aussi, dit Yûgiri, si le jeune Shingo le souhaite.

– "En relisant ces lignes, mes paroles me paraissent tirées des rêveries d'une jeune fille. Peut-être est-ce là, chère mère, le plus beau cadeau que nous offre notre correspondance : un lieu où nous pouvons rêver. Je songe à vous tous les jours. Votre Présent, Noriko." »

Les femmes ont les yeux plongés dans la lettre ou, sinon, dans le feu. Leurs esprits sont bien loin.

Orito comprend que, pour les sœurs, ces lettres du Nouvel An sont pur Réconfort.

Tôt dans l'heure de l'Ours, le portail s'ouvre aux deux porteurs de l'Offrande. Toutes les sœurs de la pièce longue entendent les verrous coulisser. Les pas de l'abbesse Izu résonnent ; elle quitte sa chambre et s'arrête devant la grande porte. Orito l'imagine effectuer trois courbettes. L'abbesse guide deux bruits de pas masculins dans le couloir intérieur, les menant à la chambre de Kagerô puis à celle de Hashihime. Une minute plus tard, Orito entend l'abbesse revenir et passer devant la pièce longue. Les bougies chuintent. Orito s'attendait que Yûgiri ou Sawarabi tente d'entrevoir dans la noirceur du couloir qui sont les élus venus apporter l'Offrande, mais non : l'air grave, elles jouent au mah-jong en compagnie de Hotaru et Asagao. On ne semble pas même vouloir relever l'arrivée d'un maître et son acolyte dans les chambres des sœurs élues. D'une voix très douce, Hatsune chante « Le château au clair de lune », s'accompagnant au *koto*. L'intendante Satsuki reprise une chaussette. Orito le constate : quand ces tractations sexuelles nommées « Offrandes » se concrétisent, les plaisanteries et les commérages cessent. Elle prend également conscience que la légèreté et l'obscénité qui planent dans les propos ne sont pas tant une façon de minimiser le fait que les ovaires et utérus des sœurs sont la propriété de la Déesse qu'un moyen de rendre supportable leur asservissement…

De retour dans sa chambre, Orito regarde le feu à travers la fente de sa couverture à peine relevée. Des pas masculins ont quitté la chambre de Kagerô depuis un certain temps maintenant, mais le porteur de l'Offrande de Hashihime s'attarde, ce qui n'est autorisé que si les deux parties y consentent. En ce qui concerne l'acte sexuel, Orito tire son savoir de textes médicaux et d'anecdotes livrées par les femmes qu'elle a soignées dans les bordels de Nagasaki. Elle essaie de ne pas imaginer que, d'ici un petit mois, un homme la plaquera contre le matelas sous cette couverture. *Faites que je cesse d'exister*, implore-t-elle le feu. *Faites que je me fonde en vous*, supplie-t-elle les ténèbres. Elle s'aperçoit que son visage est trempé. Une fois de plus, son esprit scrute le Couvent à la recherche d'un moyen de s'en échapper. Aucune fenêtre ne donne sur l'extérieur. Le sol est couvert de dalles : impossible de le creuser. Les deux grandes portes sont verrouillées par l'intérieur du sas, dans lequel un poste de garde est aménagé. Les avant-toits des cloîtres débordent largement sur la cour : impossible de les atteindre ni de s'y hisser.

La situation est sans espoir ; elle regarde un chevron du toit et imagine une corde.

On frappe à sa porte. Yayoi lance à voix basse : « C'est moi, ma sœur. »

Orito saute de son lit et ouvre la porte. « Tu as perdu les eaux ? »

Épaissi par les couvertures, le ventre de Yayoi pointe encore davantage. « Je n'arrive pas à dormir. »

Orito l'entraîne à l'intérieur, craignant qu'un homme ne surgisse des ténèbres.

« On raconte que, quand je suis née » – Yayoi enroule une mèche des cheveux d'Orito autour de son doigt –, « quand ils ont vu ça » – elle désigne ses oreilles pointues –, « ils ont appelé un prêtre bouddhiste. Il expliqua qu'un démon s'était frayé un chemin jusqu'à la matrice de ma mère et y avait pondu son œuf, comme un coucou. Si on ne m'abandonnait pas cette nuit-là, mit en garde mes parents le prêtre, les démons viendraient chercher leur rejeton et dépèceraient la famille pour fêter l'événement. En entendant ces paroles, mon père fut soulagé : partout les paysans "éclaircissaient les semis" et se débarrassaient d'indésirables filles. Dans notre village, il y avait même un endroit réservé pour cela : un cercle de rochers pointus, bien au-dessus de la ligne des arbres, en amont du lit d'un torrent à sec. En ce septième mois, le froid ne me tuerait pas, mais les chiens sauvages, les ours se gavant en prévision de l'hiver et les esprits affamés auraient raison de moi avant le matin. Mon père m'abandonna et repartit sans regret… »

Yayoi prend la main de son amie et la place sur son ventre.

Orito sent les proéminences se déplacer. « Des jumeaux, sans l'ombre d'un doute, déclare-t-elle.

– Néanmoins, on rapporte que, au village, ce soir-là » – Yayoi prend une voix grave et drôle – « s'en revenait Yôben le Devin. Pendant sept jours et sept nuits, une renarde blanche avait guidé les pas du saint homme, dont l'auréole d'étoiles illuminait le chemin, le faisant passer sous les montagnes et marcher sur les lacs. Son long voyage prit fin quand la renarde sauta sur le toit d'une humble ferme située en hauteur d'un village qui méritait à peine un nom. Yôben frappa à la porte et, à la vue de ce personnage, mon père tomba à genoux. Quand il entendit l'histoire de ma naissance, Yôben le Devin prononça ces paroles » – Yayoi change de voix : « "Les oreilles de renard de cette enfant n'étaient pas une malédiction, mais une bénédiction de Dame Kannon." Ayant dédaigné la grâce de Kannon par mon abandon, mon père s'était attiré la colère de la divinité. Il fallait à tout prix sauver l'enfant avant qu'un grand malheur ne survienne… »

Dans le couloir, une porte coulisse puis se referme.

« À mesure que mon père et Yôben le Devin approchaient du lieu consacré à l'"éclaircissement des semis", reprend Yayoi, ils se mirent à entendre les pleurs de tous les bébés morts qui appelaient leur mère. Des loups plus gros que des chevaux hurlaient, en quête de chair fraîche. Mon père tremblait de peur mais Yôben marmonna quelque incantation sacrée, aussi purent-ils franchir sans encombre les hordes de fantômes et de loups, puis pénétrer à l'intérieur du cercle de rochers pointus, où l'atmosphère était aussi paisible et agréable que le premier jour du printemps. Dame Kannon était assise là, avec, à ses côtés, la renarde blanche qui allaitait Yayoi, l'enfant magique. Yôben et mon père s'agenouillèrent. De sa voix pareille aux vagues d'un lac, Dame Kannon ordonna à Yôben de voyager à travers l'Empire avec moi, et de soigner les malades en son nom. Le mystique protesta qu'il n'en était pas digne, mais le bébé, qui n'avait qu'un jour, parla : "Là où règne le désespoir, apportons la joie. Là où règne la mort, insufflons la vie." Avait-il d'autre choix qu'obéir à Dame Kannon ? » Yayoi bâille et, encombrée par son ventre distendu, tente de trouver une position plus confortable. « Ainsi, quand l'extraordinaire fille-renarde et Yôben le Devin arrivaient dans une nouvelle ville, voilà l'histoire que ce dernier racontait afin d'ameuter du monde.

– Puis-je te demander » – Orito est allongée sur le côté – « si Yôben était ton véritable père ?

– Si je te réponds "non", c'est peut-être parce que je ne veux pas que ce soit la vérité… »

Le vent de la nuit souffle dans un conduit branlant, tel un parfait amateur jouant du *shakuhachi*.

« … en tout cas, mes tout premiers souvenirs sont ceux de gens malades qui me tiennent les oreilles pendant que je souffle dans leur bouche pourrie, ceux de leurs yeux de mourants qui supplient : "Guéris-moi" ; des souvenirs d'auberges répugnantes, de Yôben debout sur les places des marchés, en train de lire des "témoignages" de familles illustres sur mes pouvoirs. »

Orito songe à sa propre enfance, au milieu des savants et des livres.

« Yôben rêvait qu'on demande à l'entendre dans les palais, aussi nous passâmes un an à Edo. Mais on percevait trop le bonimenteur en lui… la faim… et puis, il sentait mauvais, tout simplement. En six ou sept années de route, la qualité des auberges où nous dormions ne s'est jamais améliorée. J'étais responsable de toutes ses déconvenues, bien entendu, surtout quand il avait bu. Un jour, vers la fin, après qu'on nous eut chassés d'une ville, un compère guérisseur lui dit que, si une enfant-renarde magique lui permettait de soutirer de l'argent aux malheureux et aux moribonds, il n'en serait pas tout à fait de même pour une *femme*-renarde magique. Cela fit réfléchir Yôben, et, le même mois, il me vendit à un bordel d'Osaka. » Yayoi regarde sa main. « La vie que j'ai eue là-bas, je fais de mon mieux pour l'oublier. Yôben ne m'a même pas dit au revoir. Peut-être qu'il n'osait pas me regarder en face. Peut-être que c'était bien lui, mon père. »

Orito s'étonne de la manifeste absence de rancœur chez Yayoi.

« Quand les sœurs te répètent que "le Couvent est, de très loin, bien mieux qu'un bordel", ce n'est pas par cruauté. Enfin, certaines, oui, peut-être, mais pas les autres. Pour chaque geisha accomplie dont les riches protecteurs se disputent les faveurs, il y a cinq cents filles mâchées, remâchées et recrachées qui finissent par mourir de maladies contractées dans les bordels. C'est sans doute un piètre réconfort pour une femme de ton rang, car je sais que tu as perdu une vie bien meilleure que le reste d'entre nous, mais sache que le Couvent est une prison seulement si tu te dis que c'en est une. Les maîtres et leurs acolytes sont gentils avec nous. Cette Offrande, c'est un drôle de devoir, mais est-ce si différent de celui qu'un mari exige de sa femme ? Et ce devoir, il nous faut l'accomplir moins souvent, bien moins souvent. »

La logique de Yayoi terrifie Orito. « Mais enfin, vingt ans !

— Le temps passe. Dans deux ans, sœur Hatsune partira. Elle pourra s'installer dans la même ville qu'un de ses Présents, et recevra une rente. Les sœurs qui s'en sont allées écrivent à l'abbesse Izu : leurs lettres sont pleines d'affection et de gratitude. »

Les ombres coulent et coagulent sur le bas de la charpente.

« Pourquoi la précédente néophyte s'est-elle pendue ?

— Parce que, après avoir été séparée de son Présent, elle a perdu la tête. »

Orito laisse un peu de temps s'écouler. « Mais n'est-ce pas trop dur pour toi ?

— Bien sûr que si. Mais ce n'est pas comme s'ils mouraient.

Ils seront dans le Monde d'en bas, mais on les nourrira bien et on prendra soin d'eux, et puis ils penseront à nous. Après notre Retraite, nous pourrons même les rencontrer, si nous le désirons. C'est… C'est une vie étrange, je ne le nie pas, mais gagne la confiance de maître Genmu, gagne celle de l'abbesse… et ce ne sera pas nécessairement une vie rude, ni une existence gâchée… »

Le jour où je croirai cela, songe Orito, *le Sanctuaire du mont Shiranui me possédera tout entière.*

« … et puis je suis là, dit Yayoi, même si ça ne vaut pas grand-chose. »

XVIII

Salle de chirurgie de Dejima

Une heure avant le dîner,
le vingt-neuvième jour du onzième mois

« Lithotomie : du grec *lithos* – "pierre" – et *temno* – "couper" –, explique Marinus à ses quatre élèves. Veuillez nous en rappeler la définition, monsieur Muramoto.

– Retirer un calcul de la vessie, des reins, de la vésicule biliaire, docteur.

– "Jusqu'à la fin des temps…" » Ivre mort, dans un état second, nu du haut de ses mi-bas jusqu'au-dessous des tétons, Wybo Gerritszoon est attaché à la table d'opération basculée en arrière, telle une grenouille clouée à une planche de dissection. « Qui êtes notre pain sans levain… »

Uzaemon se figure que le patient récite une litanie chrétienne.

Dans le brasero, le charbon crépite. Il a neigé la nuit dernière.

Marinus se frotte les mains. « Les symptômes des calculs de la vessie, monsieur Kajiwaki ?

– Le sang dans l'urine, docteur, la douleur quand il urine, et il veut uriner, mais il n'arrive pas.

– Exactement. S'ajoute à cela un symptôme supplémentaire : par peur de l'opération, le malade repousse sa décision de subir l'ablation de son calcul jusqu'à ce que l'envie d'uriner l'empêche même de s'allonger, quoique ces quelques…» – les yeux de Marinus se tournent vers l'échantillon d'urine rosie qu'il a recueilli – «… gouttes soient tout ce qu'il est capable de produire. Ce qui laisse à penser que le calcul se trouve… où cela, monsieur Yano?

– "Que votre nom soit quotidien…"», éructe Gerritszoon. «Comment c'est, bordel?»

Yano mime l'obstruction à l'aide de son poing. «Le calcul… arrête… l'eau.»

– Ainsi donc, poursuit Marinus d'un air pincé, le calcul bouche l'urètre. Quel destin guette le patient dans l'incapacité d'évacuer ses urines, monsieur Ikematsu?»

Uzaemon observe la façon dont Ikematsu parvient à déduire la question par les bribes qu'il comprend: «incapacité», «urines» et «destin». «Le corps qui n'évacue pas ses urines, il ne purifie pas son sang, docteur. Le corps meurt du sang sale.

– Il en meurt.» D'un hochement de tête, Marinus acquiesce. «L'illustre Hippocrate mettait en garde les…

– La ferme, le rebouteux, fais ton bordel, bordel de bordel…»

Jacob de Zoet et Con Twomey, venus aider le docteur, échangent des regards.

Marinus prend le long morceau de coton hydrophile que lui tend Eelattu, puis dit à Gerritszoon: «Ouvrez, je vous prie», avant de le lui enfourner dans la bouche. «L'illustre Hippocrate mettait les médecins en garde contre une telle opération, les enjoignant de laisser ce soin aux piètres chirurgiens. Le Romain Ammonius Lithotomus, l'Hindou Susruta et l'Arabe Abu al-Qasim al-Zahrawi (qui, *au passage**, inventa l'ancêtre de ceci)» – Marinus agite un scalpel à double lame noir de sang – «procédaient par une entaille sur le périnée» – le docteur soulève le pénis du Néerlandais scandalisé et désigne l'endroit entre la base de la verge et l'anus – «ici, en traversant la symphyse pubienne.» Marinus laisse retomber le pénis. «Plus de la moitié des patients de cette époque lointaine et obscure mouraient… et dans d'atroces souffrances, qui plus est.»

Gerritszoon cesse alors soudainement de se débattre.

«*Frère Jacques**, un talentueux charlatan français, proposa de procéder par une incision suprapubienne, au-dessus du *corpus ossis pubis*» – du bout de l'ongle, Marinus décrit un arc de cercle à gauche du nombril de Gerritszoon – «et de pénétrer dans la vessie par le côté. Cheselden, un Anglais, combina la technique de Jacques le Charlatan à celle des anciens et s'aventura à pratiquer une lithotomie périnéale par méthode latérale, perdant ainsi moins d'un patient sur dix. J'en ai pratiqué plus de cinquante et j'ai perdu quatre patients. Pour deux desquels la faute ne m'incombait pas. Quant aux deux autres… eh bien, c'est en forgeant qu'on devient forgeron, même si nos défunts ne le voient sans doute pas de cet œil-ci, n'est-ce pas, Gerritszoon? Les honoraires de Cheselden s'élevaient à cinq cents livres pour deux ou trois petites minutes de travail. Mais, c'est une chance pour vous» – le docteur claque la fesse du patient ligoté –, «Cheselden enseigna sa technique à un étudiant nommé John Hunter. Parmi les disciples de Hunter, figurait Hardwijke, un Néerlandais, lequel l'apprit à Marinus qui, aujourd'hui, assurera cette opération *gratis*. Bien. Pouvons-nous commencer?»

Le rectum de Wybo Gerritszoon lâche un pet brûlant de terreur.

«Haro!» Marinus adresse un signe de tête à de Zoet et Twomey; chacun des deux tient une cuisse de Gerritszoon. «Moins il y aura de mouvements, mieux nous nous garderons de fâcheux incidents.» Voyant que les séminaristes ne saisissent pas bien le sens de cette déclaration, Uzaemon la leur traduit. Eelattu se met à cheval sur le ventre du patient et relève le pénis flasque de Gerritszoon, à qui il masque par la même occasion la vue des bistouris. Marinus demande au docteur Maeno de maintenir la lampe tout près de l'entrejambe du Néerlandais, puis lève son scalpel. Son visage devient alors celui d'un bretteur.

Marinus plonge sa lame dans le périnée de Gerritszoon.

Tout le corps du patient se tend comme un muscle unique. Uzaemon tremble.

Les quatre séminaristes l'observent, fascinés.

« L'épaisseur de la graisse et des muscles varie, commente Marinus, mais la vessie… »

Toujours bâillonné, Gerritszoon pousse un cri sonore qui n'est pas sans rappeler un orgasme masculin.

« … la vessie, poursuit Marinus, est située à environ un pouce de profondeur. »

De son scalpel, le docteur agrandit l'incision sanguinolente : Gerritszoon hurle.

Uzaemon s'efforce de regarder : la lithotomie étant une chose inconnue en dehors de Dejima, il a accepté d'assister le docteur Maeno dans le compte rendu que celui-ci effectuera devant les membres de l'Académie.

Gerritszoon renâcle comme un bœuf ; il a les yeux remplis de larmes.

Marinus trempe son index gauche dans de l'huile de colza et l'introduit tout entier dans l'anus de Gerritszoon. « Voici pourquoi le patient doit au préalable vider ses intestins. » Une odeur de viande avariée se mêle à celle de pomme sucrée. « Il faut localiser le calcul par l'ampoule rectale… » De la main droite, Marinus insère la pince dans l'incision remplie de sang. « Et depuis le *fundus*, le pousser vers l'incision. » Des excréments liquides suintent du rectum du patient, enrobant la main du docteur. « Mieux vaut fureter le moins possible avec la pince. Une incision, c'est déjà bien assez et puis… Ah ! j'y étais presque… Une incision, disais-je… Ha-ha ! *Ecco siamo !* » Il extrait le calcul, retire son doigt de l'anus de Gerritszoon et essuie les deux sur son tablier. Le calcul, aussi gros qu'un gland, est jaune comme une dent gâtée. « Il faut étancher le sang de l'entaille, faute de quoi l'hémorragie tuera le patient. Dombourgeois, Corkois, veuillez reculer. » Marinus verse une huile différente sur la plaie qu'Eelattu recouvre d'un bandage croûteux.

À travers son bâillon, Gerritszoon soupire : d'insupportable, la douleur décroît, redevenant atroce.

Le docteur Maeno demande à Marinus : « Qu'est-ce l'huile, docteur, s'il vous plaît ?

– Un extrait d'écorce et de feuilles d'*Hamamelis japonica* – arbre baptisé par mes soins. Il s'agit d'une variété locale de noisetier de sorcière, qui réduit les risques de fièvre. Cette astuce m'a été enseignée par une vieille analphabète il y a une éternité. »

Orito, se souvient Uzaemon, *tirait ses connaissances de vieux herboristes des montagnes, elle aussi.*

Eelattu change le pansement, puis effectue un bandage autour de la taille de Gerritszoon. « Le patient restera allongé trois jours durant ; il lui faudra manger et boire modérément. L'urine s'écoulera par l'entaille sur la paroi de sa vessie : il faut donc s'attendre à des fièvres et des œdèmes, mais l'urine devrait à nouveau s'écouler par la voie naturelle d'ici deux à trois semaines. »

Marinus défait le bâillon de Gerritszoon et lui dit : « C'est à peu près le temps qu'il a fallu à Sjako pour marcher de nouveau, après le passage à tabac que vous lui avez prodigué en septembre dernier, n'est-ce pas ? »

Gerritszoon écarquille les yeux. « Espèce de bordel de... de bordel de...

– Paix sur la terre » – Marinus pose le doigt sur les lèvres de Gerritszoon, couvertes de gerçures – « aux hommes de bonne volonté. »

Le bruit de six ou huit conversations en japonais et néerlandais remplit le salon du chef van Cleef, des couverts d'argent tintent contre les assiettes réservées aux grandes occasions, et, bien que la nuit ne soit pas encore tombée, les candélabres illuminent un champ de bataille d'os de chèvre, d'arêtes de poisson, de miettes de pain, de pinces de crabe, de carapaces de homard, de restes de blanc-manger, et de feuilles et baies de houx tombées du plafond. On retire les paravents qui séparent la salle à manger du Salon de la baie, et s'offre à Uzaemon une vue s'étalant jusqu'à la lointaine embouchure donnant sur le grand large : les eaux sont bleu ardoise et les montagnes s'effacent à moitié derrière la bruine froide qui dissout la neige de la nuit dernière.

Les serviteurs malais du chef achèvent de jouer une chanson à la flûte et au violon, puis en entonnent une autre. Uzaemon se souvient de l'avoir entendue lors du précédent banquet annuel. Les interprètes de rang supérieur savent bien que ce « Nouvel An néerlandais », célébré le vingt-cinq décembre, coïncide avec la naissance de Jésus-Christ, mais personne ne l'admet jamais ouvertement, car un espion aux dents longues pourrait être tenté d'accuser les autres de cautionner un culte chrétien. Noël affecte les Néerlandais d'étranges façons ; Uzaemon l'a remarqué. Ils peuvent se montrer excessivement nostalgiques, parfois injurieux, joyeux et larmoyants ; tout cela en même temps, souvent. Quand Arie Grote apporte le pudding de Noël, le chef van Cleef, l'adjoint Fischer, Ouwehand, Baert et le jeune Oost oscillent déjà entre ébriété manifeste et ivresse totale. Seuls Marinus, de Zoet et Twomey, plus sobres, discutent avec les convives japonais.

– Ogawa-*san* ? » Goto Shinpachi semble inquiet. « Êtes-vous malade ?

– Non, non… pardonnez-moi. Goto-*san* m'a posé une question ?

– C'était une remarque sur la beauté de la musique.

– Je préfère encore les cris des porcs qu'on égorge, déclare l'interprète Sekita.

– Ou ceux d'un homme à qui on extrait un calcul, dit Arashiyama. Pas vrai, Ogawa ?

– Votre récit m'a coupé l'appétit. » Sekita engouffre un autre œuf mimosa. « Ces œufs sont vraiment délicieux.

– Je préfère me fier aux herbes des Chinois plutôt qu'aux lames des Néerlandais, dit Nishi, rejeton au faciès simiesque d'une dynastie rivale d'interprètes de Nagasaki.

– Mon cousin a fait le même choix, confie Arashiyama. Il avait la maladie de la pierre, lui aussi, et la...»

S'élève la cavalcade du rire de l'adjoint Fischer, qui tape du poing sur la table.

«... et la façon dont il mourut vous couperait l'appétit pour de bon.»

L'actuelle épouse de van Cleef à Dejima, qui porte un *kimono* aux motifs neigeux et des bracelets qui cliquettent, fait coulisser la porte et s'incline avec humilité. Plusieurs conversations s'interrompent et les convives les mieux éduqués s'empêchent de loucher sur la femme. Celle-ci susurre quelques paroles à l'oreille de van Cleef, dont le visage s'illumine alors; il lui chuchote quelque chose en retour et lui claque les fesses tel un fermier donnant une tape à un bœuf. Minaudant de colère feinte, elle retourne dans l'appartement privé de van Cleef.

Uzaemon soupçonne van Cleef d'avoir préparé cette petite scène dans le but d'exhiber son trophée.

«Il est fort dommage, roucoule Sekita, qu'elle ne figure pas sur le menu.»

Si de Zoet avait obtenu satisfaction, pense Uzaemon, *Orito serait une épouse de Dejima, elle aussi...*

L'esclave Cupidon distribue une bouteille à chacun des deux douzaines de convives.

... et ne se donnerait qu'à un seul homme – Uzaemon se mord les lèvres – *au lieu d'être livrée en pâture à plusieurs.*

«J'avais peur qu'ils aient renoncé à cette plaisante coutume», commente Sekita.

C'est ta culpabilité qui prétend cela, objecte Uzaemon. *Mais imagine que cette dernière ait raison?*

Le serviteur malais Filandre suit, débouchant chaque bouteille.

Van Cleef se lève et fait carillonner son verre à l'aide d'une petite cuillère, jusqu'à obtenir l'attention de la salle. «Ceux qui, parmi vous, avaient pris part au banquet du Nouvel An néerlandais lors de la résidence des chefs Hemmij et Snitker connaissent déjà la tradition du toast de l'hydre...»

Chuchotant, Arashiyama demande à Uzaemon : «Qu'est-ce que "hydre"?»

Uzaemon le sait mais hausse les épaules afin de ne pas perdre davantage le fil du discours de van Cleef.

«À tour de rôle, explique Goto Shinpachi, nous portons un toast...

– ... devenant un peu plus soûl à chaque minute, éructe Sekita.

– ... par laquelle nos souhaits mutuels» – van Cleef titube – «bâtissent... un... un avenir meilleur.»

Comme le veut la tradition, chaque convive remplit le verre de son voisin.

«Allons, messieurs» – van Cleef lève son verre –, «au XIXe siècle!»

Toute la salle lui fait écho, en dépit de l'ineptie que constitue son toast au regard du calendrier japonais.

Uzaemon se rend compte qu'il se sent vraiment mal.

«À l'amitié entre l'Europe et l'Orient!» lance l'adjoint Fischer.

Combien de fois encore me faudra-t-il entendre ces paroles creuses? se demande Uzaemon.

L'interprète Kobayashi regarde Uzaemon. «Au rétablissement prompt des amis chers, Ogawa Mimasaku et Gerritszoon-*san*.» Uzaemon doit donc se lever et s'incliner devant Kobayashi l'Ancien, sachant pourtant que celui-ci manœuvre à la Guilde des interprètes afin que son fils soit promu chef des interprètes du deuxième ordre à la place d'Uzaemon lorsque Ogawa l'Ancien acceptera l'inévitable et démissionnera de ce poste tant convoité.

Vient le tour de Marinus : «À ceux qui recherchent la vérité.»

À l'adresse des inspecteurs, l'interprète Yoshio propose un toast en japonais : «À la santé de notre sage et bien-aimé Magistrat.» Yoshio a lui aussi un fils interprète, du troisième ordre celui-ci, qui nourrit de grands espoirs vis-à-vis des postes en passe de se libérer. Aux Néerlandais, il dit : «À nos maîtres.»

C'est là le jeu qu'il faut jouer, songe Uzaemon, *si l'on veut favoriser sa carrière à la Guilde.*

Jacob de Zoet fait tournoyer le vin dans son verre. «À nos bienaimées, ici ou là-bas.»

Le Néerlandais croise le regard d'Uzaemon, mais tous deux détournent les yeux alors que ce toast est repris en chœur. L'interprète est toujours en train de jouer nerveusement avec son rond de serviette lorsque Goto se racle la gorge. «Ogawa-*san*?»

Uzaemon lève la tête, découvrant que toute l'assistance le regarde. «Pardon, messieurs, le vin a volé ma langue.»

Des rires de farfadets déferlent dans toute la pièce. Les visages des convives grossissent et rapetissent; le mouvement des lèvres ne correspond pas aux mots embrumés qu'il entend. Tandis que sa conscience se dérobe, Uzaemon se demande: *Suis-je en train de mourir?*

Les marches de la rue Higashizaka sont recouvertes de plaques de verglas et jonchées d'os, de lambeaux de tissu, de feuilles en décomposition et d'excréments. Dans leur ascension, Uzaemon et Yohei, son serviteur aux jambes arquées, passent devant un étal de châtaignes. Assailli par la puanteur, l'estomac de l'interprète menace de se rebeller. Plus haut, un mendiant inconscient de l'arrivée d'un *samurai* urine contre un mur. Les chiens efflanqués, les milans et les corbeaux se disputent les restes abjects offerts par la rue.

De sous un porche s'élèvent une litanie funéraire ainsi que des effluves d'encens.

Shuzai m'attend pour mon entraînement au sabre…, se souvient Uzaemon.

À un croisement, une fille on ne peut plus enceinte vend des chandelles de suif.

… mais si je m'évanouissais une deuxième fois aujourd'hui, d'inopportunes rumeurs iraient bon train.

Uzaemon demande à Yohei d'en acheter dix : une cataracte voile les deux yeux de la fille.

Elle remercie son client. Le maître et son serviteur poursuivent leur ascension.

Par une fenêtre, un homme crie : « Je maudis le jour où je t'ai épousée !

— *Samurai-sama ?* l'interpelle de derrière une porte entrouverte une diseuse de bonne aventure dépourvue de lèvres. Quelqu'un dans le Monde d'en haut attend votre délivrance, *samurai-sama.* »

Irrité par cette prémonition, Uzaemon ne s'arrête pas.

« Monsieur, dit Yohei, si vous vous sentez de nouveau défaillir, je peux…

— Cesse de t'inquiéter comme une femme : c'est le vin des étrangers qui m'a contrarié. »

Le vin des étrangers s'ajoutant à l'opération chirurgicale, songe Uzaemon.

« Rapporter ce moment d'absence à mon père ne ferait que l'inquiéter, prévient-il Yohei.

— Il ne l'apprendra pas de ma bouche, monsieur. »

Ils franchissent le portail du gardiennage. Le fils du gardien s'incline devant l'un des résidents les plus importants du quartier. Uzaemon lui retourne un vif mouvement de tête et pense : *Bientôt chez moi.* Mais cette perspective lui procure peu de réconfort.

Tandis qu'il attend qu'on lui ouvre le portail, Uzaemon entend la voix d'une vieillarde.

« *Ogawa-sama* aurait-il la générosité de m'accorder un peu de son temps ? »

Une montagnarde au dos voûté surgit des fourrés près du cours d'eau.

« De quel droit prononces-tu le nom de mon maître ? » s'interpose Yohei.

Le serviteur Kiyoshichi ouvre le portail des Ogawa de l'intérieur. Il aperçoit la montagnarde et explique : « Monsieur, cette simple d'esprit a frappé à l'entrée de service tout à l'heure, réclamant à parler à l'interprète Ogawa le Jeune. J'ai demandé à cette vieille sorcière de partir, monsieur, mais comme vous le constatez... »

Son visage buriné que détourent un manteau de paille et un chapeau est dépourvu de la malice du mendiant chevronné. « Nous avons une connaissance commune, Ogawa-*sama*.

– Cela suffit, grand-mère. » Kiyoshichi la prend par le bras. « Il est temps de rentrer chez toi. »

Il cherche du regard l'approbation d'Uzaemon, qui prononce silencieusement : « En douceur. »

« Le portail du gardiennage est dans cette direction.

– Mais avec mes vieilles jambes, Kurozane est à trois jours de marche, jeune homme, et...

– Eh bien, plus tôt tu repartiras, plus tôt tu seras rentrée, n'est-ce pas ? »

Uzaemon franchit le portail des Ogawa et traverse un jardin minéral déserté par le soleil où seul le lichen des arbustes maladifs prospère. Saiji, serviteur décharné aux allures de volatile de son père, fait coulisser la porte de la maison principale depuis l'intérieur, une seconde avant Yohei, qui s'apprêtait à l'ouvrir de l'extérieur. « Bienvenue chez vous, monsieur. » Les serviteurs se battent pour conserver leur poste : un jour, leur maître ne sera plus Ogawa Mimasaku, mais Ogawa Uzaemon. « Le maître supérieur dort dans sa chambre, monsieur. Et l'épouse de Monsieur a une migraine. La mère de Monsieur veille sur elle. »

Ma femme veut être seule, cependant Mère ne l'entend pas ainsi, comprend Uzaemon.

La nouvelle bonne arrive en apportant des chaussons, de l'eau chaude et une serviette.

«Allume le feu dans la bibliothèque», lui dit-il, songeant à reprendre ses notes sur la lithotomie. *Si je travaille*, espère-t-il, *Mère et mon épouse garderont leurs distances.*

«Prépare du thé pour le maître, ordonne Yohei à la bonne. Ne le fais pas trop fort.»

Saiji et Yohei attendent de voir lequel d'entre eux leur futur maître choisira pour son service personnel.

«Allez vous occuper de…» – Ogawa soupire – «…de ce dont il faut s'occuper. Tous les deux.»

Il s'enfonce dans le couloir froid au parquet ciré, et entend Yohei et Saiji rejetant chacun sur l'autre la responsabilité de la mauvaise humeur de leur maître. Leur dispute a le parfum d'une scène de ménage, et Uzaemon soupçonne qu'ils ne partagent pas que leur chambre, la nuit venue. Pénétrant dans le sanctuaire de la bibliothèque, il referme la porte, se coupant de ce foyer sans joie, de la sorcière des montagnes, des vaines causeries du banquet de Noël et de son ignominieux départ ; puis s'assied à sa table d'écriture. Ses chevilles le font souffrir. Il aime frotter le bâtonnet d'encre sur la pierre, où il verse quelques gouttes d'eau avant d'y tremper son pinceau. Les précieux livres et les parchemins chinois sont disposés sur les étagères de chêne. Il se souvient de la forte impression ressentie quand, quinze années auparavant, il était entré dans la bibliothèque d'Ogawa Mimasaku, loin d'imaginer un jour que le maître des lieux l'adopterait, et encore moins qu'il lui succéderait dans ce rôle.

Sois moins ambitieux, avertit-il un Uzaemon plus jeune, *et plus satisfait de ton sort.*

Sur l'étagère la plus proche, *La Richesse des nations* attire son regard.

Uzaemon bat le rappel des souvenirs de la lithotomie.

On frappe à la porte : le serviteur Kiyoshichi fait coulisser le panneau.

«La simplette ne viendra plus vous ennuyer, monsieur.»

Uzaemon met un moment à comprendre de quoi il est question. «Bien. Il faudrait informer sa famille du dérangement qu'elle occasionne.

– C'est ce que j'ai demandé au fils du gardien, monsieur, mais il ne la connaissait pas.

– Elle viendrait donc bien de... de Kurozaka, disait-elle?

– De Kurozane, si Monsieur me permet. Je crois qu'il s'agit d'une petite bourgade située sur la route de la mer d'Ariake, dans le domaine de Kyôga. »

Le nom lui est familier. Peut-être l'a-t-il entendu prononcer par l'Abbé Enomoto.

«A-t-elle confié de quoi elle souhaitait m'entretenir?

– "C'est une affaire privée." Voilà ce qu'elle répétait, monsieur. Et qu'elle était herboriste.

– N'importe quelle vieillarde sénile capable de préparer une décoction de fenouil peut prétendre à ce titre.

– Monsieur a raison. Sans doute a-t-elle eu vent des maladies qui frappent cette demeure et cherchait-elle à nous vendre quelque remède miracle. Elle mériterait une bonne correction, mais avec son grand âge... »

La nouvelle bonne entre, un seau de charbon à la main. Elle porte un fichu blanc, probablement pour se protéger du froid de l'après-midi. Un détail de la neuvième ou dixième lettre d'Orito revient à Uzaemon. «L'herboriste de Kurozane, écrivait-elle, vit au pied du mont Shiranui dans une vieille hutte de montagne en compagnie de ses chèvres, ses poules et un chien... »

Le plancher tangue. «Retourne la chercher. » Uzaemon ne reconnaît pas sa propre voix.

Surpris, Kiyoshichi et la bonne dévisagent leur maître, puis se regardent.

«Cours retrouver l'herboriste de Kurozane – la montagnarde. Ramène-la ici. »

Le serviteur stupéfait ne sait pas s'il doit se fier à ses oreilles.

D'abord, je m'évanouis à Dejima, songe Uzaemon, qui se rend compte à quel point son comportement est étrange. *Et maintenant, ce caprice pour une vieillarde.* « Au temple, alors que je priais pour la guérison de Père, un prêtre me suggéra que la maladie était peut-être due à... à un manque de charité de la part des Ogawa, et que les dieux nous donneraient l'occasion de nous racheter. »

Kiyoshichi doute que les dieux aient recours à des messagers aussi malodorants.

Uzaemon frappe dans ses mains. « Que je n'aie pas à te le réitérer, Kiyoshichi ! »

« Vous êtes Otane, commence Uzaemon en se demandant s'il doit lui attribuer un titre honorifique. Otane-*san*, l'herboriste de Kurozane. Tout à l'heure, dehors, je n'avais pas compris... »

La vieillarde assise se tient recroquevillée, à la manière d'un roitelet. Ses yeux sont vifs et clairs.

Uzaemon congédie ses serviteurs. « Veuillez m'excuser de ne pas vous avoir écoutée. »

Otane accepte la déférence qui lui est due, mais reste pour l'instant coite.

« Le domaine de Kyôga est à deux jours de marche d'ici. Avez-vous dormi dans une auberge ?

– Il fallait bien que je fasse le trajet ; me voici arrivée, à présent.

– Mlle Aibagawa a toujours parlé d'Otane-*san* avec grand respect.

– À sa deuxième visite à Kurozane » – son dialecte de Kyôga porte une dignité toute terrienne –, « Mlle Aibagawa a parlé de l'interprète Ogawa de la même façon. »

Ses pieds la font peut-être souffrir, se dit Ogawa, *mais ils savent où frapper.* « Rares sont les hommes qui choisissent l'épouse de leur cœur. Je me suis conformé au diktat familial. Ainsi va le monde.

– Les trois visites que m'a rendues Mlle Aibagawa sont les trois trésors de ma vie. En dépit de la grande différence de nos rangs, elle était, et restera, la fille que je chéris.

– Je crois comprendre que Kurozane se trouve en bas d'un sentier qui mène au sommet du mont Shiranui. L'auriez-vous » – Uzaemon n'en peut plus d'espérer – « rencontrée depuis son admission au Sanctuaire ? »

La grimace amère sur le visage d'Otane lui répond : *Non*. « Ils interdisent le moindre contact. Deux fois par an, au corps de garde du Sanctuaire, j'apporte des plantes médicinales destinées au docteur, maître Suzaku. Les profanes n'ont pas le droit d'aller plus loin, à moins d'être les hôtes de maître Genmu ou du Seigneur-Abbé Enomoto. Encore moins une... »

La porte coulisse, et la bonne de la mère d'Uzaemon apporte du thé.

Mère n'aura guère attendu avant d'envoyer son espionne, remarque Ogawa.

Otane s'incline tandis qu'elle reçoit son bol de thé sur un plateau en noyer.

La bonne repart ; un interrogatoire exhaustif l'attend.

« Encore moins une vieille cueilleuse », reprend Otane. Elle saisit le bol de thé de ses deux mains aux doigts noueux et teintés par les plantes. « Non, ce n'est pas un message de Mlle Aibagawa que j'apporte, mais... j'y reviendrai bientôt. Il y a plusieurs semaines, la nuit de la première neige, un visiteur est venu chercher refuge dans ma maisonnette. Un jeune acolyte du Sanctuaire du mont Shiranui. Il s'était enfui. »

La silhouette floue de Yohei défile derrière la fenêtre de papier illuminée par la neige.

« Qu'a-t-il dit ? » La bouche d'Uzaemon est sèche. « Est-elle... Mlle Aibagawa est-elle en bonne santé ?

– Elle est en vie, mais il a parlé de cruautés que les membres de l'Ordre infligent aux sœurs. Il a dit que, si la nouvelle se répandait, même les soutiens du Seigneur-Abbé à Edo ne pourraient défendre le Sanctuaire. C'était l'intention de l'acolyte : aller à Nagasaki et dénoncer l'Ordre du mont Shiranui devant le Magistrat. »

Quelqu'un chasse la neige dans la cour à l'aide d'un balai-brosse.

Le feu n'y change rien : Uzaemon a froid. « Où se trouve ce transfuge ?

– Je l'ai enterré le lendemain entre deux cerisiers de mon jardin. »

Quelque chose frémit vivement à l'extrémité du champ de vision d'Uzaemon. « Comment est-il mort ?

– Il existe une catégorie de poisons qui, une fois ingérés, demeurent dans le corps et restent inoffensifs tant que, chaque jour, on absorbe un antidote. Sans celui-ci, le poison vous tue. C'est ce que je me suis figuré de plus plausible…

– L'acolyte était donc voué à la mort dès l'instant où il a fugué ? »

Au fond du couloir, la mère d'Ogawa réprimande sa bonne.

« L'acolyte a-t-il évoqué les pratiques de son Ordre avant de mourir ?

– Non. » Otane penche sa tête de vieillarde un peu plus près. « Mais il en a écrit les Préceptes sur un parchemin.

– Ces Préceptes sont-ils liés à ces "cruautés" que subissent les sœurs ?

– Je ne suis qu'une vieille femme de souche paysanne, interprète. Je ne sais pas lire.

– Et ce parchemin. » La voix d'Uzaemon n'est plus qu'un chuchotement, elle aussi. « Où est-il ? À Nagasaki ? »

Otane fixe Uzaemon comme s'il était le Temps personnifié. De sa manche, elle tire un étui à parchemin en cornouiller.

« Les sœurs, s'efforce-t-il de demander, sont-elles obligées de s'allonger aux côtés des hommes du Sanctuaire ? Étaient-ce là les… les cruautés que l'acolyte évoquait ? »

Le pas assuré de sa mère remonte le couloir, faisant grincer le plancher.

« J'ai des raisons de craindre » – Otane tend l'étui à parchemin à Uzaemon – « que la vérité ne soit pire. »

Au moment où la porte s'ouvre, Uzaemon dissimule le parchemin dans sa manche.

«Oh, pardon!» Sa mère apparaît dans l'embrasure. «Je n'avais pas idée que tu avais de la compagnie. Ton...» – elle marque une pause – «... ton invitée restera-t-elle dîner?»

Otane s'incline bien bas. «Tant de générosité dépasse largement ce qu'une vieille grand-mère comme moi mérite. Merci, madame, mais je ne compte pas m'imposer une minute de plus à votre charitable foyer...»

XIX

Couvent du Sanctuaire du mont Shiranui

Le neuvième matin du douzième mois,
au lever du soleil

Balayer les cloîtres est une tâche bien contrariante, cet après-midi : aussitôt un tas de feuilles et d'aiguilles de pin est-il constitué que le vent les dissémine d'un coup de pied. Les nuages s'effilochent sur le Pic nu et déversent une bruine glaciale. Orito décape les gluaux à l'aide d'un morceau de toile. C'est aujourd'hui son quatre-vingt-quinzième jour de captivité : voilà treize jours que, tournant le dos à Suzaku et à l'abbesse, elle verse le Réconfort dans sa manche. Pendant les quatre ou cinq premiers, elle a souffert de crampes et d'accès de fièvre, mais elle a désormais retrouvé ses esprits : les rats ne parlent plus et les tours que lui jouait le Couvent ont fini par cesser. C'est une victoire partielle, cependant : elle n'a pas obtenu l'autorisation d'explorer l'enceinte du Sanctuaire, et bien qu'elle ait encore été épargnée, les chances pour une néophyte d'échapper à quatre reprises à l'Offrande sont minces ; quant à passer entre les mailles du filet une cinquième fois, ce serait sans précédent.

Les sandales laquées d'Umegae approchent : *clip-clop, clip-clop*.

Elle ne pourra pas s'empêcher, anticipe Orito, *de dire quelque chose de stupide.*

«Quelle diligence, sœur néophyte! Serais-tu née avec un balai dans la main?»

La question n'appelle pas de réponse; Orito n'en fournit aucune, d'ailleurs: Umegae repart vers la cuisine. Cette moquerie rappelle à Orito les louanges de son père à propos de la propreté qui régnait à Dejima, en comparaison du poste de traite chinois, où les ordures étaient abandonnées à la pourriture et aux rats. Elle se demande si elle manque à Marinus. Elle se demande si une fille de la Maison de la glycine réchauffe le lit de Jacob de Zoet et admire ses yeux exotiques. Elle se demande si Jacob pense encore à elle, en dehors des moments où son dictionnaire lui fait défaut.

Elle se pose les mêmes questions vis-à-vis d'Ogawa Uzaemon.

De Zoet quittera le Japon sans jamais savoir qu'elle avait consenti à sa proposition.

L'apitoiement sur soi, se répète une fois de plus Orito, *est un nœud coulant suspendu à une poutre.*

Le gardien se met à crier: «Les portes s'ouvrent, mes sœurs!»

Deux acolytes poussent une charrette remplie de bûches et de bois d'allumage.

Orito aperçoit un chat se faufiler par la porte juste au moment où celle-ci se referme. Son pelage est gris clair, comme la lune les soirs où le ciel est trouble; il traverse la cour à toute vitesse. Un écureuil remonte le tronc du vieux pin, mais le chat gris-de-lune sait que les créatures à deux pattes offrent un meilleur repas que celles à quatre: il saute sur le plancher du cloître et tente sa chance auprès d'Orito. «Je ne t'ai jamais vu ici», dit la femme à l'animal.

Le chat la regarde et miaule: *Donne-moi à manger, moi qui suis si beau.*

Orito lui tend un pilchard séché qu'elle tient entre le pouce et l'index.

Le chat gris-de-lune le regarde d'un air indifférent.

«Quelqu'un a grimpé jusqu'au sommet de cette montagne pour apporter ce poisson», le réprimande Orito.

Le chat saisit le pilchard, saute sur le sol de la cour et se glisse sous le plancher.

Orito descend à son tour, mais le chat a disparu.

Elle voit une étroite ouverture rectangulaire dans le soubassement du Couvent…

… mais une voix provenant du dessus du plancher lui demande : «La sœur néophyte a-t-elle perdu quoi que ce soit ?»

Coupable, Orito lève la tête et voit l'intendante, les bras chargés de tuniques. «Un chat est venu me demander à manger, et quand je lui ai donné ce qu'il réclamait, il a déguerpi.

– Un matou, sûrement.» Un éternuement propulse l'intendante en avant.

Orito l'aide à ramasser les tuniques et à les porter à la lingerie. La sœur néophyte éprouve de la compassion pour l'intendante Satsuki. La position hiérarchique de l'abbesse est sans ambiguïté : subalterne aux maîtres, supérieure aux acolytes. L'intendante, elle, a davantage de devoirs que de privilèges. Ne souffrant d'aucune difformité et n'étant pas soumise à l'Offrande, elle occupe un poste qui, dans le Monde d'en bas, ferait des envieux. Mais le Couvent a sa propre logique, et Umegae et Hashihime ne manquent pas de rappeler douze fois par jour à l'intendante que celle-ci est garante de leur confort. Elle se lève tôt, se couche tard et se trouve souvent exclue des moments d'intimité partagés par les sœurs. Orito relève la rougeur des yeux de l'intendante et la lividité de son teint. «Excusez-moi de vous le demander, dit la fille de médecin, mais vous portez-vous mal ?

– Ma santé, ma sœur ? Mon état est… est satisfaisant, je vous remercie.»

Orito est persuadée que l'intendante lui cache quelque chose.

«Je vous assure, ma sœur, je me porte assez bien : ce sont les hivers en montagne qui me rendent plus lente, à peine d'ailleurs…

– Combien d'années avez-vous passées sur le mont Shiranui, intendante ?

— Cela fera bientôt cinq ans » – elle semble heureuse d'avoir quelqu'un avec qui discuter – « que je suis au service du Sanctuaire.

— Sœur Yayoi m'a raconté que vous venez d'une grande île du domaine de Satsuma.

— Oh, très peu la connaissent : Yakushima se trouve à une journée entière de traversée du port de Kagoshima. Personne n'en a entendu parler. Quelques insulaires se mettent au service du Seigneur de Satsuma en tant que fantassins : ils rapportent avec eux des aventures qu'ils passent le reste de leur vie à embellir, mais autrement, ils sont très peu à quitter l'île. L'arrière-pays est montagneux et vierge de tout chemin. Seuls les hommes des bois prudents, les chasseurs inconscients et les pèlerins entêtés s'y aventurent. Les divinités *kami* de Yakushima n'ont pas l'habitude de croiser des humains. Il n'y a qu'un sanctuaire digne de ce nom : il est situé à mi-chemin du sommet de la montagne Miura et à deux jours de marche depuis le port, et il comporte un modeste monastère, plus petit que celui de Shiranui. »

Soufflant dans ses mains, Minori franchit la porte de la lingerie.

« Comment vous êtes-vous retrouvée ici, à ce poste d'intendante ? » lui demande Orito.

Yûgiri traverse la pièce dans l'autre sens, balançant le seau qu'elle tient.

L'intendante déplie un drap afin de mieux le replier. « Maître Byakko était venu en pèlerinage à Yakushima. Mon père, le cinquième fils d'une famille modeste du clan des Miyake, n'était *samurai* que de nom : il vendait du riz et du millet, et possédait un bateau de pêcheur. Comme il approvisionnait le monastère de Miura en riz, il proposa de guider maître Byakko sur le chemin montagneux. Je les suivis afin de porter les affaires et préparer les repas – nous autres, filles de Yakushima, on nous élève à la dure. » L'intendante se risque à un rare et timide sourire. « Au retour, maître Byakko annonça à mon père que le petit couvent accroché au mont Shiranui aurait besoin d'une intendante qui ne rechigne pas devant le labeur. Père saisit l'occasion : j'étais l'une de ses quatre filles, et, grâce à la proposition du maître, il y aurait une dot de moins à constituer.

– Que vous inspirait l'idée de fuir vers l'horizon ?

– De la peur et de l'excitation : j'allais voir de mes yeux le grand Japon. Deux jours plus tard, j'étais sur un bateau : je regardais mon île natale rapetisser jusqu'à la taille d'un dé à coudre… C'était terminé, je ne pouvais plus revenir sur mes pas. »

Le rire hérissé de pointes de Sawarabi leur parvient de la cuisine.

Le regard de Satsuki remonte le temps : l'intendante a le souffle court.

Tu es plus souffrante que tu ne veux bien l'admettre, devine Orito.

« Mais quelle commère je fais ! Merci de votre aide, ma sœur, mais il ne faut pas me laisser vous détourner de vos tâches ménagères. Je vais terminer de plier les tuniques toute seule, je vous remercie. »

Orito retourne dans les cloîtres et ramasse son balai.

Les acolytes frappent au portail afin qu'on leur permette de retourner dans l'enceinte principale. Au moment où il s'ouvre, le chat gris-de-lune se faufile entre leurs jambes. Il traverse la cour à toute vitesse. Un écureuil remonte le tronc du vieux pin. Sans détour, le chat se dirige vers Orito, se frotte à ses jambes et lève la tête vers elle, affichant clairement ses intentions.

« Si tu es revenu pour avoir davantage de poisson, petit polisson, sache qu'il n'y en a plus. »

Le chat répond à Orito qu'elle n'est qu'une pauvre idiote.

« Dans le domaine de Bizen » – la première sœur Hatsune caresse sa paupière à jamais fermée, tandis que, dehors, le vent de la nuit souffle tout autour du Sanctuaire –, « une ravine remonte en direction du nord depuis le grand chemin de San'yôdo jusqu'à la ville fortifiée de Bitchu. À un détour étroit de cette ravine, deux colporteurs d'Osaka aux pieds endoloris, pris de court par la nuit, avaient établi un campement devant un sanctuaire abandonné dédié à Inari, le dieu Renard, juste sous un vénérable noyer drapé de mousse. Le premier colporteur était un joyeux drille qui vendait des rubans, des peignes et autres articles de ce genre. Il enjôlait les filles, flattait les jeunes hommes, et ses affaires prospéraient. "Des rubans contre des baisers des demoiselles en âge d'aimer!" chantait-il. Le deuxième colporteur était un vendeur de couteaux. C'était un gaillard aux sombres pensées : il croyait que le monde lui était redevable de tout, et sa charrette à bras était remplie d'invendus. Dans la nuit où débute ce conte, les deux colporteurs se réchauffaient autour d'un feu et discutaient de leurs projets une fois revenus à Osaka. Le colporteur de rubans était décidé à épouser son amour d'enfance, tandis que le vendeur de couteaux, lui, voulait ouvrir un mont-de-piété afin de gagner un maximum d'argent en travaillant le moins possible. »

Clic-clic-clic, font les ciseaux de Sawarabi sur la bande de tissu en coton.

« Avant de dormir, le vendeur de couteaux proposa de prier Inari-*sama* et d'implorer sa protection en cet endroit si loin de tout. Le colporteur de rubans acquiesça, mais, alors que celui-ci s'agenouillait devant l'autel à l'abandon, le vendeur de couteaux lui trancha la tête d'un seul coup de la plus grosse de ses haches invendues. »

Plusieurs sœurs sursautent et Sadaie pousse même un petit cri. « Non !

— *Nh*ais, objecta Asagao, tu di*sh*ais que les deux étaient a*nh*is.

— C'est ce que croyait le pauvre vendeur de rubans, ma sœur. Et voilà que le vendeur de couteaux s'empara de l'argent de son compagnon, enterra son cadavre et tomba de fatigue. S'il fut en proie aux cauchemars ou à d'étranges grognements ? Point du tout ! Il se réveilla le matin en pleine forme, mangea la nourriture de sa victime en guise de petit-déjeuner et son retour jusqu'à Osaka se déroula sans encombre. Se servant de l'argent de sa victime, il lança son commerce, devint un prospère prêteur sur gages, et, bien vite, il fut en mesure de garnir d'une doublure toutes ses tuniques et de goûter aux mets les plus délicats avec des baguettes d'argent. Quatre printemps et quatre automnes passèrent. Puis, un après-midi, un pimpant client à la toison broussailleuse et vêtu d'une cape brune entra dans le mont-de-piété, lui présentant une boîte en noyer. Il en sortit un crâne humain lustré. Le prêteur sur gages lui dit alors : "Ta boîte vaut sans doute quelques *mon* de cuivre, mais pourquoi me montres-tu ce vieux bout d'os ?" L'étranger sourit au prêteur sur gages de ses belles dents blanches et ordonna au crâne : "Chante!" Et aussi vrai que je suis là devant vous, mes sœurs, le crâne se mit à chanter ceci :

> "En beauté tu dormiras, des plaisirs tu dîneras
> Par la grue, la tortue et le pin *Goyô...*" »

Détonant dans l'âtre, une bûche se fend : la moitié des femmes sursaute.

« Les trois porte-bonheur, dit Minori l'aveugle.

– C'est aussi ce que pensa le prêteur sur gages, poursuit Hatsune, mais il se plaignit auprès du pimpant client à la toison brous-sailleuse que le marché était saturé de ces curiosités néerlandaises. Il demanda si le crâne chanterait sur ordre de quiconque ou bien seulement sur celui de l'étranger. De sa soyeuse voix, ce dernier lui répondit que le crâne chanterait sur ordre de son véritable pro-priétaire. "Très bien, grogna le prêteur sur gages, voici trois *koban*, mais ne réclame pas un *mon* de plus, ou bien s'en est fait de notre marché." Sans piper mot, l'étranger s'inclina, déposa le crâne sur la boîte, empocha son dû et repartit. Le prêteur sur gages mit peu de temps à trouver comment tirer au mieux profit de sa nouvelle et magique acquisition. D'un claquement de doigts, il appela son palanquin et se rendit dans l'antre d'un *samurai* sans maître, un *ronin* qui menait une vie dissolue et prompt à d'étranges paris. En homme scrupuleux, le prêteur sur gages voulut essayer son achat et ordonna au crâne : "Chante !" Et, bien entendu, le crâne se mit à chanter :

> "La vie est de bois, le temps est de feu
> Par la grue, la tortue et le pin *Goyô*..."

Une fois en présence du *samurai*, le prêteur sur gages présenta son acquisition et réclama mille *koban* en échange d'une chanson de son nouvel ami le crâne. Aussi vif qu'une lame, le *samurai* dit au prêteur sur gages qu'il aurait la tête coupée s'il se jouait de sa crédulité et que le crâne ne chantât pas. Le prêteur sur gages, qui s'attendait à cette réaction, accepta mais demanda la moitié de la richesse du *samurai* s'il s'avérait que le crâne chantait. L'habile *samurai* pensa alors que le prêteur sur gages avait perdu la raison... et y vit une opportunité de faire facilement fortune. Il objecta donc que le cou du prêteur sur gages ne valait rien, et réclama en plus toute sa fortune en cas de victoire. Ravi de voir le *samurai* mordre à l'hameçon, le prêteur sur gages fit à nouveau monter les enchères : si le crâne chantait, son adversaire devrait lui céder la totalité de ses richesses... à moins que le *samurai* ne manque de cran et renonce ? En guise de réponse, ce dernier ordonna à son scribe de consigner par écrit ce pari et d'en faire un serment de sang, puis prit à témoin le chef de la garde – un individu corrompu coutumier de ces sombres manigances. Notre cupide prêteur sur gages posa alors le crâne sur sa boîte et ordonna : "Chante !" »

Les ombres géantes des femmes dessinent d'anxieuses obliques.

Hotaru est la première à craquer : « Et que s'est-il produit, sœur Hatsune ?

– Un grand silence, voilà ce qui se produisit, ma sœur. Le crâne n'émit pas le moindre glapissement. Alors le prêteur sur gages éleva de nouveau la voix : "Chante. C'est un ordre. Chante!" »

L'aiguille de l'intendante Satsuki est inerte.

« Le crâne ne pipait mot. Le prêteur sur gages pâlissait. "Chante! Chante!" Mais le crâne restait muet. Le serment de sang était là, sur la table ; l'encre rouge n'avait pas encore séché. Désespéré, le prêteur sur gages hurla encore au crâne : "Chante!" Mais rien. Rien de rien. Le prêteur sur gages ne comptait pas sur la clémence du *samurai*, et il ne s'y trompa point. Le *samurai* exigea qu'on lui apporte son sabre le plus tranchant pendant que le prêteur sur gages, agenouillé, tentait de prier. Et sa tête tomba. »

Sawarabi lâche son dé à coudre. Il roule jusqu'à Orito, qui le ramasse et le lui rend.

« Alors » – Hatsune hoche lentement la tête –, « trop tard, le crâne se mit à chanter :

"Des rubans contre des baisers des demoiselles en âge d'aimer!
Des rubans contre des baisers des demoiselles en âge d'aimer!" »

Hotaru et Asagao la regardent, les yeux écarquillés. Le sourire moqueur d'Umegae a disparu.

« Le *samurai* » – Hatsune se penche en arrière et se frotte les genoux – « comprit que l'argent du prêteur sur gages était maudit. Il fit don de cette fortune au temple de Sanjusandengo. Plus jamais on ne revit le pimpant étranger à la toison broussailleuse. Qui sait si ce n'était pas Inari-*sama* en personne, venu réparer la vilenie qui entachait son sanctuaire ? Le crâne du vendeur de rubans – si tant est que ce fût le sien – est toujours entreposé dans une alcôve recluse au fin fond d'une aile rarement fréquentée de Sanjusandengo. Chaque année, pendant le Jour des Morts, un des moines les plus âgés prie pour son repos. Si jamais vous passez par là après votre Retraite, allez-y, vous le verrez de vos yeux… »

La pluie siffle comme des serpents qui se balancent, et les rigoles gargouillent. Orito regarde cette veine qui palpite sur le cou de Yayoi. *Le ventre recherche la nourriture*, songe-t-elle ; *la langue, l'eau ; le cœur, l'amour ; et l'esprit, les récits.* Orito est persuadée que, au Couvent, ce sont les récits qui rendent la vie supportable, et ces récits prennent diverses formes : les lettres de leurs Présents, les commérages, les souvenirs et les histoires à dormir debout comme le conte de Hatsune sur le crâne qui chante. Orito repense aux mythes des dieux, à Izanami et Izanagi, à Bouddha et Jésus, et peut-être à la Déesse du mont Shiranui, aussi : ne s'agit-il pas chaque fois du même principe ? Orito se représente l'esprit humain comme un métier à tisser formant l'entrelacs des différents fils de croyances, de souvenirs et de récits communément appelé le Soi, et parfois désigné sous le nom de Perception.

« Je n'arrête pas de penser à cette fille, murmure Yayoi.

– De quelle fille tu parles, petite dormeuse ? » Orito enroule une mèche des cheveux de Yayoi autour de son pouce.

« L'amoureuse du vendeur de rubans. Celle qu'il voulait épouser. »

Il faut que tu quittes le Couvent et Yayoi, se rappelle Orito, *et vite.*

« C'est si triste. » Yayoi soupire. « Elle vieillira et mourra sans jamais connaître la vérité. »

Les flammes s'intensifient et diminuent au rythme changeant du tirage de la cheminée.

Il y a une fuite au-dessus du brasero de fonte : les gouttes chuintent et crépitent.

Le vent fait vibrer les panneaux de bois des cloîtres, tel un prisonnier fou.

La question de Yayoi surgit de nulle part : « Un homme t'a-t-il déjà touchée, ma sœur ? »

Orito est habituée au franc-parler de son amie, mais pas sur ce sujet. « Non. »

Avec ce « non », c'est mon demi-frère qui triomphe, se dit-elle. « Ma belle-mère de Nagasaki a un fils. J'aime mieux ne pas prononcer son nom. Avant le mariage de Père, il fut entendu que mon demi-frère s'efforcerait de devenir médecin ou savant. Cependant, il ne fallut guère de temps pour que son inaptitude fût percée à jour. Il avait horreur des livres, détestait le néerlandais, et le sang le répugnait : aussi, il fut envoyé chez un oncle à Saga, mais il revint à Nagasaki à l'occasion des funérailles de Père. À dix-sept ans, ce garçon muet s'était transformé en homme du monde. Tantôt c'était : "Oh là, mon bain !" Tantôt : "Hé toi, mon thé !" Il me regardait à la manière de ses semblables : sans la moindre considération. »

Orito marque une pause : dans le couloir, des bruits de pas s'approchent et repartent.

« Ma belle-mère releva les nouvelles manières de son fils mais ne vit rien à y redire, du moins dans un premier temps. Jusqu'à la mort de Père, elle passait pour une épouse de médecin dévouée, mais, une fois les funérailles terminées, elle changea du tout au tout… ou plutôt, le masque tomba. Elle m'interdit de sortir de la résidence familiale sans sa permission, laquelle m'était rarement accordée. Elle m'annonça : "Les jours où tu jouais les savantes sont terminés." Elle n'ouvrait pas aux vieux amis de mon père, qui finirent pas ne plus venir. Elle renvoya Ayame, seule servante rescapée de l'époque où Mère était en vie. Les tâches dont elle s'occupait me furent confiées. Du jour au lendemain, mon riz passa de blanc à brun. Tu dois me prendre pour une petite fille gâtée, à parler ainsi. »

Yayoi hoquette sous le petit coup de pied décoché depuis l'intérieur de son utérus. « Ils t'écoutent et ni eux ni moi ne pensons que tu étais une petite fille gâtée.

— Eh bien, mon demi-frère m'apprit cependant que mes ennuis ne faisaient que commencer. Je couchais dans l'ancienne chambre d'Ayame – avec ses deux *tatami* de superficie, il s'agissait davantage

365

d'un placard que d'une chambre. Un soir, quelques jours après les funérailles de Père, alors que toute la maison dormait, mon demi-frère apparut. Je lui demandai ce qu'il voulait. Il me répondit que je le savais bien. Je lui ordonnai de sortir. Alors, il déclara : "Les règles ont changé, ma chère demi-sœur." Il m'annonça qu'en tant que chef des Aibagawa de Nagasaki » – Orito a un goût de métal en bouche –, « tous les biens de la demeure lui appartenaient. "Et celui-ci aussi", dit-il au moment où il me toucha. »

Yayoi grimace. « Je n'aurais pas dû te demander. Tu n'es pas obligée de me le raconter. »

C'est lui qui a commis ce crime, songe Orito, *pas moi*. « J'essayai de… mais il me frappa comme jamais on ne m'avait frappée. De sa main, il me bâillonna et me demanda… » – *d'imaginer*, se rappelle-t-elle, *qu'il était Ogawa* – « … Il me jura que si je résistais, il me mettrait la partie droite du visage au-dessus du feu jusqu'à ce qu'elle ressemble à la gauche. Et que, de toute façon, il finirait bien par obtenir ce qu'il voulait. » Orito s'interrompt afin que sa voix recouvre son calme. « Il fut facile de jouer la peur. Mais jouer la soumission l'était moins. Alors, je lui répondis : "D'accord." Il me lécha le visage comme un chien, défit son *kimono* et… et puis je plongeai mes doigts entre ses jambes et j'écrasai ce qu'il y avait là comme si c'était un citron, de toutes mes forces. »

Yayoi regarde son amie sous un jour nouveau.

« Son cri réveilla toute la maisonnée. Sa mère accourut et chassa les serviteurs. Je lui dis ce que son fils avait tenté de faire. Il répondit que c'était moi qui avais voulu qu'il me rejoigne dans mon lit. Elle frappa le chef des Aibagawa de Nagasaki une première fois pour avoir menti, une deuxième pour être un imbécile, et dix fois pour avoir failli abîmer leur bien le plus précieux. "L'Abbé Enomoto tient à ce que ta demi-sœur arrive *intacte* à son Couvent de monstresses", clama-t-elle. C'est ainsi que j'appris la raison des visites du bailli d'Enomoto. Quatre jours plus tard, j'étais ici. »

La tempête s'abat sur les toits et le feu gronde.

Orito se souvient des amis de son père, qui refusèrent tous de l'héberger au cours de la nuit où elle s'était enfuie de son propre foyer.

Elle se souvient de s'être cachée toute la nuit à la Maison de la glycine, l'oreille en alerte.

Elle se souvient de sa douloureuse décision d'accepter la proposition de de Zoet.

Elle se souvient de son humiliation finale et de son rapt à la porte-de-terre de Dejima.

« Les moines ne sont pas comme ton demi-frère, lui dit Yayoi. Ils sont gentils.

— À quel point ? Au point de tourner les talons et de repartir de ma chambre quand je leur dirai : "Non" ?

— De la même façon qu'elle nous choisit, nous autres sœurs, la Déesse choisit les porteurs de l'Offrande. »

Une fois la croyance enracinée, songe Orito, *les croyants sont sous le joug.*

« Lors de ma première Offrande, se confie Yayoi, j'ai pensé à un garçon que j'aimais. »

Les cagoules, comprend Orito, *sont donc destinées à dissimuler le visage des moines, pas les nôtres.*

« As-tu connu un homme, hésite à lui demander Yayoi, à qui tu pourrais… ? »

Ogawa Uzaemon, se dit la sage-femme, *ne fait plus partie de ma vie.*

Elle a beau bannir toute pensée lui rappelant Jacob de Zoet, Orito se souvient pourtant de lui.

« Oh, s'exclame Yayoi, je suis aussi fouineuse que Hashihime, ce soir. Ne me prête pas attention. »

Mais la sœur néophyte s'extirpe de la chaleur de leurs couvertures, s'approche du coffre que lui a donné l'abbesse et en sort un éventail de paulownia et de papier. Yayoi se redresse, curieuse. Orito allume une bougie et ouvre l'éventail.

Yayoi en scrute les détails. « C'était un artiste ? Un savant ?

— Il lisait, mais ce n'était qu'un simple clerc travaillant dans une réserve quelconque.

— Il t'aimait. » Yayoi caresse les branches de l'éventail. « Il t'aimait.

— C'était un étranger venu d'un autre… domaine. Il me connaissait à peine. »

Yayoi regarde Orito d'un œil apitoyé, puis soupire. « Et alors ? »

La jeune femme endormie sait qu'elle rêve car le chat gris-de-lune lui dit : « Quelqu'un a grimpé jusqu'au sommet de cette montagne pour apporter ce poisson. » Le chat saisit le pilchard, saute sur le sol de la cour et se glisse sous le plancher. La rêveuse descend à son tour, mais le chat a disparu. Elle voit une étroite ouverture rectangulaire dans le soubassement du Couvent…

… un souffle chaud en émane. Elle entend des enfants et les insectes de l'été.

Une voix provenant du dessus du plancher lui demande : « La sœur néophyte a-t-elle perdu quoi que ce soit ? »

Le chat gris-de-lune qui se lèche la patte a la voix du père d'Orito.

« Je sais que tu es un messager, dit la rêveuse, mais quel est ton message ? »

Le chat la regarde d'un œil compatissant, puis soupire. « Je suis reparti par ce trou situé en dessous… »

L'univers noir est concentré dans une petite boîte qui s'ouvre lentement.

« … et suis réapparu à la grande porte du Couvent une minute plus tard. Que cela signifie-t-il ? »

La rêveuse se réveille dans les ténèbres figées par le givre. Yayoi est là, profondément endormie.

Orito tâtonne, remue, fouille et finit par comprendre. *Un conduit… ou un tunnel.*

XX

Les deux cents marches
qui mènent au temple Ryûgaji de Nagasaki

Jour de l'An de la douzième année
de l'ère Kansei

La foule des jours de congé accourt dans une grande bousculade. Des garçons vendent des fauvettes dans des cages accrochées à un pin. Penchée au-dessus d'un gril fumant, une grand-mère aux mains estropiées lance des cris rauques: «*Brooo*chettes de seiche, *brooo*chettes de seiche, achetez mes belles *brooo*chettes de seiche!» Depuis l'intérieur de son palanquin, Uzaemon entend Kiyoshichi beugler «Place! Faites place!» non pas tant dans le but de se frayer un chemin que de se prémunir des récriminations d'Ogawa l'Ancien le taxant de paresse. «Des images stupéfiantes! Des dessins épatants!» hurle un vendeur de gravures. Le visage de cet homme se présente devant le grillage du palanquin d'Uzaemon, et le vendeur lui montre une estampe pornographique représentant un gnome nu qui ressemble indéniablement à Melchior van Cleef. Le gnome possède un monstrueux phallus aussi grand que son corps. «Puis-je montrer à Monsieur pour son plus grand plaisir un exemplaire de la série des "Nuits de Dejima"?» Comme Uzaemon grogne «Non!» le vendeur s'éloigne en s'époumonant: «Admirez les cent huit merveilles de l'Empire par le peintre Kawahara sans quitter votre maison!» Un conteur montre sur sa frise historique le siège de Shimabara : «Et voici, mesdames et messieurs, Amakusa Shirô le chrétien s'employant à vendre nos âmes au roi de Rome!» L'amuseur sait jouer avec son auditoire : le public lance des huées et des insultes. «C'est pourquoi le Grand Shogun chassa ces démons d'étrangers, et c'est pourquoi ce rituel annuel du *fumi-e* se poursuit aujourd'hui, afin d'éradiquer ces hérétiques qui se nourrissent à nos mamelles!» Une fille malingre, allaitant un bébé si difforme qu'Uzaemon le prend pour un chiot tondu, l'implore : «La pitié et une pièce, monsieur, la pitié et une pièce…» Il fait coulisser la grille, mais le palanquin avance brusquement d'une douzaine de pas, et Uzaemon reste là, tendant une pièce d'un *mon* devant les passants qui rient, fument et plaisantent. Leur joie est insupportable. *Je suis comme une âme errant pendant l'O-bon condamnée à regarder les insouciants et les vivants se délecter de la vie*, se dit Uzaemon. Son palanquin bascule et il doit s'accrocher à la poignée laquée pour ne pas glisser en arrière. Arrivant en haut des marches qui conduisent au temple, quelques filles sur le point de devenir femmes fouettent leurs toupies. *Connaître les secrets du mont Shiranui, c'est être banni de ce monde.*

Un bœuf au pas lourd cache ces filles de la vue d'Uzaemon.

Les Préceptes de l'Ordre d'Enomoto illuminent tout de ténèbres.

Le bœuf repart, mais les filles ont disparu.

Les palanquins sont déposés dans la Cour de la pivoine de jade, lieu réservé aux familles de *samurai*. Uzaemon sort de sa cabine et glisse ses armes dans sa ceinture. Son épouse se tient derrière sa mère, tandis que son père, telle la tortue prête à mordre qu'il semble être devenu depuis quelques semaines, s'en prend à Kiyoshichi : «Pourquoi nous as-tu laissés nous enterrer vifs» – il agite sa canne en direction des marches noires de monde – «dans cette lie humaine?

— Ce manquement de ma part » – Kiyoshichi s'incline très bas – « était impardonnable, maître.

— Mais tu te dis que pourtant ce vieil imbécile va te pardonner, n'est-ce pas ? » grogne Ogawa l'Ancien.

Uzaemon tente d'intercéder. « Avec tout le respect que je vous dois, Père, je suis sûr que…

— "Avec tout le respect que je vous dois" : ainsi parlent les gredins qui n'en ont justement pas !

— Avec tout le sincère respect que je vous dois, Père, je suis sûr que Kiyoshichi n'aurait pu faire disparaître la foule.

— Ainsi les fils se liguent avec les serviteurs contre leurs pères ? » *Kannon*, implore Uzaemon, *accorde-moi la patience.* « Père, je ne me ligue avec…

— Oh, mais je sais que tu me trouves très vieux jeu. »

Je ne suis pas ton fils. Cette pensée inattendue s'impose à Uzaemon.

« Les gens vont commencer à se demander si les Ogawa doutent du *fumi-e* », déclare la mère d'Uzaemon en s'adressant au revers de ses mains poudrées.

Uzaemon se tourne vers Ogawa Mimasaku. « Eh bien, entrons… d'accord ?

— Tu ne consultes pas les serviteurs au préalable ? » Ogawa Mimasaku s'approche des grandes portes de la cour. Il y a quelques jours seulement, il sortait à moitié guéri de son lit ; mais ne pas assister à la cérémonie du *fumi-e* équivaut à annoncer sa propre mort. Il frappe et repousse Saiji, refusant l'aide que celui-ci lui propose. « Ma canne est plus loyale. »

Les Ogawa passent devant une file de couples fraîchement mariés qui attendent leur tour pour respirer les volutes d'encens émanant de la bouche du dragon de bronze du temple Ryûgaji. La légende locale leur promet un fils qui naîtra en bonne santé. Uzaemon sent que son épouse voudrait bien se joindre à cette foule, mais la honte de ses deux fausses couches précédentes est trop forte. On a accroché sur tout le pourtour de la gigantesque entrée du temple des guirlandes de papier blanc afin de célébrer l'année du Mouton. Les serviteurs des Ogawa les aident à se déchausser et déposent leurs souliers sur des étagères où leurs noms sont inscrits. Un initié les accueille en les saluant d'une courbette nerveuse et s'apprête à les conduire à la galerie du Paulownia afin qu'ils y accomplissent le rituel du *fumi-e* à l'abri des regards des curieux de rang inférieur. « D'ordinaire, c'est le prêtre supérieur qui se charge de guider les Ogawa, fait remarquer le père d'Uzaemon.

– Le prêtre supérieur, s'excuse l'initié, est retenu par ses ob-ob-ob… »

Ogawa Mimasaku soupire et détourne le regard.

« … ses obligations, ce matin. » La mortification a forcé la parole du bègue.

« Ce qui retient un homme en dit long sur les choses ou les personnes qu'il estime. »

L'initié les mène à une file de trente ou quarante personnes. « L'attente ne devrait » – il prend une grande inspiration – « pa-pa-pa-paaa-pa-pa-pas être longue.

– Par Bouddha, comment arrivez-vous à réciter vos sutras ? » lui demande le père d'Uzaemon.

Tout rouge, l'initié grimace, s'incline, et repart par où il est arrivé.

Pour la première fois depuis de nombreux jours, Ogawa Mimasaku esquisse un demi-sourire.

Pendant ce temps, la mère d'Uzaemon salue la famille se trouvant devant eux. « Nabeshima-*san* ! »

Une imposante matriarche se retourne. « Ogawa-*san* !

– Un an de plus, déjà, roucoule la mère d'Uzaemon. Comme le temps file ! »

En patriarches, Ogawa l'Ancien et son homologue – un percepteur d'impôts sur le riz au service de la Magistrature – échangent de viriles courbettes. Uzaemon salue les trois fils Nabeshima, lesquels ont à peu près son âge et travaillent au cabinet de leur père.

« Un temps qui file, soupire la matriarche, et nous a amené deux autres petits-fils… »

Uzaemon jette un œil à sa femme qui, de honte, se recroqueville et recule.

« Je vous prie d'accepter nos sincères félicitations, dit sa mère.

– J'ai beau répéter à mes belles-filles qu'il ne faut pas se presser, lâche dans un souffle Mme Nabeshima, que ce n'est pas une course, mais que voulez-vous, les jeunes gens n'en font qu'à leur tête de nos jours, n'est-ce pas ? Voilà que celle du milieu pense en avoir mis un autre en route. Entre nous » – elle se penche vers la mère d'Uzaemon, très près –, « j'ai été trop indulgente à leur arrivée. Les voilà désormais incontrôlables ! Vous trois ! Où sont vos bonnes manières ? N'avez-vous pas honte ? » De l'index, elle somme les belles-filles d'approcher, lesquelles avancent d'un pas ; chacune porte le *kimono* de circonstance et la ceinture de bon ton. « Si j'avais osé jouer avec la patience de ma belle-mère comme ces trois tortionnaires-ci, le déshonneur d'un retour chez mes parents ne m'aurait pas été épargné. » Les trois jeunes épouses fixent le sol, tandis que l'attention d'Uzaemon se porte sur leurs bébés, dans les bras des nourrices en retrait. Pour la millième fois depuis la visite de l'herboriste de Kurozane, des visions cauchemardesques l'assaillent : Orito recevant « l'Offrande » ; puis, neuf mois plus tard, les maîtres « consommant » les Présents de la Déesse. La ronde des interrogations recommence : *Comment s'y prennent-ils pour tuer les nouveau-nés ? Comment parviennent-ils à tenir les mères et le reste du monde à l'écart de ce secret ? Ces hommes croient-ils vraiment que cette dépravation leur permet d'éluder la mort ? Comment leur conscience peut-elle être à ce point aveugle ?*

« Je constate que votre femme – Okinu-*san*, c'est bien cela ? » Mme Nabeshima adresse à Uzaemon son sourire de sainte et son regard de lézard – « est mieux éduquée que mes trois brus. On attend toujours » – elle tapote le ventre de la femme – « que vienne ce don du ciel, n'est-ce pas ? »

Le maquillage cache le feu qui monte aux joues d'Okinu, quoi que celles-ci tremblent un rien.

«Mon fils remplit son rôle, déclare la mère d'Uzaemon, mais elle est si désinvolte.

– Alors» – Mme Nabeshima émet un petit clappement désapprobateur –, «s'est-on bien adaptée à la vie à Nagasaki?

– Elle ne cesse de se languir de Shimonoseki, commente la mère d'Uzaemon. Une véritable pleurnicharde.

– Sa nostalgie» – la matriarche lui tapote de nouveau le ventre – «est sans doute en cause…»

Uzaemon voudrait défendre son épouse, mais comment se battre contre une coulée de boue peinturlurée?

«Je me demandais si votre mari» – Mme Nabeshima s'adresse à la mère d'Uzaemon – «avait besoin de vous et d'Okinu-*san* cet après-midi? Nous organisons une petite fête à la maison : ce serait là l'occasion pour votre belle-fille de prendre les conseils de mères de son âge. Mais… oh!» Elle regarde Ogawa l'Ancien, fronçant les sourcils de consternation. «Que devez-vous penser de moi, qui vous impose une invitation aussi tardive, alors que la santé de votre mari…

– La santé de son mari, l'interrompt le vieil homme, est excellente. Faites donc ce que vous voulez.» Il adresse un sourire dédaigneux à son épouse et sa belle-fille. «J'irai faire réciter des sutras à la mémoire de Hisanobu.

– Quelle dévotion chez ce père, dit Mme Nabeshima en hochant la tête. Un exemple à suivre pour toute la jeunesse. Nous sommes donc d'accord, madame Ogawa? Après le *fumi-e*, rejoignez-nous à notre…» Elle abandonne sa phrase et lance à une des nourrices : «Fais donc taire les couinements de ce porcelet! Tu oublies où nous sommes? Un peu de tenue!»

La nourrice se tourne, découvre son sein et nourrit le bébé.

Uzaemon scrute la queue qui se prolonge à l'entrée de la grande salle et tente d'estimer à quelle vitesse elle avance.

Du fond de son autel éclairé par les bougies, le regard de la divinité bouddhiste Fudô Myôô est plein de haine. Sa rage, a-t-on appris à Uzaemon, effraie les impies ; son sabre pourfend son ignorance ; sa corde ligote les démons ; son troisième œil sonde le cœur des hommes ; et le rocher sur lequel elle se tient symbolise l'immuabilité. En costume de cérémonie, six dignitaires de l'Inspectorat de la Pureté spirituelle sont assis devant ce dieu.

Le premier demande au père d'Uzaemon : « Veuillez décliner vos nom et profession.

– Ogawa Mimasaku, interprète du premier ordre des interprètes de Dejima, chef de foyer des Ogawa du quartier de Higashizaka. »

Le premier dignitaire dit au deuxième : « Ogawa Mimasaku est présent. »

Celui-ci trouve le nom sur un registre. « Le nom d'Ogawa Mimasaku figure sur la liste. »

Un troisième écrit le nom. « Ogawa Mimasaku est déclaré présent. »

Un quatrième déclame : « À présent, Ogawa Mimasaku va effectuer le rituel du *fumi-e*. »

Ogawa Mimasaku s'avance sur la plaque de bronze usée à l'effigie de Jésus-Christ, qu'il écrase de ses talons pour la bonne forme.

Un cinquième dignitaire annonce : « Ogawa Mimasaku a effectué le *fumi-e*. »

L'interprète du premier ordre quitte la plaque de l'idolâtrie, et, avec l'aide de Kiyoshichi, s'assied sur un banc au ras du sol. Uzaemon soupçonne qu'il souffre bien davantage qu'il ne le montre.

Le sixième dignitaire inscrit quelque chose sur son registre. « Ogawa Mimasaku a officiellement accompli le rituel du *fumi-e*. »

Uzaemon songe aux psaumes de David de l'étranger de Zoet et à lui-même, qui l'avait échappé belle quand Kobayashi avait fait cambrioler l'appartement du Néerlandais. Il regrette de ne pas avoir demandé plus de détails à de Zoet sur sa mystérieuse religion, l'été dernier.

Des bruits de festivités parviennent depuis une salle adjacente où les roturiers accomplissent le rituel.

Le premier dignitaire s'adresse à Uzaemon : « Veuillez décliner vos nom et profession… »

Une fois ces formalités remplies, Uzaemon monte sur le *fumi-e*.

Il regarde furtivement ses pieds et croise le regard meurtri du dieu étranger. Uzaemon piétine le bronze et pense à la longue lignée d'Ogawa de Nagasaki ayant foulé ce *fumi-e*. Les années précédentes, au Jour de l'An, Uzaemon était fier d'être le dernier de cette ascendance : d'autres ancêtres avaient sans doute été adoptés, eux aussi. Mais aujourd'hui, il a le sentiment d'être un imposteur ; et il en connaît la cause.

Ma loyauté envers Orito, parvient-il à formuler, *dépasse celle que j'éprouve envers les Ogawa.*

Il sent le visage de Jésus-Christ sous le cuir de son pied.

Quel qu'en soit le prix, jure Uzaemon, *j'irai la libérer. Mais il me faut de l'aide.*

Les murs du *dojo* de Shuzai résonnent des cris poussés par les deux bretteurs et les claquements de leurs sabres de bambou. Ils attaquent, parent, contrent, reculent ; attaquent, parent, contrent, reculent. Le plancher gauchi craque sous leurs pieds nus. Les fuites d'eau de pluie sont récupérées dans des seaux ; quand ils sont pleins, le dernier apprenti qui reste à Shuzai les vide. L'entraînement se termine brusquement lorsque le plus petit des deux adversaires assène à son opposant un coup au coude droit, faisant lâcher à Uzaemon son sabre en bambou. Le vainqueur inquiet relève son masque de protection, révélant un homme au nez plat et au visage buriné ayant largement dépassé la quarantaine. « C'est cassé ?

« – La faute m'incombe. » Uzaemon se tient le coude.

Yohei se précipite afin d'aider son maître à détacher son masque. Contrairement à celui de son instructeur, le visage d'Uzaemon dégouline de sueur. « Il n'y a rien de cassé, regarde. » Il déplie et replie le coude. « Un simple bleu, bien mérité.

– La lumière était trop faible. J'aurais dû allumer les lampes.

– Shuzai-*san* ne doit pas gaspiller son huile pour moi. Ajournons la séance.

– J'espère que tu ne m'obligeras pas à boire seul ton généreux présent ?

– Lors d'une journée faste comme celle-ci, tes engagements sont sans doute impérieux... »

Shuzai scrute son *dojo* vide, regarde Uzaemon, puis hausse les épaules.

« Dans ce cas » – l'interprète s'incline –, « j'accepte ton aimable invitation. »

Shuzai ordonne à son disciple d'allumer un feu dans ses appartements privés. Les hommes retirent leurs habits d'entraînement et se changent tout en discutant des promotions et rétrogradations annoncées par le Magistrat Ômatsu à l'occasion du Nouvel An. En pénétrant dans les appartements de l'instructeur, Uzaemon se souvient de la bonne dizaine de jeunes disciples qui mangeaient, dormaient et étudiaient là lorsqu'il reçut les premiers enseignements de Shuzai, ainsi que des deux femmes de la région qui les maternaient. Le froid et le calme y règnent, désormais, mais à mesure que prend le feu, les deux hommes adoptent des manières plus informelles et retrouvent le dialecte de leur Tosa natal : l'amitié qu'il partage depuis dix ans avec Shuzai réchauffe Uzaemon.

L'apprenti de Shuzai verse le *sake* chaud dans une carafe ébréchée, s'incline et repart.

C'est le moment de lui dire ce que j'ai sur le cœur..., s'encourage-t-il.

L'hôte pensif et son invité indécis remplissent chacun la coupelle de l'autre.

«Au destin des Ogawa de Nagasaki, propose de trinquer Shuzai, et au prompt rétablissement de ton vénérable père.

– Que l'année du Mouton apporte prospérité au *dojo* de maître Shuzai.»

Les hommes vident leur première coupe de *sake*; Shuzai soupire, satisfait.

«Je crains que la prospérité ne revienne pas de sitôt, cependant. J'espère vivement me tromper, mais j'en doute. Les valeurs d'antan déclinent, voilà le problème. Partout flotte une odeur de décadence qui stagne telle une fumée. Oh, les *samurai* rêvent encore de se jeter à corps perdu dans la bataille comme leurs vaillants ancêtres, mais quand le garde-manger est vide, c'est à leurs armes qu'ils renoncent, pas à leurs concubines ni aux doublures de soie de leurs vêtements. Ceux qui s'attachent à la tradition sont les mêmes qui tombent sous le coup des nouveaux usages. La semaine dernière encore, un de mes élèves est parti les larmes aux yeux : alors que la pension versée par l'Arsenal à son père avait été réduite de moitié pendant deux ans, voici que ce dernier a appris que ceux de son rang ne seraient plus éligibles à cette allocation à compter de la nouvelle année. La chose lui fut annoncée à la fin du douzième mois, au moment où tous les créanciers et baillis viennent harceler les honnêtes gens ! As-tu entendu le dernier conseil que donne Edo aux dignitaires qui ne reçoivent plus leur paie ? "Pour satisfaire à vos caprices, élevez des poissons rouges." Des poissons rouges ! Hormis les commerçants, qui a de l'argent à dilapider dans ces futilités ? Cela étant, si les fils de commerçants avaient le droit de porter l'arme» – Shuzai baisse la voix –, «la file de mes élèves s'étirerait jusqu'au marché aux poissons ; mais mieux vaut encore planter des pièces d'argent dans du crottin de cheval qu'espérer voir Edo publier un jour pareil décret.» Il remplit sa coupelle et celle d'Uzaemon. «Allons, trêve de mes malheurs : tu avais l'esprit à autre chose pendant l'entraînement.»

La perspicacité de Shuzai ne surprend plus Uzaemon. «Je ne sais pas si j'ai le droit de te compromettre.

– Aux yeux de quelqu'un croyant au destin, lui répond Shuzai, tu n'es pas celui qui décide de cette compromission.»

Des brindilles humides craquent dans les faibles flammes, comme si l'on marchait dessus.

«Des nouvelles troublantes me sont parvenues, il y a plusieurs jours…»

Un cafard qui brille comme du bois laqué rampe sur le bas d'un mur.

«… sous la forme d'un parchemin. Elles concernent l'Ordre du Sanctuaire du mont Shiranui.»

Shuzai, au courant du lien qui existait entre Orito et Uzaemon, scrute le visage de son ami.

«Ce parchemin en liste les Préceptes secrets. C'est… profondément dérangeant.

– Le mont Shiranui : un lieu bien mystérieux. Tu es sûr que ce parchemin est authentique?»

Uzaemon sort l'étui en cornouiller de sa manche. «Oui. J'aimerais que ce soit un faux, mais il a bel et bien été écrit par un acolyte de l'Ordre qui ne parvenait plus à faire taire sa conscience. Il s'était enfui, et, quand on lit le parchemin, on comprend pourquoi…»

Les innombrables sabots de la pluie résonnent dans les rues et sur les toits.

La main ouverte de Shuzai attend l'étui.

«En le lisant, tu prendrais le risque d'être impliqué dans cette affaire, Shuzai. Ce pourrait être dangereux.»

La main ouverte de Shuzai attend l'étui.

«Mais tout cela…» – atterré, Shuzai murmure – «… tout cela est pure folie. Comment peut-on croire que ce…» – il désigne

le parchemin sur la table basse – «… ramassis de propos mortifères permet d'accéder à l'immortalité ? Les phrases sont boiteuses,
mais… ces troisième et quatrième Préceptes… Si les "porteurs
de l'Offrande" sont les initiés de l'Ordre, que les "porteuses de
Présents" sont les femmes, et que les nouveau-nés sont les "Présents",
alors le Sanctuaire du mont Shiranui est un… un… n'est pas un
harem, d'ailleurs, mais…

– Une ferme d'élevage.» La gorge d'Uzaemon se serre. «Les
sœurs en sont le bétail.

– Ce sixième Précepte, qui parle de "plonger les Présents dans
la coupe-aux-deux-mains"…

– Ils doivent noyer les nouveau-nés, comme on se débarrasse
de chiots.

– Mais ces hommes qui noient les enfants… en sont sans doute
les pères.

– Le septième Précepte commande à cinq "porteurs de l'Offrande"
de s'allonger à tour de rôle avec la même "porteuse de Présent"
au cours de cinq nuits : ainsi, personne ne peut savoir s'il tue son
propre rejeton.

– C'est… C'est contre nature. Ces femmes, comment peuvent-
elles…» Shuzai interrompt sa question.

Uzaemon s'efforce d'énoncer ce qu'il redoute le plus : «Les
femmes sont violées au moment où elles sont le plus fertiles, et
une fois leur enfant mis au monde, on le leur enlève. Je suppose
qu'on fait volontiers fi du consentement des sœurs. L'Enfer est ce
qu'il est parce que le mal y passe inaperçu.

– Mais certaines ne préfèrent-elles pas se suicider?

– Certaines, oui. Mais regarde le huitième Précepte: "Les lettres
des Défunts". Pour une mère persuadée que ses enfants mènent
une vie heureuse dans leurs familles d'accueil, la chose est sans
doute supportable. Surtout si elle caresse l'espoir de revoir son
enfant après sa "Retraite". La vérité sur ces retrouvailles impossibles ne parviendra jamais jusqu'au Couvent.»

Shuzai reste coi, mais plisse les yeux devant le parchemin. «Il y a des phrases que je ne réussis pas à comprendre… Regarde la toute dernière ligne: "Le dernier mot de Shiranui est 'silence'." Il faudrait que ton renégat en déroute traduise son témoignage en bon japonais.

— Il a été empoisonné. Comme je te le disais, lire ces Préceptes est chose dangereuse.»

Le serviteur d'Uzaemon et l'apprenti de Shuzai discutent tout en balayant le *dojo*.

«Pourtant, le Seigneur-Abbé Enomoto» – Shuzai est incrédule – «a la réputation d'être…

— Un juge respecté, c'est vrai. Un seigneur plein d'humanité, c'est vrai. Un académicien de Shirandô, un confident des puissants et un fournisseur de remèdes rares. Tout cela est vrai. Et pourtant, c'est aussi le fidèle d'une obscure cérémonie *shintô* offrant l'immortalité au prix du sang.

— Comment ces abominations sont-elles restées secrètes pendant toutes ces années?

— L'isolement, l'ingénuité, le pouvoir… la peur… Avec de pareils moyens, presque rien n'est impossible.»

Une troupe de fêtards trempés s'empresse de traverser la rue.

Uzaemon regarde l'alcôve où un autel est dressé en l'honneur du maître de Shuzai; une tenture moisie proclame: *Même affamé, le faucon ne touche pas au grain.*

«Mais, l'auteur de ce parchemin, l'as-tu vu? demande Shuzai, prudent.

— Non. Il a remis l'étui à une vieille herboriste qui vit dans les environs de Kurozane. Mlle Aibagawa avait rendu visite à celle-ci deux ou trois fois: voilà pourquoi l'herboriste connaissait mon nom. Elle est venue à ma rencontre en espérant que j'aurai la volonté et les moyens de secourir la néophyte du Sanctuaire…»

Les deux hommes écoutent les percussions de l'eau qui goutte.

«Cette volonté, je l'ai. Quant aux moyens, là est la question. Si un interprète du troisième ordre s'attaquait au Seigneur de Kyôga avec pour toute arme ce parchemin d'origine illégitime…

– Enomoto te ferait décapiter, toi qui le calomnierais. »

En cet instant, songe Uzaemon, *nous sommes à la croisée des chemins.* « Shuzai, si j'avais réussi à convaincre mon père de me laisser épouser Mlle Aibagawa – je le lui avais pourtant promis –, elle aurait échappé à l'asservissement de cet… » – il tape du doigt sur le parchemin – « … élevage. Comprends-tu pourquoi je me dois de la libérer ?

– Moi, je comprends que si tu agis seul, ils te débiteront tel un filet de thon. Accorde-moi quelques jours. Je vais devoir effectuer un bref voyage. »

XXI

Chambre d'Orito dans le Couvent, Sanctuaire du mont Shiranui

Huitième nuit du premier mois, douzième année de l'ère Kansei

Orito évalue toute la chance dont elle aura besoin dans les heures à venir : il faudra que le tunnel du chat soit assez large pour laisser passer une femme mince et que la sortie ne soit pas grillagée ; il faudra que Yayoi dorme d'une traite jusqu'au matin et s'abstienne de vérifier qu'Orito est toujours présente ; elle devra descendre une ravine prise dans la glace sans se blesser et franchir le poste intermédiaire sans se faire surprendre par les gardes ; et il lui faudra trouver avant l'aube la maison d'Otane, et espérer que son amie lui offrira l'asile. *Mais tout cela ne sera que le début,* se dit Orito. Retourner à Nagasaki équivaudrait à se jeter dans la gueule du loup ; néanmoins, en fuyant vers un domaine à la sûreté relativement bonne comme ceux de Chikugo, Kumamoto ou Kagoshima, la jeune femme échouerait sans le moindre *sen* dans une ville inconnue où elle n'aurait nulle part chez qui aller.

La semaine prochaine viendra l'Offrande, songe Orito. *Ce sera ton tour.*

Centimètre après centimètre, avec mille précautions, Orito fait coulisser la porte.

Mon premier pas de fugitive, pense-t-elle, avant de passer devant la chambre de Yayoi.

Son amie au ventre lourd ronfle. Orito chuchote : « Je suis désolée. »

Yayoi verra cette évasion comme un brutal abandon.

C'est la Déesse, s'efforce-t-elle de se rappeler, *c'est elle qui t'y oblige.*

Orito avance à pas feutrés dans le couloir jusqu'à la cuisine, dans laquelle un paravent cache l'accès aux cloîtres utilisé lors du couvre-feu. Elle chausse une paire de savates de paille et de toile qu'elle enrubanne à ses pieds.

Dehors, l'air glacial imprègne sa veste matelassée et son pantalon de montagne.

La lune cabossée paraît bien sale. Les étoiles sont comme des bulles prises dans la glace. Le vieux pin noueux est plein de mauvaises intentions. Orito traverse le cloître et retourne à l'endroit que lui avait indiqué le chat plusieurs semaines auparavant. Se méfiant des ombres, elle descend sur les pavés qui, sous le verglas, ne font plus qu'un. Elle s'agenouille sous la promenade et s'étreint des deux bras, s'apprêtant à entendre un cri d'alarme…

… qui ne vient pas. Orito avance à quatre pattes jusqu'en dessous du couloir intérieur et, à tâtons, finit par localiser le rectangle qui se découpe entre les fondations. Elle était revenue une deuxième fois, après que le chat gris-de-lune lui avait montré l'endroit, mais ayant attiré l'attention des sœurs Asagao et Sawarabi, elle avait dû inventer quelque histoire douteuse d'épingle tombée là. Et, pendant neuf jours, elle ne s'était pas risquée à effectuer une nouvelle mission de reconnaissance. *Encore faut-il qu'il s'agisse bien d'un tunnel, et pas de quelques blocs de pierre manquants.* Elle passe la tête dans le rectangle noir puis s'y enfonce en rampant.

Dans cette cavité, le « plafond » est à hauteur de genoux, et la largeur entre les deux parois latérales n'est que d'un avant-bras. Pour avancer, Orito doit se mettre sur le côté et se tortiller à la manière d'une anguille, avec moins de grâce mais tout aussi silencieusement. Bien vite, ses genoux sont écorchés, ses tibias se trouvent couverts de bleus, et les bouts de ses doigts, tels des grappins cherchant à s'accrocher aux pierres gelées, lui font mal. Le sol est doux, pareil au lit d'un ruisseau. L'obscurité qui règne est presque absolue. Puis le dos de sa main heurte un bloc rocheux : croyant arriver à un cul-de-sac, Orito perd espoir… mais le conduit dévie vers la gauche. Réussissant à franchir le coin saillant, elle poursuit son avancée. Un tremblement incontrôlable la secoue ; ses poumons brûlent. Elle essaie de ne pas songer à de gigantesques rats et de ne pas s'imaginer enterrée vive. *Je dois être sous la chambre d'Umegae*, suppose-t-elle, se la représentant recroquevillée tout contre Hashihime, là, à seulement deux couches de plancher, une épaisseur de *tatami* et de futon au-dessus d'elle.

La noirceur devant moi serait-elle un peu moins noire ? s'interroge-t-elle.

L'espoir la fait progresser. Elle distingue un autre tournant.

En franchissant l'angle, Orito entrevoit un petit triangle de lumière lunaire se découpant sur la pierre.

Un trou dans le mur extérieur du Couvent, comprend Orito. *Je vous en prie, par pitié, faites qu'il soit suffisamment grand.*

Mais, après une interminable minute de lutte, elle constate que le trou est à peine plus grand qu'un poing : pour un chat, le passage est parfait. Il aura fallu des années successives de gel et de soleil, devine-t-elle, pour libérer une simple pierre. *Si le trou avait été plus large*, spécule-t-elle, *il aurait été visible de l'extérieur.* Elle prend appui, place la main sur la pierre adjacente au trou et pousse de toutes ses forces, jusqu'à ce qu'un douloureux craquement dans son cou contorsionné l'oblige à abandonner.

Certains objets peuvent être déplacés, se résout-elle, *mais pas celui-ci.*

« Ainsi, s'en est fait. » Son murmure produit une vapeur blanche. « Je ne m'échapperai pas. »

Orito se figure les vingt prochaines années, les hommes, ainsi que les enfants qu'on lui enlèvera.

Elle recule jusqu'au second coude, lutte pour se retourner, puis, les pieds devant, elle repart vers le mur extérieur en se propulsant avec les bras, puis se recroqueville : elle plante son talon sur la pierre au bord du trou et pousse...

Autant essayer de faire bouger le Pic nu. Orito est à court de souffle.

Puis elle imagine l'abbesse Izu lui dire de s'apprêter à recevoir l'Offrande.

S'arc-boutant contre la paroi, elle frappe du plat du pied contre la pierre.

Elle imagine les autres sœurs la féliciter, allègres, fielleuses et sincères.

S'éraflant les tibias, elle frappe de plus belle, encore, puis encore...

Elle imagine maître Genmu la tripoter et la mordiller.

Quel était ce bruit ? Orito s'immobilise. *Était-ce un grattement ?*

Elle imagine Suzaku l'aider à expulser son premier bébé, son troisième, son neuvième...

Elle cogne la pierre des deux pieds jusqu'à en avoir mal aux talons et sentir son sang palpiter dans son cou.

Des gravillons roulent sur ses chevilles : soudain, ce n'est pas un, mais deux blocs qui dégringolent ; ses pieds se retrouvent dehors, dans le vide.

Elle entend le son des pierres qui dévalent sur une pente légère avant de s'arrêter dans un bruit sourd.

Sous ses pas, la neige est croûteuse et ridée. *Repère-toi* – se retrouver à l'extérieur du Couvent déboussole Orito – *et vite.* La longue rigole entre les fondations surélevées et la muraille du Sanctuaire ne fait que cinq pas de large, mais la muraille est trois fois plus haute qu'un homme : pour accéder au chemin de ronde, il faut repérer les escaliers ou une échelle. Sur la gauche, vers l'angle nord du Sanctuaire, se dresse un portique en demi-lune de style chinois : selon Yayoi, il donne accès à une petite cour triangulaire et aux appartements de maître Genmu. Orito se presse de partir à l'opposé, vers l'angle est. Elle dépasse le Couvent et pénètre dans un petit enclos regroupant le poulailler, le pigeonnier et le troupeau de chèvres. Les volatiles s'agitent un peu au passage d'Orito, mais les chèvres, elles, restent assoupies.

Une promenade couverte relie l'angle ouest du Sanctuaire à la grande salle des maîtres. Près d'une petite remise, une échelle en bambou est posée contre la muraille. Osant espérer que son évasion n'est plus qu'une question de secondes, Orito se hisse sur le chemin de ronde. Arrivée à la hauteur des toits du Sanctuaire, elle aperçoit l'antique colonne d'Amanohashira, érigée au milieu de la cour sacrée. Sa flèche empale la lune. *Quelle beauté saisissante*, se dit Orito. *Quelle violence muette.*

Elle tire l'échelle à elle et la passe par-dessus la muraille…

La dense forêt de pins n'est qu'à une vingtaine de pas du Sanctuaire.

… mais l'échelle ne touche pas le sol. Il y a peut-être un fossé en contrebas.

L'ombre épaisse qui s'étale au pied de la muraille empêche d'estimer la hauteur.

Si je saute et me casse une jambe, juge-t-elle, *je mourrai de froid avant l'aube.*

Ses doigts gourds relâchent leur étreinte, et l'échelle se fracasse au sol.

Il me faut une corde, en déduit-elle, *sinon les moyens d'en fabriquer une…*

Se sentant prise au piège comme une rate sur une étagère, Orito s'empresse de se diriger vers l'angle sud du Sanctuaire et la grande porte, espérant qu'il lui suffira de passer sur le corps d'une sentinelle profondément endormie. Elle descend à une autre échelle et pose le pied dans une autre rigole située entre la muraille et la cuisine avec son réfectoire, de la taille d'une grange. Il flotte des odeurs de latrines et de suie. Une lumière ambrée s'échappe de la porte de la cuisine. Un cuisinier insomniaque affûte ses couteaux. Pour couvrir le bruit de ses pas, Orito avance au rythme des frottements métalliques. Un nouveau portique en demi-lune la conduit dans la cour sud, dominée par la grande salle de méditation et que deux cryptomérias occupent : Fûjin, dieu du Vent, courbé sous le poids de son sac rempli de toutes les bourrasques du monde, et Raijin, dieu de l'Orage qui vole le nombril des humains lors des tempêtes, brandissant son chapelet de tambourins. Le grand portail, à l'instar de la porte-de-terre de Dejima, est constitué d'une haute porte à double battant permettant de laisser passer les palanquins, et d'une autre plus petite donnant accès au corps de garde. Laquelle, remarque Orito, est entrouverte…

… elle s'en rapproche en longeant le mur, mais décèle une odeur de tabac et entend des voix. Elle s'accroupit, protégée par l'ombre d'un grand tonneau. «Faut-il encore du charbon ? demande une voix molle. Mes bonbons sont en train de se transformer en pépites de glace.»

Un seau à charbon est vidé. «C'était le dernier, annonce une voix haut perchée.

– Tirons au sort, dit le mollasson, et nous saurons qui aura le privilège d'aller en chercher davantage.

– Et toi, l'interroge un troisième, quelles sont tes chances de faire fondre tes pépites à la chaleur des sœurs du Couvent pour la prochaine Offrande ?

– Assez minces, se résout le mollasson. J'ai eu Sawarabi il y a trois mois.

– Moi, j'ai eu Kagerô le mois dernier, dit la voix haut perchée. Je retourne en fin de queue.

– Ce sera la néophyte, assure la troisième voix. C'est sûr, de toute la semaine, on n'aura même pas la possibilité d'aller jeter un coup œil à ce qui se passe. Genmu et Suzaku sont toujours les deux premiers à planter leur sarcloir en terrain vierge.

– Pas si le Seigneur-Abbé est de passage, objecte le mollasson. Maître Annei a confié à maître Nogoro qu'Enomoto-*dono* s'était lié d'amitié avec le père de la néophyte et s'était porté garant de ses emprunts ; aussi, quand le vieil homme a traversé la rivière Sanzu, la veuve a été confrontée à un choix difficile : confier sa belle-fille au Sanctuaire du mont Shiranui ou bien perdre la maison et tout ce qu'elle contenait. »

Orito n'y avait jamais songé, mais, à présent, cette supposition est atrocement plausible.

La troisième voix clappe, admirative. « Quel stratège, notre Seigneur-Abbé… »

Orito voudrait tant pouvoir déchirer ces hommes et leurs paroles en mille morceaux comme de simples carrés de papier…

« Pourquoi s'est-il embêté à obtenir la fille d'un *samurai* alors qu'il peut aller dans n'importe quel bordel de l'Empire et choisir qui bon lui semble ? questionne la voix haut perchée.

– C'est une sage-femme, lui répond le mollasson. Grâce à elle, bon nombre de nos sœurs et de leurs Présents ne mourront plus en couches. On raconte qu'elle a fait revenir le fils du Magistrat de Nagasaki du monde des morts. Il était tout froid et bleu, mais sœur Orito lui a réinsufflé la vie… »

C'est donc ce geste qui m'a valu d'être conduite ici par Enomoto ? se demande Orito.

« … Cela ne me surprendrait pas qu'elle appartienne à cette catégorie particulière de nonnes, poursuit le mollasson.

– Tu veux dire que même le Seigneur-Abbé ne la toucherait pas ? l'interroge la troisième voix.

– Qui pourrait l'empêcher de mourir en couches, elle ? »

Ne tiens pas compte de cette possibilité, s'ordonne Orito. *Imagine qu'il se trompe.*

«Dommage, soupire le traînard. Si tu ne regardes pas son visage, elle est plutôt jolie.

– D'ailleurs, ajoute la voix haut perchée, d'ici à ce que Jiritsu soit remplacé, il y a une personne en moins dans la...

– Maître Genmu nous a interdit de prononcer le nom de cet ignoble traître, s'exclame le mollasson.

– Tout juste, en convient la troisième voix. Pour ta pénitence, c'est toi qui iras remplir le seau de charbon.

– Mais on avait dit qu'on tirerait au sort!

– Oui. Avant que ta langue ne commette ce vilain écart. Au charbon!»

La porte s'ouvre violemment : des pas qui craquent furieusement dans la neige s'approchent d'Orito qui se recroqueville, terrorisée. À quelques centimètres d'elle, le jeune moine s'arrête devant le tonneau et en ôte le couvercle. Orito entend le claquement de ses dents. Elle respire contre son épaule afin de dissimuler son souffle. Lui, ramasse le charbon et remplit son seau, morceau par morceau...

C'est maintenant, redoute-t-elle en tremblant, *maintenant...*

... mais il se détourne du tonneau et repart vers le poste de garde.

Telles les prières de papier, la bonne fortune de toute une année a brûlé en quelques secondes.

Orito renonce à s'évader par le portail. Une chose lui vient à l'esprit : *Une corde...*

Le cœur tambourinant encore d'effroi, Orito sort de l'ombre violacée et se glisse à travers ce portique en demi-lune qui mène à une cour délimitée par la grande salle de méditation, l'aile ouest et la muraille. Le bâtiment des visiteurs est parfaitement identique au Couvent : c'est ici que sont hébergés les laïcs qui escortent le Seigneur-Abbé en visite. À l'instar des nonnes, il leur est impossible de quitter leur cantonnement. Les provisions sont conservées dans l'aile ouest – Orito tient cette information des autres sœurs –, mais c'est aussi là que vivent et dorment les trente ou quarante acolytes de l'Ordre. Certains sont sans doute profondément endormis, mais pas tous. Dans le quart nord-ouest se trouve la résidence du Seigneur-Abbé. Celle-ci est restée vide tout l'hiver durant, cependant Orito a entendu l'intendante parler d'aller aérer les draps de l'armoire à linge. *Avec des draps*, s'aperçoit-elle, *on peut fabriquer une corde.*

Elle rampe dans la fosse creusée entre la muraille et le bâtiment des visiteurs…

Le doux rire d'un jeune homme s'échappe des portes et retombe dans le silence.

La noblesse des matériaux utilisés et les armoiries indiquent qu'il s'agit bien là de la demeure du Seigneur-Abbé.

Exposée sur trois fronts, elle grimpe et va jusqu'aux portes situées sur la façade à pignon.

Faites qu'elles s'ouvrent, implore-t-elle ses ancêtres. *Faites qu'elles s'ouvrent…*

Solidement fermées, les portes barrent l'entrée à l'hiver.

Il me faudrait un marteau et un burin pour les ouvrir, constate Orito. Elle a presque déjà parcouru tout le tour du bâtiment, mais n'est pas plus avancée quant à son évasion. *Si je ne trouve pas vingt pieds de corde, vingt ans de concubinage m'attendent.*

De l'autre côté du jardin minéral attenant à la demeure d'Enomoto se trouve l'aile nord.

Orito a entendu raconter que Suzaku y a établi ses appartements, juste à côté de l'infirmerie…

… et qui dit infirmerie dit patients, lits, draps et moustiquaires.

Pénétrer dans une des ailes est d'une grande imprudence, mais quel autre choix a-t-elle?

La porte coulisse d'une vingtaine de centimètres puis émet un grincement aigu et mélodieux. Orito retient son souffle, guettant le bruit d'une cavalcade...

... qui ne vient pas ; l'insondable nuit s'adoucit.

Elle se faufile dans l'interstice : le rideau de la porte lui caresse le visage.

La faible lumière renvoyée par la lune découpe un petit vestibule.

Une odeur de camphre semble indiquer que l'infirmerie se trouve derrière une porte sur la droite.

Dans un renfoncement sur la gauche, il y a une autre porte : *Non*, la met en garde son instinct de fugitive.

Elle pousse la porte de droite.

Des ténèbres surgissent plans, lignes et surfaces...

Elle entend le bruissement d'un futon garni de paille et la respiration d'un dormeur.

Elle entend des voix et des pas : deux hommes ; trois, peut-être.

Le patient bâille et demande : «Y a quelqu'un ?»

Orito bat en retraite dans le vestibule, referme la porte de l'infirmerie et jette un œil de l'autre côté de la porte d'entrée qui grince : un homme, qui tient une lanterne, est à moins de dix pas.

Il regarde dans la direction d'Orito, mais il est ébloui par la lumière de sa lampe.

Dans l'infirmerie résonne la voix de maître Suzaku.

La fugitive n'a plus que la porte située dans le renfoncement par où déguerpir.

C'est peut-être la fin, frémit Orito. *C'est peut-être la fin...*

Les murs du scriptorium sont tapissés sur toute leur hauteur d'étagères pleines de parchemins et de manuscrits. De l'autre côté de la porte, quelqu'un trébuche et marmonne un juron. La crainte d'une capture imminente pousse Orito à s'enfoncer dans la grande pièce sans prendre le temps de vérifier qu'il n'y a personne. Une lanterne à foyers jumeaux éclaire deux petits pupitres, et les flammes d'un modeste feu lèchent une bouilloire accrochée au-dessus du brasero. Les collatéraux de la pièce offrent une cachette, *mais les cachettes se transforment parfois en pièges*, songe-t-elle. Avançant dans le collatéral en direction d'une autre porte qui conduit, devine-t-elle, aux appartements de maître Genmu, elle pénètre dans le cercle lumineux de la lampe. Orito a peur de quitter la pièce, mais également d'y rester ou encore de revenir sur ses pas. Indécise, elle pose son regard sur le manuscrit inachevé de l'un des deux pupitres : à l'exception des bannières accrochées aux murs du Couvent, ce sont les premiers idéogrammes que la fille d'érudit a vus depuis son enlèvement ; faisant fi du danger, son œil affamé se laisse attirer. Au lieu de trouver là un sutra ou un sermon, elle découvre une lettre en cours de rédaction dont l'écriture ressemble davantage à celle d'une femme qu'à la calligraphie fleurie d'un moine instruit. La première colonne l'incite à lire la deuxième, puis la troisième…

Chère Mère,
L'automne embrase les érables, et la lune annonciatrice de la récolte flotte telle une lanterne, exactement comme le décrit cette chanson, « Le château au clair de lune ». Que me semblent lointains la saison des pluies et le temps où le serviteur du Seigneur-Abbé m'avait apporté votre lettre ! Elle est là, devant moi, sur le bureau de mon mari. Oui, Koyama Shingo a accepté de me prendre pour épouse à la date propice du trentième jour du septième mois au temple de Shimogamo, et c'est en jeunes mariés que nous vivons dans les deux pièces de l'arrière-boutique de l'atelier de ceintures obi de la Grue blanche, *rue Imadegawa. Après la cérémonie, il y a eu un banquet dans une célèbre maison de thé auquel les Ueda et les Koyama ont conjointement pourvu. Les maris de certaines de mes amies se sont changés en vilains monstres, une fois leurs fiancées capturées, mais Shingo me traite toujours avec gentillesse. La vie d'un couple n'est bien entendu pas un long*

fleuve tranquille : comme vous l'avez écrit dans votre lettre il y a trois ans, une bonne épouse ne doit jamais s'endormir avant son mari ni s'éveiller après lui, et il n'y a jamais assez d'heures dans une journée ! En attendant que les affaires de la Grue blanche *prospèrent, nous économisons et devons composer avec une seule bonne, et mon mari s'est contenté d'amener avec lui deux apprentis de l'atelier de son père. J'ai cependant la joie de vous annoncer que nous avons obtenu le soutien de deux familles liées à la Cour impériale. La première appartient à une branche inférieure des Konoe...*

Les mots cessent mais ils continuent de lui tourner la tête. *Les lettres du Nouvel An seraient toutes écrites par les moines ?* se demande-t-elle. Mais cela n'a aucun sens. Il faudrait ainsi entretenir l'histoire de dizaines d'enfants fictifs jusqu'à la Retraite de leurs mères, qui découvriraient le subterfuge. *Pourquoi se compliquer ainsi la tâche ? Les enfants* – les deux foyers de la lanterne se reflètent dans le regard entendu du gros rat – *ne peuvent écrire ces lettres en provenance du Monde d'en bas pour la simple raison qu'ils n'y parviennent jamais.* Les ombres du scriptorium observent la réaction d'Orito face à ces sous-entendus. De la vapeur s'élève du bec de la bouilloire. Le gros rat patiente. « Non, lui dit-elle. Non ! » *Quel sens auraient ces infanticides ? Si l'Ordre ne voulait pas des Présents, maître Suzaku utiliserait des herbes pour provoquer des fausses couches dès les premiers mois de la grossesse.* Moqueur, le gros rat lui demande alors d'expliquer la raison de la lettre sur cette table. Orito se raccroche à la première réponse plausible : *La fille de sœur Hatsune est morte des suites d'une maladie ou d'un accident.* Afin d'épargner à la sœur la douleur du deuil, l'Ordre prend sans doute le parti de poursuivre l'envoi des lettres du Nouvel An.

Le gros rat tressaute, se retourne et disparaît.

La porte par laquelle elle est entrée s'ouvre. Un homme déclare : « Après vous, maître... »

Orito se précipite vers l'autre porte : comme dans un rêve, elle est à la fois toute proche et lointaine.

« C'est curieux, s'élève la voix de maître Chimei, comme l'on compose mieux la nuit... »

Orito entrouvre la porte de trois ou quatre largeurs de main.

« ... Mais je suis content de recevoir ta compagnie à cette heure inhospitalière, jeune homme. »

Elle franchit la porte et la repousse au moment même où maître Chimei pénètre dans l'aura lumineuse de la lampe. Derrière Orito, un petit couloir froid et sombre conduit aux appartements de maître Genmu. « Un récit se doit d'avancer, opine maître Chimei. Le malheur est mouvement ; la satisfaction est inertie. C'est pourquoi dans l'histoire de la jeune Noriko si chère à sœur Hatsune, nous planterons les graines de quelque calamité mineure. Il faut que nos tourtereaux souffrent. Soit en raison de tiers événements – un vol, un incendie, la maladie – ou, mieux, en raison d'un bouleversement intérieur, d'une faiblesse de caractère. Le jeune Shingo pourrait se lasser de la dévotion que lui porte son épouse, ou bien Noriko éprouverait tant de jalousie envers la nouvelle bonne que Shingo finirait effectivement par trousser celle-ci. Ne sont-ce pas là les ficelles du métier ? Les conteurs ne sont pas tant des prêtres en communion avec un vaporeux royaume que des artisans, un peu comme ceux qui façonnent des beignets – quoiqu'un peu plus lents. Allons, au travail, jeune homme : nous finirons quand la lampe aura bu toute l'huile... »

Orito avance à pas feutrés dans le couloir menant aux appartements de maître Genmu et prend garde à bien longer le mur, espérant que, ainsi, le plancher sera moins susceptible de grincer. Elle arrive devant une porte lambrissée. Elle retient son souffle, tend l'oreille mais n'entend aucun bruit. Elle l'ouvre d'un rien...

L'espace devant elle est vide et inéclairé : les masses plus sombres sur chaque mur sont des portes.

Au milieu du sol s'étend ce qui ressemble à des sacs mis au rebut.

Elle pénètre dans la pièce et s'approche du tas, espérant pouvoir fabriquer une corde de fortune.

Elle plonge la main dans le tas et tombe sur le pied chaud d'un homme.

Le cœur d'Orito cesse de battre. Le pied se retire. Un membre se retourne. Les couvertures remontent.

Maître Genmu marmonne : « Reste ici, Maboroshi, sinon je… » La menace retombe.

Orito s'accroupit : elle n'ose pas respirer ; encore moins s'enfuir…

Les collines molletonnées que forme Maroboshi s'élèvent ; un ronflement gronde dans la gorge de l'acolyte.

Plusieurs minutes s'écoulent, mais Orito n'est qu'à moitié sûre que les deux hommes sont endormis.

Elle inspire et expire lentement dix fois avant de poursuivre son chemin vers la porte d'en face.

Aux oreilles d'Orito, les sourdes vibrations du coulissement résonnent comme un tremblement de terre…

Depuis son piédestal au centre de la petite antichambre richement décorée, la Déesse de bois sculpté et argenté à la feuille qu'illumine un grand cierge votif observe l'intruse. La Déesse sourit. *Ne croise pas son regard*, lui dit l'instinct d'Orito, *sinon elle te percera à jour.* Des robes noires aux cordons de soie sang et marron sont accrochées sur un mur ; les autres cloisons sont tapissées de papier, comme dans les maisons des plus riches Néerlandais, et les tapis sentent la résine et le neuf. De part et d'autre de la porte opposée, le papier mural est recouvert de grands idéogrammes tracés à l'aide d'une encre épaisse. Le style de cette calligraphie est assez lisible, mais Orito a beau scruter les caractères à la lueur de la chandelle, leur signification lui échappe. Les éléments familiers qui les composent sont agencés de façon inédite.

Après avoir reposé la bougie, elle ouvre la porte et entre dans la cour nord.

Depuis le centre de l'antichambre intermédiaire, la Déesse, dont la peinture s'écaille, observe l'intruse étonnée. Orito ne comprend pas bien comment cette pièce s'inscrit dans l'enceinte du Sanctuaire. Peut-être n'y a-t-il pas de cour nord. Elle regarde derrière elle, étudiant l'échine et le cou de l'autre Déesse. Celle qui se trouve devant elle est éclairée par une veilleuse. Comparée à celle de l'antichambre précédente, la Déesse a vieilli, et elle ne sourit pas, non plus. *Mais ne croise pas son regard*, persiste son instinct. On sent une tenace odeur de paille, d'animaux et d'hommes. Les murs bardés de bois et le parquet font penser à une ferme dont la prospérité est sur le déclin. Cent huit autres idéogrammes sont tracés sur la cloison opposée, mais cette fois-ci sur douze parchemins moisis disposés de part et d'autre de la porte. Une fois de plus, dès lors qu'Orito s'attarde sur ces caractères, ceux-ci s'enferment dans un mutisme perturbant. *Qu'importe!* se rabroue-t-elle. *Va-t'en!*

Elle ouvre la porte sur ce qu'elle espère être la cour nord…

La décrépitude a emporté la Déesse au centre de la troisième antichambre : elle ne ressemble en rien à la personnification qui en est faite dans la salle de l'autel du Couvent. Son visage s'apparente à celui d'une syphilitique au stade tertiaire sur qui un traitement à base de mercure ne serait plus d'aucun secours. Un de ses bras gît au sol à l'endroit même où il est tombé, et à la lueur de la chandelle de suif, sur le bord d'un trou dans le crâne de la statue, Orito aperçoit un cafard remuer. Les murs sont de bambou et de glaise entremêlés, le sol est paillé, et une odeur douceâtre de bouse imprègne l'air : ce pourrait être la masure d'un paysan. Orito suppute que ces pièces ont été creusées dans un filon de spath du Pic nu, ou même excavées d'une série de grottes à partir desquelles le Sanctuaire s'est développé à travers les âges. *Ou mieux encore* – une évidence frappe Orito –, *c'est peut-être un tunnel offrant une sortie secrète dont l'origine remonte au passé militaire du Sanctuaire.* Le mur opposé est recouvert d'une substance noire – le sang d'un animal mêlé à de la boue ? – sur laquelle les mêmes caractères illisibles ont été barbouillés à la chaux. Orito soulève le loquet rudimentaire de la porte face à elle, espérant que sa supposition se révélera exacte…

Le froid et l'obscurité proviennent d'un temps antérieur aux premières peuplades et à l'invention du feu.

La hauteur et la largeur du tunnel sont celles d'un homme les bras écartés.

Orito revient dans la pièce précédente pour chercher la bougie : il lui reste une heure avant que celle-ci ne s'éteigne.

Orito pénètre dans le tunnel et avance pas à pas, prudente.

Le Pic nu est au-dessus de toi, la nargue la peur, *et pèse de tout son poids, de tout son poids…*

Clip-clop, résonnent ses chaussures sur la roche. Son souffle est un bruissement de frissons ; le reste n'est que silence.

La lueur terne émanant de la chandelle ne vaut guère beaucoup mieux que l'obscurité totale.

Orito s'immobilise un instant : la flamme ne vacille pas. *Pas encore de courant d'air.*

Le plafond et les deux parois sont toujours à hauteur de crâne et à portée de bras.

Orito poursuit sa progression. Après trente ou quarante pas, le tunnel se met à s'incliner vers le ciel.

Elle s'imagine émerger dans la nuit étoilée à travers une faille secrète…

… et s'inquiète en pensant que son évasion pourrait coûter la vie à Yayoi.

Ce crime sera celui d'Enomoto, de l'abbesse Izu et de la Déesse, lui rétorque sa conscience.

L'air se réchaufferait-il ? se demande Orito. *Serait-ce la fièvre ?*

Le tunnel s'élargit et se fond dans une salle formant comme un globe autour d'une statue à l'effigie de la Déesse agenouillée, de trois ou quatre fois la taille d'une femme. Au grand désarroi d'Orito, le tunnel se termine là. La Déesse est taillée dans une pierre noire constellée de gravillons clairs, comme si l'artiste l'avait sculptée dans le ciel de la nuit. Orito se demande comment la statue a été acheminée jusque dans la grotte : il est plus simple de concevoir que ce morceau de roc demeure ici depuis la nuit des temps et que le tunnel a été élargi afin de plus facilement l'atteindre. Le dos de la Déesse est bien droit et recouvert d'une cape rouge, mais elle tend ses mains de géante, qui forment un creux de la taille d'un berceau. Elle y plonge un regard plein de convoitise. Sa bouche prédatrice est grande ouverte. *Si le Sanctuaire du mont Shiranui est une question* – cette pensée vient à Orito autant qu'Orito vient à cette pensée – *alors cet endroit en est la réponse.* D'autres idéogrammes indéchiffrables sont inscrits à hauteur d'épaule sur la paroi circulaire et polie. Ils sont au nombre de cent huit, elle en est sûre : un pour chacun des péchés que recense le bouddhisme. Les doigts d'Orito sont attirés vers la cuisse de la Déesse et, à son contact, la jeune femme laisse presque échapper sa chandelle : la pierre est chaude, comme si elle était en vie. La femme de science tâtonne, cherchant une réponse : *Des conduits en provenance de sources d'eau chaude sous la roche alentour…,* se raisonne-t-elle. Là où devrait se trouver la langue de la Déesse, un objet brille, révélé par la lueur de la bougie. Feignant d'ignorer la peur de voir les dents de pierre lui sectionner le bras, Orito plonge la main dans la bouche de la statue et découvre une fiole douillettement nichée dans un creux. La pâte de verre dans laquelle elle a été soufflée est trouble... à moins que ce ne soit son contenu. Elle retire le bouchon et renifle : le liquide est inodore. Pour être fille de médecin et pour avoir été la patiente de Suzaku, Orito se garde bien d'y goûter. *Mais pourquoi le conserver en pareil lieu ?* Elle repose la fiole dans le logement aménagé à l'intérieur de la bouche de la Déesse, à qui elle demande : « Qu'es-tu réellement ? Que viennent-ils faire ici ? Et à quelles fins ? »

Les narines de pierre de la Déesse ne frémiront pas. Ses yeux torves ne s'écarquilleront pas...

La chandelle s'éteint. Les ténèbres engloutissent la grotte.

De retour dans la première antichambre, Orito s'apprête à traverser les appartements de maître Genmu quand elle remarque les cordons de soie sur les robes noires et maudit alors la stupidité dont elle a fait preuve un peu plus tôt. Nouées entre elles, une dizaine de ces ceintures formeront une corde légère, solide et de longueur égale à la hauteur de la muraille : elle en ajoute cinq par mesure de précaution. Elle enroule son cordage et retourne là où dort maître Genmu, longeant les cloisons de la pièce jusqu'à une porte. Un couloir délimité par des paravents conduit à une sortie donnant sur le jardin du maître, où une échelle en bambou repose contre la muraille. Elle y grimpe, attache un bout de sa corde à une robuste et discrète poutre, et lance l'autre extrémité par-dessus le parapet. Sans jeter un regard derrière elle, Orito prend une dernière grande inspiration de captive et descend dans le fossé...

Pas encore tirée d'affaire. Orito se fraie un chemin à travers un enchevêtrement de branches nues.

Elle avance, la muraille du Sanctuaire à sa droite, refusant de songer à Yayoi.

Deux gros jumeaux, médite-t-elle, *quinze jours de retard, un bassin plus étroit que celui de Kawasemi…*

Au détour de l'angle ouest Orito coupe à travers une bande de sapins.

Une naissance sur dix ou douze au Couvent se conclut par le décès d'une femme.

Derrière un amas d'aiguilles et de glace dure comme de la pierre, un creux lui offre un refuge.

Avec ta connaissance et ta pratique – point de vantardise dans cette pensée –, *les décès chuteraient à un sur trente.*

Les manches furtives du vent s'accrochent aux épines givrées des arbres.

Si tu reviens sur tes pas, se met en garde Orito, *tu sais bien ce qu'ils te feront.*

Elle retrouve la trace du versant où commence l'enchaînement des *torî,* les portiques sacrés. La teinte cinabre orangé qu'ils ont en journée est toute noire dans le ciel de la nuit.

Personne n'a le droit de me demander de me soumettre à ce joug, pas même Yayoi…

Puis Orito prend en considération cette arme acquise dans le scriptorium.

Douter de la véracité d'une seule lettre du Nouvel An c'est douter de toutes… pourrait-elle menacer maître Genmu.

Les sœurs accepteraient-elles les règles du Couvent si elles n'étaient pas certaines que leurs Présents étaient bien portants dans le Monde d'en bas ?

Un esprit de vengeance mortifère ne conduit pas à de fructueuses grossesses, ajouterait-elle.

Le chemin décrit un virage prononcé. La constellation du Chasseur surgit.

Non. Orito rejette cette ébauche de pensée. *Je n'y retournerai jamais.*

Elle focalise son attention sur le sentier raide et verglacé. Si elle se blessait, elle anéantirait tous ses espoirs de parvenir à la maisonnette d'Otane avant l'aube. Un huitième d'heure plus tard, Orito franchit un col qui surplombe le pont de bois couvert de plantes grimpantes nommé Todoroki, puis reprend son souffle. La gorge de Mekura dévale le flanc de la montagne, aussi vaste que le ciel…

… On sonne une cloche au Sanctuaire. Ce n'est pas le son profond de celle qui marque l'heure : c'est la clochette insistante et au timbre aigu qu'on agite au Couvent quand une des femmes va accoucher. Orito imagine Yayoi qui l'appelle. Elle imagine l'affolement et le désarroi que suscite sa disparition, la recherche dans toute l'enceinte du Sanctuaire, et la découverte de sa corde. Elle imagine maître Genmu, que l'on réveille en annonçant : *La sœur néophyte s'est volatilisée…*

Elle imagine des fœtus jumeaux emmêlés l'un à l'autre et coincés dans le col de l'utérus de Yayoi.

L'on enverra des acolytes qui descendront le sentier ; l'on avertira le poste de garde intermédiaire de la disparition d'Orito ; les postes frontaliers d'Isahaya et de Kashima seront alertés dès le lendemain ; mais les montagnes de Kyôga sont d'infinies forêts où se fondent les fugitifs. *Si tu dois y retourner*, se dit Orito, *ce sera de ton propre chef.*

Elle imagine maître Suzaku impuissant face aux cris de Yayoi qui échaudent l'atmosphère.

Ce bruit de cloche est peut-être un piège destiné à te faire revenir, spécule-t-elle.

Là-bas, tout au loin, la lune fait reluire la mer d'Ariake…

Ce qui maintenant te semble n'être qu'un stratagème deviendra réel demain, ou un jour prochain…

« La liberté d'Aibagawa Orito, prononce-t-elle tout haut, est plus importante que la vie de Yayoi et ses jumeaux. » Elle évalue le degré de véracité de sa déclaration.

XXII

Chambre de Shuzai dans son dojo de Nagasaki

Dans l'après-midi du treizième jour du premier mois

« Je me suis mis tôt en route, raconte Shuzai. Devant la statue de Jizo-*sama* qui trône sur la place du Marché, j'avais allumé un cierge à trois *sen* pour me prémunir des mauvais pas, et, bien vite, les événements m'ont montré que je pouvais m'en féliciter. Les ennuis commencèrent par me trouver sur le pont Ômagori. Sur son cheval, un capitaine de la garde shogunale me barra la route : ayant deviné le fourreau dissimulé dans mon dos, sous ma cape de paille, il voulut vérifier que mon rang m'autorisait à porter un sabre. "La chance ne sourit jamais à qui porte les vêtements d'un autre", dit-on, c'est pourquoi je lui révélai ma véritable identité. Je fus bien inspiré : il descendit de sa monture, retira son casque et s'adressa à moi en m'appelant *sensei* – j'avais prodigué mon enseignement à l'un de ses fils quelque temps après mon arrivée à Nagasaki. Nous discutâmes un moment et je lui annonçai que je prenais le chemin de Saga pour la commémoration funèbre des sept ans de la mort de mon ancien maître. Les serviteurs n'avaient pas leur place dans ce pèlerinage, prétendis-je. Gêné devant cette tentative de lui cacher ma pauvreté, le capitaine approuva, me souhaita bonne chance, et repartit. »

Quatre disciples s'entraînent à pousser leur cri de *kendoka* dans le *dojo*.

Uzaemon sent une inflammation éclore dans sa gorge irritée.

« Une fois à la Baie aux huîtres – un tas de fumier où se mêlent masures des pêcheurs, coquillages et cordes en putréfaction –, je pris la direction d'Isahaya, vers le nord. Tu connais cette région de plaines bosselées : par un lugubre après-midi de premier mois, la route est atroce. Au détour d'un virage sinueux, quatre porteurs surgirent de derrière une hutte à thé barricadée – personne n'avait jamais vu meute de chiens sauvages plus méfiante que celle-ci. Chacun tenant dans sa main croûteuse un énorme gourdin. Ils m'avertirent que les voleurs n'hésiteraient pas à se jeter sur un voyageur malchanceux, sans amis et sans défense comme moi, puis ils me demandèrent obstinément de les engager pour qu'ils m'escortent jusqu'à Isahaya. Tirant mon sabre, je leur assurai que je n'étais pas le malchanceux sans amis et sans défense qu'ils croyaient. Ces chevaliers servants disparurent, et j'atteignis Isahaya sans plus d'encombres. Une fois en ville, j'évitai les grandes auberges trop voyantes, préférant opter pour le grenier d'un torréfacteur de thé bavard. J'avais pour tout autre compagnon un vendeur ambulant d'amulettes et de sorts provenant de lieux sacrés aussi reculés qu'Ezo, d'après ce qu'il prétendait. »

Uzaemon capture son éternuement dans un carré de papier puis le jette au feu.

Shuzai suspend la bouilloire juste au-dessus des flammes. « Je décidai de sonder l'étendue des connaissances de mon hôte sur le domaine de Kyôga. "Quatre-vingts lieues carrées de montagnes dépourvues de la moindre ville digne de ce nom", à l'exception de Kashima. Le Seigneur-Abbé s'y rend pour prélever une petite partie des donations reçues par les temples, et va dans les villages côtiers pour collecter l'impôt sur le riz, mais son véritable pouvoir, ce sont ses alliés à Edo et Miyako. Confiant dans sa propre sécurité, il n'entretient que deux garnisons : la première est là pour la bonne forme et sert d'escorte à ses suivants dans leurs déplacements ; l'autre occupe une caserne à Kashima et se tient prête à couper court au moindre conflit survenant dans la région. Le vendeur d'amulettes me raconta que, une fois, il avait tenté de se rendre au Sanctuaire du mont Shiranui. Il avait passé plusieurs heures à remonter une ravine escarpée qu'on appelait la gorge de Mekura, mais on l'avait refoulé au poste de garde situé à mi-chemin. Trois grosses brutes du village, se plaignit-il, lui avaient opposé que le Sanctuaire du mont Shiranui ne s'intéressait pas aux porte-bonheur. Je fis remarquer au colporteur que rares sont les sanctuaires qui refusent les pèlerins prompts à payer la visite. Il acquiesça. Puis il me rapporta cette histoire qui date du règne de Kan'ei où, pendant trois années successives sur toute l'île de Kyushu, les récoltes furent misérables. Les villes les plus isolées comme Hirado, Hakata et Nagasaki furent sujettes à la disette et aux révoltes. C'est cette famine, me jura le colporteur, qui provoqua la sédition à Shimabara et aboutit à l'humiliante déroute de la première armée du Shogun. Lors de cette débandade, un *samurai* discret demanda au Shogun Ieyasu s'il pouvait avoir l'honneur de diriger et de payer la solde d'un bataillon qui tenterait à nouveau d'écraser la rébellion. Il se battit avec audace, et quand la tête du dernier chrétien fut empalée sur le dernier pic, un décret shogunal obligea le clan en disgrâce des Nabeshima de Hizen à céder au *samurai* non seulement un obscur Sanctuaire sur le mont Shiranui, mais aussi toute la région montagneuse alentour. Ainsi fut créé le domaine de Kyôga, où le discret *samurai* endossa le titre de Seigneur-Abbé *Kyôga-no-Enomoto-no-kami*. L'actuel Seigneur-Abbé est sans doute son... » – Shuzai compte sur ses doigts – « ... son arrière-arrière-petit-fils, à une génération près. »

Il verse du thé à Uzaemon, puis les deux hommes allument leurs pipes.

« Le brouillard marin était dense, le lendemain matin ; après une lieue de marche, je bifurquai vers l'est et contournai Isahaya par le nord en suivant la route de la mer d'Ariake. J'estimai qu'il valait mieux pénétrer dans le domaine de Kyôga sans que les gardes du poste frontalier voient mon visage. Je poursuivis donc ainsi ma route la moitié de la matinée, traversant plusieurs villages la capuche sur la tête, jusqu'à ce que je me retrouve devant l'écriteau indiquant le village de Kurozane. Des corbeaux donnaient des coups de bec dans une femme crucifiée. La puanteur ! Du côté de la mer, le brouillard se morcelait, coincé entre le ciel fragile et les vasières brunes. Trois vieux mytiliculteurs se reposaient sur un rocher. Je leur demandai ce que leur aurait demandé n'importe quel voyageur : à quelle distance se trouvait Konagai, le prochain village sur la route. Le premier répondit quatre lieues ; le deuxième dit moins ; le troisième, davantage. Seul le dernier s'y était rendu, trente ans plus tôt. Je ne fis pas mention d'Otane l'herboriste et m'enquis plutôt de savoir qui était la crucifiée : ils me rapportèrent que son mari l'ayant battue presque tous les soirs depuis trois ans, cette femme avait décidé de fêter le Nouvel An en lui ouvrant le crâne d'un coup de masse. Le Magistrat du Seigneur-Abbé avait ordonné au bourreau de la décapiter proprement, ce qui m'offrit l'occasion de poser cette question : le Seigneur-Abbé était-il un bon maître ? Peut-être se méfiaient-ils d'un étranger au fort accent, toujours est-il que les trois pensaient que, s'ils s'étaient réincarnés là, c'était grâce aux bonnes actions accomplies dans leurs vies antérieures. L'un d'eux fit remarquer que le Seigneur de Hizen, lui, enrôlait dans son armée le fils d'un paysan sur huit et saignait tous les villageois à blanc afin que sa famille puisse continuer à vivre dans le luxe à Edo. À l'opposé, le Seigneur de Kyôga ne collectait l'impôt sur le riz que si la récolte avait été bonne, commandait des provisions de nourriture et d'huile pour le Sanctuaire du mont Shiranui et n'exigeait pas plus de trois sentinelles au poste de garde de la gorge de Mekura. En échange, le Sanctuaire garantissait la fertilité des ruisseaux alimentant les rizières, la profusion des anguilles dans la baie et une abondance d'algues dans les paniers. Je m'interrogeai tout haut sur la quantité annuelle de riz nécessaire au Sanctuaire. Cinquante *koku*, répondirent-ils, ce qui est assez pour cinquante hommes. »

Cinquante hommes! Le désarroi d'Uzaemon est grand. C'est une armée de mercenaires qu'il nous faudra.

« Après Kurozane » – l'air soucieux sur le visage de Shuzai n'est pas exagéré –, « la voie passe devant une auberge bien tenue baptisée *Harubayashi*, comme dans l'expression "bambou du renouveau". Un peu plus loin, un sentier part de la route côtière et remonte les collines jusqu'à la gorge de Mekura. Cette piste qui mène au sommet est bien entretenue, mais il m'a tout de même fallu une demi-journée pour la gravir. Les gardes du poste de contrôle ne s'attendent pas à croiser des intrus, la chose était assez claire : une sentinelle judicieusement placée aurait suffi à me voir arriver, mais enfin… » La bouche de Shuzai se ride, indiquant que l'ascension avait été facile. « Un poste de garde vient sceller une partie étroite de la gorge, mais il ne faut pas dix ans d'entraînement de *ninja* pour franchir cet obstacle un peu plus haut, ce que je fis. Plus tard, de petites plaques de neige et de glace firent leur apparition, puis les pins et les cèdres commencèrent à chasser les arbres de plaine. La montée de la piste se poursuivit pendant deux heures avant l'apparition d'un pont qui enjambe une rivière en contrebas : une borne en indiquait le nom – Todoroki. Non loin de là, une série de *torî* délimitaient un long couloir escarpé : c'est à cet endroit que je quittai le sentier pour monter la pente à travers une forêt de pins. À mi-parcours vers le sommet du Pic nu, j'atteignis le rebord d'un affleurement rocheux ; j'ai réalisé ce dessin » – Shuzai retire un carré de papier dissimulé dans un livre fermé – « à partir de croquis pris sur le vif. »

C'est la première fois qu'Uzaemon est en mesure d'observer la prison d'Orito.

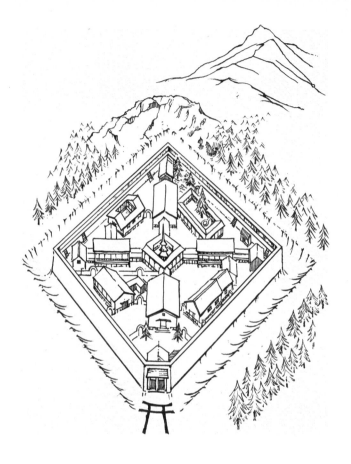

Shuzai débarrasse sa pipe de la cendre froide. « Le Sanctuaire est logé dans un creux triangulaire délimité par le Pic nu en surplomb et deux autres crêtes de moindre importance. Je suppose qu'à l'origine, un château de l'Âge des provinces en guerre se dressait sur le site dont l'ancêtre d'Enomoto avait, d'après le récit du colporteur, revendiqué la possession : regarde donc ces murailles et le fossé qui les entoure. Et puis, il faudrait vingt hommes et un bélier pour forcer ces grandes portes. Mais ne sois pas découragé :

une muraille n'a pas plus de force que ceux qui la défendent, et un enfant muni d'un grappin réussirait à passer au-dessus en une minute. De plus, une fois à l'intérieur, il est impossible de se perdre. Le Couvent se trouve ici.» Shuzai tend un index que la corde d'un arc a rendu calleux.

Spontanément, Uzaemon demande: «L'as-tu vue?»

Shuzai secoue la tête. «J'étais trop loin. J'ai passé le restant de la journée à chercher comment redescendre le Pic nu par une autre voie que la gorge de Mekura, mais il n'y en a aucune: la face nord-est dissimule un à-pic d'une centaine de mètres, tandis que, par le nord-ouest, la forêt est si dense qu'il nous faudrait quatre mains et une queue pour la traverser. Au crépuscule, je redescendis dans la gorge et accédai au poste de garde intermédiaire au moment où la lune se levait. Je gravis une colline escarpée puis redescendis jusqu'au sentier, atteignis l'embouchure de la gorge de Mekura, traversai les rizières en terrasses situées derrière Kurozane et trouvai sur la route d'Isahaya une barque de pêcheur sous laquelle dormir. Il faisait froid et humide, mais je ne voulais surtout pas qu'un témoin vienne partager la chaleur de mon feu. À mon retour à Nagasaki le lendemain soir, j'ai laissé s'écouler trois jours avant de te contacter, de sorte qu'on ne puisse établir de lien entre mon absence et ta visite. Il est sage de supposer qu'Enomoto soudoie ton serviteur.

– Yohei est à mon service depuis le jour où les Ogawa m'ont adopté.

– Y a-t-il meilleur espion qu'une personne au-dessus de tout soupçon?» demande Shuzai en haussant les épaules.

Le rhume attrapé par Uzaemon empire de minute en minute. «As-tu de sérieuses raisons de mettre en cause Yohei?

– Aucune, mais tous les *daimyo* ont des informateurs dans les domaines proches des leurs; ces derniers passent des accords avec les serviteurs des plus grandes familles. Ton père est l'un des quatre interprètes du premier ordre à Dejima: les Ogawa ne sont pas de petites gens. Enlever la favorite d'un *daimyo*, c'est pénétrer dans un monde dangereux, Uzaemon. Si tu veux survivre, tu dois te méfier de Yohei, de tes amis et des étrangers. Maintenant que te voilà prévenu, se pose à toi la question suivante : as-tu toujours l'intention de la libérer ?

– Plus que jamais ; cependant » – Uzaemon regarde la carte –, « la chose est-elle faisable ?

– Oui, à condition de bien préparer cette mission et d'obtenir l'argent nécessaire pour engager des hommes compétents.

– Combien d'argent et d'hommes faut-il ?

– Moins qu'on ne l'imagine, c'est là une bonne nouvelle. Les cinquante *koku* dont parlaient les ramasseurs d'algues sont décourageants, mais une bonne portion de cette somme est engloutie par l'entourage d'Enomoto. Qui plus est, ce bâtiment-là » – Shuzai désigne le coin inférieur droit du Sanctuaire – « est le réfectoire : après le dîner, j'ai vu trente-trois têtes en sortir. Je ne tiens pas compte des femmes. Les maîtres ne sont plus tout jeunes : il reste donc tout au plus deux douzaines d'acolytes aptes au combat. Dans les légendes chinoises, les moines pulvérisent peut-être les rochers à main nue, mais les oisons de Shiranui éclosent d'œufs plus fragiles. Il n'y avait pas de cibles pour les archers, pas de caserne pour une garde de laïcs, et rien ne laisse penser qu'on s'y entraîne aux arts martiaux. Cinq fines lames suffiraient pour porter secours à Mlle Aibagawa. Par mesure de sûreté, il nous en faudrait dix, plus toi et moi.

– Et si le Seigneur Enomoto et ses hommes surgissent juste avant notre assaut ?

– Nous reporterons l'attaque, nous nous disperserons et nous cacherons à Saga jusqu'à son départ. »

La fumée du feu qui lutte pour survivre est salée et amère.

« As-tu songé » – Shuzai soulève un point délicat – « que revenir à Nagasaki accompagné de Mlle Aibagawa serait… que ce serait…

– Du suicide. Oui, j'ai ressassé cette pensée toute la semaine durant. Je suis bien décidé » – Uzaemon éternue puis tousse – « à abandonner la vie que je mène ici, à l'accompagner là où elle le souhaitera et à lui offrir mon secours jusqu'à ce qu'elle m'ordonne de partir. Que cela ne dure qu'un jour ou toute ma vie, ce choix sera le sien. »

Le maître d'armes fronce les sourcils, acquiesce, puis observe son ami et disciple.

Dans la rue, des chiens passent à toute vitesse en poussant des aboiements assassins.

« Je m'inquiète des conséquences de ton implication dans cette expédition, admet Uzaemon.

— Oh, je me prépare au pire. Moi aussi, il me faudra partir.

— Tu sacrifierais la vie que tu mènes à Nagasaki dans le seul but de m'aider ?

— Disons plutôt que la faute incombe à mes créanciers et leurs menaces.

— Et ceux que nous engagerons, ne deviendront-ils pas, à leur tour, des fugitifs ?

— Les *samurai* sans maître sont habitués à ne compter que sur eux-mêmes. Ne t'y trompe pas : celui qui a le plus à perdre dans cette histoire est Ogawa Uzaemon. Tu es prêt à dire adieu à ta carrière, à ta rente et à ton avenir radieux… »

Cherchant une comparaison élégante, le regard de l'aîné se promène un peu partout.

« … pour une femme », complète lui-même Uzaemon. « Et selon toute vraisemblance, une femme anéantie et enceinte. »

Précisément, lui répond l'expression sur le visage de Shuzai.

« J'ai aussi concience que ce serait une étrange façon de remercier mon père adoptif que de disparaître du jour au lendemain et sans la moindre explication. »

Au moins, mon épouse malheureuse pourra retourner chez les siens, anticipe Uzaemon.

« Les confucianistes crieraient à l'hérésie. » Les yeux de Shuzai s'arrêtent sur l'urne qui abrite l'os du pouce de son maître. « Mais parfois, un fils doit se montrer déloyal pour être honnête.

– Mon "ordre de mission" » – Uzaemon s'efforce de se faire comprendre – « n'est pas tant de réparer un tort que de trouver… mon rôle, ce à quoi je sers.

– C'est toi qui parles comme un chantre du Destin, à présent.

– Prends toutes les dispositions nécessaires à cette expédition, je t'en prie. Peu importe combien cela coûtera, je paierai.

– Oui », répond Shuzai, comme s'il n'y avait plus rien à dire.

« Si tu lèves le coude aussi haut, résonne dans le *dojo* la voix perçante d'un disciple plus expérimenté s'adressant à un plus jeune, un *uekiri* bien asséné te le réduira en poudre de riz… »

« Où se trouve le parchemin de Jiritsu, à présent ? » Shuzai a changé de sujet.

Uzaemon résiste à un impérieux besoin de toucher l'étui placé dans une de ses poches intérieures. « Je l'ai caché… » *Si on nous capture*, songe-t-il, *mieux vaut qu'il ne sache pas la vérité.* « … sous le plancher de la bibliothèque de mon père.

– Très bien. Qu'il y reste. » Shuzai roule son plan du Sanctuaire du mont Shiranui. « Mais pense à l'apporter quand nous partirons pour Kyôga. Si tout va bien, Mlle Aibagawa et toi disparaîtrez telles deux gouttes de pluie, mais si Enomoto réussit à vous traquer, ce manuscrit sera votre seul moyen de défense. Tout à l'heure, je disais que les moines ne représentaient pas une menace. Je ne puis en dire autant d'un Seigneur-Abbé qui sera avide de vengeance. »

Uzaemon se lève. « Je te remercie de tes conseils avisés. »

Jacob de Zoet verse l'eau chaude dans un bol, y ajoutant une cuillerée de miel qu'il remue. « J'ai attrapé le même rhume la semaine dernière. J'avais la gorge irritée, des maux de tête, et d'ailleurs, je continue à coasser comme une grenouille. Pendant les mois de juillet et août, mon corps a oublié ce qu'était un temps froid – le comble pour un Zélandais. Mais à présent, c'est de cet été caniculaire dont je peine à me souvenir. »

Quelques mots ont échappé à Uzaemon. « La mémoire est pièges et étrangeté.

– Voilà qui est vrai. » De Zoet ajoute un trait de liquide pâle. « Quant à ceci, il s'agit de citron vert.

– Votre chambre : c'est changé », relève l'hôte. Parmi les nouveautés se trouvent une table basse et des coussins, la couronne de branches de pin d'un *kadomatsu* du Nouvel An, le portrait réussi d'un singe tracé au crayon et à l'encre, ainsi qu'un paravent repliable destiné à cacher le lit de Jacob. *Lit qu'Orito aurait pu partager* – c'est une douleur complexe qui saisit Uzaemon –, *ce qui eût été mieux*. Le clerc en chef n'a ni esclaves ni serviteurs mais son appartement est propre et rangé. « La chambre est conforte et agréable...

– Dejima » – de Zoet remue toujours la boisson – « sera ma demeure pendant quelques années.

– Vous ne voulez pas prendre une épouse afin de avoir une vie plus conforte ?

– Je ne vois pas ce genre de transaction d'un œil aussi léger que mes compatriotes. »

Cela met Uzaemon en confiance. « L'image du singe est très beau.

– Ceci ? Oh, merci, mais je ne serai jamais qu'un sempiternel débutant. »

L'étonnement d'Uzaemon n'est pas feint. « C'est vous qui peint le singe, monsieur de Zoet ? »

De Zoet lui répond par un sourire gêné et lui sert le breuvage au citron vert et au miel. Puis il enfreint la loi portant sur les menus propos. « En quoi puis-je vous être utile, Ogawa-*san* ? »

Uzaemon regarde la vapeur qui s'élève de son bol. « J'ai peur que je dérange votre travail pendant une période importante.

– L'adjoint Fischer exagère. Il n'y a pas grand-chose à faire.

– Alors…» – l'interprète touche la porcelaine brûlante du bout des doigts – «… je voudrais que monsieur de Zoet prend – pour cacher – une chose… très importante, à l'abri.

– Si vous désirez utiliser une de nos réserves, le chef van Cleef saura certainement…

– Non, non. C'est une chose petite.» Uzaemon sort l'étui à parchemin en cornouiller.

De Zoet fronce les sourcils devant l'objet. «Assurément, ce sera avec plaisir.

– Je sais que monsieur de Zoet est capable de cacher les objets avec le grand soin.

– Je le remiserai au même endroit que mon psautier, jusqu'à ce que vous me le réclamiez.

– Merci. J'ai… J'ai espéré que vous prononcez ces mots-là.» Comme un étranger, Uzaemon répond sans ambages aux questions que de Zoet n'a pas posées. «D'abord, je dis la réponse de "Qu'est-ce qu'il y a dans ce parchemin?" Je crois que vous souvenez de Enomoto.» Le visage du Néerlandais s'assombrit. «Il est le Seigneur-Abbé dans le Sanctuaire de domaine de Kyôga, où… où Mlle Aibagawa doit vivre.» Le Néerlandais acquiesce d'un signe de tête. «Ce parchemin, c'est – ah, comment j'explique? Ce sont les règles, croyances, lois de l'Ordre, du Sanctuaire. Ces lois…» *La chose serait difficile à présenter en japonais*, songe l'interprète qui soupire, *mais en néerlandais, c'est comme tenter de briser des rochers*. «Ces règles sont… mauvaises, très mauvaises, plus pires que le pire pour une femme. C'est une grande souffrance… Ce n'est pas supportable.

– De quelles règles parlez-vous? Qu'a-t-elle à endurer, Ogawa, au nom du Ciel?»

Uzaemon ferme les yeux. Il reste ainsi, secouant la tête.

«Dites-moi au moins» – la voix de de Zoet est comme fêlée – «si le parchemin est susceptible de constituer une arme utilisable contre Enomoto, ou de le contraindre par la honte à la libérer. Ou en atterrissant dans les mains du Magistrat, ce parchemin rendrait-il justice à Mlle Aibagawa?

– Je suis interprète du troisième ordre. Enomoto est Seigneur-Abbé. Il a plus de pouvoir que le Magistrat Shiroyama. La justice du Japon, c'est la justice du pouvoir.

– Ainsi, Mlle Aibagawa est donc vouée à souffrir, à supporter l'insupportable pour le restant de ses jours?»

Uzaemon hésite. «Un ami à Nagasaki, il veut aider... sans détour.»

De Zoet n'est pas un imbécile. «Vous projetez d'aller à sa rescousse? Avez-vous quelque raison d'espérer réussir?»

Uzaemon hésite derechef. «Pas lui et moi tout seuls. Je... J'achète de l'aide.

– Les mercenaires sont de dangereux alliés, nous autres Néerlandais le savons bien.» L'esprit de de Zoet manipule un abaque d'implications. «Mais par la suite, vous ne seriez plus en mesure de retourner à Dejima. Et selon toute vraisemblance, elle serait de nouveau enlevée. Il vous faudrait vous cacher... et ce, pour toujours... mais... alors pourquoi... pourquoi êtes-vous prêt à sacrifier... tout ce que vous avez? À moins que... oh!»

L'espace d'un instant, les deux hommes sont incapables de se regarder dans les yeux.

Ainsi tu as compris, constate l'interprète. *Je l'aime, moi aussi.*

«Je suis un imbécile.» Le Néerlandais frotte ses yeux verts. «Un parfait imbécile, myope de surcroît...»

Dans la grand-rue, deux des esclaves malais se hâtent en parlant dans leur langue maternelle.

«... Mais pourquoi m'avez-vous aidé à... à la courtiser, si vous aussi, vous...

– C'était mieux, elle ici avec vous, que elle enfermée dans un mauvais mariage, ou bien que elle chassée de Nagasaki.

– Et malgré tout, vous me confiez cette» – il touche l'étui à parchemin – «preuve inutilisable?

– Comme moi, vous voulez qu'elle est libre. Vous ne me livrerez pas à Enomoto.

– Non, jamais. Mais que puis-je faire de ce parchemin? Je ne suis qu'un prisonnier, ici.

– Ne faites rien. Si la rescousse marche, je n'ai pas besoin du parchemin. Si la rescousse…» L'intrigant boit son miel au citron.

«… Si la rescousse ne marche pas, si Enomoto apprend que le parchemin existe, il va traquer dans la maison de mon père, dans les maisons de mes amis. Les règles de l'Ordre, c'est un grand, grand secret. Enomoto va tuer pour le prendre. Mais à Dejima, Enomoto n'a pas de pouvoir. Ici, je crois qu'il ne va pas chercher.

– Comment saurai-je si votre entreprise aura réussi ou échoué?

– Si je réussis, j'envoie un message quand c'est possible, quand c'est sans danger.»

De Zoet est bouleversé par cet entretien, mais sa voix ne flanche pas. «Vous serez toujours dans mes prières. Quand vous rencontrerez Mlle Aibagawa, dites-lui… dites-lui… dites-lui cela. Que vous serez tous deux dans mes prières, toujours.»

XXIII

Chambre de Yayoi dans le Couvent, Sanctuaire du mont Shiranui

Quelques minutes avant le lever du soleil, le dix-huitième jour du premier mois

L'intendante Satsuki prend la fille de Yayoi, bébé aux lèvres pleines de lait. La lueur des flammes et de l'aube fait apparaître les larmes de Satsuki. Il n'y a pas eu de chute de neige au cours de la nuit : la piste tracée au fond de la gorge de Mekura est praticable, et ce matin, on emportera les jumeaux de Yayoi dans le Monde d'en bas. « Un peu de tenue, intendante. » L'abbesse Izu la réprimande avec douceur. « Vous avez contribué à de nombreuses Bénédictions. Sœur Yayoi accepte bien l'idée que les petits Shinobu et Binyô ne lui sont pas perdus et qu'elle les envoie continuer leur vie dans le Monde d'en bas : vous devriez être en mesure de contrôler vos faiblesses. C'est une séparation, pas un deuil. »

Ce que tu nommes « faiblesses », se dit Orito, *est ce que j'appelle de la compassion.*

« Oui, abbesse. » L'intendante Satsuki avale sa salive. « Mais c'est que... ils sont tellement...

– Sans la Bénédiction de nos Présents, récite presque Yayoi, les rivières du domaine de Kyôga s'assécheraient, les jeunes pousses flétriraient et les mères seraient stériles. »

Avant la nuit de son évasion et de son retour volontaire, Orito aurait vu d'un œil méprisant cette attitude de passive acceptation, mais à présent, elle comprend que seule cette croyance – que la vie même réclame ce sacrifice – permet de rendre la séparation tolérable. La sage-femme berce Binyô, le fils affamé de Yayoi : «Ta sœur a terminé. Laisse ta mère se reposer un instant…»

L'abbesse Izu la rappelle à l'ordre : «Nous disons "porteuse", sœur Aibagawa.

«Vous, vous le dites, abbesse, lui répond Orito sans surprise. Mais je ne suis pas ce "nous"…»

Sadaie verse les miettes de charbon restantes sur le feu : elles craquent et crépitent.

… Nous avions pourtant passé un accord, toi et moi. Orito brave le regard de l'abbesse. *Tu t'en souviens ?*

Notre Seigneur-Abbé tranchera. L'abbesse Izu brave le regard d'Orito.

D'ici là… – Orito ne détourne pas les yeux. «Je ne suis pas ce "nous".»

Trempé, rosi, velouté, le visage de Binyô se plisse dans un long braillement.

«Ma sœur ?» Yayoi prend son fils afin de lui donner une ultime tétée.

La sage-femme inspecte l'inflammation du mamelon de Yayoi.

«Ça va beaucoup mieux, confie Yayoi à son amie. Grâce à l'agripaume.»

Orito pense à Otane de Kurozane, qui a vraisemblablement fourni cette plante au Sanctuaire, et elle se demande si elle aura la possibilité de négocier un rendez-vous annuel chez l'herboriste. La sœur néophyte reste tout en bas de l'échelle des captives, mais en décidant sur le pont de Todoroki de renoncer à son évasion et en faisant de l'accouchement des jumeaux de Yayoi un succès, son statut s'est élevé en de nombreuses et subtiles façons. Son droit de refuser les drogues de Suzaku lui est reconnu, elle est autorisée à se promener sur le chemin de ronde du Sanctuaire trois fois par jour, et maître Genmu a convenu que la Déesse ne désignerait pas Orito pour les Offrandes ; en contrepartie, Orito gardera le silence sur les lettres fictives. D'un point de vue moral, le prix de cet accord est élevé. De légers heurts avec l'abbesse se produisent chaque jour, et le Seigneur-Abbé Enomoto pourrait bien annuler ces arrangements... *Une future bataille à mener,* se résout Orito.

Asagao surgit devant la porte de Yayoi. « *Nh*aître *Sh*uzhaku arrive, a*vh*esse. »

Orito regarde Yayoi, bien décidée à ne pas pleurer.

« Merci, Asagao. » L'abbesse Izu se lève avec l'agilité d'une jeune fille.

Sadaie rajuste le fichu sur son crâne difforme.

Une fois l'abbesse partie, l'atmosphère et les conversations sont un peu plus légères.

« Calme-toi, dit Yayoi à Binyô qui hurle. J'en ai deux. Tiens, petit glouton. »

Binyô trouve enfin le téton de sa mère et se met à téter.

L'intendante Satsuki scrute le visage de Shinobu. « La bienheureuse a l'estomac plein.

– Et les langes puants qui vont avec, ajoute Orito. Puis-je, avant qu'elle ne soit trop endormie ?

– Oh, je vais m'en charger. » L'intendante allonge Shinobu sur le dos. « Cela ne me dérange pas. »

Orito laisse ce triste honneur à son aînée. « Je vais chercher de l'eau chaude.

– Rappelez-vous comme les Présents étaient maigrichons il y a une semaine à peine ! commente Sadaie.

– Nous devons remercier sœur Aibagawa, intervient Yayoi tout en repositionnant Binyô, qui boit trop vite. Grâce à elle, ils sont assez vigoureux pour une prompte Bénédiction.

– C'est avant tout grâce à elle, ajoute l'intendante Satsuki, s'ils sont nés. »

Douce comme un pétale, la main du petit garçon âgé de dix jours s'ouvre et se ferme.

«C'est grâce à ton endurance, à ton lait et à ton amour de mère», fait remarquer Orito à Yayoi tout en mélangeant de l'eau chaude de la bouilloire dans un récipient d'eau froide. *Ne parle pas d'amour*, se dissuade-t-elle, *pas aujourd'hui*. «Les enfants veulent naître : la sage-femme se contente de les y aider.

– Crois-tu que le porteur de l'Offrande était maître Chimei? demande Sadaie.

– Celui-ci, répond Yayoi en caressant la tête de Binyô, est un petit troll : il a son teint cireux.

– C'est plutôt maître Seiryû, dans ce cas, chuchote l'intendante Satsuki. Quand il perd les nerfs, c'est le roi des trolls en personne…»

Par une journée ordinaire, les femmes souriraient à ces paroles.

«Les yeux de Shinobu-*chan* me rappellent ceux du pauvre acolyte Jiritsu, remarque Sadaie.

– Je pense que ce sont les siens, déclare Yayoi. J'ai encore rêvé de lui.

– Comme c'est étrange de se dire que l'acolyte Jiritsu est mort et enterré» – Satsuki retire le lange souillé des fesses de la petite fille – «alors que la vie de ses Présents commence à peine.» L'intendante nettoie la substance à l'odeur âcre à l'aide d'un morceau de tissu brunâtre. «C'est étrange et triste.» Elle rince le derrière de l'enfant dans l'eau chaude. «Shinobu et Binyô seraient-ils issus de l'Offrande de deux porteurs différents?

– Non.» Orito se souvient des ouvrages néerlandais. «Les jumeaux n'ont qu'un seul père.»

Maître Suzaku est conduit dans la chambre. «Quelle douce matinée, mes sœurs.»

Le chœur lui répond : «Bonjour.» Orito, elle, lui adresse une petite courbette.

«Comme le temps est clément à l'occasion de cette première Bénédiction de l'année! Comment vont nos Présents?

— Ils ont tété à deux reprises cette nuit, maître, réplique Yayoi. Et une fois de plus ce matin.

— Excellent. Je vais leur administrer à chacun une goutte de Sommeil. Ils ne se réveilleront pas avant leur arrivée à Kurozane, où deux nourrices attendent dans l'auberge. L'une d'elles est celle qui avait accompagné le Présent de sœur Minori à Niigata il y a deux ans. Ces petits seront entre de très bonnes mains.

— Le maître a d'excellentes nouvelles, sœur Yayoi», dit l'abbesse Izu.

Suzaku découvre ses dents pointues. «Tes Présents seront élevés ensemble dans un temple bouddhiste non loin de Hôfu par un prêtre et son épouse qui n'ont pas d'enfants.

— Tu imagines? s'exclame Sadaie. Le petit Binyô deviendra prêtre!

— Ils recevront une bonne éducation, poursuit l'abbesse, comme les enfants des temples.

— Et ils grandiront ensemble, ajoute Satsuki. Avoir un frère ou une sœur, c'est le plus beau cadeau.

— Veuillez transmettre mes sincères remerciements» – la voix de Yayoi est exsangue – «au Seigneur-Abbé.

— Tu vas pouvoir le remercier toi-même, ma sœur», annonce l'abbesse Izu. À ces mots, Orito, qui lave le lange souillé de Shinobu, lève les yeux. «Le Seigneur-Abbé arrivera demain ou après-demain.»

La peur caresse Orito. «Moi aussi, ment-elle, je suis impatiente d'avoir l'honneur de lui parler.»

L'abbesse Izu lui adresse un regard victorieux.

Rassasié, Binyô ralentit la cadence; Yayoi lui caresse les lèvres afin de lui rappeler de téter.

Satsuki et Sadaie achèvent d'emmailloter la petite fille en vue de son voyage.

Maître Suzaku ouvre son nécessaire médical et débouche un flacon conique.

Le premier coup de la cloche d'Amanohashira résonne dans la chambre de Yayoi.

Personne ne parle : un palanquin est posté de l'autre côté de la porte du Couvent.

Sadaie demande à Orito : « Où se trouve Hôfu, sœur Aibagawa ? Est-ce aussi loin qu'Edo ? »

Le deuxième coup de la cloche d'Amanohashira résonne dans la chambre de Yayoi.

« C'est beaucoup plus près d'ici. » L'abbesse Izu prend dans ses bras Shinobu, toute propre et endormie ; elle l'approche de Suzaku. « Hôfu est une ville fortifiée du domaine de Suô, attenant à celui de Nagato ; il n'est qu'à cinq ou six jours de distance, si, dans le détroit, la mer est calme… »

Yayoi plonge son regard sur Binyô, puis dans le lointain. Orito devine ce à quoi elle pense : à sa première fille Kaho, peut-être, envoyée l'année dernière dans le domaine de Harima chez des fabricants de chandelles, ou bien aux futurs Présents qu'elle devra laisser partir avant sa Retraite, qui ne viendra pas avant dix-huit ou dix-neuf années… à moins qu'elle n'espère simplement que le lait des nourrices de Kurozane soit digeste et sain.

Cette Bénédiction est comparable à un décès, constate Orito. *Excepté que la mère ne peut faire son deuil.*

Le troisième coup de la cloche d'Amanohashira marque presque la fin de la scène.

Suzaku vide quelques gouttes du flacon conique entre les lèvres de Shinobu. « Fais de beaux rêves, petit Présent », susurre-t-il.

Son frère Binyô, encore dans les bras de Yayoi, grogne, rote et pète. Son récital ne produit pas l'enthousiasme habituellement escompté. L'ambiance est lugubre et mélancolique.

« Le moment est venu, sœur Yayoi, déclare l'abbesse. Je sais que vous serez forte. »

Yayoi renifle son cou laiteux une dernière fois. « Puis-je administrer à Binyô son Sommeil ? »

D'un signe de tête, Suzaku acquiesce et lui passe le flacon conique.

Yayoi pose le bec étroit entre les lèvres de Binyô. Sa petite langue lape.

«Quelle est la composition de la préparation de maître Suzaku? s'enquiert Orito.

– Tu aides à accoucher.» Suzaku sourit, les yeux rivés sur la bouche d'Orito. «Je prépare les remèdes.»

Shinobu est déjà endormie. Les paupières de Binyô tombent, s'élèvent puis retombent…

Orito cherche à deviner: *Un opiacé? De l'arisème? De l'aconit?*

«Voici un petit quelque chose pour notre brave sœur Yayoi.» Suzaku verse un liquide trouble dans une coupelle de pierre de la taille d'un dé à coudre. «J'ai baptisé cette préparation "Force": c'est ce qui t'a aidée lors de ta dernière Bénédiction.» Il la porte aux lèvres de Yayoi; Orito refrène une envie impérieuse de faire voler cette coupelle d'un revers de main. Au moment même où le liquide coule dans la gorge de Yayoi, Suzaku lui prend l'enfant.

La mère dépossédée de son fils marmonne: «Mais…», et fixe des yeux l'apothicaire.

Orito rattrape la tête de son amie qui flanche. Elle allonge la mère engourdie.

L'abbesse Izu et maître Suzaku repartent, emportant chacun un enfant.

XXIV

Chambre d'Ogawa Mimasaku, dans la demeure des Ogawa à Nagasaki

Le vingt et unième jour du premier mois, à l'aube

Uzaemon s'agenouille au chevet de son père. «Vous semblez être… un peu plus vigoureux aujourd'hui, Père.

– Laisse donc ces onctueuses sornettes aux femmes : mentir est dans leur nature.

– Vraiment, Père, en entrant, la couleur de votre visage…

– Mon visage a moins de couleur que le squelette de Marinus dans son hôpital néerlandais.»

Saiji, le serviteur filiforme de son père, tente de ranimer le feu dans l'âtre.

«Voilà donc que pour ton père malade, tu pars en pèlerinage à Kashima en plein hiver et sans serviteur – si c'est bien "servir" que font les importuns qui vivent aux crochets de la maison Ogawa. Comme le Tout-Nagasaki sera impressionné par ta piété.»

Comme Nagasaki sera scandalisé, songe Uzaemon, *si l'on découvre la vérité.*

On brosse les pavés de l'entrée de la maison.

«Je n'effectue pas ce pèlerinage pour le prestige, Père.

– Les vrais hommes de science, m'avais-tu expliqué jadis, rejettent "la magie et les superstitions".

– Je préfère garder une certaine ouverture d'esprit, depuis quelque temps, Père.

– Ah oui ? Alors à présent, je… » Une toux rauque interrompt le père ; Uzaemon croirait voir un poisson en train de se noyer dans l'air, il se demande s'il devrait aider son père à se redresser. Cette action demanderait à ce qu'il le touche, chose inconcevable entre le père et le fils, au vu de leur rang social. Le serviteur Saiji s'approche afin d'offrir son assistance, mais la quinte de toux cesse et Ogawa l'Ancien le repousse. «Alors à présent, je fais l'objet d'une de tes "expériences empiriques" ? Comptes-tu faire état devant l'Académie de l'efficacité du remède Kashima ?

– Quand l'interprète Nishi l'Ancien était malade, son fils est parti à Kashima et a jeûné trois jours durant. Lorsqu'il s'en est retourné, non seulement son père avait miraculeusement guéri, mais, de surcroît, celui-ci a parcouru tout le chemin jusqu'à Magome pour venir à la rencontre de son fils.

– Puis lors du banquet donné afin de célébrer sa guérison, il s'est étranglé en avalant une arête de poisson.

– Je vous demanderai donc d'être particulièrement attentif lorsque vous mangerez du poisson dans l'année qui vient.»

Les roseaux de flamme du brasero grossissent et crépitent.

«N'offre pas aux dieux des années de ta vie dans l'espoir de préserver la mienne…»

Uzaemon s'interroge : *Une épineuse marque d'affection ?* «Nous n'en viendrons pas là, Père.

– Sauf si le prêtre te jure que je retrouverai toute mon énergie. Notre cage thoracique ne doit pas être une prison. Je préfère encore rejoindre mes ancêtres et Hisanobu en Terre pure plutôt que de me retrouver piégé ici parmi les flagorneurs, les femmes et les fats. » Ogawa Mimasaku tourne son regard vers le *butsudan*, l'alcôve où sont placés une plaque funéraire et un rameau de pin en mémoire de son fils biologique. «Pour ceux qui ont le sens des affaires, Dejima est une mine d'or, malgré la morosité actuelle du commerce avec les Néerlandais. Mais ceux qui se laissent aveugler par "le siècle des Lumières" » – Mimasaku a recours à l'expression néerlandaise – «laissent passer devant eux de belles opportunités. Non, ce sera le clan des Iwase qui dirigera la Guilde. Ils ont déjà cinq petits-fils. »

Merci de m'aider à te dire adieu, pense Uzaemon. «Si je vous ai déçu, Père, j'en suis navré.

– Avec quelle joie la vie s'emploie» – les paupières du vieil homme se referment – «à réduire à néant nos minutieux projets. »

«Vous partez au pire moment de l'année, mon époux.» Okinu s'agenouille au bord du plancher surélevé de l'entrée. «Songez aux coulées de boue, à la neige, aux orages et au verglas…

– L'état de Père» – Uzaemon s'assied afin de bander ses pieds – «ne peut attendre le printemps, mon épouse.

– Les bandits ont encore plus faim l'hiver, et cette faim les enhardit.

– J'emprunterai la grand-route de Saga. J'aurai mon épée, et puis ce n'est qu'à deux jours d'ici. Kashima n'est en rien comparable à Hokurikurô, Kii ou ces endroits livrés à la sauvagerie et à l'anarchie. »

Okinu jette des regards autour d'elle, telle une biche inquiète. Uzaemon n'arrive pas à se souvenir quand son épouse a souri pour la dernière fois. *Tu mérites un meilleur mari*, constate-t-il et aimerait-il lui avouer. Sa main serre son balluchon de toile huilée : celui-ci contient deux bourses pleines d'argent, des lettres de change et les seize lettres d'amour qu'Aibagawa Orito lui a envoyées quand ils se faisaient la cour. Okinu chuchote : «Votre mère me tourmente avec férocité quand vous n'êtes pas là. »

Je suis son fils, ton mari mais pas un médiateur, fulmine Uzaemon.

Utako, à la fois bonne et espionne de sa mère, s'approche, un parapluie à la main.

«Promettez-moi» – Okinu tente de dissimuler ce qu'elle redoute vraiment – «de ne pas vous aventurer à traverser la baie d'Omura si le temps est mauvais, mon époux.»

Utako s'incline devant chacun, puis va dans la cour d'entrée.

«Vous reviendrez donc d'ici cinq jours?» demande Okinu.

Pauvre, pauvre petite dont je suis le seul allié, songe-t-il.

«Six? insiste-t-elle. Pas plus de sept, n'est-ce pas?»

Si j'étais en mesure de mettre fin à tes tourments par un divorce, pense-t-il, *je n'hésiterais pas...*

«Je vous en prie, mon époux, dans huit jours tout au plus. Elle est... tellement...»

... mais cela attirerait une inopportune attention sur le clan Ogawa. «Je ne sais combien de temps il me faudra réciter les sutras destinés à Père.

– Rapporterez-vous de Kashima une amulette pour les jeunes épouses qui souhaitent...»

– Hnn.» Uzaemon finit de se bander les pieds. «Allez, au revoir, Okinu.»

Si la culpabilité était des pièces de cuivre, se dit-il, *je serais à même de racheter Dejima.*

En traversant la petite cour dépouillée par l'hiver, Uzaemon inspecte le ciel: c'est une journée où la pluie ne semble même pas atteindre le sol. Plus loin, devant le portail, la mère d'Uzaemon attend sous le parapluie que tient Utako. «Accorde-lui quelques minutes et Yohei sera prêt à t'accompagner.

– Comme je vous l'ai répété, Mère, lui rétorque Uzaemon, ce pèlerinage n'est pas une partie de plaisir.

– Les gens se demanderont si les Ogawa n'ont plus les moyens de payer leurs serviteurs.

– Je compte bien sur vous pour leur expliquer pourquoi votre fils s'est entêté à vouloir accomplir ce pèlerinage seul.

« – Et j'aimerais bien savoir qui lavera tes pagnes et tes chaussettes. »

Je m'apprête à prendre d'assaut la forteresse d'Enomoto, s'étonne Uzaemon, *et elle me parle de pagnes et de chaussettes… ?*

« Tu ne trouveras pas cela très amusant, dans huit ou neuf jours.

– Je dormirai dans des auberges et dortoirs réservés aux pèlerins, pas dans des fossés.

– Un Ogawa ne doit pas, même pour plaisanter, raconter qu'il vit en vagabond.

– Vous ne voulez pas retourner à l'intérieur, Mère ? Vous allez attraper un mauvais rhume.

– Non, c'est le devoir d'une femme bien élevée d'accompagner ses fils ou son mari à la porte et de les regarder partir, même s'il fait meilleur à l'intérieur. » Elle jette un œil furieux en direction de la grande demeure. « On se demande vraiment de quoi cette écervelée de belle-fille se plaignait encore. »

La bonne Utako a les yeux rivés sur les gouttelettes accrochées aux boutons de camélia.

« Okinu me souhaitait bon voyage, tout comme vous.

– Eh bien, il faut croire que les gens de Shimonoseki font les choses différemment.

– Elle se trouve loin de chez elle ; et l'année a été difficile.

– Oh, mais moi aussi, je me suis trouvée loin de chez moi après mon mariage ; et si tu insinues que j'ai contribué à rendre cette année "difficile", eh bien permets-moi de te dire que cette fille n'a vraiment pas à se plaindre ! Ma belle-mère était une sorcière venue tout droit de l'Enfer, elle. N'est-ce pas, Utako ? »

Utako esquisse un hochement de tête, une courbette, et dans un murmure, bredouille un : « Oui, madame. »

« Personne n'a insinué quoi que ce soit. » Uzaemon pose la main sur le loquet.

« Okinu » – la mère d'Ogawa pose elle aussi sa main sur le loquet – « nous a déçus…

– Soyez gentille avec elle, Mère, faites-le pour moi, comme vous...

– ... elle nous a tous déçus. Cette fille ne m'a jamais convaincue, n'est-ce pas, Utako ? »

Utako esquisse un hochement de tête, une courbette, et, dans un murmure, bredouille un : « Oui, madame. »

« Mais toi et ton père aviez l'air si décidés. Comment voulais-tu que je vous fasse part de ma réserve ? »

Uzaemon n'en revient pas. *Cette réécriture des événements n'est-elle pas stupéfiante, même à tes propres oreilles ?*

« Mais un pèlerinage, conclut-elle, est l'occasion de méditer sur ses erreurs. »

Un chat gris-de-lune qui déambule sur la muraille attire le regard d'Uzaemon.

« Le mariage est une transaction, tu sais... Quelque chose ne va pas ? »

Le chat gris-de-lune disparaît dans la brume comme s'il n'avait jamais existé.

« Vous disiez que le mariage, Mère, était une transaction.

– En effet ; et si l'on achète à un marchand un article qui s'avère défectueux, alors le marchand doit présenter ses excuses, restituer l'argent à son client et prier pour que les choses en restent là. En ce qui me concerne, j'ai donné trois garçons à la famille Ogawa, plus deux filles et même si le pauvre petit Hisanobu est mort en bas âge, personne n'oserait me qualifier de défectueuse. Je ne reproche pas à Okinu la médiocrité de sa matrice – certains ne se gêneraient pas, mais je suis une personne juste, moi. Il n'en reste pas moins qu'on nous a vendu de la mauvaise marchandise : qui nous reprocherait de la renvoyer à son fabricant ? En revanche, si nous nous en abstenions, nombreux seraient les ancêtres du clan Ogawa à nous en tenir rigueur. »

Uzaemon se détourne du visage de sa mère, qui paraît comme agrandi.

Un milan effectue un piqué à travers la bruine. Uzaemon entend le bruissement de ses plumes.

« Beaucoup de femmes font plus de deux fausses couches.

– "Imprudent, le paysan qui dissémine son bon grain sur une terre inféconde." »

Uzaemon soulève le loquet alors que la main de sa mère y est toujours posée, puis ouvre la porte.

« Si je te dis tout cela, ce n'est pas par méchanceté, sourit-elle, mais par devoir… »

Nous y voilà, s'exaspère Uzaemon, *l'histoire de mon adoption.*

« … car c'est moi qui ai demandé à ton père de te prendre pour héritier à la place de quelque élève plus riche ou de rang plus prestigieux. À cet égard, j'ai le devoir de m'assurer que la lignée des Ogawa perdure. »

Des gouttes de pluie qui ont réussi à trouver la nuque d'Uzaemon lui coulent entre les omoplates. « Au revoir. »

À la moitié de sa vie, quand il avait treize ans, Uzaemon avait effectué les deux semaines de voyage entre Shikoku et Nagasaki en compagnie de son premier maître, Kanamaru Motoji, doyen des érudits en sciences néerlandaises à la cour du Seigneur de Tosa. À quinze ans, après son adoption par Ogawa Mimasaku, il était parti aux côtés de son nouveau père rendre visite à des érudits habitant dans des villes aussi lointaines que Kumamoto, mais depuis sa promotion au rang d'interprète du troisième ordre survenue il y a quatre ans, Uzaemon a rarement eu l'occasion de quitter Nagasaki. Les voyages de son enfance étaient synonymes de promesses, mais, ce matin, l'interprète – *si c'est encore ce que je suis*, concède Uzaemon – est en proie à de sombres sentiments. Des oies cacardent, cherchant à échapper à leur gardien qui les maudit ; un mendiant grelottant défèque au bord de la bruyante rivière; la brume et la fumée cachent les assassins et espions dissimulés sous de larges coiffes bombées et derrière les grilles des palanquins. *La route est assez fréquentée pour que des informateurs se fondent dans le décor, mais pas suffisamment pour que je passe inaperçu.* Il longe les ponts de la rivière Nakashima, dont il récite les noms quand il n'arrive pas à s'endormir : le fier pont Tokiwabashi ; le Fukurobashi, situé à proximité des réserves des marchands de tissu ; le Meganebashi, dont les deux travées reflétées dans l'eau dessinent une paire de lunettes ; le pont Uoichibashi, aux hanches étroites ; le pragmatique Higashishinbashi ; situé en amont, non loin d'un terrain dédié aux exécutions, le pont Imoharabarashi ; le Furumachibashi, aussi vieux et fragile que son nom l'indique ; l'Amigasabashi, qui penche ; et l'Ôidebashi, le dernier et le plus haut d'entre eux. Uzaemon s'arrête devant une volée de marches qui disparaissent dans la brume et se souvient du jour printanier de son arrivée à Nagasaki.

Une petite voix de souris dit : « S'il te plaît, *o-junrei-sama…* »

Il faut un moment à Uzaemon pour comprendre que ce « pèlerin », c'est lui. Il se retourne…

… et un petit roitelet de garçon dont l'un des yeux a cédé la place à une entaille lui tend les deux paumes.

Une voix avertit Uzaemon : *Il mendie une pièce.* Alors le pèlerin poursuit sa route.

Et toi, tu mendies de la chance, le rabroue une autre voix.

Alors il se retourne et regarde partout, mais le petit borgne a disparu.

Je suis le traducteur d'Adam Smith, se rappelle-t-il. *Je ne crois pas aux présages.*

Quelques minutes plus tard, il arrive au poste de garde de Magome, où il remonte sa capuche, mais un garde, comprenant qu'il a affaire à un *samurai*, s'incline devant lui et lui indique de passer.

Frêles et malodorantes, les baraques d'artisans s'agglutinent sur le bord de la voie.

Dans les pièces sombres, les métiers à tisser loués bistanclaquent, bistanclaquent…

Des chiens élancés et des enfants affamés le regardent, indifférents.

Les roues d'une charrette chargée de fourrage qui glisse sur
la pente projettent de la boue. Derrière, un paysan et son fils
la retiennent afin de soulager le bœuf qui est devant. Uzaemon
s'écarte sous un ginkgo et regarde le port en contrebas, mais sous
le brouillard qui s'épaissit, Dejima est invisible. *Me voilà entre deux
mondes.* Il abandonne derrière lui les manœuvres politiques de la
Guilde des interprètes, le mépris des inspecteurs et de la plupart
des Néerlandais, les faux-semblants et les supercheries. *Devant
moi m'attend une existence incertaine auprès d'une femme susceptible de me rejeter et dans un lieu qui m'est encore inconnu.* Dans le
cœur enchevêtré de l'arbre, une nichée de corbeaux au plumage
gras se renvoie des insultes.

La charrette le dépasse, et le fermier qui la suit s'incline aussi
bas que possible tout en évitant de perdre l'équilibre. Le faux pèlerin
ajuste les bandages autour de ses mollets, resserre ses chaussures
puis repart. Il ne faut pas qu'il rate son rendez-vous avec Shuzai.

Au détour d'un virage, à bonne distance de la pierre qui marque
la huitième lieue parcourue depuis Nagasaki, se dresse l'auberge
du *Joyeux Phénix*, logée entre un gué et une carrière. Uzaemon y
pénètre et cherche Shuzai du regard mais ne voit que l'habituelle
population des chemins venue s'abriter du froid et de la bruine :
des porteurs de palanquin et de marchandises, des muletiers, des
mendiants, un trio de prostituées, un homme possédant un singe
diseur de bonne aventure, ainsi qu'un marchand barbu, emmitouflé et assis à proximité – mais pas juste à côté – de ses cinq
serviteurs. Cet endroit sent les gens mouillés, le riz cuit à la
vapeur et le lard ; néanmoins, on y est au chaud et au sec.

Uzaemon commande un bol de bouchées vapeur aux noix puis entre dans la pièce surélevée, inquiet pour Shuzai et les cinq fines lames qu'il a engagées. Ce qui le préoccupe, ce n'est pas d'avoir confié à son ami la grasse somme destinée aux mercenaires – s'il n'était pas aussi honnête qu'Uzaemon le croit, l'interprète aurait été arrêté depuis longtemps –, mais plutôt la possibilité que les créanciers diaboliquement lucides de Shuzai, devinant que ce dernier s'apprêtait à fuir Nagasaki, aient tissé des toiles tout autour de leur débiteur.

Quelqu'un frappe à un poteau : c'est une des filles du propriétaire qui lui apporte son repas.

Il lui demande : « Est-ce déjà l'heure du Cheval ?

– Je crois bien que la mi-journée est passée depuis longtemps, *samurai-sama*, oui... »

Cinq soldats de la garde shogunale entrent : les bavardages cessent aussitôt.

Ils se mettent à scruter la pièce et les visages qui se détournent.

Le regard du capitaine croise celui d'Uzaemon. Uzaemon baisse les yeux. *Ne prends pas cet air coupable*, se dit-il. *Tu es un pèlerin sur la route de Kashima.*

« Aubergiste ? lance un garde. Où est l'aubergiste de ce trou à rat ?

– Messieurs ! » L'aubergiste émerge de la cuisine et s'agenouille sur le sol. « C'est un indescriptible privilège que vous accordez au *Joyeux Phénix*.

– Du foin et de l'avoine pour nos chevaux : ton palefrenier s'est volatilisé.

– Tout de suite, capitaine. » L'aubergiste sait qu'il sera contraint d'accepter une reconnaissance de dette qui ne sera honorée qu'en contrepartie d'un pot-de-vin de cinq fois la valeur initiale. Il donne des ordres à sa femme, ses fils et ses filles, et l'on conduit les soldats dans la meilleure chambre, à l'arrière de l'établissement. Avec prudence, les bavardages reprennent.

« Je n'oublie jamais un visage, *samurai-san*. » Le marchand barbu s'est faufilé jusqu'à lui.

Évite les rencontres, l'avait averti Shuzai, *évite les témoins.* «Nous ne nous connaissons pas.

– Oh, mais bien sûr que si : au temple Ryûgaji au Nouvel An.

– Tu te trompes, vieillard. Je ne t'ai jamais rencontré. Maintenant, veux-tu bien…

– Rappelez-vous, *samurai-san* : nous causions de galuchat et de fourreaux de sabre…»

Uzaemon reconnaît alors Shuzai sous sa barbe broussailleuse et sa cape rapiécée.

«Ah, ça y est, vous vous souvenez de moi! Deguchi, *samurai-san*, Deguchi d'Osaka. Me feriez-vous l'honneur d'accepter ma compagnie?»

La serveuse arrive avec un bol de riz et des légumes vinaigrés.

«Je n'oublie jamais un visage.» Un rictus aux lèvres, Shuzai découvre des dents noires; même son accent est différent.

Fatigant, ce vieux bouc, signifie la moue que la serveuse adresse à Uzaemon.

«Ah, ça non, mademoiselle, poursuit Shuzai d'une voix traînante. Les noms m'échappent, mais un visage, jamais…»

«Ce sont les voyageurs solitaires qui attirent l'attention.» La voix de Shuzai jaillit à travers la grille de son palanquin. «Mais six personnes sur la route d'Isahaya? C'est comme si nous étions invisibles. Au *Joyeux Phénix*, un pèlerin armé d'un sabre et peu loquace ne manquerait pas d'intriguer celui qui, de temps à autre, joue les informateurs. Mais à ton départ, tu n'étais plus qu'un misérable bougre à qui un moustique humain martyrisait l'oreille. En venant t'ennuyer, je t'ai rendu ennuyeux.»

La brume estompe les fermes, efface la route au-devant, et dissimule les murailles de la vallée…

Les porteurs et serviteurs de Deguchi sont les mercenaires recrutés par Shuzai : leurs armes sont cachées dans un compartiment secret sous le plancher du palanquin. Uzaemon mémorise leurs pseudonymes : *Tanuki, Kuma, Ishi, Hane, Shakke...* Ils évitent de lui parler, conformément au rôle de porteur qu'ils endossent. Les cinq autres les attendront demain à la gorge de Mekura.

« Au fait, demande Shuzai, as-tu bien apporté ce fameux étui à parchemin en cornouiller ? »

Réponds-lui par la négative et il croira que tu te méfies de lui, craint Uzaemon.

« Tout ce qui a de la valeur » — il se tapote le haut du ventre — « se trouve ici.

— Très bien. Si le parchemin tombait entre de mauvaises mains, Enomoto nous attendrait de pied ferme. »

Si nous réussissons, le témoignage de Jiritsu sera inutile. Le malaise gagne Uzaemon. *Si nous échouons, Enomoto ne doit pas le récupérer.* Mais quel usage de Zoet pourrait-il faire de cette arme ? La réponse échappe à l'interprète.

La rivière en contrebas est un ivrogne qui fonce sur les rochers et chahute les berges.

« On dirait la vallée du Shimantogawa de notre domaine natal, commente Shuzai.

— Le Shimantogawa me paraît une rivière plus avenante », juge Uzaemon. Il s'est interrogé sur l'opportunité de proposer sa candidature à un éventuel poste à la cour de Tosa. À son adoption par les Ogawa de Nagasaki, tous les liens avec sa famille biologique ont été rompus — *et ils ne se réjouiraient pas de voir un troisième fils, « un mangeur de riz froid », resurgir sans argent avec une épouse au visage à moitié brûlé.* Cependant, il se demande si son ancien professeur de néerlandais serait d'une part désireux et d'autre part capable de l'aider. *Tosa est l'endroit où Enomoto commencerait à nous rechercher,* s'inquiète Uzaemon.

Ce n'est pas une nonne en déroute qui est en jeu, mais la

réputation du Seigneur de Kyôga.

Son ami le vieux conseiller Matsudaira Sadanobu publierait un mandat d'arrêt…

Uzaemon entrevoit l'énormité du risque qu'il prend.

S'embarrasseraient-ils à émettre un mandat d'arrêt? Ne se conten-teraient-ils pas plutôt de lancer un assassin à notre poursuite?

Uzaemon détourne le regard. Se mettre à réfléchir maintenant, ce serait renoncer à la libération d'Orito.

Les pieds foulent les flaques. La rivière brune se gonfle. Les pins dégoulinent.

Uzaemon s'adresse à Shuzai : «Allons-nous passer la nuit à Isahaya?

– Non. Deguchi d'Osaka désire ce qui se fait de mieux: l'auberge *Harubayashi* à Kurozane.

– Dis-moi que ce n'est pas le même lieu où séjournent Enomoto et ses suivants.

– Oui, c'est là. Allons, quels bandits déterminés à enlever une nonne du Sanctuaire du mont Shiranui songeraient à y faire halte?»

Au temple principal d'Isahaya, on célèbre les festivités consacrées à une déité locale ; les rues sont plutôt animées, et six étrangers plus un palanquin passent inaperçus parmi les camelots, le défilé et les badauds. Les musiciens des rues se disputent les spectateurs, les petits voleurs écument la foule des jours de congé, et devant les auberges, les serveuses enjôlent les clients afin de les attirer à l'intérieur. Shuzai reste dans son palanquin et ordonne à ses hommes de se rendre directement à la porte du domaine de Kyôga par le côté est de la ville. Un troupeau de porcs a envahi le poste de garde. Vêtu de la livrée austère de Kyôga, un des soldats jette un bref coup d'œil au sauf-conduit de Deguchi d'Osaka et s'enquiert de savoir pourquoi le marchand n'a aucune marchandise avec lui. « Je l'ai fait acheminer par bateau, monsieur, lui répond Shuzai, dont l'accent d'Osaka est désormais presque plus vrai que nature. La totalité. S'il avait fallu, monsieur, que chaque garde aux frontières domaniales de la partie occidentale de Honshu prélève sa dîme, il ne me resterait plus que les rides de mes mains, monsieur. » On lui fait signe de passer, mais un autre garde plus observateur note que le sauf-conduit d'Uzaemon a été délivré par le chef du bureau de Dejima. « Vous êtes interprète auprès des étrangers, Ogawa-*san* ?

– Interprète du troisième ordre, oui, à la Guilde des interprètes de Dejima.

– Je vous posais la question à cause de vos habits de pèlerin.

– Mon père est gravement malade. Je souhaite aller prier pour lui à Kashima.

– Veuillez s'il vous plaît vous rendre » – le garde donne un coup de pied à un porcelet qui se met à brailler – « dans la salle d'inspection. »

Uzaemon se retient de tourner la tête vers Shuzai. « Très bien.

– Je vous rejoins dès que nous en aurons terminé avec ces fichus porchers. »

L'interprète pénètre dans la petite pièce où un scribe est à l'œuvre.

Uzaemon maudit ce mauvais coup du sort. *Pour entrer à Kyôga incognito, c'est raté.*

« Je vous prie de bien vouloir m'excuser de ce dérangement. » Le garde reparaît et demande au scribe d'attendre dehors. « J'ai l'intuition, Ogawa-*san*, que vous êtes un homme de parole.

– Je tends à l'être, c'est exact. » Uzaemon s'inquiète : où ce dialogue va-t-il le mener ?

« Dans ce cas, je… » – le garde tombe à genoux et se prosterne – « … je m'en remets à vos bons offices, monsieur. Le crâne de mon fils… il grossit anormalement, il est difforme. Nous… Nous n'osons pas le laisser sortir, les gens le traitent d'*oni*, de démon. Il est intelligent, il lit bien ; la maladie n'a pas atteint son cerveau, mais… mais il a ces migraines, ces terribles migraines. »

Uzaemon est désarmé. « Qu'ont dit les docteurs ?

– Le premier a diagnostiqué une inflammation du cerveau et lui a prescrit douze litres d'eau par jour pour apaiser le feu dans sa tête. Le deuxième a dit que c'était un "empoisonnement par l'eau" et nous a recommandé de ne plus donner d'eau à notre fils tant que sa langue ne noircirait pas. Le troisième nous a vendu des aiguilles d'or afin que nous les enfoncions dans son crâne pour en déloger le démon ; quant au quatrième, nous lui avons acheté une grenouille magique qu'il faut lécher trente-trois fois par jour. Rien n'a fonctionné. Bientôt, il ne pourra même plus soulever la tête… »

Uzaemon se remémore la récente conférence du docteur Maeno sur l'éléphantiasis.

« … C'est pourquoi je demande à tous les pèlerins qui franchissent ce poste de prier pour mon fils à Kashima.

– C'est avec plaisir que je réciterai un sutra de Guérison. Quel est le nom de votre fils ?

– Je vous remercie. De nombreux pèlerins me disent qu'ils s'y emploieront, mais je ne puis me fier qu'aux hommes d'honneur. Je m'appelle Imada et mon fils se nomme Uokatsu – c'est écrit là. » Il lui tend une petite feuille pliée. « Et voici une mèche de ses cheveux. Comme il vous faudra payer, je vous ai…

– Gardez votre argent. Je prierai pour Imada Uokatsu en même temps que pour mon père. »

La politique d'isolement du Shogun permet à ce dernier de conserver le pouvoir…

« Je suppose qu'Ogawa-*san* » – le soldat s'incline à nouveau – « a lui aussi un fils ? »

… mais condamne Uokatsu et des myriades d'autres gens à mourir sans raison et dans l'ignorance.

« Mon épouse et moi-même » – *toujours plus de détails*, regrette

Uzaemon – «n'avons pas encore eu ce divin honneur, non.

– Dame Kannon récompensera votre gentillesse, monsieur. Mais je ne veux pas vous retenir plus longtemps…»

Uzaemon range la feuille portant le nom de l'enfant dans son *inrô*. «J'aimerais pouvoir en faire davantage.»

XXV

Appartements du Seigneur-Abbé, Sanctuaire du mont Shiranui

La vingt-deuxième nuit du premier mois

Les flammes qui ondoient en silence sont bleutées comme l'ipomée. Enomoto est assis derrière le foyer encastré dans le sol, au fond d'une pièce étroite. On ne distingue pas nettement les voûtes du plafond. Enomoto sait qu'Orito est là, mais il ne lève pas encore la tête. À proximité de lui, deux jeunes acolytes ont les yeux rivés sur un tablier de go : sans le pouls qu'on voit battre sur leurs cous, on jurerait avoir affaire à des statues de bronze. «Tu ressembles à un assassin, à rester ainsi en retrait… » Pleine de vigueur, la voix d'Enomoto lui parvient. «Approche donc, sœur Aibagawa. »

Ses pieds lui obéissent. Orito s'assied devant le feu, face au Seigneur de Kyôga. Il examine la qualité de l'artisanat de ce qui ressemble à la poignée d'un sabre sans lame. À l'étrange lueur du feu, Enomoto paraît dix ans de moins que dans son souvenir.

Si j'étais un assassin, songe-t-elle, *tu serais déjà mort.*

«Qu'arriverait-il à tes sœurs si elles n'avaient ni ma protection ni le Couvent ? »

Il sait lire les visages, pas les pensées. «Le Couvent est une prison.

– Tes sœurs connaîtraient une mort misérable et prématurée dans un bordel ou chez quelque montreur de phénomènes.

– Cela justifie-t-il la captivité de ces poupées livrées à vos moines ? »

Clic. Un acolyte a placé une pierre noire sur le tablier.

« Le docteur Aibagawa – ton honorable père – ne tenait compte que des faits, pas des opinions outrancières. »

Orito s'aperçoit que le manche de sabre que tient Enomoto est un mousquet.

« Les sœurs ne sont pas des "poupées". Elles consacrent vingt années de leur vie à la Déesse et, à leur Retraite, tous leurs besoins sont pris en charge. De nombreux ordres spirituels passent des accords similaires, à la différence que leurs membres s'engagent à vie.

– Quel "ordre spirituel", à l'instar de votre petite secte personnelle, récolte le fruit des entrailles de ses nonnes ? »

Les ténèbres se déploient et serpentent autour du champ de vision d'Orito.

« La fertilité du Monde d'en bas provient de la rivière qui le nourrit. Shiranui est sa source. »

Orito cherche à déceler des traces de cynisme dans son intonation ou ses paroles, mais n'y trouve que pure foi. « Comment un académicien comme vous, traducteur d'Isaac Newton, en est-il arrivé à s'exprimer comme un paysan superstitieux ?

– Les Lumières peuvent rendre aveugle, Orito. Acharne-toi à appliquer n'importe quelle méthodologie empirique au temps, à la gravité ou à la vie : la genèse et la finalité de ces éléments échapperont toujours à la connaissance humaine. Ce n'est pas la superstition mais la raison qui amène à ces conclusions : l'étendue des connaissances est limitée, et cerveau et esprit sont deux entités distinctes. »

Clic. Un acolyte a placé une pierre blanche sur le tablier.

« L'Académie Shirandô n'a jamais eu l'honneur d'entendre votre analyse, pour autant que je sache.

– Notre Ordre spirituel ne compte que peu de membres. La voie de Shiranui n'appartient pas plus aux érudits qu'aux masses.

« – Ce sont là de bien nobles paroles pour décrire une vérité immonde. Vous enfermez des femmes pendant vingt ans, vous les fécondez, arrachez les enfants à leur sein… et vous portez aux mères des simulacres de lettres provenant de ces défunts censés grandir !

– Seules les lettres annuelles de trois malheureux Présents décédés sont écrites : trois sur trente-six – trente-huit, si l'on tient compte des jumeaux de sœur Yayoi. Toutes les autres lettres sont authentiques. L'abbesse Izu pense que cette fiction permet de ménager les sœurs, et l'expérience lui donne raison.

– Les sœurs vous remercient-elles de votre prévenance quand elles découvrent que le fils ou la fille qu'elles souhaitent retrouver à leur Retraite est mort depuis dix-huit ans ?

– Le malheur que tu décris n'est jamais survenu au cours de ma mandature abbatiale.

– Sœur Hatsune, elle, compte bien rejoindre sa défunte fille, Noriko.

– Sa Retraite sonnera dans deux ans. Si elle y est toujours décidée, je lui expliquerai. »

La cloche d'Amanohashira annonce l'heure du Chien.

Enomoto se penche au-dessus du feu. « Cela m'attriste que tu nous considères comme des geôliers. Peut-être est-ce à cause de ton rang social. Une naissance tous les deux ans est un impôt plus léger que celui auquel sont généralement assujetties les femmes dans le Monde d'en bas. De l'esclavage, les maîtres ont délivré la plupart de tes sœurs pour les conduire en Terre pure à Shiranui.

– Le Sanctuaire est bien différent de ma conception de la Terre pure.

– La fille d'Aibagawa Seian est une femme singulière.

– J'aimerais ne plus vous entendre prononcer le nom de mon père.

– Aibagawa Seian était mon ami de confiance avant d'être ton père.

443

– Une amitié que vous lui rendez en enlevant sa fille lorsque celle-ci devient orpheline?

– Je t'ai ramenée à ton foyer, sœur Aibagawa.

– J'avais un foyer, à Nagasaki.

– Mais Shiranui était ta maison, avant même que son nom parvienne à tes oreilles. Lorsque j'ai appris ta vocation de sage-femme, j'ai compris. En te voyant à l'Académie Shirandô, j'ai compris. Il y a longtemps, j'ai reconnu la marque de la Déesse sur ton visage, et j'ai c…

– Mon visage a été brûlé par l'huile bouillante d'une poêle. C'était un accident!»

Enomoto sourit comme un père aimant. «La Déesse t'a appelée. Ne s'est-elle pas révélée à toi?»

Orito n'a parlé à personne – pas même à Yayoi – de la caverne sphérique et de l'étrange géante qui y habite.

Clic. Un acolyte a placé une pierre noire sur le tablier.

Il y avait un sceau secret sur la porte quand tu es entrée dans le tunnel, lui affirme la logique.

Des battements d'ailes résonnent dans le vide, mais quand Orito lève les yeux, elle ne voit rien.

«Lorsque tu es partie, lui dit Enomoto, la Déesse t'a rappelée…»

Le jour où je croirai à ces délires, songe Orito, *je serai à jamais prisonnière de Shiranui.*

«… et ton âme a obéi, car ton âme sait ce que ton esprit, lui, est trop intelligent pour comprendre.

– Je suis revenue parce que, sans moi, Yayoi serait morte.

– Tu étais un instrument de la compassion de la Déesse. Tu seras récompensée.»

La peur de recevoir l'Offrande ouvre son horrible bouche. «Je… Je ne supporterais pas qu'on me fasse ce qui est fait aux autres sœurs. Je ne peux pas.» Orito a honte de ces paroles, et elle a honte d'avoir honte. *Épargne-moi ce que subissent les autres*, signifient-elles; Orito se met à trembler. *Brûle!* s'exhorte-t-elle. *Mets-toi en colère!*

Clic. Un acolyte a placé une pierre blanche sur le tablier.

La voix d'Enomoto est une caresse. « Nous savons tous bien, et la Déesse davantage encore, ce que tu as dû sacrifier pour venir ici. Regarde-moi de tes yeux pleins de sagesse, Orito. Nous désirerions te faire une proposition. En fille de médecin, tu auras remarqué le piètre état de santé de l'intendante Satsuki. Il s'agit malheureusement d'un cancer de l'utérus. Elle a demandé à mourir sur son île natale. Mes hommes vont l'y accompagner dans quelques jours. Si tu le souhaites, son poste d'intendante est à toi. La Déesse offre au Couvent un Présent toutes les cinq à six semaines : les vingt ans de ton séjour au Sanctuaire seraient consacrés à ta pratique ; en tant que sage-femme, tu apporterais ton secours aux sœurs et approfondirais ton savoir. Et en tant qu'atout majeur de mon Sanctuaire, tu ne recevras jamais l'Offrande. Par ailleurs, je te fournirai des livres – n'importe lesquels, tous ceux que tu désires –, et tu pourras ainsi suivre les pas de ton père sur le chemin de la science. Après ta Retraite, je t'achèterai une maison à Nagasaki ou ailleurs, et je te verserai une pension jusqu'à la fin de tes jours. »

Pendant quatre mois, comprend Orito, *le Couvent a cherché à me terrifier…*

« Plus qu'une sœur du Sanctuaire de Shiranui, tu seras une sœur de la Vie. »

… de sorte que je ne considère pas cette offre comme une longe ou un nœud coulant, mais comme une corde lancée à une femme en pleine noyade.

Les quatre coups frappés à la porte ricochent dans la pièce.

Enomoto jette un œil derrière Orito et acquiesce d'un hochement de tête. « Ah, un ami que j'attendais depuis longtemps est venu me rapporter un objet qui m'avait été volé. Il me faut l'accueillir et lui offrir en retour un gage de ma gratitude. » Enomoto se lève : l'étoffe de soie bleue s'envole. « Entre-temps, ma sœur, songe à notre proposition. »

XXVI

Arrière de l'auberge Harubayashi,
à l'est du village de Kurozane
dans le domaine de Kyôga

Le vingt-deuxième matin du premier mois

Émergeant des latrines à l'arrière de l'auberge, Uzaemon parcourt le potager du regard et s'aperçoit qu'une silhouette l'observe, cachée dans le massif de bambous. Il plisse les yeux dans la pénombre. *Otane l'herboriste ?* Elle porte le même capuchon noir et les mêmes habits de montagne. *Ce pourrait être elle.* Elle a le même dos voûté. *C'est elle.* Uzaemon lève une main prudente, mais la silhouette se détourne de lui, remuant lentement sa triste tête grisonnante.

Ce « non » signifie-t-il qu'il doit faire comme s'il ne l'avait pas vue ? Ou bien que l'expédition est vouée à l'échec ?

L'interprète chausse les sandales de paille abandonnées sur la véranda puis traverse le potager sillonné pour atteindre les bambous. Un sentier tortueux où la boue se mêle au givre s'enfonce dans le bosquet.

Dans l'avant-cour de l'auberge, un coq pousse des cris rauques.

Shuzai et les autres se demanderont où je suis.

Les sandales de paille offrent une piètre protection aux pieds délicats d'un *samurai* occupant des fonctions administratives.

À hauteur d'yeux, sur un bambou cassé, un jaseur est perché : il ouvre son bec...

... sa gorge vibre, crache un chant qui n'a rien d'un chant, puis s'envole...

En petits arcs de cercle, il saute d'une branche à l'autre et s'enfonce dans la densité.

Uzaemon le suit en se frayant un chemin à travers les obliques d'ombres noires et d'ombres plus claires...

... à travers l'oppressant confinement ; de fines plaques de verglas se brisent sous ses pas.

Plus loin devant, le jaseur l'invite à avancer... tout droit ou vers l'autre côté ?

À moins que deux jaseurs n'aient décidé de se jouer d'un humain ? s'interroge Uzaemon.

« Il y a quelqu'un ? » Il n'ose pas élever la voix. « Otane-*sama* ? »

Les feuilles bruissent comme du papier. Le sentier aboutit à une rivière bruyante, épaisse et brune comme le thé des Néerlandais.

La berge d'en face est une muraille de roche criblée de trous...

... qui se dresse sous un lit de branches écartelées et de racines noueuses.

Un orteil du mont Shiranui, songe Uzaemon. *Au sommet de son crâne, Orito se réveille.*

En amont ou en aval de la rivière, un homme crie dans un dialecte bancroche.

Mais le sentier censé ramener Uzaemon au jardin situé derrière l'auberge *Harubayashi* le conduit à une clairière secrète. Là, sur un lit de petits cailloux noirs, plusieurs douzaines de pierres grosses comme la tête et polies par la mer sont parquées derrière un muret lui arrivant à la hauteur des genoux. Comme il n'y a ni autel, ni *torî*, ni cordes de paille torsadées de morceaux de papier, l'interprète met un peu de temps à comprendre qu'il se trouve dans un cimetière. Luttant contre le froid, les bras croisés et plaqués au corps, il enjambe le muret et va examiner les pierres tombales. La croûte de cailloux crisse et cède sous ses pas.

Sur les pierres, au lieu de noms sont gravés des nombres : de un à quatre-vingt-un.

Le bambou envahissant est repoussé et les pierres semblent débarrassées du lichen.

Uzaemon se demande si celle qu'il a prise pour Otane n'est pas la gardienne du lieu.

Elle a peut-être eu peur devant ce samurai *qui s'élançait vers elle…*, spécule-t-il.

Mais quelle sorte de secte bouddhiste refuse à ses défunts un nom funèbre, fût-il inscrit en hâte ? Sans ce dernier, point d'inscription possible sur le registre mortuaire tenu par le Seigneur Enma : tous les enfants le savent bien. L'âme de l'anonyme se voit alors refuser l'entrée du Monde d'après. Son fantôme est voué à errer pour l'éternité. Sans en être vraiment convaincu, Uzaemon suppose qu'il s'agit de cadavres d'avortons, de criminels ou de suicidés. Même les intouchables ont droit à un nom quand on les enterre.

Dans la cage de l'hiver, on n'entend pas d'oiseau chanter, remarque-t-il.

« C'est plus que probable, monsieur, répond l'aubergiste à Uzaemon qui est de retour, que ce soit la fille du charbonnier que vous avez aperçue. Elle vit plus haut, après les Douze champs, avec son père et son frère dans une maisonnette en ruine dans le chaume duquel mille milliers d'étourneaux nichent. Elle passe son temps à traîner ici et là, à descendre et remonter la rivière, monsieur. Elle a la tête et le pied défaillants, et elle a eu des enfants deux ou trois fois, mais ils auront guère poussé bien longtemps, parce que le père, c'était son père à elle, ou sinon son frère ; et puis, elle mourra seule dans cette masure. Imaginez donc, monsieur : qui voudrait frelater son sang avec cette fille ?

– Mais c'était une vieille femme que j'ai vue, pas une fille.

– À Kyôga, les pouliches ont les hanches plus larges que les princesses de Nagasaki, monsieur : une fille de treize ou quatorze ans passe facilement pour une vieille jument, surtout au crépuscule. »

Uzaemon demeure perplexe. « Et ce cimetière secret ?

– Oh, il n'a rien de secret, monsieur : c'est ce que nous autres aubergistes appelons "le quartier de long séjour". Ils sont nombreux, les voyageurs à tomber malades en route, surtout les pèlerins, monsieur, et souvent, ils passent leur dernière nuit dans une auberge, et à nous autres, ça nous coûte une coquette rançon... Une rançon, c'est bien le mot : on ne peut tout de même pas jeter le cadavre au bord de la route. Imaginez qu'un proche arrive ? Et si le fantôme s'amuse à faire fuir la clientèle ? Et puis, pour des funérailles, on a besoin d'argent, c'est pareil ici qu'ailleurs, monsieur : il faut un prêtre et ses incantations, un tailleur de pierre et une pierre tombale digne de ce nom, et puis un carré de terre dans un temple... » L'aubergiste secoue la tête. « C'est pourquoi un de mes ancêtres a aménagé un cimetière dans le boqueteau, réservé à ceux qui trépassent pendant leur séjour. On tient à jour un registre des hôtes qui y sont enterrés ; on numérote les pierres tombales ; on inscrit leur nom, s'ils nous l'ont dit ; on indique si c'est un homme ou une femme, on écrit l'âge qu'ils devaient avoir, toutes ces choses. Comme ça, si des proches viennent faire leur enquête, peut-être que ça pourra les aider.

– Vient-on souvent vous réclamer la dépouille d'un de ces hôtes ? demande Shuzai.

– Depuis que je tiens l'auberge, c'est jamais arrivé une seule fois, monsieur. Mais bon, on continue quand même. Ma femme nettoie les pierres tombales chaque année pour l'*O-bon*.

– À quand remonte la dernière inhumation, monsieur ? » l'interroge Uzaemon.

L'aubergiste pince les lèvres. « Depuis que la route d'Omura a été réaménagée, de moins en moins de voyageurs solitaires traversent Kyôga, monsieur… Le dernier doit remonter à trois ans : un imprimeur qui, le soir en allant se coucher, se trouvait en parfaite santé, et qui, au petit matin, était froid comme du marbre. Ç'a de quoi laisser songeur, pas vrai, monsieur ? »

Le ton qu'emploie l'aubergiste met Uzaemon mal à l'aise. « Comment cela ?

— La Mort ne se contente pas d'embarquer les vieillards et les chétifs dans son palanquin noir… »

Coincée entre le rivage envasé de la mer d'Ariake et les terres intérieures, la route de Kyôga traverse un bois : c'est là qu'un des hommes engagés par Shuzai – Hane – décroche du convoi tandis qu'un autre – Ishi – part en éclaireur. « Simple mesure de précaution, explique Shuzai depuis l'intérieur du palanquin. Nous devons nous assurer que personne ne nous suit depuis Kurozane ou ne nous attend plus haut. » Après une succession de talus, ils traversent l'étroite rivière Mekura et empruntent un sentier jonché de feuilles mortes remontant vers l'embouchure de la gorge. Près d'un portique *torî* taché de mousse, un écriteau interdit aux visiteurs d'accéder à la piste. À cet endroit, le palanquin est posé au sol, les armes sont extraites du plancher à double fond et, sous les yeux d'Uzaemon, Deguchi d'Osaka et ses infatigables serviteurs se transforment en mercenaires. Shuzai pousse un sifflement perçant. Uzaemon tend l'oreille : rien, sinon un craquement de brindille. Mais par ce signal, les hommes entendent que tout va bien. Au pas de course, ils emportent le palanquin vide et franchissent plusieurs tertres. L'interprète est vite à bout de souffle. Le fracas d'une cascade s'intensifie à mesure de leur progression, puis ayant dépassé un éboulis sans doute récent, la troupe arrive à l'embouchure d'aval de la gorge : un escalier creusé dans un modeste escarpement haut comme huit ou neuf hommes qu'un manteau de longues feuilles de fougères et de plantes grimpantes étouffe. C'est de cet abrupt que chute l'eau glacée. Le bassin en contrebas tourbillonne et bouillonne.

Uzaemon devient prisonnier de cette eau en perpétuelle chute… *Elle boit à l'eau de ce torrent-là où celui-ci n'est qu'un simple ruisseau de montagne*, spécule-t-il.

… jusqu'à ce que siffle une grive cachée dans un massif de camélias sauvages. Shuzai y répond par un autre sifflement. Les branchages s'écartent et cinq hommes en jaillissent. Ils sont habillés comme des roturiers, mais on décèle sur leurs visages l'air dur et guerrier des *samurai* sans maître. « Allons, il faut faire disparaître cette caisse montée sur pieds. » Shuzai désigne son palanquin cabossé.

Derrière le rideau de camélias, dans le creux où l'on recouvre le palanquin de branches et de feuilles, Shuzai présente les nouveaux venus par leurs pseudonymes : Tsuru – leur chef à visage de lune –, Yagi, Kenka, Muguchi et Bara ; Uzaemon, qui porte toujours ses habits de pèlerin, se voit rebaptisé « Junrei ». Les dernières recrues se montrent respectueuses et distantes envers lui, mais c'est Shuzai qu'elles regardent comme le meneur de l'expédition. Voient-elles Uzaemon comme un imbécile éperdument épris ou comme un homme respectable ? *Je suppose qu'on peut à la fois être l'un et l'autre*. Les mercenaires, eux, ne laissent rien transparaître. Le *samurai* Tanuki livre un bref résumé de leur périple entre Saga et Kurozane ; Uzaemon songe alors à toutes les petites étapes qui ont concouru à la réunion de cette équipe : les justes suppositions de l'herboriste Otane sur les sentiments de l'interprète, la révulsion qu'inspirèrent les croyances de l'Ordre à l'acolyte Jiritsu, la malfaisance d'Enomoto, ainsi que d'autres éléments et d'autres rebondissements, connus pour certains, obscurs pour d'autres ; Uzaemon est fasciné par le travail de broderie opéré par ce concours de circonstances.

« Lors de la première partie de notre ascension, explique Shuzai, nous nous diviserons en six groupes de deux qui partiront à cinq minutes d'intervalle chacun. Tsuru et Yagi en premier, Kenka et Muguchi en deuxième, Bara et Tanuki en troisième, puis Kuma et Ishi, Hane et Shakke, et enfin Junrei » – son regard s'adresse à Uzaemon – « et moi. Nous nous retrouverons en contrebas du poste de garde qui protège cette ravine naturelle. » Les hommes se regroupent autour d'une carte du flanc de montagne tracée à l'encre ; les souffles s'entremêlent. « Je conduirai Bara et Tanuki, ainsi que Tsuru et Hane en haut de cette colline escarpée, puis nous assaillirons le poste par l'amont, juste après la relève de la garde – ils ne s'attendront pas à ce que l'attaque vienne d'en haut. Nous les ligoterons, les bâillonnerons et les mettrons dans les sacs que nous avons. Ce ne sont que des paysans : ne les tuez pas, sauf s'ils s'obstinent. Il faudra encore deux pénibles heures d'ascension pour parvenir au sommet du Pic nu, et, à notre arrivée, les moines s'apprêteront à se coucher. Kuma, Hane, Shakke, Ishi : vous escaladerez la muraille… » – Shuzai déplie son dessin du Sanctuaire – « … par le sud-ouest : la forêt y est plus dense et plus proche ; puis allez au poste de garde qui se trouve ici et faites-nous entrer. Ensuite, nous demanderons à voir le maître supérieur. Nous l'informerons que Mlle Aibagawa va repartir avec nous. Nous agirons sans violence, mais si nécessaire nous serons prêts à passer sur le corps des acolytes. Ce choix lui appartient. » Shuzai regarde Uzaemon. « Une menace qu'on n'est pas déterminé à mettre à exécution n'en est pas une. »

Uzaemon acquiesce d'un signe de tête. *S'il vous plaît*, prie-t-il, *faites que personne ne perde la vie…*

« Enomoto connaît le visage de Junrei : il l'a croisé à l'Académie Shirandô, précise Shuzai aux autres. Bien que l'aimable aubergiste nous ait indiqué que le Seigneur-Abbé se trouve actuellement à Miyako, il ne faut pas prendre le risque que Junrei soit démasqué, même indirectement. C'est pourquoi tu ne prendras pas part à l'assaut.»

C'est inacceptable, pense Uzaemon. *Je ne vais pas me cacher et attendre dehors comme une femme.*

«Je sais ce que tu te dis, poursuit Shuzai, mais tu n'es pas un tueur.»

Uzaemon donne son approbation d'un hochement de tête, mais entend bien lui faire changer d'avis en cours de journée.

«Quand nous partirons, je préviendrai les moines que je n'hésiterais pas à tuer ceux qui se lanceraient à notre poursuite. Puis nous repartirons avec la prisonnière. Nous couperons les cordages du pont Todoroki afin de gagner du temps le lendemain. Nous franchirons le poste de garde intermédiaire à l'heure du Bœuf, redescendrons la gorge et serons de retour ici à l'heure du Lapin. La femme montera dans le palanquin que nous porterons jusqu'à Kashima. Là, nous nous disperserons et quitterons le domaine avant que des cavaliers soient lancés à nos trousses. Des questions?»

La forêt hivernale se craquelle, s'enchevêtre et s'emmêle. D'épais amas de feuilles mortes jonchent le sol. Les chants d'oiseaux percent et rapiècent les innombrables couches de fourrés. Shuzai et Uzaemon grimpent en silence. Ici, Mekura est une rivière aux remous boueux qui tonne et résonne. Le ciel anthracite ensevelit la vallée.

Au milieu de la matinée, Uzaemon a mal à la voûte plantaire de ses pieds pleins d'ampoules.

Ici, Mekura est une rivière aussi lisse et verte que le verre des étrangers.

Shuzai donne à Uzaemon de l'huile afin qu'il se masse les chevilles et les mollets, et déclare: «La première arme d'un guerrier, ce sont ses pieds.»

Perché sur un rocher arrondi, un héron immobile attend les poissons.

« Les hommes que tu as engagés semblent t'accorder toute leur confiance, se risque à commenter Uzaemon.

– Nous sommes plusieurs à avoir eu le même maître à Imabari. Pour la plupart, nous étions au service d'un nobliau du domaine d'Iyo qui se livrait à de sanglantes batailles avec son voisin. Quand on doit la vie à un autre homme, les liens qui se nouent sont plus forts que ceux du sang. »

Un plongeon crève le bassin de jade : le héron a disparu.

Uzaemon se souvient d'un oncle qui jadis lui avait appris à faire ricocher les pierres à la surface de l'eau. Il se souvient de la vieille femme entrevue au lever du soleil. « Parfois, je soupçonne que notre esprit n'en fait qu'à sa tête. Il nous soumet des images. Des images du passé, et d'autres de ce qui adviendra peut-être un jour. Cet esprit dans notre esprit a une volonté et une voix qui lui sont propres. » Il regarde son ami, qui contemple un oiseau de proie loin au-dessus d'eux. « Mais voilà que je parle comme un prêtre ivre.

– Pas du tout, marmonne Shuzai, pas du tout… »

Plus haut dans la montagne, des falaises de calcaire encerclent la gorge de Mekura. Uzaemon commence à déceler des morceaux de visages dans les escarpements érodés par le climat. Ce renflement évoque un front ; cette saillie est un nez ; ces excoriations et éboulements ressemblent à des rides et des bourrelets. *Naguère, même les montagnes étaient jeunes*, constate Uzaemon. *Elles aussi vieillissent et meurent, un jour.* Une faille noire sous un surplomb recouvert d'arbustes passerait presque pour un œil plissé. Il imagine dix mille chauves-souris à l'intérieur, suspendues à la voûte…

… et qui attendent toutes qu'un soir de printemps ranime leurs minuscules cœurs.

Plus l'altitude s'élève, observe l'ascensionniste, mieux la vie doit se protéger de l'hiver. La sève se tapit au fond des racines, les ours hibernent, les serpents de l'année prochaine ne sont encore qu'œufs.

La vie que j'ai connue à Nagasaki est tout aussi révolue que mon enfance à Shikoku, estime Uzaemon.

Il songe à ses parents adoptifs et à son épouse qui poursuivent leurs petites affaires, leurs intrigues et leurs querelles sans savoir que ce fils ou mari leur est perdu. Il leur faudra de nombreux mois pour s'en rendre compte.

Il touche le haut de son ventre, là où il a placé les lettres d'Orito. *Bientôt, ma bien-aimée, bientôt*, se répète-t-il. *Dans quelques heures…*

En essayant de ne pas se remémorer les Préceptes de l'Ordre, il ne fait que les convoquer davantage.

Sa main, s'aperçoit-il, serre la poignée de son sabre si fort que ses phalanges en sont livides.

Il se demande si Orito est déjà enceinte.

Je prendrai soin d'elle, se jure-t-il, *et j'élèverai cet enfant comme si c'était le mien.*

Les bouleaux d'argent tremblent. *Tout ce qui m'importe est ce qu'elle désire.*

« Comment était-ce, la première fois que tu as tué un homme ? » Uzaemon n'avait jamais osé poser la question à Shuzai. Les racines d'un sycomore sont agrippées à un talus abrupt. Shuzai, qui précède Uzaemon, avance de dix, vingt, trente pas, jusqu'à ce que le sentier débouche sur un large bassin où l'eau clapote. Il inspecte les escarpements alentour, comme si des ennemis leur avaient tendu une embuscade…

… puis, tel un chien, il dresse la tête. Shuzai entend quelque chose qui échappe à Uzaemon.

Le rictus sur le visage du guerrier signifie : *C'est l'un des nôtres.*

«Eh bien, cela dépend des circonstances, tu l'imagines : parle-t-on d'un meurtre de sang-froid bien préparé, d'un homicide qui survient dans le feu de l'action, ou d'un geste motivé par l'honneur ou par une raison moins noble ? Mais peu importe le nombre de fois que l'on a tué un homme, c'est la première qui compte. C'est au premier sang versé qu'un homme se retrouve banni du monde ordinaire. » Shuzai s'agenouille au bord du bassin et boit l'eau qu'il recueille dans ses mains. Un poisson aux nageoires duveteuses fait du surplace dans le courant ; à côté flotte une baie de couleur vive. « Ce nobliau au domaine d'Iyo dont je parlais tout à l'heure, tu te souviens ? » Shuzai monte sur un rocher. « J'avais seize ans quand j'ai prêté serment devant cet être imbécile et avare. Te raconter l'objet de la discorde prendrait trop de temps ; disons que, par une nuit caniculaire au cours du sixième mois, je me retrouvai à avancer à tâtons dans des fourrés sur le flanc du mont Ishizuchi, sans mes camarades. Le raffut que faisaient les grenouilles couvrait les autres bruits, l'obscurité m'aveuglait, quand soudain, le sol s'est dérobé sous mes pieds et je suis tombé dans la cachette où un ennemi s'était tapi. On était pris au dépourvu, tant l'éclaireur que moi-même, et nos deux corps se trouvaient si serrés dans ce terrier que ni lui ni moi ne parvenions à dégainer notre sabre. On a gesticulé, on s'est débattus, mais aucun de nous deux n'a appelé à l'aide. Ses mains ont trouvé mon cou, l'ont agrippé et se sont mises à serrer… à serrer à mort. Mon esprit devenait rouge, poussait des cris ; ma gorge s'écrasait et je me suis alors dit : *Ça y est, c'est la fin…* Mais le Destin en a décidé autrement, car jadis, celui-ci avait décrété que le blason du seigneur ennemi serait un croissant de lune. Cet insigne était si mal fixé au casque de mon ennemi qu'il m'est resté dans la main ; par une fente de son masque, j'ai glissé la partie pointue, l'ai enfoncée dans la chair tendre qu'il protégeait et l'ai ouverte de part en part, comme un couteau dans une igname, jusqu'à ce que l'étau autour de ma trachée se desserre et finisse par la libérer. »

Uzaemon se lave les mains et boit à l'eau du bassin.

« Par la suite, continue Shuzai, quand je me trouvais parmi la foule des marchés, dans les villes, à des carrefours routiers, dans des hameaux… »

L'eau glacée engourdit la mâchoire d'Uzaemon, procurant le même effet que le diapason des Néerlandais.

« … je me disais alors : *Je vis dans ce monde, mais je n'en fais plus partie.* »

Un chat sauvage s'avance sur la branche d'un orme renversé qui barre le sentier.

« Ce sentiment d'exclusion, ça nous laisse une marque… » – Shuzai fronce les sourcils – « … tout autour des yeux. »

Nullement effrayé, le chat sauvage regarde les deux hommes et bâille.

Il bondit sur un rocher, lape un peu d'eau et disparaît.

« La nuit, parfois, confie Shuzai, je me réveille et m'aperçois qu'il est en train de m'étrangler. »

Uzaemon se terre en compagnie des deux mercenaires nommés Kenka et Muguchi dans un cratère profond, ouvrage du climat ressemblant à l'empreinte d'une molaire et à laquelle on accède depuis le sentier en contrebas en escaladant la pente tapissée de racines filiformes. Kenka est un homme mince aux gestes précis et fluides ; Muguchi, lui, est trapu et bien avare en paroles. Depuis ce cratère s'offre une vue partielle du poste de garde intermédiaire, qui est à la portée d'un archer. De la fumée retombe de la rudimentaire cheminée. En amont, au-dessus de l'escarpement et faisant face au vent, Shuzai et quatre de ses hommes attendent la relève de la garde. De l'autre côté de la rivière, quelque chose se fraie un chemin à travers la végétation de la forêt.

« Un sanglier, murmure Kenka. Un vieux, bien lourd et bien gras. »

Ils entendent les échos fantomatiques d'une cloche lointaine – sans doute celle du Sanctuaire du mont Shiranui.

Aussi invraisemblable que le décor d'un théâtre, le Pic nu flotte dans un ciel aux nuages dodus et fripés.

« Si elle patiente jusqu'à ce qu'on en ait terminé, la pluie nous sera bien utile, remarque Kenka. Elle pourra alors effacer nos traces de pas, faire gonfler les rivières, compliquer la tâche aux chevaux et...

– Des voix ? » La main de Muguchi réclame le silence. « Écoutez... trois hommes... »

Pendant une minute ou plus, Uzaemon n'entend rien, jusqu'à ce qu'une voix pleine d'aigreur lui parvienne distinctement depuis le sentier. « Avant que je l'épouse, j'avais droit à : "Non, je serai toute à toi quand on sera mariés, pas avant ; il faut attendre." Et depuis, elle me sert du : "Bas les pattes, je ne suis pas d'humeur." Moi, j'ai fait comme n'importe quel mari : je lui ai mis une petite raclée, histoire qu'elle retrouve ses esprits. Tu parles, au lieu de ça, le démon qui possédait la femme du forgeron s'est jeté dans la mienne, et maintenant, elle ne me regarde même plus. Je n'ose pas divorcer de cette vipère, j'ai trop peur que son oncle reprenne son bateau : comment je finirais, moi ?

– Sur la paille, dit un de ses compagnons en passant juste en dessous. Voilà où tu finirais. »

Les trois s'approchent du portail. « Ouvre-nous, Buntarô, lance l'un d'eux. C'est nous.

– "C'est nous", bah, tiens donc. » Le son de cette réplique est étouffé. « Et peut-on savoir qui "nous" sont ?

– Ichirô, Ubei et Tôsui », répond l'un, avant d'ajouter : « Et les complaintes d'Ichirô à propos de Madame.

– Il y a de la place pour les trois premiers, mais dites aux dernières de rester dehors. »

Dix minutes plus tard, ressortent les trois gardes qui ont terminé leur service. «À nous deux, Buntarô», déclare l'un, à mesure que les propos du groupe deviennent audibles. «Donne-nous les détails croustillants.

— Ah, non, tout ça restera entre moi, la femme d'Ichirô et son futon muet comme une carpe.

— Décidément, tu es fermé comme le cul d'une tortue, toi. C'est pas comme d'autres…» Les voix disparaissent.

Uzaemon, Kenka et Muguchi surveillent le poste de garde et patientent, l'oreille alerte.

Une minute succède à une minute succède à une minute succède à une minute…

On ne voit pas le coucher du soleil, mais seulement la lumière qui s'estompe avec constance.

Quelque chose a mal tourné, souffle la Peur à Uzaemon.

Muguchi déclare: «Ça y est.» Une des portes s'ouvre. Une silhouette en surgit et leur adresse un signe de la main. Le temps qu'Uzaemon redescende sur le chemin, les deux autres ont déjà parcouru la moitié de la distance qui les sépare du poste de garde. Kenka attend l'interprète à l'entrée et l'avertit: «Ne parle pas.» Derrière le portail, Uzaemon trouve un porche abrité et une pièce longue bâtie sur pilotis, qui enjambe la rivière. Il y a des râteliers destinés à recevoir des haches et des hallebardes, une marmite suspendue à l'envers, des braises dans le foyer et trois grands sacs accrochés à une poutre par une corde. Le premier sac remue, puis le deuxième; un renflement qui trahit un coude ou un genou se soulève. Cependant, le sac le plus proche ne bouge pas; immobile, il semble chargé de pierres.

Bara essuie un couteau de lancer sur un chiffon ensanglanté…

Des clameurs humaines jaillissent de la rivière sous leurs pieds.

Ce n'est pas ton sabre qui l'a tué, songe Uzaemon. *C'est ta présence.*

Shuzai conduit Uzaemon à travers le portail arrière, un peu plus haut. «Nous leur avons dit que nous ne leur voulions aucun mal. Que nous ne blesserions personne. Nous avons ajouté que si les *samurai* n'ont pas la possibilité de se rendre, il n'en est pas de même pour les paysans et les pêcheurs. Ils étaient d'accord pour qu'on les bâillonne et les ligote, mais l'un d'eux a tenté de s'échapper. Il y a une trappe dans le coin de la pièce qui donne sur l'eau, et il a essayé de s'y précipiter. Il a bien failli réussir, mais s'il s'était enfui, les choses auraient mal tourné pour nous. Le couteau de lancer de Bara lui a ouvert la gorge et Tanuki a tout juste eu le temps d'empêcher son cadavre de tomber dans la rivière, qui l'aurait charrié jusqu'à Kurozane. »

La femme d'Ichiro est-elle désormais adultère et veuve ? s'interroge Uzaemon.

« Il n'a pas souffert. » Shuzai lui serre le bras. « Il est mort en quelques secondes. »

La nuit, Mekura devient un endroit primitif. L'équipée des douze hommes avance en file indienne. Le sentier remonte à présent au-dessus du niveau de la rivière, sur un des versants de la gorge. Aux rhumatismes et craquements des hêtres et des chênes succède le souffle profond des conifères. Shuzai a choisi une nuit sans lune, mais les nuages se désintègrent et la clarté du ciel suffit à déposer sur les ténèbres une fine couche d'or.

Il n'a pas souffert, songe Uzaemon. *Il est mort en quelques secondes.*

Il met un pied meurtri devant l'autre et s'efforce de ne penser à rien.

Une vie tranquille de maître d'école dans une ville tranquille… Uzaemon contemple un futur possible.

Il met un pied meurtri devant l'autre et s'efforce de ne penser à rien.

Une vie tranquille : c'est peut-être aussi tout ce à quoi le garde qui a été tué aspirait…

Son ardeur à prendre part à l'assaut du monastère s'est volatilisée.

L'esprit logé dans son esprit lui rejoue à l'envi la scène où Bara essuie son couteau sur le chiffon ensanglanté ; puis enfin, la troupe arrive devant le pont Todoroki.

Shuzai et Tsuru discutent de la meilleure façon de le saboter, plus tard.

Dans ce cèdre ou bien ce sapin, une chouette chuinte… un cri, deux cris. Là : envolée.

La cloche du Sanctuaire sonne pour la dernière fois de la journée, annonçant l'heure du Coq. *Quand elle sonnera de nouveau, Orito sera libre.* Les hommes emmaillotent leur visage de bandes de tissu noir, ne laissant qu'une étroite ouverture pour leurs yeux et leur nez. Ils avancent à pas de loup, car bien qu'ils ne pensent pas qu'une embuscade leur ait été tendue, ils n'écartent pas cette possibilité. Uzaemon marche sur une brindille, qui se rompt, les autres se retournent et lui lancent des regards furieux. La pente devient plus faible. Un renard glapit. Apparaît une enfilade de portiques *torî* pareils à un tunnel sur lequel le vent de biais vient se déchirer. La troupe s'arrête et se rassemble autour de Shuzai. « Le Sanctuaire se trouve quatre cents pas plus haut… »

« Junrei-*san*, dit Shuzai en se tournant vers Uzaemon, c'est ici que tu attendras. Souviens-toi de la parole du sage : "On paie son armée pendant mille jours pour n'y avoir recours qu'une seule journée." Ce moment est venu. Éloigne-toi du sentier et cache-toi, mais n'oublie pas de te réchauffer. Tu nous as suivis plus loin que la plupart de nos "clients" : il n'y a donc aucun déshonneur à nous attendre ici. Une fois que nous aurons mené à bien notre mission dans le monastère, j'enverrai quelqu'un te chercher, mais d'ici là, ne t'approche pas du Sanctuaire. Ne t'inquiète pas. Nous sommes des guerriers. Ce ne sont que quelques moines. »

Remontant la pente sur une courte distance, Uzaemon foule les pierres encroûtées dans la glace et traverse les masses d'aiguilles de pin avant d'atteindre un renfoncement qui l'abrite d'un vent féroce : il s'accroupit puis se relève, et répète ce geste jusqu'à ce que ses tendons le brûlent mais que ses jambes et son torse soient réchauffés. Le ciel de la nuit est un indéchiffrable manuscrit. Uzaemon se souvient du dernier soir où il avait regardé les étoiles en compagnie de Jacob de Zoet sur le poste d'observation de Dejima, l'été dernier, quand le monde était alors plus simple. Il tente de se représenter une succession de vignettes qu'il intitule *La Libération pacifique d'Aibagawa Orito*. Shuzai et trois *samurai* escaladant la muraille. Trois moines pris par surprise dans la bretèche sont sommés de se rendre. Le chef des moines se précipitant dans l'antique cour, marmonnant : "Le Seigneur Enomoto sera furieux, mais avons-nous le choix ?" On réveille Orito et lui demande de s'habiller en prévision de son voyage. Elle attache son fichu qui recouvre la brûlure de son magnifique visage. La dernière vignette montre l'expression sur celui-ci lorsqu'elle reconnaît son bienfaiteur. Uzaemon tremble, effectue quelques exercices au sabre, mais a trop froid et ne parvient pas à se concentrer ; il s'emploie alors à chercher le nom qu'il portera désormais. Sans le savoir, Shuzai lui a choisi un prénom : Junrei, le pèlerin. Mais son nom de famille ? Peut-être devrait-il en parler à Orito : pourquoi n'adopterait-il pas son nom, Aibagawa ? *Voilà que j'incite le Destin à m'arracher ce trophée.* Il frotte ses mains rongées par le froid et se demande combien de temps s'est écoulé depuis que Shuzai a lancé l'assaut : il se rend compte qu'il n'en a pas la moindre idée. *Un huitième d'heure ? Un quart d'heure ?* La cloche du Sanctuaire n'a pas retenti depuis la traversée du pont Todoroki, mais il n'y a aucune raison pour que les moines sonnent les heures de la nuit. Combien de temps lui faudra-t-il attendre avant d'être en mesure d'en conclure que l'opération a échoué ? Et que faire, ensuite ? Si les *samurai* sans maître de Shuzai étaient vaincus, quelles seraient les chances pour qu'un ancien interprète du troisième ordre s'en sorte ?

De mortifères pensées rampent à travers les pins et s'approchent d'Uzaemon.

Il aimerait parfois que l'esprit soit un parchemin qu'il lui suffirait d'enrouler pour le faire taire…

«Junrei-*san*, nous avons…»

Cet arbre doué de parole a tellement effrayé Uzaemon que ce dernier tombe à la renverse.

«Nous vous avons fait peur?» L'ombre d'un rocher se métamorphose et devient Tanuki le mercenaire.

«Un peu, c'est tout.» Uzaemon reprend son souffle.

«Nous avons trouvé la femme, dit Kenka qui surgit de derrière l'arbre. Elle est saine et sauve.

– C'est bien, lâche Uzaemon. C'est très bien, même.»

Une main calleuse saisit Uzaemon et l'aide à se remettre debout. «Y a-t-il des blessés?» À l'origine, Uzaemon voulait leur demander: «Comment se porte Orito?»

« Non, aucun, répond Tanuki. Maître Genmu est un homme de paix.

– Ou plutôt, précise Kenka, il ne voudrait pas qu'un bain de sang ternisse la réputation de son Sanctuaire, tout ça pour une simple nonne. Mais c'est aussi un vieux renard rusé, et c'est pourquoi Deguchi-*san* tient à ce que vous le rejoigniez pour vérifier que notre homme de paix n'est pas en train de nous rouler dans la farine et ne s'apprête pas à barricader la grande porte une fois que nous serons repartis.

– Il y a deux nonnes au visage brûlé.» Tanuki débouche une petite fiole et boit. «Je suis allé dans le Couvent. Enomoto s'est constitué une drôle de ménagerie! Tenez, buvez: ça vous protégera du froid et vous redonnera un peu de force. Attendre, c'est pire qu'agir.

– J'ai assez chaud.» Uzaemon grelotte. «Je n'en ai pas besoin.

– Vous n'aurez que trois jours pour distancer de cent lieues le domaine de Kyôga, en vous rendant de préférence sur l'île de Honshu. Vous n'irez pas bien loin avec les poumons pris. Buvez!»

Uzaemon décide d'accepter cette aimable attention de la part du mercenaire bourru. L'alcool lui brûle la gorge. «Merci.»

Les trois hommes redescendent jusqu'au tunnel de *torî*.

«Si tant est que vous ayez bien vu la véritable Aibagawa-*san*, dans quel état est-elle?»

Le silence qui suit dure assez pour qu'Uzaemon se mette à redouter le pire.

«Amaigrie, répond Tanuki, mais en assez bonne santé, je dirais. Et plutôt calme.

– Elle est vive d'esprit, ajoute Kenka. Elle ne nous a pas demandé qui nous sommes : elle se doutait que ses geôliers seraient susceptibles d'entendre. Devant une femme pareille, je comprends mieux pourquoi un homme est prêt à consacrer tout ce temps et tout cet argent.»

Ils atteignent la piste et entament l'ascension finale, qui commence par la volée de *torî*.

Uzaemon ressent une curieuse sensation d'élasticité dans ses jambes. *La nervosité*, se dit-il. *C'est bien normal*.

Mais rapidement, le sentier se met à onduler, comme sous l'effet d'une lente houle.

Ces deux derniers jours ont été épuisants. Il reprend son souffle. *Le pire est derrière nous*.

Une fois le dernier *torî* franchi, le sol s'aplatit. Le Sanctuaire du mont Shiranui se dresse devant eux. Les toits sont tapis derrière la muraille. Une faible lueur s'échappe par une fente entre les grandes portes.

Il entend le clavecin du docteur Marinus. *Impossible*.

Sa joue écrase la couche gelée des feuilles décomposées, aussi douces que le ventre d'une femme.

La conscience rejaillit d'abord par les membranes de son nez, puis se propage dans sa tête, mais, pour son corps, impossible de bouger. Des questions et affirmations défilent, tels des visiteurs se rendant au chevet d'un malade : « Tu t'es encore évanoui », dit l'un. « Tu es dans l'enceinte du Sanctuaire du mont Shiranui », déclare un autre ; puis tous se mettent à parler en même temps : « On t'a drogué ? » « Tu es assis sur un sol froid en terre battue. » « C'est évident : on t'a drogué. La fiole de Tanuki ? » « Tu as les mains attachées à un poteau et on t'a ligoté les chevilles. » « Shuzai a-t-il été trahi par un de ses hommes ? »

« Il peut nous entendre, à présent, Abbé », dit une voix inconnue.

Le goulot d'une bouteille de verre effleure les narines d'Uzaemon.

« Merci, Suzaku », lui répond une voix qu'il connaît, mais ne parvient pas tout de suite à identifier.

Les odeurs de riz, de *sake*, et de légumes vinaigrés semblent indiquer qu'il se trouve dans une pièce de stockage.

Les lettres d'Orito. Au-dessus de son ventre, quelque chose manque. *Disparues.*

La douleur entre et ressort de son cerveau telles des guêpes dans une souche de bois.

« Ouvre les yeux, Ogawa le Jeune, lui ordonne Enomoto. Nous ne sommes pas des enfants. »

Il obéit ; le visage du Seigneur de Kyôga s'élève dans les ténèbres qu'une lanterne illumine.

« Tu es un érudit respectable, dit le visage, mais un bien piètre voleur. »

Se tenant à l'écart, trois ou quatre silhouettes l'observent.

« Je ne suis pas venu dérober ce qui vous appartient.

– À quoi bon me pousser à énoncer une évidence ? Le Sanctuaire du mont Shiranui est un organe du corps de Kyôga. Les sœurs en font partie.

– Il n'appartenait ni à sa belle-mère de la vendre, ni à vous de l'acheter.

– Sœur Aibagawa est heureuse de servir la Déesse. Elle n'éprouve aucune envie de partir.

– Dans ce cas, que je l'entende de sa bouche.

– Non. Certaines habitudes de pensée remontant à son ancienne vie demandaient à être… » – Enomoto feint de rechercher le terme adéquat – «… cautérisées. Ses blessures sont refermées ; cependant, seul un Seigneur-Abbé négligent permettrait aux atermoiements d'un ancien soupirant de les rouvrir. »

Les autres, se demande Uzaemon. *Où sont Shuzai et les autres ?*

« Shuzai se porte bien, lui répond Enomoto. Il mange une soupe en cuisine attablé avec mes dix autres hommes. Ton plan leur a donné bien du fil à retordre. »

Uzaemon refuse de le croire. *Je le connais depuis dix ans.*

« C'est un ami loyal » – Enomoto tente de réprimer son sourire –, « mais pas le tien. »

C'est un mensonge, persiste Uzaemon, *un mensonge. Un moyen de crocheter le verrou de mon esprit…*

« Pourquoi mentirais-je ? » La soie bleu nuit et moirée s'élève : Enomoto vient s'asseoir plus près. « Non, le conte moral d'Ogawa Uzaemon nous parle de l'insatisfaction. Adopté par une famille jadis illustre, il gravit les échelons à la seule force de son talent et atteignit des sommets, obtint toute la considération de l'Académie Shirandô, ainsi qu'une rente qui le mettait à l'abri du besoin, se trouva une jolie épouse, et les opportunités commerciales dont il parvint à jouir auprès des Néerlandais faisaient des envieux. Qui en aurait demandé davantage ? Ogawa Uzaemon, voyons ! Il était atteint d'un mal qu'on appelle le "grand amour". Cela finit par causer sa perte. »

Les silhouettes tout autour de la pièce bougent.

Je ne l'implorerai pas de me gracier, se résout Uzaemon, *mais je veux connaître le pourquoi et le comment.*

«Combien avez-vous offert à Shuzai pour qu'il me trahisse?

— Allons, les faveurs du Seigneur de Kyôga valent bien plus qu'une simple prime.

— Il y avait un jeune homme, un garde qui est mort au poste de garde intermédiaire…

— Un espion à la solde du Seigneur de Saga: ton expédition nous a donné une amusante occasion de nous en débarrasser.

— Pourquoi vous être compliqué la tâche en m'amenant jusqu'ici?

— Un assassinat commis à Nagasaki eût soulevé d'embarrassantes questions. Et puis, la poésie de te savoir mourir ici, tout près de ta bien-aimée – à quelques pièces de distance seulement! –, c'était irrésistible.

— Laissez-moi la voir» – les guêpes essaiment dans le cerveau d'Uzaemon –, «ou je reviendrai de l'autre monde pour vous tuer.

— Quel honneur: une malédiction proférée par un érudit de l'Académie Shirandô! Hélas, j'ai réuni suffisamment de preuves empiriques pour satisfaire Descartes, voire Marinus: les malédictions sont inopérantes. À travers les âges, des centaines d'hommes, de femmes et même de jeunes enfants ont fait vœu de m'envoyer en Enfer. Pourtant, comme tu peux le constater, je continue à fouler le sol de cette magnifique planète.»

Il cherche à goûter ma peur. «Vous croyez donc aux Préceptes déments de votre Ordre?

— Ah oui! bien que nous ayons trouvé sur toi de plaisantes lettres, il nous manque un certain étui à parchemin en bois de cornouiller. Bon, je n'irai pas jusqu'à te faire croire que tu peux encore sauver ta peau: tu étais d'ores et déjà condamné dès l'heure où cette herboriste est venue frapper à ta porte. Mais il te reste la possibilité d'épargner à la demeure des Ogawa l'incendie ravageur qui l'emportera au sixième mois de cette année. Qu'en dis-tu?

— Deux lettres ont été remises à Ogawa Mimasaku aujourd'hui, ment Uzaemon. La première met un terme à la présence de mon nom sur le registre familial des Ogawa. La seconde acte mon divorce. Pourquoi détruire un foyer auquel plus rien ne me lie ?

– Par pure rancune. Donne-moi ce parchemin ou tu mourras en sachant qu'eux aussi mourront.

– Dites-moi pourquoi vous avez enlevé la fille du docteur Aibagawa. »

Enomoto décide de lui accorder cette faveur. « Je craignais de la perdre. Grâce aux bons offices de ton confrère Kobayashi, une page du carnet d'un Néerlandais m'est parvenue. Regarde. Je te l'ai apportée. »

Enomoto déplie une feuille de papier occidental et la lui montre.

Souviens-t'en, supplie-t-il sa mémoire. *Montre-la-moi, quand ce sera la fin.*

« Les dessins de Jacob de Zoet sont ressemblants. » Enomoto replie la feuille. Assez en tout cas pour que la veuve d'Aibagawa Seian s'inquiète de ce qu'un Néerlandais ait des vues sur la meilleure carte que la famille ait à jouer. Alors, quand ton serviteur a apporté ce dictionnaire à Orito, il n'y avait plus à tergiverser. Mon bailli a réussi à persuader la veuve de passer outre à la tradition funéraire et d'assurer l'avenir de sa belle-fille sans plus tarder.

– Avez-vous raconté à cette maudite femme vos démentes pratiques ?

– Ce que tu connais de nos Préceptes équivaut à ce qu'un ver de terre sait de Copernic.

– Vous entretenez un harem de monstresses pour le bon plaisir de vos moines…

– On jurerait entendre un enfant cherchant à retarder le moment de son coucher ; t'en rends-tu compte ?

– Pourquoi ne soumettez-vous pas un article sur le sujet à l'Académie ? demande Uzaemon. Vous montreriez comment…

– Qu'avez-vous donc tous à croire, misérables moucherons de mortels, que votre incrédulité m'importe ?

– … comment vous assassinez les "Présents" que vous récoltez pour en "distiller les âmes".

– C'est ta dernière chance de sauver la demeure des Ogawa des…

– Vous montreriez comment vous les mettez en bouteilles à la manière d'un parfum avant de les "absorber" tel un remède permettant de se soustraire à la mort. Pourquoi ne partagez-vous pas cette révélation magique avec le monde entier ? » Véhément, Uzaemon s'adresse aux silhouettes qui s'agitent. « Voici ce que je crois : une partie de vous-même est encore saine d'esprit ; il y a un Jiritsu en vous qui vous souffle : "Tout ceci est mal."

– Oh, le Mal. Le Mal par-ci, le Mal par-là. Vous autres brandissez ce mot comme si cet insipide concept était un sabre. Quand on gobe un œuf cru, est-ce "mal" ? La survie entre dans le cadre des lois de la Nature ; mon Ordre religieux détient – ou mieux : incarne le secret qui permet d'échapper à une condition de mortel. Les nouveau-nés sont indispensables mais très contraignants – après les deux premières semaines de vie, il est impossible d'en extraire l'âme, prise dans les filets de leur corps –, et un ordre d'une cinquantaine de fidèles nécessite un approvisionnement régulier, s'il veut répondre à ses propres besoins et obtenir l'appui de quelques membres de l'élite. Cet Adam Smith si cher à tes yeux comprendrait, lui. De surcroît, sans notre Ordre, ces Présents ne verraient pas le jour. Nous sommes les producteurs de ces ingrédients. Où vois-tu donc le "Mal" ?

– Votre folle éloquence, Seigneur-Abbé Enomoto, n'en demeure pas moins de la folie.

– J'ai plus de six cents ans. Tu mourras dans quelques minutes… » *Il croit à ses Préceptes*, constate Uzaemon. *Il y croit en tout point.*

« … Qu'est-ce qui l'emporte, au demeurant : ta raison ? Ou ma folle éloquence ?

– Laissez-moi partir, dit Uzaemon, laissez partir Mlle Aibagawa, et je vous révélerai où se trouve le p…

– Non, non : point de marchandage possible. Quiconque connaît les Préceptes de notre Ordre en dehors de nos membres ne peut survivre. Tu mourras, comme Jiritsu et cette vieille herboriste trop curieuse… »

Uzaemon grogne de douleur. « Elle ne vous a causé aucun tort !

– Du tort, elle cherchait à en causer à mon Ordre religieux. Nous ne faisons que nous défendre. Mais regarde plutôt ceci : c'est un artefact que le Destin m'a vendu par l'entremise du Néerlandais Vorstenbosch. » Enomoto exhibe un mousquet venu de l'étranger à quelques centimètres du visage d'Uzaemon. « Vois la poignée incrustée de perles et la délicatesse de l'artisanat : c'est en soi un désaveu du préjugé confucianiste selon lequel les Européens sont dépourvus d'âme. Depuis que Shuzai m'a rapporté ton chevaleresque projet de sauvetage, ce mousquet t'attendait. Vois – ouvre donc les yeux, Ogawa, tout cela te concerne ! Vois comment on soulève le "chien" jusqu'au "cran de sûreté", comment on charge le "canon" par la "gueule" : d'abord, un peu de poudre, puis on insère une bille de plomb enveloppée dans du papier. On la pousse à l'aide du "refouloir" fixé sur la partie inférieure du canon…»

Ça y est. Le cœur d'Uzaemon tambourine tel un poing ensanglanté. *Ça y est, ça y est…*

«Puis, à l'aide d'un peu de poudre, on remplit le "bassinet" situé ici, on repousse le "couvre-bassinet" et notre pistolet est "paré à tirer". Et voilà, la moitié d'une minute néerlandaise suffit. Certes, un archer chevronné décochera une seconde flèche en un battement de cils, mais il faut moins de temps pour fabriquer une arme à feu que pour former un archer digne de ce nom. Le fils de n'importe quel charretier venu serait à même de brandir un de ces pistolets et de descendre un *samurai* en selle. Le jour viendra où même notre pays reclus s'en trouvera bouleversé – tu n'y assisteras point, mais moi, oui. Quand on appuie sur la "détente", le silex frappe la "batterie" au moment même où se soulève le "couvre-bassinet". L'étincelle met le feu à l'amorce, dont la flamme chemine à travers un conduit nommé "lumière" et gagne la chambre à combustion. La principale charge de poudre s'embrase, comme dans un canon miniature, et la bille de plomb te perfore le…»

Enomoto appuie le pistolet contre le cœur déchaîné d'Uzaemon.

Uzaemon a conscience de l'urine qui lui coule sur les cuisses, mais il a trop peur pour avoir honte.

Ça y est, ça y est, ça y est, ça y est, ça y est, ça y est, ça y est…

«… ou bien la…» La bouche du pistolet plante un baiser sur la tempe d'Uzaemon.

Ça y est ça y est ça y est ça y est ça y est ça y est ça y est…

«La peur animale» – c'est un murmure qui entre dans l'oreille d'Uzaemon – «ayant à moitié dissous ton esprit, je vais te livrer une dernière pensée. Une musique à mourir, pour ainsi dire. Nous initions aux Douze Préceptes les acolytes de l'Ordre du mont Shiranui, mais ceux-ci n'apprennent le treizième que lorsqu'ils accèdent au statut de maître – tu en as d'ailleurs croisé un, ce matin : le tenancier de l'auberge *Harubayashi*. Ce treizième Précepte résout un détail embarrassant. Si, d'aventure, nos sœurs – et, qui plus est, nos intendantes – redescendaient dans le Monde d'en bas, elles découvriraient bien vite qu'aucun de leurs Présents, leurs enfants donc, n'est en vie et que personne ne les connaît, cela soulèverait sans doute quelques questions. Afin d'éviter cette situation incommodante, Suzaku administre une douce potion aux sœurs lors de leur cérémonie de départ. Cette drogue les plonge dans un sommeil sans rêve et sans fin bien avant que le palanquin n'ait atteint le bas de la gorge Mekura. Puis on les enterre dans cette bambouseraie dans laquelle tu t'es aventuré. Voici donc la dernière pensée qui t'occupera l'esprit : dans ta puérile et infructueuse tentative de voler au secours d'Aibagawa Orito, tu n'as pas seulement condamné cette dernière à vingt années d'asservissement, ton incompétence l'aura littéralement tuée. »

Le pistolet se pose sur le front d'Ogawa Uzaemon...

Il emploie son dernier instant à une prière. *Vengez-moi.*

Un déclic, un ressort, un gémissement étranglé, et plus rien hormis.

Ça y est ça y est ça y est ça y est ça-y-est ça-y-est ça-y-est çayestçayestçayestçay...

Le tonnerre pourfend la faille par laquelle le soleil s'engouffre.

III

Le maître de go

*Septième mois
de la treizième année de l'ère Kansei*

A o û t   1 8 0 0

XXVII

Dejima

Août 1800

Pendant la dernière saison commerciale, Moïse a taillé une cuillère dans un os. Une belle cuillère en forme de poisson. Maître Grote a vu la belle cuillère, et il a dit à Moïse : « Les esclaves mangent avec leurs doigts. Les esclaves n'ont pas le droit d'avoir une cuillère. » Et puis maître Grote a pris la belle cuillère. Plus tard, je suis passé devant maître Grote, qui était avec un gentilhomme japonais. Maître Grote lui a dit : « Cette cuillère a été fabriquée par le célèbre Robinson Crusoé. » Plus tard, Sjako a entendu maître Baert dire à maître Oost que le gentilhomme japonais avait échangé cinq bols laqués contre la cuillère. D'Orsay a dit à Moïse de mieux cacher sa cuillère la prochaine fois, et de faire affaire avec les coolies ou les ouvriers charpentiers. Mais Moïse a dit : « Pourquoi ? La prochaine fois que maître Grote ou maître Gerritszoon fouilleront dans ma paille, ils trouveront ce que j'ai gagné et me le prendront. Ils disent toujours : "Les esclaves n'ont pas le droit d'avoir de biens. Les esclaves sont des biens." »

Sjako a dit que les maîtres interdisaient aux esclaves d'avoir des biens ou de l'argent parce qu'un esclave qui a de l'argent pourrait s'enfuir plus facilement. Filandre a dit que ce n'était pas bien de parler comme ça. Cupidon a dit à Moïse que s'il taillait d'autres cuillères et les donnait à maître Grote, maître Grote aurait plus d'estime pour lui et le traiterait mieux, c'est sûr. Moi, j'ai dit que ces paroles sont vraies si le maître est un bon maître, mais si le maître est un mauvais maître, ces paroles ne sont jamais vraies.

Cupidon et Filandre sont les esclaves préférés des officiers néerlandais, parce qu'ils savent jouer de la musique pendant les dîners. Ils disent qu'ils sont des « serviteurs », et ils emploient des mots néerlandais raffinés comme « perruque » ou « dentelle ». Ils disent : « ma flûte » et « mes bas ». Mais la flûte de Filandre, le gros violon de Cupidon et leurs élégants costumes appartiennent à leurs maîtres. Ils n'ont pas de chaussures. Quand le Vorstenbosch est parti l'année dernière, il les a vendus au van Cleef. Ils disent qu'ils ont été « transmis » de l'ancien chef au nouveau chef, mais ils ont été vendus contre cinq guinées chacun.

Non, un esclave ne peut même pas dire « Ce sont mes doigts », ou bien « Ceci est ma peau ». Notre corps ne nous appartient pas. Notre famille ne nous appartient pas. Une fois, Sjako a parlé de « ses enfants à Batavia ». Il est le père de ses enfants, c'est vrai. Mais pour ses maîtres, ils ne lui appartiennent pas. Pour ses maîtres, Sjako est un cheval qui a donné un poulain à une jument. Voici la preuve : quand Sjako s'est plaint avec trop d'amertume qu'il n'avait pas vu sa famille depuis des années, maître Fischer et maître Gerritszoon l'ont battu très fort. Maintenant, Sjako boite. Il parle moins.

Une fois, j'ai pensé cette question : *Est-ce que mon nom m'appartient ?* Je ne parle pas de mon nom d'esclave. Mon nom d'esclave change selon l'humeur de mes maîtres. Les esclavagistes acehnais qui m'ont volé m'ont nommé « Dents-droites ». Le Néerlandais qui m'a acheté au marché des esclaves de Batavia m'a nommé « Washington ». C'était un mauvais maître. Maître Yang m'a nommé « Yang Fen ». Il m'a appris la couture et me donnait la même nourriture qu'à ses fils. Maître van Cleef a été mon troisième propriétaire. Il m'a nommé « Weh », mais c'est à cause d'une erreur. Quand il a demandé mon nom à maître Yang en utilisant des mots néerlandais raffinés, le Chinois a cru que la question était « D'où vient-il ? » et lui a répondu : « D'une île qu'on appelle Weh », et c'est ainsi que mon nouveau nom d'esclave a été choisi. Mais pour moi, c'est une bonne erreur. Sur Weh, je ne suis pas un esclave. Sur Weh, je suis avec les miens.

Mon vrai nom, je ne le dis à personne, comme ça, personne ne peut me voler mon nom.

Je crois que la réponse est oui : mon vrai nom m'appartient.

Parfois, une autre pensée me vient : *Est-ce que mes souvenirs m'appartiennent ?*

Le souvenir de mon frère, félin et courageux, plongeant du haut du rocher-tortue…

Le souvenir du typhon qui tordait les arbres comme de l'herbe, la mer qui rugissait…

Le souvenir de ma mère fatiguée et contente, qui berçait le nouveau bébé en chantant…

Oui : comme mon vrai nom, mes souvenirs m'appartiennent.

Une fois, j'ai pensé cette pensée : *Est-ce que cette pensée m'appartient ?*

Comme la réponse se cachait dans la brume, j'ai demandé au serviteur du docteur Marinus, Eelattu.

Eelattu a répondu que oui, mes pensées sont nées dans mon esprit et, donc, elles m'appartiennent. Eelattu a dit que mon esprit pouvait m'appartenir, si je le voulais. J'ai dit : « Même un esclave comme moi ? » Eelattu a dit que oui, si l'esprit est une place forte. Alors je me suis créé un esprit comme une île semblable à Weh, que la mer profonde et bleue protège. Dans l'île de mon esprit, il n'y a pas de Néerlandais qui sentent mauvais, ni de serviteurs malais qui ricanent, ni de Japonais.

Mon corps appartient à maître Fischer, mais mon esprit ne lui appartient pas. Je le sais parce que j'ai fait une expérience. Quand je rase maître Fischer, je m'imagine en train de lui trancher la gorge. Si mon esprit lui appartenait, il verrait cette pensée maléfique. Mais, au lieu de me punir, il se contente de rester assis, les yeux fermés.

Mais j'ai découvert qu'avoir son esprit pour soi, cela pose des problèmes. Quand je suis sur l'île de mon esprit, je suis aussi libre qu'un Néerlandais. Là-bas, je mange des chapons, des mangues et des prunes confites. Je m'allonge dans le sable chaud aux côtés de la femme de maître van Cleef. Là-bas, je construis des bateaux et tisse des voiles avec mon frère et les miens. Si j'oublie leurs noms, ils me les rappellent. Nous parlons dans la langue de Weh, nous buvons du *kava* et nous adressons des prières à nos ancêtres. Là-bas, je n'ai pas besoin de raccommoder, de brosser, d'aller chercher ou de porter les biens des maîtres.

Et puis, j'entends : « Est-ce que tu m'écoutes, chien paresseux ? »

Et puis, j'entends : « Si tu ne te remues pas, tu vas tâter de mon fouet ! »

À chaque fois que je reviens de l'île de mon esprit, les esclavagistes me capturent de nouveau.

Quand je retourne à Dejima, les cicatrices de la capture me font un petit peu mal.

Quand je retourne à Dejima, c'est comme si j'avais un tison de colère qui brûlait à l'intérieur de moi.

Le mot « mon » provoque du plaisir. Le mot « mon » provoque de la souffrance. Ces paroles sont aussi vraies pour les maîtres que pour les esclaves. Quand ils sont soûls, nous devenons invisibles pour eux. Ils se mettent à parler de possessions, de profits, de pertes, d'achat, de vente, de vol, d'embauche, de location ou de contrebande. Pour les Blancs, vivre, c'est avoir, ou tenter d'avoir plus, ou mourir en tentant d'avoir plus. Ils ont un appétit incroyable ! Ils ont des garde-robes, des esclaves, des attelages, des maisons, des réserves et des bateaux. Ils ont des ports, des villes, des plantations, des vallées, des montagnes, des archipels. Ils ont le monde, ses jungles, ses ciels et ses mers. Et pourtant, ils se plaignent que

Dejima est une prison. Ils se plaignent de ne pas être libres. Seul le docteur Marinus ne se plaint pas. Il a la peau d'un Blanc, mais on voit bien dans ses yeux que son âme n'est pas celle d'un Blanc. Son âme est bien plus ancienne. Sur l'île de Weh, on dirait de lui que c'est un *kwaio*. Un *kwaio*, c'est un ancêtre qui ne reste pas sur l'île des ancêtres. Un *kwaio* revient chaque fois à travers un nouvel enfant. Un bon *kwaio* peut devenir chaman, par exemple, mais dans le monde, il n'y a rien de pire qu'un mauvais *kwaio*.

Le docteur a persuadé maître Fischer qu'on devrait m'apprendre à écrire le néerlandais.

Cette idée n'a pas plu à maître Fischer. Il a dit qu'un esclave qui sait lire est susceptible de se laisser corrompre par des «notions révolutionnaires». Il a dit qu'il avait vu cela au Surinam. Mais le docteur Marinus a poussé maître Fischer à considérer l'utilité que j'aurais dans le bureau des clercs et à penser à tout l'argent que je lui rapporterais quand il me revendrait. Grâce à ces paroles, maître Fischer a changé d'avis. Il a regardé maître de Zoet, assis de l'autre côté de la table. Il a dit: «Clerc de Zoet, je vous confie une mission pour laquelle vous serez parfait.»

Quand maître Fischer a terminé de prendre son repas à la Cuisine, je marche derrière lui et le suis jusqu'à la maison de l'adjoint. Quand nous traversons la grand-rue, je dois maintenir l'ombrelle de sorte à protéger sa tête. Ce n'est pas une tâche facile. Si le bout d'une baleine lui touche la tête, ou bien si le soleil l'aveugle, il me frappe pour me punir de ma négligence. Aujourd'hui, mon maître est de mauvaise humeur parce qu'il a perdu beaucoup beaucoup d'argent au jeu de cartes de maître Grote. Il s'arrête au milieu de la grand-rue. «Au Surinam, crie-t-il, on sait comment dresser les nègres de ton espèce, chien puant!» Puis il me gifle de toutes ses forces, et l'ombrelle s'échappe de mes mains. Il me hurle de la ramasser. Quand je me baisse pour la ramasser, il me donne un coup de pied en plein visage. C'est un des tours préférés de maître Fischer, alors je détourne la tête de son pied et je fais semblant d'avoir très mal. Sinon, il a l'impression d'avoir été dupé et il m'en donne un autre. Il dit : « Ça t'apprendra à jeter ainsi mes biens dans la poussière ! » Je lui dis : « Oui, maître Fischer », et je lui ouvre la porte de sa maison.

Nous montons les escaliers qui mènent à sa chambre. Il s'allonge sur son lit et dit : « Il fait trop chaud dans cette fichue prison de malheur... »

Ils parlent beaucoup de prison cet été, parce que le bateau de Batavia n'est pas encore arrivé. Les maîtres blancs ont peur qu'il ne vienne pas du tout, car il n'y aurait pas de saison commerciale, pas de nouvelles, et pas de produits de luxe en provenance de Java. Les maîtres blancs qui étaient censés repartir ne le pourront pas, ni leurs serviteurs, ni leurs esclaves.

Maître Fischer jette son mouchoir à terre et dit : « Chiotte ! »

Ce mot néerlandais peut être une malédiction, ou un vilain mot, mais cette fois-ci, maître Fischer me demande d'installer son pot de chambre dans son coin préféré. Il y a des latrines en bas de ses escaliers, mais il est trop fainéant pour y descendre. Maître Fischer se lève, défait sa culotte, s'accroupit au-dessus du pot et pousse un grognement. J'entends glisser et tomber quelque chose. L'odeur vient se faufiler dans la pièce. Puis maître Fischer reboutonne sa culotte. « Ne reste pas planté là, espèce de Gomorrhéen... » Sa voix est vaseuse à cause du whisky du déjeuner. Je repose le couvercle sur le pot de chambre et je me rends jusqu'au tonneau à fumier. Maître Fischer dit qu'il ne tolère pas de saletés dans sa maison, alors je n'ai pas le droit de vider son pot de chambre dans les latrines comme le font les autres esclaves.

Je remonte la grand-rue jusqu'au carrefour, je tourne à droite dans la ruelle anguleuse, je tourne à gauche dans la contre-allée de la Muraille de mer, je dépasse la maison du chef et je vide le pot de chambre dans le tonneau à fumier situé vers l'arrière de l'hôpital. L'épais nuage de mouches vrombit. Je plisse les yeux comme un homme jaune et fronce les narines pour empêcher les mouches de venir y pondre leurs œufs. Puis je lave le pot de chambre avec l'eau de mer de l'autre tonneau. Au fond du pot de chambre de maître Fischer, il y a une étrange construction que les Blancs appellent moulin à vent. Filandre dit que les moulins à vent servent à fabriquer le pain, mais quand je lui ai demandé comment, il m'a traité d'ignare. Cela veut dire qu'il ne sait pas.

Je prends le chemin le plus long pour retourner à la maison de l'adjoint. Les maîtres blancs se plaignent de la chaleur tout au long de l'été, mais moi, j'aime bien sentir le soleil me réchauffer les os, ça m'aide à survivre en hiver. Le soleil me rappelle Weh, là d'où je viens. Je passe devant la porcherie ; d'Orsay m'aperçoit et me demande pourquoi maître Fischer m'a frappé dans la grand-rue. Avec mon visage, je dis : *Un maître a-t-il besoin d'une raison pour frapper ?* Et d'Orsay acquiesce d'un signe de tête. J'aime bien d'Orsay. D'Orsay vient du Cap, un endroit situé à mi-chemin sur la route qui mène au monde des Blancs. Sa peau est la peau la plus noire que j'aie jamais vue. Le docteur Marinus dit que c'est un Hottentot, mais les maîtres manœuvriers l'appellent « le valet de pique ». Il me demande si je vais étudier la lecture et l'écriture chez maître de Zoet, cet après-midi. Je lui dis : « Oui, à moins que maître Fischer ne me donne encore du travail. » D'Orsay dit que l'écriture est une magie qu'il faut absolument que j'apprenne. D'Orsay me dit que maître Ouwehand et maître Twomey jouent au billard dans la Maison d'été. C'est une manière de m'avertir de marcher d'un pas vif, de sorte que maître Ouwehand n'aille pas rapporter à maître Fischer que je traîne.

De retour à la maison de l'adjoint, j'entends des ronflements. Je monte doucement dans l'escalier en sachant quelles marches grincent et lesquelles ne grincent pas. Maître Fischer est endormi. C'est un problème, parce que si je vais chez maître de Zoet prendre ma leçon d'écriture sans la permission de maître Fischer, il me punira pour n'en avoir fait qu'à ma tête. Si je ne vais pas chez maître de Zoet, maître Fischer punira ma paresse. Mais si je réveille maître Fischer pour lui demander son autorisation, il me punira de l'avoir réveillé. Finalement, je glisse le pot de chambre sous le lit de maître Fischer et je m'en vais. Peut-être que je serai rentré avant son réveil.

La porte de la Maison haute, où vit maître de Zoet, est entrouverte. Derrière la porte latérale se trouve une grande pièce fermée remplie de caisses vides et de tonneaux. Je frappe sur la première marche de l'escalier, comme d'habitude, et je m'attends à entendre la voix de maître de Zoet lancer : « Est-ce toi, Weh ? » Mais aujourd'hui, il n'y a pas de réponse. Surpris, je monte les marches en faisant du bruit pour le prévenir de mon arrivée. Mais il ne me salue toujours pas. Maître de Zoet fait rarement la sieste, mais peut-être que la chaleur est venue à bout de lui, cet après-midi. Une fois sur le palier, je passe devant la pièce située sur le côté, où vit l'interprète domestique pendant la saison commerciale. Comme la porte de maître de Zoet est à moitié ouverte, j'y jette un œil. Il est assis devant sa table basse. Il ne remarque pas que je suis là. Son visage ne lui appartient pas, aujourd'hui. Il y a une sombre lueur dans son regard. Il a peur. Ses lèvres esquissent des mots muets. Sur mon île, on dirait de lui qu'un mauvais *kwaio* lui a jeté un sort.

Maître de Zoet a les yeux rivés sur un parchemin placé devant lui.

Ce n'est pas un livre de Blanc, mais un parchemin de Jaune.

Je suis trop loin pour bien voir, mais ce ne sont pas des lettres néerlandaises qu'il y a dessus.

C'est l'écriture des Jaunes, ce sont les lettres dont se servaient maître Yang et ses fils.

À côté du parchemin posé sur la table de maître de Zoet, il y a un carnet de notes. Certains mots chinois sont écrits à côté de mots néerlandais. Je devine ceci : maître de Zoet a traduit le parchemin dans sa langue. Cela a libéré un mauvais sort, et le mauvais sort s'est emparé de lui.

Maître de Zoet sent ma présence et lève la tête.

XXVIII

Cabine du capitaine Penhaligon
sur le Phoebus, bâtiment de Sa Majesté,
voguant sur la mer de Chine orientale

Aux environs de trois heures, le 16 octobre 1800

En effet, il semble que la Nature ait eu le dessein de concevoir ces îles comme un petit monde séparé et indépendant, de les rendre inaccessibles et de gratifier leurs habitants d'une abondance de tout ce qui est nécessaire à une vie douce et délicieuse, ainsi que de leur permettre de subsister sans avoir à établir de négoce avec quelque nation étrangère…

Le capitaine bâille ; sa mâchoire craque. Le lieutenant Hovell jure qu'il n'y a pas de meilleur texte portant sur le Japon que celui d'Engelbert Kaempfer, et peu importe que ses écrits datent. Mais chaque fois que Penhaligon finit par atteindre la fin d'une phrase laborieuse, le début a déjà disparu dans le brouillard. Par l'austère hublot, il observe l'horizon chargé et menaçant. Son presse-papiers en fanon de baleine roule et tombe de son bureau, et Penhaligon entend le maître pilote Wetz, qui ordonne qu'on borde les perroquets. *À la bonne heure*, se dit le capitaine. Du bleu coquille d'œuf de rouge-gorge, la mer Jaune, sur un fond de ciel d'étain variolé, a viré au gris de la fange.

Où est Chigwin ? s'interroge-t-il. *Et où est mon café, nom d'un chien ?*

Penhaligon ramasse son presse-papiers ; la douleur lui mord la cheville droite.

Il plisse les yeux devant son baromètre dont l'aiguille est bloquée sur le V de « variable ».

Le capitaine retourne à son Engelbert Kaempfer et relève un illogisme : la locution « tout ce qui est nécessaire » a pour corollaire que les besoins de l'homme sont universels, alors qu'en réalité, les besoins d'un roi diffèrent grandement de ceux d'un coupeur de joncs, de même que ceux d'un libertin et d'un archevêque ou, encore, ses propres besoins et ceux de son grand-père. Il ouvre son carnet et, luttant contre le tangage, se met à écrire :

Quel prophète du commerce aurait prédit, disons en l'an 1700, que les roturiers consommeraient du thé et du sucre par sacs entiers ? Quel sujet de William ou de Mary aurait anticipé que les masses éprouveraient le « besoin » d'avoir des draps en coton, le « besoin » de consommer du café et du chocolat ? Les besoins de l'Homme sont sujets aux modes ; et à l'instar de ces nouvelles nécessités qui chassent les précédentes, le monde lui aussi change de visage…

Bien que la mer soit trop agitée pour écrire, John Penhaligon est satisfait et, de nouveau, sa goutte s'est momentanément calmée. *Un filon prolifique.* Il sort de son écritoire son miroir de rasage. Les friands ont fait grossir le gaillard qui se présente dans la glace ; le brandy lui a donné un teint rougeaud ; de douleur, ses yeux se sont enfoncés dans leurs orbites, et le mauvais temps lui a arraché la crinière qu'il avait sur la tête. Cependant, la réussite n'est-elle pas la meilleure façon de restituer à un homme sa vigueur et l'éclat de son nom ?

Il esquisse le premier discours qu'il donnera au Parlement britannique. « On se rappellera que le *Phoebus,* informera-t-il l'aristocratie en extase, que mon *Phoebus* n'était pas un bateau de ligne à cinq ponts équipé d'une flopée de canons d'où jaillit le tonnerre, mais une modeste frégate pourvue de vingt-quatre canons de dix-huit. Il avait démâté de son misaine dans le détroit de Formose, ses gréements étaient fatigués, ses voiles étaient usées jusqu'à la corde, la moitié de nos provisions faites à Fort Cornwallis avaient pourri, et sa pompe de cale en fin de vie sifflait tel ce cher lord Falmouth chevauchant une prostituée désenchantée, et ce, pour un tout aussi piètre résultat.» Un rire envahira toute la Chambre des lords tandis que son vieil ennemi décampera, préférant se terrer dans son trou à rat et y mourir de honte. «Mais son cœur, messieurs, était taillé dans le chêne de l'Angleterre; aussi, quand nous avons frappé au heurtoir des portes verrouillées du Japon, c'était avec la détermination qui fait la juste notoriété de notre race.» Les chuchotements des lords se feront élogieux. «Le cuivre dont nous avons privé ces perfides Néerlandais ce jour d'octobre-là n'était qu'un symbole. Notre véritable récompense, le legs du *Phoebus*, fut un nouveau marché, messieurs, un marché par lequel se vendront les fruits de vos moulins, de vos mines, de vos plantations et de vos manufactures; tout cela, ainsi que la gratitude d'un empire du Japon tiré de son somnambulisme féodal pour se réveiller dans la modernité de notre siècle. Affirmer que mon *Phoebus* a établi une nouvelle carte politique de l'Asie orientale n'est pas une hyperbole.» Les lords acquiescent, agitant leurs lourdes têtes en approuvant du traditionnel: «*Hear, hear.*» Le lord-amiral Penhaligon poursuit: «Cette auguste Chambre sait les divers instruments que l'Histoire emploie afin d'opérer ses changements: le langage diplomatique, le poison de la trahison, la clémence d'un monarque, la tyrannie d'un pape…»

Dieu que cela est bon, se complaît Penhaligon, *il faudra que je consigne la chose par écrit.*

«… et, à l'aube du XIXe siècle, l'Histoire ne m'accorde rien de moins que le plus grand honneur de ma vie en choisissant le

Phoebus, intrépide frégate de Sa Majesté, pour ouvrir les portes de l'empire le plus reclus que connaisse le monde moderne. À la gloire de Sa Majesté et de l'Empire britannique!» Whigs, tories, non-inscrits, évêques, généraux, amiraux, le moindre sagouin à perruque : tous se lèveront alors et l'applaudiront en l'acclamant.

«Capi...» De l'autre côté de la porte, Chigwin éternue. «... taine?

– J'espère que tu me déranges pour m'apporter mon café, Chigwin.»

Son jeune mousse, le fils d'un architecte naval de l'île Chatham qui avait négligé une vilaine dette, passe la tête à l'intérieur. «Jones est en train de le moudre, monsieur. Le cuisinier a eu bien de la peine à maintenir le poêle allumé.

– Je t'ai demandé de m'apporter du café. Pas une tasse d'excuses!

– Oui, monsieur. Désolé, monsieur, ça devrait prendre encore quelques petites minutes...» – une trace de mucus luit sur la manche de Chigwin – «... mais il y a ces rochers dont parlait M. Snitker : on les aperçoit à tribord, et M. Hovell pensait que vous voudriez les étudier.»

Ne le mange pas tout cru, ce garçon. «Oui, je m'y emploierai.

– Des demandes particulières pour le dîner, monsieur?

– Les lieutenants et M. Snitker se joindront à moi ce soir... Dis à...»

Ils s'accrochent tandis que le *Phoebus* bascule dans le creux d'une grosse vague.

«... Dis à Jones de nous servir les poules qui ne pondent plus. Il n'y a pas de place pour les fainéants sur mon navire, fussent-ils à plume.»

Penhaligon se hisse jusqu'au spardeck, où le vent le gifle et lui gonfle les poumons comme s'il s'agissait de deux soufflets neufs. Wetz tient la barre tout en faisant un exposé sur les gouvernails récalcitrants en mer agitée à un groupe d'aspirants qui titubent. Ils adressent un salut militaire au capitaine, qui crie en plein vent : « Que vous inspire le temps qui s'annonce, monsieur Wetz ?

– Il y a une bonne nouvelle, capitaine : les nuages se dissipent vers l'ouest. Et une mauvaise, aussi : le vent a viré un peu plus au nord et s'est intensifié d'un nœud ou deux. En ce qui concerne la pompe, O'Loughlan confectionne une nouvelle chaîne, mais il croit avoir découvert une autre fuite, capitaine : les rats ont fait des dégâts à l'arrière du magasin à poudre. »

Quand ils ne s'attaquent pas à nos victuailles, ils s'attaquent à mon bateau, pense Penhaligon.

« Dites au maître d'équipage d'organiser une battue. Quiconque rapportera dix queues aura droit à un litre supplémentaire de grog. »

L'éternuement de Wetz vient arroser un aspirant qui se trouvait face au vent. « Nos hommes apprécieront ce divertissement. »

Penhaligon traverse le gaillard d'arrière qui chaloupe. Il est tout sale : Snitker ne pense pas que les vigies japonaises sont à même de différencier le cargo malpropre d'un Yankee d'une frégate aux sabords noircis de la Marine royale. Mais le capitaine ne considère pas la chose comme acquise. Le lieutenant Hovell s'appuie sur la lisse de couronnement aux côtés du chef déchu de Dejima. Devinant que le capitaine approche, Hovell se retourne et lui adresse un salut.

Snitker se retourne à son tour, mais adresse un signe de tête à celui qu'il considère comme son égal. Il désigne un îlot rocheux qui défile à une assez vive allure à quelques prudents cinq cents mètres de là. « Torinoshima ».

« Torinoshima, *capitaine* », aurait préféré entendre Penhaligon, qui observe néanmoins l'îlot. Plâtré de guano, résonnant de cris d'oiseaux, Torinoshima ressemble davantage à un gros rocher qu'à un Gibraltar miniature. Il est cerné de falaises, à l'exception d'une portion du côté sous le vent où le terrain s'est effondré et par laquelle un bateau téméraire pourrait tenter d'accoster. Penhaligon s'adresse à Hovell : « Demandez à notre hôte s'il a eu vent qu'on y ait jamais débarqué. »

La réponse de Snitker requiert deux ou trois phrases.

Quelle drôle de langue que le néerlandais, songe Penhaligon. *On croirait entendre quelqu'un s'étrangler en lapant de la boue.*

« Non, capitaine : il n'a pas ouï dire qu'on ait tenté d'y accéder.

— Sa réponse était plus élaborée que cela.

— "Seul un crétin prendrait le risque d'y perdre sa chaloupe" sont les propos qu'il a tenus, capitaine.

— Il en faut davantage pour heurter ma sensibilité, monsieur Hovell. À l'avenir, traduisez ses propos *in extenso.* »

Le premier lieutenant a l'air gêné. « Toutes mes excuses, capitaine.

— Demandez-lui si la Hollande ou toute autre nation a déjà réclamé la possession de Torinoshima. »

La réponse de Snitker comporte un ricanement et le mot « Shogun ».

« Notre invité suggère que nous nous entretenions avec le Shogun avant de planter le drapeau britannique sur ce tas de fientes, explique Hovell qui poursuit scrupuleusement sa traduction en vérifiant un ou deux détails auprès de Snitker. M. Snitker ajoute que Torinoshima est également surnommée la "balise du Japon", et si le vent perdure, alors demain nous verrons le "mur du jardin", c'est-à-dire les îles Goto, placées sous la protection du Seigneur de Hizen, dans le dominion duquel se trouve Nagasaki.

— Demandez-lui si la Compagnie néerlandaise a déjà débarqué dans les îles Goto. »

Cette question amène une réponse plus longue.

« Il me dit que les capitaines de la Compagnie n'ont jamais osé provoquer... »

Les trois hommes s'agrippent à la lisse de couronnement le temps que le *Phoebus* plonge puis se cabre.

« ... osé provoquer les autorités de façon aussi flagrante, capitaine, car des chrétiens... »

Les embruns retombent en cascade sur la proue ; un marin trempé jure en gaélique.

«… des "chrétiens cachés" y vivent : c'est pourquoi des espions… »

Un des aspirants trébuche dans les escaliers et pousse un cri.

«… surveillent toutes les allées et venues. Pour autant, aucune embarcation côtière ne viendra à notre rencontre : les membres de l'équipage auraient trop peur d'être accusés de se livrer à de la contrebande et de finir exécutés, eux et leurs familles. »

Les cabrages succèdent aux ruades ; Torinoshima perd de sa grandeur à mesure qu'elle s'éloigne de la poupe par tribord. Le capitaine, le lieutenant et le traître plongent chacun dans ses pensées. Les puffins et les sternes planent dans les hauteurs, vrillent et descendent en piqué. On frappe le quatrième coup de cloche du premier des petits quarts au son duquel surgissent sans tarder les bâbordais, car la nouvelle de la présence du capitaine sur le pont s'est répandue. Les tribordais descendent dans les cales afin de vaquer à de menus travaux deux heures durant.

Une étroite percée de ciel ambré se forme à l'horizon, vers le sud.

« Capitaine ! Là ! s'exclame Hovell, redevenu enfant quelques instants. Deux dauphins ! »

Penhaligon ne voit rien sinon la houle bleu ardoise. « Où donc ?

– Un troisième ! Quelle beauté ! » Hovell tend le doigt mais renonce à prononcer la syllabe suivante. « Disparus.

– Bien, nous nous reverrons au dîner, dit Penhaligon à Hovell en s'éloignant.

– Ah, *le dîner* », répète en anglais Snitker, qui mime le geste de boire.

Mon Dieu, donnez-moi la patience. Penhaligon parvient à esquisser un faible sourire. *Et du café.*

Après avoir effectué son lot quotidien de soustractions dans le carnet de versement, le commissaire de bord quitte la cabine. Sa voix éraillée et son haleine d'ossuaire ont donné à Penhaligon une migraine qui n'a d'égale que la douleur de son pied. « Il n'est point de pire chose que d'avoir à traiter avec les commissaires de bord, excepté en être un soi-même, l'avait mis en garde, il y a fort longtemps, son protecteur, le capitaine Golding. Dans chaque compagnie, il est nécessaire qu'une personne cristallise la haine des uns et des autres : mieux vaut que ce soit lui que vous. »

Penhaligon engloutit le dépôt limoneux de sa tasse. *Le café stimule mon cerveau*, constate-t-il, *mais il me brûle les entrailles et revigore mon vieil ennemi*. Depuis qu'ils ont quitté l'île du Prince-de-Galles, une désagréable vérité est devenue incontestable : sa goutte lance un deuxième assaut. Le premier avait eu lieu au Bengale lors de l'été passé : la chaleur était monstrueuse et la douleur tout autant. Pendant quinze jours, il n'avait même plus supporté la caresse du drap de coton sur son pied. Il est d'usage de se rire du premier assaut de la maladie, considéré comme un rituel de passage, mais après le deuxième, un homme risque de se voir affublé du titre de « capitaine goutteux », et sa carrière au sein de l'Amirauté craint d'être sévèrement compromise. *Hovell nourrit peut-être des soupçons*, juge Penhaligon, *mais il n'ira pas jusqu'à les partager : les salles de garde du Service sont encombrées de premiers lieutenants devenus orphelins suite au décès prématuré de leurs protecteurs*. Pis encore, Hovell pourrait être tenté de sauter sur un autre navire pour rejoindre un patron plus agile, privant Penhaligon de son meilleur officier et de la reconnaissance de dette d'un futur capitaine. Son sous-lieutenant, Abel Wren, qui, grâce à son mariage avec la féroce fille du commandant Joy, jouit d'utiles relations, l'embrassera sur la bouche à la perspective de ce poste inopinément libéré. *Me voici donc engagé*, en conclut Penhaligon, *dans une course à pied contre ma goutte. Si je parviens à mettre la main sur le butin annuel de cuivre néerlandais, et si – Dieu entende ma prière – je réussis à ouvrir ce coffre à trésor que représente Nagasaki avant que la goutte me terrasse, mon avenir financier et politique sera assuré.* Dans le cas contraire, c'est à Hovell ou Wren que reviendra tout le mérite s'ils empochent le cuivre et le poste de traite – à moins que la mission ne tourne au fiasco et que John Penhaligon ne finisse ses jours dans l'obscurité du sud-ouest de l'Angleterre en touchant une pension annuelle de tout au plus deux cents livres, payée sur le tard et avec réticence. *Dans mes heures sombres, j'ai l'impression que si dame Fortune semble avoir favorisé, il y a huit ans de cela, mon accès à ce poste de capitaine, c'était dans le simple et égoïste but de s'accroupir au-dessus de moi pour vider ses intestins.* D'abord, Charlie qui hypothèque ce qui reste du patrimoine familial, contracte des dettes au nom de son jeune frère, puis disparaît. Ensuite, le banquier et gérant des parts de prise de Penhaligon qui s'enfuit en Virginie. Puis Meredith, sa chère Meredith, qui meurt du typhus. Et enfin, Tristram, le vigoureux, l'impétueux, le respecté, le beau Tristram, mort au cap Saint-Vincent, qui ne laisse à son père que le chagrin et ce crucifix que le chirurgien de bord avait ravagé. *Et maintenant, cette goutte qui menace ma carrière...,* se désespère-t-il.

« Non. » Penhaligon prend son miroir de rasage. « Nous essuierons ces revers essuyés. »

Le capitaine sort de sa cabine juste au moment où la sentinelle – Banes ou Panes, tel est le nom de ce gaillard – se voit relevée par un autre soldat de la Marine, Walker l'Écossais. Les deux lui font le salut militaire. Sur le pont-batterie, Waldron, le vice-canonnier, est accroupi près d'un canon en compagnie de Moff Wesley, un garçon originaire de Penzance. Dans l'obscurité et le tumulte de la mer démontée, ils ne remarquent pas la présence du capitaine qui les épie. « Allez, répète-moi tout ça, Moff, demande Waldron. En premier ? »

– Éponger l'intérieur du canon avec l'écouvillon mouillé, monsieur.

– Et si un couillon salope le travail?

– Il laissera quelques braises du tir précédent alors qu'on mettra la poudre, monsieur.

– Et le canonnier y perdra son bras: j'y ai déjà assisté et une fois suffira. En deuxième?

– On enfonce la gargousse, monsieur, ou sinon, on verse directement la poudre.

– Et dans ce cas, sont-ce des korrigans qui te l'apportent?

– Non, monsieur, je vais en poupe, dans le magasin, et je prends une charge à la fois.

– C'est bien, Moff. Et pourquoi ne pas en garder un bon gros tas à portée de main?

– Parce qu'il suffirait d'une petite étincelle pour qu'on finisse en bouillie, monsieur. En troisième... » – Moff compte sur ses doigts – «... je pousse la poudre au fond avec le refouloir, monsieur, puis en quatrième je charge le boulet, et en cinquième, monsieur, je calfeutre le boulet avec le valet, parce que, avec le roulis, le boulet pourrait ressortir et tomber dans la mer, monsieur.

– Et nous aurions l'air aussi fin qu'un équipage de Français. En sixième?

– On avance le canon de sorte que l'avant de l'affût bute contre la muraille. En septième, on enfonce le dégorgeoir dans la lumière. En huitième, on l'allume grâce à la platine à silex: celui qui l'actionne crie: "Aux abris!" et l'amorce met le feu à la charge au fond du canon, et l'explosion éjecte le boulet, et tout ce qui se trouve sur son chemin est... pulvérisé.

– Et que fait alors l'affût du canon?» intervient Penhaligon.

Waldron est aussi surpris que Moff: s'empressant d'effectuer le salut militaire, il se redresse trop vite et se cogne la tête. «Je ne vous avais pas vu, capitaine, veuillez m'excuser.

– Que fait alors l'affût du canon, monsieur Wesley? répète Penhaligon.

— Avec la puissance de feu, il recule, mais les bragues passées autour du bouton de culasse le retiennent, capitaine.

— Quel effet aurait le recul du canon sur la jambe d'un homme, monsieur Wesley ?

— Eh bien… si le canon lui roulait sur la jambe, il n'en resterait pas grand-chose, capitaine.

— Poursuivez, monsieur Waldron. » Tout en s'accrochant au filin au-dessus de sa tête, Penhaligon longe la muraille tribord et se rappelle ses jours de mousse pourvoyeur. Du haut de son mètre soixante-dix, il est bien plus grand que le marin moyen et doit faire attention à ne pas s'érafler le crâne au plafond. Il aurait aimé avoir la fortune personnelle ou bien les parts de prise qui lui auraient permis d'acheter la poudre à canon requise pour l'entraînement. Les plus hauts responsables de la Marine de Sa Majesté considèrent que les capitaines consacrant à cette fin plus d'un tiers du quota imparti sont imprudents. Six Hanovriens qu'il avait chipés à un baleinier mouillant à Sainte-Hélène s'efforcent autant que possible par ce temps houleux de laver, essorer et accrocher les hamacs supplémentaires. Ils le saluent en chœur d'un « *Captaan* » et reprennent leur tâche dans un silence appliqué. Plus loin, le lieutenant Abel Wren s'emploie à faire frotter le pont au vinaigre chaud et à la brique. La saleté de la partie supérieure du bateau sert de camouflage, mais sur les ponts inférieurs, il faut lutter contre la moisissure et les miasmes. Wren assène un coup de badine à un marin et beugle : « Frotte, espèce de chiffe molle ! Arrête de le caresser ! » Puis il feint de remarquer à l'instant la présence du capitaine et lui adresse un salut. « Bonjour, capitaine.

— Bonjour, monsieur Wren. Tout se passe bien ?

— Pour le mieux, capitaine », répond le fringant et hideux sous-lieutenant.

Alors qu'il dépasse la cuisine obturée par des rideaux en toile, Penhaligon jette un œil à travers un rabat mal ajusté dans l'étuve de la pièce noire et crasseuse où les marmitons aident le cuisinier et son second à émincer, à maintenir le feu allumé et à empêcher les casseroles de se renverser. Le cuisinier plonge des morceaux de petit salé – jeudi étant jour de porc – dans la mixture en ébullition. Du chou chinois, du riz et d'énormes morceaux d'igname y sont ajoutés afin d'épaissir le brouet. Les jeunes aristocrates feraient la fine bouche devant ces denrées saturées de sel et d'amidon, mais les matelots mangent et boivent mieux à bord qu'ils n'en ont l'occasion sur terre. Jonas Jones, le cuisinier attitré de Penhaligon, tape dans ses mains afin de solliciter l'attention de la cuisine. « Bon, les jeux sont faits, mes garçons.

– Alors que la partie commence ! » déclare Chigwin.

Chigwin et Jones attrapent et secouent chacun une poule terrorisée.

La bonne douzaine d'hommes présents scandent tous ensemble : « À la une, à la deux et à la trois ! »

Chacun muni d'un sécateur, Chigwin et Jones décapitent leurs volatiles, qu'ils posent au sol. Les hommes encouragent les poules qui dérapent et battent des ailes, le sang jaillissant de leur cou étêté. Trente secondes plus tard, le gallinacé de Jones est couché mais remue encore les pattes ; l'arbitre annonce la défaite de Chigwin : « Et une de trépassée, mes garçons ! » Les pièces de monnaie passent de la main de ceux qui jurent à celle de ceux qui fanfaronnent, puis on emporte les poules sur le billot afin de les plumer et de les vider.

L'accusation ne pèserait certes pas bien lourd, mais Penhaligon serait en droit de les réprimander pour leur manque de respect vis-à-vis de ce qui constituera le dîner des officiers ; cependant, il s'éloigne de la cuisine et poursuit jusqu'à l'infirmerie. Les paravents en bois ne montent pas jusqu'au plafond, ce qui permet à la faible lumière de circuler et à l'air vicié de s'échapper. « Mais non, mais non, bougre d'andouille, c'est comme ça... » C'est la voix de Michael Tozer, encore un volontaire de Cornouailles que Charlie, le frère du capitaine, lui avait envoyé il y a onze ans, quand Penhaligon était sous-lieutenant à bord du brick baptisé le *Dragon*. Tozer et ses dix comparses – tous aujourd'hui des matelots chevronnés – avaient suivi leur protecteur depuis toujours. De sa voix cassée et monocorde, Tozer entonne une chanson :

«Vois-tu les bateaux venir,
Toutes voiles déployées ?
Vois-tu les bateaux venir,
Chargés de tous leurs trophées ?
Oh mon joli matelot,
Oh mon doux et tendre ami ;
J'aime les marins rigolos
Qu'ils soient façonnés ainsi

– Ce n'était pas "doux", Michael Tozer, lui objecte une autre voix. C'était "fier".

– "Doux", "fier", qu'est-ce que ça peut bien foutre ? Ce qui compte, c'est la suite, alors boucle-la.

«Les marins raflent la mise,
Les soldats sont sans argent,
Les mat'lots sont mon église
Pas les soldats, ces tire-au-flanc.
Oh mon joli matelot,
Oh mon doux et tendre ami,
J'aime les marins rigolos
Que les soldats soient tous maudits.

– C'est ce que les putains de Gosport chantaient. Je le sais parce que je m'en suis payé une après la Troisième Bataille d'Ouessant, et je lui ai planté ma fourchette dans la vieille figue entre ses…

– Ce qu'il ne précise pas, dit l'autre voix, c'est qu'au petit matin, elle avait décampé avec ses parts de prise.

« – C'est pas la question : ce qui compte, c'est qu'on va dépouiller les Néerlandais d'un navire marchand bourré du plus rouge et du plus doré des cuivres jamais vus à la surface de la Création de Dieu. »

Le capitaine Penhaligon se penche par l'entrée de l'infirmerie. La dizaine de compagnons alités se redressent au garde-à-vous, crispés et penauds ; le carabin – un Londonien au visage criblé par la vérole nommé Rafferty – se lève et met de côté le plateau des ténaculums, cuillères et autres limes à os qu'il était en train d'huiler. « Bonjour, capitaine. Le chirurgien est descendu au faux-pont. Voulez-vous que j'aille le chercher ?

– Non, monsieur Rafferty : je faisais juste un petit tour d'inspection, c'est tout. Vous vous remettez, monsieur Tozer ?

– Ma poitrine est pas plus raccommodée qu'elle l'était la semaine dernière, capitaine, mais je suis bien content d'être toujours en vie. C'était un bel envol, mais il me manquait les ailes. Et M. Waldron m'a raconté qu'il me trouverait un poste en batterie : j'y vois l'occasion d'apprendre un nouveau métier, comme qui dirait.

– Très bien, Tozer, très bon esprit. » Penhaligon se tourne vers le jeune voisin de Tozer. « Jack Fletcher, est-ce bien cela ?

– Jack Thatcher, capitaine, sauf votre respect.

– Je vous prie de m'excuser, Jack Thatcher. Et qu'est-ce qui vous a amené à l'infirmerie ? »

Rafferty se charge de répondre à la place du patient qui rougit. « Une bonne vieille chaude-pisse des familles, capitaine.

– La chaude-pisse ? Un souvenir rapporté de Penang, sans aucun doute. À quel stade en êtes-vous ? »

Rafferty lui répond derechef : « Son serpentin est aussi écarlate que la calotte d'un archevêque, et il suinte du lait caillé ; son œil unique est vitreux, et se soulager est une vraie torture, pas vrai, mon garçon ? On lui a administré du mercure, mais son espar ne resservira pas de sitôt... »

Selon Penhaligon, la faute incombe à cette politique de la Marine de Sa Majesté en vertu de laquelle les marins doivent s'acquitter eux-mêmes des traitements relatifs aux maladies vénériennes, politique qui incite les hommes à s'en remettre à toutes sortes de remèdes fantaisistes avant de finir par approcher le chirurgien de bord. *Quand je serai anobli*, se promet Penhaligon, *je demanderai à la Chambre des lords de renoncer à cette pieuse hérésie.* Le capitaine avait lui aussi contracté le mal français dans un bordel réservé aux officiers à Saint-Christophe mais avait eu à la fois trop peur et trop honte d'en parler au chirurgien du *Trincomolee*, jusqu'à ce que le simple fait d'uriner lui provoque une atroce douleur. Si Penhaligon n'était encore qu'un simple officier, il raconterait cela à Jack Thatcher, mais un capitaine doit absolument éviter de compromettre son autorité. « Ainsi apprend-on le véritable prix que paie le micheton à la catin, n'est-ce pas, Thatcher ?

– Oui, capitaine, et je ne suis pas près de l'oublier, je vous le jure. »

Ce qui ne t'empêchera pas de te coucher auprès d'une autre, entrevoit Penhaligon, *puis d'une autre, et encore d'une autre…* Il discute brièvement avec les autres patients : un terrien fiévreux poussé à embarquer à Saint-Ives et dont le pouce broyé finira peut-être par être amputé ; un natif des Bermudes plus chanceux mais au regard rendu livide par le douloureux abcès qui gonfle sous sa molaire ; et enfin, un Écossais des Shetland dont le visage se perd dans sa barbe, qui est sévèrement atteint par l'éléphantiasis et dont les testicules atteignent la taille de mangues. « Je me sens aussi bien qu'un violon fracassé, lui répond-il. Dieu vous bénisse de m'avoir posé la question, capitaine. »

Penhaligon se lève pour repartir.

« Je vous demande pardon, monsieur, l'interpelle Michael Tozer, mais pourriez-vous trancher un débat que nous avons ? »

Le mal irradie le pied de Penhaligon. « Si je le puis, monsieur Tozer.

– Les marins empêchés à l'infirmerie auront quand même droit à la part de prise qui leur reviendra, monsieur, n'est-ce pas ?

— Le livre des lois maritimes, auquel je souscris, donne à ce sujet une réponse positive. »

Tozer décoche un regard furieux à Rafferty, lui signifiant *Je te l'avais bien dit*. Penhaligon est tenté d'ajouter qu'il ne faut point vendre la peau de l'ours avant de l'avoir tué, mais préfère en définitive ne pas entamer le moral des troupes. « Finalement, j'aimerais m'entretenir auprès du chirurgien Nash de diverses affaires, annonce-t-il au carabin. Vous disiez qu'il se trouverait sans doute tout en bas, dans sa cabine ? »

Une puanteur indéfinissable fait suffoquer le capitaine qui, une marche après l'autre, descend péniblement les escaliers et gagne le pont-dortoir. En hiver, il y fait sombre, froid et humide, et en été, il y règne une atmosphère toujours aussi sombre, mais chaude et irrespirable : l'équipage qualifie toutefois l'endroit de « douillet ». Dans un bâtiment plus triste, les officiers détestés par les matelots évitent de s'éloigner des escaliers ; mais John Penhaligon n'est pas du genre à s'inquiéter sans raison valable. Les bâbordais, qui sont environ cent dix, s'emploient à coudre ou à tailler des bouts de bois sous les faibles puits de lumière provenant des ponts supérieurs ; ils ronchonnent, se rasent ou se recroquevillent entre deux malles afin de piquer un somme – les hamacs étant décrochés en journée. On reconnaît les chaussures à boucles du capitaine avant l'homme lui-même. Un cri sonne l'alarme. « Le capitaine est sur le pont, les gars ! » Les marins les plus proches se mettent au garde-à-vous ; le capitaine se félicite de ce que le mécontentement inspiré par son intrusion lui soit dissimulé. Lui, cache la douleur qui lui ronge le pied. « Je descendais au faux-pont, messieurs. Ne vous dérangez pas…

— Vous avez besoin d'une lanterne ou qu'on vous aide, capitaine ? lui propose l'un d'eux.

– Ce ne sera pas nécessaire. Même les yeux bandés, je saurais retrouver mon chemin dans les entrailles de mon bon vieux *Phoebus*. »

Il poursuit sa descente et arrive au faux-pont. La pestilence de la sentine l'assaille ; mais point d'odeur de cadavres en décomposition, comme c'était arrivé lors de l'inspection d'un navire français qu'il avait éperonné. L'eau clapote, le ventre de la mer gargouille et les pompes de cale cliquettent et glapissent. Penhaligon pousse un grognement en arrivant au fond puis il avance à moitié à tâtons à travers l'étroit couloir : ses doigts détectent la poudrière, le garde-manger où est stocké le fromage, la réserve de rhum – protégée par un imposant cadenas –, la cabine de M. Woods, professeur au visage soucieux qui instruit les garçons de l'équipage, la réserve destinée aux cordages, le dispensaire du chirurgien et, enfin, une cabine pas plus grande que le cabinet de toilette de Penhaligon. Une lumière de bronze et des bruits de caisses qu'on déplace s'en échappent. « C'est moi, monsieur Nash, c'est le capitaine.

– Capitaine. » La voix de Nash est un sifflement rauque aux accents du sud-ouest de l'Angleterre. « Quelle surprise. » Telle une taupe montrant des crocs imaginaires, son visage apparaît à la lueur de la lanterne, pas le moins du monde surpris.

« M. Rafferty m'a dit que vous seriez sans doute ici.

– En effet, j'étais venu chercher du sulfure de plomb. » En guise de coussin, il dépose une couverture repliée sur une malle. « Si vous voulez bien vous asseoir un instant pour soulager vos pieds. Les morsures de la goutte reviennent, capitaine, je ne me trompe pas ? »

Le grand bonhomme prend toute la place dans la cabine exiguë. « Est-ce donc si évident ?

– L'instinct professionnel, capitaine… Puis-je l'examiner ? »

Maladroit, le capitaine retire sa bottine et son bas, puis place son pied sur un coffre. Nash approche la lampe, fait bruisser son tablier rigidifié par le sang séché et fronce les sourcils devant les enflures brunâtres de Penhaligon. « Un vilain tophus sur le métatarse... Mais pas de sécrétions pour l'instant, n'est-ce pas ?

— Non, aucune, mais cela ressemble diablement à ce que j'avais l'année dernière à la même saison. »

Nash appuie sur la boursouflure : le pied de Penhaligon tressaute de douleur.

« Monsieur le chirurgien, je ne puis en aucun cas me trouver invalide durant la mission de Nagasaki. »

Nash essuie le verre de ses lunettes sur ses manches sales. « Je vous prescris le remède de Dover : cela avait favorisé votre guérison au Bengale, aussi cette poudre sera-t-elle susceptible de retarder les assauts de la maladie cette fois-ci. Je vais également vous prélever six onces de sang afin de réduire la friction sur vos artères.

— Ne perdons pas plus de temps. » Penhaligon retire son manteau et remonte la manche de sa chemise, tandis que Nash verse dans un bécher un peu du contenu de trois différentes fioles. Il ne viendrait à personne l'idée d'accuser le chirurgien d'être un de ces *gentlemen*-médecins que, de temps à autre, on croise dans la Marine de Sa Majesté, ce genre d'hommes qui aiment à abreuver le carré des officiers de leur érudition et de leur verve. Cet homme constant originaire du Devon est capable d'amputer un membre à la minute pendant les combats, arrache les dents sans trembler, ne falsifie pas ses comptes davantage que de raison, et ne répète jamais à l'équipage ce dont les officiers se plaignent. « Rappelez-moi donc les ingrédients de la poudre de Dover, monsieur Nash.

— C'est une variante de la poudre d'ipécacuana, capitaine, c'est-à-dire un panachage d'opium, d'ipéca, de salpêtre, de tartre et de réglisse. Si j'avais affaire au marin moyen, poursuit-il en recueillant une mesure de la poudre claire, j'ajouterais un peu de castoréum – que nous autres médecins appelons "huile de foie de morue rance" – de sorte à favoriser le sentiment d'avoir pris un médicament. Ce tour que je leur joue, je l'épargne aux officiers. »

Le bateau tangue et ses membrures craquent comme une grange chahutée par le vent.

« Avez-vous songé à devenir apothicaire, une fois revenu sur la terre ferme, monsieur Nash ?

– Moi ? non, capitaine. » Nash ne sourit pas à cette plaisanterie.

« Je vois déjà les petits flacons de porcelaine de "l'Élixir du docteur Nash", tous bien alignés sur des rayonnages.

– La plupart des commerçants, capitaine… » – Nash compte les gouttes de laudanum qu'il laisse tomber dans le bécher en étain – « … sont des gens à qui l'on a ôté la conscience à la naissance. Mieux vaut mourir d'une bonne noyade que finir lentement ses jours accablé par l'hypocrisie, les procès ou les dettes. » Il remue la mixture et tend le récipient à son patient. « D'un seul trait, capitaine. »

Penhaligon s'exécute puis grimace. « L'huile de foie de morue rance en améliorerait sans doute le goût.

– Je vous en apporterai une dose quotidienne, capitaine. La saignée, à présent. » Il sort une écuelle à saignée ainsi qu'une lancette rouillée, et saisit l'avant-bras du capitaine. « C'est ma lame la plus acérée : vous ne sentirez… »

Penhaligon retient son *Aïe !*, le juron qui suit, et un soubresaut.

« … rien. » Nash insère un cathéter afin d'empêcher qu'une croûte ne se forme. « Voilà, et…

– "Ne bougez plus". Je sais. » Le mince filet de sang qui tombe lentement dans l'écuelle forme une petite flaque.

Cherchant à détourner son attention de l'épanchement, Penhaligon pense au dîner.

Une fois que Daniel Snitker, passablement éméché, a été reconduit à sa cabine pour la nuit afin qu'il y digère son gargantuesque repas, le lieutenant Hovell déclare : « Les informateurs que l'on rétribue sont toujours prompts à servir le plat dont leurs protecteurs…» – le bateau tangue, tremble et les lampes de cloison tournoient dans leur cardan – «… dont leurs protecteurs raffolent par-dessus tout. Au cours de son mandat d'ambassadeur à La Haye, mon père avait privilégié la parole d'un informateur n'écoutant que sa propre conscience aux dépositions de dix espions motivés par le lucre. Cela étant, je ne prétends pas que Snitker est *ipso facto* en train de nous duper, mais nous serions bien avisés de ne pas croire une seule seconde à ces prétendus "renseignements de premier choix" sans contre-enquête – à commencer par cette radieuse prédiction que les Japonais nous regarderont nous emparer des possessions de leur ancien allié sans piper mot.»

Un hochement de tête de Penhaligon, et aussitôt, Chigwin et Jones se mettent à débarrasser la table.

«Des guerres d'Europe» – le commandant Cutlip, dont le teint est à peine moins écarlate que sa veste d'officier de la Marine, rogne un dernier lambeau de viande accroché au pilon qu'il tient –, «ces maudits Asiatiques n'ont cure.

– Voilà un point de vue que ces maudits Asiatiques sont susceptibles de ne pas partager, commandant, lui oppose Hovell.

– Dans ce cas» – Cutlip renâcle –, «nous saurons bien les y inciter, monsieur Hovell.

– Imaginez que le royaume de Siam possède quelque poste de traite à Bristol…»

Cutlip adresse au sous-lieutenant Wren un regard furtif accompagné d'un rictus vainqueur.

«… à Bristol depuis un siècle et demi, poursuit Hovell avec détermination, jusqu'à ce que, un beau jour, débarque une jonque de guerre chinoise qui s'empare des biens de notre allié sans crier gare et proclame au gouvernement que, dorénavant, les Chinois occuperont la place des Siamois. Pensez-vous que M. William Pitt acceptera les termes de cet édit?»

Wren intervient: «La prochaine fois que les opposants de

M. Hovell railleront son manque d'humour…»

Penhaligon renverse la salière ; il jette une pincée de sel par-dessus son épaule.

«… je leur donnerai tort en leur rapportant sa fantaisie à propos d'un poste de traite siamois sis à Bristol!

– Nous débattons de souveraineté, insiste Robert Hovell. La comparaison est pertinente.»

Cutlip agite son pilon. «Si ces huit années passées en Nouvelle-Galles-du-Sud m'ont bien apporté un enseignement, c'est que toutes ces notions de gens instruits – souveraineté, droits, pro-priété, jurisprudence ou diplomatie – signifient une chose chez les Blancs, mais ont un tout autre sens chez les races arriérées. Ce pauvre Phillip dans la crique de Sidney! Il s'est donné bien du mal pour "négocier" avec ces nègres débiles aux traits abâ-tardis. Ses beaux idéaux ont-ils empêché ces foutus chacals de piller nos provisions comme s'ils étaient chez eux?» Cutlip crache dans le crachoir. «Si l'ordre règne dans les colonies, c'est grâce à la poigne des Anglais et aux mousquets fabriqués à Londres, pas à la diplomatie des poltrons ; et si nous l'emportons à Nagasaki, nous le devrons à vingt-quatre canons et quarante soldats par-faitement entraînés. Espérons en tout cas» – il adresse un clin d'œil à Wren – «que la délicieuse Chinoise qui partageait le lit du lieutenant au Bengale n'a pas jauni son immaculée blancheur caucasienne…»

Diable, qu'est-ce donc qui ne tourne pas rond chez ces militaires? fulmine Penhaligon en son for intérieur.

Une bouteille glisse de la table et atterrit dans les jeunes mains de l'aspirant lieutenant Talbot.

«Votre remarque vise-t-elle à dénigrer mon courage d'officier naval, demande Hovell sur un ton on ne peut plus calme et glacial, ou bien est-ce de ma loyauté envers le roi d'Angleterre que vous doutez?

– Allons Robert, Cutlip vous connaît trop bien pour mettre

en cause votre honneur.» *Parfois, j'ai davantage l'impression d'être une gouvernante qu'un capitaine,* songe Penhaligon. «Ce n'était qu'un… qu'un…

– Qu'un petit coup de coude affectueux, intervient le lieutenant Wren.

– Une simple boutade! renchérit Cutlip, tout sourire. Un coup de coude affectueux…

– C'était là un trait d'esprit bien acéré, estime Wren, mais Cutlip ne songeait pas à mal.

– D'ailleurs, c'est sans réserve que je vous présente mes excuses si jamais je vous ai offensé», ajoute Cutlip.

Les plus promptes excuses sont aussi les plus insignifiantes, remarque Penhaligon.

«Le commandant Cutlip devrait faire attention à ses traits d'esprit acérés, dit Hovell. Il pourrait s'y couper.

– Escomptez-vous nous subtiliser cette bouteille, monsieur Talbot?» l'interroge Penhaligon.

Pendant un instant, Talbot prend la question au sérieux; puis, soulagé, il sourit et se met à remplir les verres des convives. Penhaligon demande à Chigwin d'apporter deux autres bouteilles de chambolle-musigny. Le serveur est surpris de cet élan de générosité un peu tardif pour la soirée, mais s'exécute néanmoins.

Penhaligon sent qu'il lui faut procéder à un arbitrage. «Si notre unique objectif à Nagasaki se résumait à rafler les possessions de la "Jan Compagnie", nous agirions sans ambages, tel que le conseille le commandant Cutlip. Cependant, nous avons pour ordre d'établir un traité avec les Japonais. Nos besoins sont donc tant ceux de diplomates que ceux de guerriers.»

Cutlip cure son nez aux narines poilues. «Les canons sont les meilleurs diplomates qui soient, capitaine.»

Hovell s'essuie les lèvres à l'aide de sa serviette. «Ce n'est pas une attitude belliqueuse qui impressionnera ces indigènes-ci.

– Est-ce en usant de gentillesse que nous avons réussi à soumettre les Indiens?» Wren s'adosse à sa chaise. «Est-ce en offrant des meules d'édam que les Néerlandais sont parvenus à conquérir Java?

– Votre analogie ne tient pas la route, rétorque Hovell. Certes, le Japon se situe en Asie; pour autant, il n'en fait pas partie.

– Encore une de vos déclarations empreintes de gnose, lieutenant?

– Parler des "Indiens" ou des "Javanais" est une conception bien européenne: en réalité, ces termes renvoient à tout un assemblage de peuplades disparates, fissiles et divisibles. À l'opposé, le Japon est un pays qui a été unifié il y a quatre cents ans et qui a su repousser les Espagnols et les Portugais alors même que ces nations ibériques étaient à l'apogée de leur gloire...

– Que leurs ridicules jouteurs du Moyen Âge viennent se frotter à l'artillerie de nos canonniers et fusiliers, et vous verrez...» À l'aide de ses mains et de ses lèvres, le commandant mime une détonation.

«Ridicules jouteurs du Moyen Âge que vous n'avez jamais vus, d'ailleurs», lui répond Hovell.

Mieux vaut une coque infestée de tarets que deux officiers qui se chamaillent, songe Penhaligon.

«Pas plus que vous, monsieur Hovell, précise Wren. Snitker, en revanche...

– Snitker brûle de reprendre son petit royaume et d'humilier ceux qui l'ont déchu.»

Juste en dessous, dans le carré des officiers, le violon de M. Waldron lance une gigue.

Voilà au moins quelqu'un qui passe une bonne soirée, se dit Penhaligon.

Le lieutenant Talbot ouvre la bouche mais la referme aussitôt, sans s'être exprimé.

Penhaligon l'interpelle: «Vous souhaitiez parler, monsieur Talbot?»

Tous ces yeux qui le fixent déconcertent Talbot. «Rien d'important, capitaine.»

Jones laisse échapper une assiette chargée de couverts dans un fracas spectaculaire.

«Au fait, capitaine» – Cutlip étale son trophée de morve sur la nappe –, «j'ai entendu deux de vos compatriotes de Cornouailles plaisanter à propos de la région natale de M. Hovell. Je vous la répète sans craindre de l'offenser, puisque nous savons tous désormais qu'il est homme à apprécier un petit coup de coude affectueux : qu'est-ce qu'un habitant du Yorkshire ?»

Robert Hovell fait tourner son alliance autour de sa phalange.

«Un Écossais, que diable, mais la générosité en moins !»

Le capitaine regrette d'avoir commandé les deux bouteilles de l'année quatre-vingt-onze.

Pourquoi faut-il que les choses se répètent en cycles imbéciles ? s'interroge-t-il.

XXIX

Lieu incertain

À une heure incertaine

Jacob de Zoet suit la lanterne du jeune éclaireur qui longe un canal à l'odeur putride et le mène dans la nef de l'église de Dombourg. Geertje dispose une oie rôtie sur l'autel. Le jeune éclaireur, aux yeux en amande et aux cheveux cuivrés, récite : « Je prête l'oreille aux sentences qui me sont inspirées, Papa, j'ouvre mon chant au son de la harpe. » Jacob est sidéré. *Un fils illégitime ?* Il se tourne vers Geertje, mais trouve la gardienne aigrie de son logement provisoire à Batavia. « Vous ne connaissez même pas sa mère, je parie. » Unico Vorstenbosch trouve tout cela infiniment drôle et chipe un morceau de l'oie à moitié mangée. La volaille lève sa tête rôtie et croustillante, et récite à son tour : « Qu'ils se dissipent comme des eaux qui s'écoulent ! Qu'ils ne lancent que des traits émoussés. » L'oie s'envole et s'enfonce dans un massif de bambous, traversant des obliques d'ombres noires et d'ombres plus claires, et Jacob s'envole avec elle, jusqu'à ce qu'ils parviennent à une clairière où la tête de Jean le Baptiste, posée sur une assiette en porcelaine de Delft, lui lance des regards noirs. « Dix-huit années passées en Orient, et tout ce que vous avez à montrer, c'est un bâtard, et métis de surcroît ! »

Dix-huit années ? Jacob retient ce nombre. *Dix-huit…*

Le Shenandoah *a appareillé il y a moins d'un an…*, songe-t-il.

Le lien qui le retenait au monde des ténèbres étant rompu, il se réveille, aux côtés d'Orito.

Loué soit le Seigneur miséricordieux au plus haut des Cieux ! Celui qui sommeillait se retrouve dans la Maison haute…

… où tout semble être à sa place.

Les cheveux d'Orito sont encore ébouriffés des ébats amoureux de la veille.

La poussière se fait dorée dans la lumière de l'aube ; un insecte aiguise ses scalpels.

« Je suis tien, ma bien-aimée », lui susurre Jacob avant d'embrasser sa brûlure…

Les délicates mains d'Orito, ses magnifiques mains se réveillent et viennent se poser sur les tétons de Jacob…

Que de souffrances, songe-t-il, *mais maintenant que tu es là, je te soignerai.*

… viennent se poser sur les tétons de Jacob, glissent autour de son nombril, pétrissent son entrejambe, puis…

« Qu'ils périssent en se fondant, comme un limaçon… » Les yeux rouges de colère d'Orito s'ouvrent en roulant.

Jacob tente de se réveiller, mais le fil de fer autour de sa gorge resserre son étau.

« … sans voir le soleil… », récite le cadavre.

Le Néerlandais est couvert d'escargots – le lit, la chambre, Dejima, partout…

« … sans voir le soleil, comme l'avorton d'une femme. »

Jacob s'assied, bel et bien réveillé cette fois ; son cœur s'est emballé. *Je suis dans la Maison de la glycine et j'ai couché avec une prostituée.* Elle est étendue là ; un ronflement de souris semble prisonnier de sa gorge. L'air est chaud et imprégné de la fétidité du sexe, du tabac, des draps souillés et de l'odeur de chou trop cuit émanant du pot de chambre. Sur les fenêtres aux vitres de papier, la lumière de la Création paraît bien pure. Des bruits et ricanements amoureux jaillissent de la chambre voisine. Comme il pense à Orito et Uzaemon à différents et coupables égards, il ferme les paupières ; mais cela ne fait que les rendre plus distincts : Orito enfermée, cueillie telle une fleur, récoltée telle une moisson ; Uzaemon, battu à mort. Jacob se dit : *C'est à cause de toi*, puis il ouvre les yeux. Mais il est impossible à la pensée de jouer aux aveugles ou de faire la sourde oreille : aussi, Jacob se souvient de Kobayashi annonçant le décès d'Ogawa Uzaemon, tué par des bandits de montagne lors de son pèlerinage à Kashima. Le Seigneur-Abbé Enomoto avait pourchassé les onze hors-la-loi responsables de cette atrocité et les avait torturés à mort. Cependant, même la vengeance est impuissante à ramener un défunt dans le monde des vivants, avait opiné Kobayashi. Le chef van Cleef fit porter à Ogawa l'Ancien les condoléances de la Compagnie, mais le vieil interprète ne remit plus jamais les pieds à Dejima, et personne ne fut surpris quand, peu de temps après, il mourut. Les faibles doutes qui hantaient l'esprit de Jacob sur l'implication directe d'Enomoto dans la mort d'Uzaemon furent dissipés quelques semaines plus tard quand Goto Shinpachi rapporta que l'incendie de la veille, qui s'était propagé sur la colline à l'est, avait pour origine la bibliothèque de la demeure des Ogawa. Ce soir-là, à la lueur de sa lanterne, Jacob ressortit l'étui à parchemin en cornouiller et entreprit la tâche intellectuelle la plus ardue de toute sa vie. Le parchemin en lui-même n'était pas long – son titre et ses douze clauses cumulaient un peu plus de trois cents caractères –, mais Jacob dut en acquérir le vocabulaire et la grammaire dans le plus grand secret. Aucun interprète n'encourrait le risque de se laisser surprendre à enseigner le japonais à un étranger, bien que Goto Shinpachi répondît souvent aux questions informelles de Jacob sur quelques mots particuliers. Sans les connaissances de Marinus sur les langues orientales, la tâche eût été impossible ; toutefois, Jacob n'osa pas montrer le parchemin au docteur, de peur qu'il fût impliqué dans cette histoire. Il fallut deux cents nuits pour que Jacob déchiffre les Préceptes de l'Ordre du mont Shiranui ; des nuits qui s'assombrissaient à mesure que Jacob se rapprochait de la révélation. *Et à présent que ce labeur est achevé, comment puis-je m'en servir pour en tirer quelque réparation, moi, l'étranger qu'on surveille de près ?* s'interroge-t-il. Pour que Jacob ait une chance infime de voir un jour Orito libérée et Enomoto traduit en justice, il lui faudrait l'oreille d'un homme prompt à l'écouter et qui dispose de la puissance du Magistrat. *Qu'arriverait-il à un Chinois vivant à Middelbourg qui chercherait à engager des poursuites contre le duc de Zélande, qu'il accuserait de dépravation et d'infanticide ?*

L'homme de la chambre voisine bredouille : « *Oh, oh mijn God, mijn God !* »

Melchior van Cleef : Jacob rougit et espère que sa camarade ne se réveillera pas.

Cette pudibonderie qui survient le lendemain matin est la culpabilité de l'hypocrite, s'efforce-t-il de reconnaître.

Son condom en intestin de chèvre gît près du futon, sur un carré de papier.

Quelle chose répugnante, se dit Jacob. *Tout autant que moi, du reste…*

Jacob songe à Anna. Il lui faut mettre fin à leur serment.

Cette douce et honnête fille mérite un mari plus loyal, juge-t-il sans frémir.

Il imagine la joie de son père lorsqu'elle lui rapportera la nouvelle.

Peut-être a-t-elle rompu ses vœux depuis plusieurs mois, suppose-t-il.

Nul navire en provenance de Batavia n'était venu cette année ; par conséquent, il n'y eut ni saison commerciale ni courrier…

Dans la rue en contrebas, un vendeur d'eau s'époumone : « *O-miiizu, o-miiizu, o-miiizu.* »

… et la menace de banqueroute qui pèse sur Dejima et Nagasaki se fait de plus en plus pressante.

Melchior van Cleef atteint son «OOOOOOoOoOoOoooo…».

Ne te réveille pas, implore-t-il la femme endormie, *je t'en supplie, ne te réveille pas…*

Elle s'appelle Tsukinami, «Vague de lune». Sa timidité avait plu à Jacob.

Quoique l'on puisse aussi contrefaire la timidité à l'aide d'un pinceau et de poudre, se méfie-t-il.

Une fois seuls, Tsukinami l'avait complimenté sur son japonais.

Il espère ne pas lui avoir inspiré de dégoût. «Décorés», avait-elle qualifié les yeux de Jacob.

Elle lui avait demandé une boucle de ses cheveux cuivrés afin que, de temps à autre, elle se souvienne de lui.

Après l'orgasme, van Cleef rit comme un pirate voyant des requins déchiqueter un de ses ennemis.

Ce que décrit le parchemin d'Ogawa, est-ce aussi la vie que mène Orito? redoute Jacob.

Les meules de sa conscience n'en finissent pas de moudre…

La cloche du temple Ryûgaji annonce l'heure du Lapin. Jacob enfile sa culotte et sa chemise, verse l'eau du pichet dans sa main, boit, se lave, puis ouvre la fenêtre. C'est une vue digne d'un vice-roi : Nagasaki s'étale devant lui, de ruelles escarpées en toits haut perchés, de bistre en ocre et noir charbonneux, retombant jusqu'à la Magistrature plantée telle une arche, jusqu'à Dejima, puis jusqu'à la mer malpropre…

Il obéit à une pulsion de potache et s'éclipse par le rebord de la toiture.

Ses pieds nus épousent les tuiles encore froides ; il y a une carpe sculptée à laquelle s'accrocher.

Ce samedi 18 octobre de l'an 1800 est une journée calme et bleue.

Des nuées d'étourneaux volent dans le ciel : comme un enfant dans un conte de fées, Jacob meurt d'envie de les rejoindre.

Ou bien, rêvasse-t-il, *que mes yeux ronds deviennent les ovales d'un nomade…*

D'ouest en est, le ciel déroule et enroule son atlas de nuages.

… que ma peau rosée soit or mat; que ma folle toison devienne une chevelure noire et disciplinée…

Le cliquetis d'une charrette à excréments menace de compromettre sa rêverie.

… et que mon corps de rustaud devienne comme le leur… mince et agile.

Huit chevaux en livrée empruntent une artère. Le bruit de leurs sabots résonne.

Jusqu'où irais-je si, encapuchonné, je m'enfuyais dans les rues? s'interroge Jacob.

… il traverserait les rizières en terrasses, les replis des montagnes, les replis au sein de ces replis.

Je n'atteindrais pas le domaine de Kyôga, juge Jacob. Quelqu'un semble aux prises avec une fenêtre.

Jacob s'apprête à ce qu'un représentant officiel inquiet lui ordonne de retourner à l'intérieur.

«Le chevaleresque Jacob de Zoet a-t-il trouvé la Toison d'or, hier soir? lui demande van Cleef, nu et poilu, un rictus aux lèvres.

– La chose…» – *n'a rien eu d'une prouesse,* pense Jacob – «… était ce qu'elle était, monsieur.

– Oh, écoutez donc le père Calvin s'exprimer!» Van Cleef enfile sa culotte et, le pouce enfoncé dans l'anse d'une cruche, il traverse la fenêtre pour rejoindre Jacob. Ce dernier espère que van Cleef n'est pas soûl; en tout cas, il n'est pas parfaitement sobre. «Notre Père divin a en tout point créé à son image l'homme que vous êtes, si je ne m'abuse, attirail du bas compris.

– C'est ainsi, il est vrai, mais la Bible est claire à ce…

– Mais oui, bien entendu: bénis soient les liens du mariage, maudits ceux du concubinage. Tout cela prévaut en Europe, mais ici…» – van Cleef gesticule tel un maestro devant l'orchestre de Nagasaki – «… il faut savoir improviser! Le célibat est un régime végétarien. Négligez vos bijoux de famille et ils se ratatineront et finiront par tomber – c'est une vérité scientifique. Quel avenir, alors, pour v…

– Cela n'est en rien une vérité scientifique, monsieur.» Jacob en sourit presque.

«… quel avenir pour vous, fils prodige de l'île de Walcheren, sans le moindre alevin?» Van Cleef boit à sa cruche et s'essuie la barbe sur son avant-bras. «Tenez-vous à vivre en célibataire et mourir sans héritier? Les notaires se repaîtront de votre patrimoine tels les corbeaux sur un gibet de potence! Cet établissement distingué, dit-il en tapotant une tuile faîtière, n'est pas un lieu de débauche: ce sont des bains où nous choyons nos futures moissons – quoi, vous vous êtes bien servi de l'armure que Marinus nous avait enjoints d'utiliser? Mais à qui parlé-je? Bien sûr que oui.»

Du fond de la chambre, la fille de joie de van Cleef les observe.

Jacob se demande à quoi ressemblent les yeux d'Orito, à présent.

«Un joli petit papillon en apparence…» Dans un soupir, van Cleef se dresse; Jacob a peur que son supérieur ne soit plus soûl qu'il ne le pensait: si van Cleef tombait, il se briserait le cou. «Mais, une fois le présent déballé, la déception est toujours la même. La faute n'incombe pas à cette fille, mais à Gloria, mon fardeau… Mais en quoi cela vous importe-t-il, jeune homme, vous qui n'avez pas encore eu le cœur brisé?» Le chef de Dejima regarde le royaume céleste et la brise se met à faire bouger toutes choses. «Gloria était ma tante. Moi qui suis né à Batavia, on m'avait envoyé à Amsterdam afin que j'y devienne un homme du monde: j'y ai appris à baragouiner le latin, à danser comme un paon et à tricher aux cartes. La fête prit fin à mon vingt-deuxième anniversaire, quand je repartis pour Java en bateau, accompagné de mon oncle Theo. Oncle Theo était venu en Hollande afin de rapporter à la Maison des Indes orientales les affabulations annuelles du gouverneur général – les van Cleef avaient de bonnes relations, à l'époque –, soudoyer quelques personnes, et se marier pour la quatrième ou cinquième fois. "La race, c'est tout", telle était la devise de mon oncle Theo. À Java, il avait engrossé ses bonnes une demi-douzaine de fois, mais ne reconnut aucun de ses bâtards, lui qui avait coutume de pester contre le mélange de races – Dieu les avait voulues distinctes – en une seule et même engeance.»

Jacob se rappelle le fils de son rêve. Les voiles d'une jonque chinoise se gonflent.

«"Il faut une mère convenable aux héritiers légaux de Theo", déclarait-il : une fleur de l'Europe protestante à la peau blanche et aux joues roses, car il y avait toujours un orang-outan cabriolant dans l'arbre généalogique des possibles épouses nées à Batavia. Hélas, toutes celles qu'il avait prises jusqu'alors étaient décédées quelques mois après leur arrivée à Java. Les miasmes se chargeaient d'elles, voyez-vous. Mais Theo était un charmant cabot, et riche, par-dessus le marché ; ainsi advint-il que, sur l'*Enkhuizen*, la future feue Mme Theo van Cleef occupait la cabine intercalée entre la mienne et celle de mon oncle. Ma "tante Gloria" était de quatre ans ma cadette et n'avait que le tiers de l'âge de son fier époux…»

En bas, un vendeur de riz ouvre son échoppe pour la journée.

«À quoi bon s'embêter à décrire la beauté de la prime jeunesse ? Pas une seule des putains moustachues destinées aux nababs ne lui arrivait à la cheville à bord de l'*Enkhuizen*, et nous n'avions pas encore dépassé la Bretagne que, déjà, tous les prétendants – dont de nombreux qui n'auraient pu prétendre à quoi que ce fût – prê-taient plus attention à tante Gloria que ne le souhaitait son nouvel époux. Par la fine cloison de ma cabine, je l'entendais lui interdire de soutenir le regard d'Untel ou de rire aux sottises de tel autre. Elle répondait : "Oui, monsieur", humble comme une biche, puis accomplissait son devoir conjugal. Mon imagination, de Zoet, m'en donnait davantage à voir que n'importe quel trou par lequel je les aurais épiés! Après, quand oncle Theo retournait dans sa propre cabine, Gloria pleurait : ses pleurs étaient si délicats, si discrets que j'étais le seul à les entendre. Elle n'avait pas eu son mot à dire pour ce mariage, bien entendu, et Theo ne l'avait autorisée à emmener qu'une seule de ses bonnes, une dénommée Aagje ; pour le même prix qu'un billet de deuxième classe, on pouvait acheter cinq domestiques au marché aux esclaves de Batavia. Il faut vous dire que Gloria s'était rarement aventurée au-delà du canal Singel. Java était une destination aussi lointaine que la Lune. Et même plus loin encore, car d'Amsterdam, la Lune est visible, elle. C'était décidé : le lendemain matin, je ménagerais ma tante…»

Dans un jardin, des femmes étendent du linge sur un genévrier.

«L'*Enkhuizen* fut durement chahuté dans l'Atlantique.» Van Cleef verse sur sa langue les dernières gouttes de bière, illuminées par le soleil. «C'est pourquoi le capitaine décida d'effectuer une escale d'un mois au Cap afin de procéder à des réparations. Soucieux de protéger Gloria du regard des masses, oncle Theo loua un logement dans la villa des sœurs den Otter, située sur les hauteurs du Cap, entre la montagne de la Tête-du-Lion et Signal Hill. Par temps de pluie, la piste de neuf kilomètres qui y menait était un bourbier, et, par temps sec, les chevaux s'y foulaient les sabots. Jadis, les den Otter figuraient parmi les familles les plus prestigieuses de cette colonie, mais à la fin des années 1770, les célèbres stucs d'antan de la villa tombaient par morceaux entiers, les vergers retournaient à l'état sauvage et africain, et le personnel, qui comptait vingt ou trente membres, se réduisait à une intendante, un cuisinier, une bonne débordée et deux jardiniers noirs aux cheveux blancs qu'on appelait tous deux "Boy". Les sœurs n'avaient plus d'attelage, préférant recourir au landau d'une ferme voisine, et la plupart de leurs phrases commençaient de la sorte : "Quand notre cher papa était encore en vie" ou bien "Quand l'ambassadeur de Suède nous rendait visite". C'était d'un sinistre, de Zoet, d'un sinistre! Mais la jeune Mme van Cleef savait bien ce que son mari désirait entendre, aussi déclara-t-elle qu'on se sentait chez soi et en sécurité dans cette villa au charme gothique. Les sœurs den Otter étaient "un trésor de sagesse et d'histoires édifiantes". Nos hôtesses succombaient au charme de ses flatteries, sa robustesse plaisait à oncle Theo, et puis son intelligence… sa beauté… le chant d'une sirène, de Zoet. Gloria était l'Amour même. Et l'Amour était Gloria. »

Une fille menue sautille autour d'un plaqueminier, telle une grenouille maigrichonne.

Les enfants me manquent, constate Jacob, qui tourne les yeux vers Dejima.

« Au cours de notre première semaine à la villa, Gloria vint me trouver dans un massif d'agapanthes poussant dans la plus grande anarchie, et me demanda d'aller annoncer à mon oncle qu'elle avait badiné avec moi. J'avais sans doute mal entendu. Elle réitéra son injonction : "Si vous êtes mon ami, Melchior, et je prie Dieu que vous le soyez, car je n'en ai point d'autre en ces terres sauvages, allez dire à mon mari que je vous ai fait part de 'sentiments inconvenants' ! Employez bien ces termes, de sorte qu'ils paraissent vôtres." Je protestai : il m'était impossible d'entacher son honneur ou de l'exposer au danger d'un possible châtiment. Elle m'assura que si je refusais de lui obéir ou bien si je rapportais cette conversation à mon oncle, alors oui, elle serait châtiée. La lumière virait à l'orange dans le bosquet ; elle me prit la main et m'implora : "Faites-le pour moi, Melchior." Je me résolus à m'exécuter. »

Des filets de fumée surgissent par la cheminée de la Maison de la glycine.

« En entendant mon faux témoignage, oncle Theo souscrivit à mon charitable diagnostic : Gloria avait été éprouvée par le voyage. Confus, je fis une promenade le long des falaises, inquiet du sort réservé à Gloria, restée à la villa. Mais, lors du repas, oncle Theo fit un discours portant sur la famille, l'obéissance et la confiance. Après le bénédicité, il remercia le Seigneur de lui avoir envoyé une épouse et un neveu chez qui ces vertus chrétiennes étaient enracinées. Les sœurs den Otter firent tinter leurs verres de brandy à l'aide de leurs cuillères à l'effigie des apôtres et l'acclamèrent. Oncle Theo me remit une bourse remplie de guinées et m'enjoignit de partir un ou deux jours afin de profiter de tous les plaisirs qu'offrait la taverne des *Deux-Mers...* »

En bas, un homme ressort du bordel par une porte dérobée. *Cet homme, c'est moi*, se dit Jacob.

« ... mais je préférais me briser un membre plutôt que d'être séparé de Gloria. Je demandai à mon généreux oncle de me permettre de refuser ses guinées et de ne garder que la bourse vide de sorte que je fusse incité à la remplir des fruits que ma sagacité saurait produire, et de dix mille guinées de plus encore. Tous les colifichets du Cap, déclarai-je, ne valaient pas une heure passée en sa compagnie ni une éventuelle partie d'échecs, s'il en avait le temps. Mon oncle demeurant silencieux, je craignis d'avoir trop forcé sur la dose d'onguent ; toutefois, il déclara que le Ciel lui avait envoyé un neveu exceptionnel alors que les jeunes hommes étaient pour la plupart des freluquets persuadés que, de naissance, il leur appartenait de dilapider la fortune âprement amassée par leur père. Il porta un toast au meilleur neveu que la chrétienté eût jamais connu ainsi qu'à sa "fidèle petite femme" – trahissant par ces derniers mots sa maladroite tentative de mettre la loyauté de son épouse à l'épreuve. Il enjoignit Gloria d'élever ses futurs fils à mon image, ce à quoi sa fidèle petite femme répondit : "Puissent-ils lui ressembler, mon époux." Theo et moi jouâmes aux échecs : si vous saviez comme il me coûta de laisser ce mufle contrer mes attaques, de Zoet. »

Une abeille obstinée vole devant le visage de Jacob, puis s'en va.

« À présent que ma loyauté et celle de Gloria étaient établies, mon oncle se sentit en mesure de faire son apparition dans la bonne société du Cap. Ces flâneries l'éloignaient de la villa une grande partie de la journée, et parfois, il découchait même. Quant à moi, il m'avait confié la tâche de recopier des écrits administratifs à la bibliothèque. "Je t'inviterais bien à m'accompagner, prétendit-il, mais je tiens à ce que les babouins alentour sachent bien que la villa compte un Blanc qui sait manier un mousquet." Gloria, elle, fut laissée à ses livres, à son journal, au jardin et aux "histoires édifiantes" des sœurs, dont le flot tarissait tous les jours à trois heures, quand le brandy de leur déjeuner les plongeait dans une interminable sieste…»

La cruche de van Cleef dévale la pente des tuiles, tombe à travers les treillages de la Maison de la glycine et se brise dans la cour. «La suite maritale qu'occupait mon oncle se trouvait au bout d'un couloir dépourvu de fenêtres qui partait de la bibliothèque. J'avais plus de mal à me concentrer sur ma correspondance cet après-midi-là, je vous l'avoue… Dans mon souvenir, l'horloge était muette. Peut-être fallait-il la remonter. Les loriots chantaient comme le chœur d'un asile de fous, lorsque soudain, j'entendis le cliquetis d'une clé… Le silence fécond de l'attente… Puis voici que sa silhouette apparut de l'autre bout de la pièce. Elle était…» Van Cleef frotte son visage rougi par le soleil. «J'avais peur qu'Aagje ne nous surprenne, mais Gloria dit alors: "As-tu remarqué qu'Aagje est amoureuse du fils aîné de la ferme voisine?" Puis il me sembla que lui déclarer que je l'aimais était la chose la plus naturelle au monde, et elle m'embrassa et me dit que si elle supportait mon oncle, c'est parce qu'elle s'imaginait que c'était moi, et que son… était le mien, et je lui demandai: "Mais si jamais tu as un enfant?" et elle me répondit "Chut…".»

Le pelage des chiens en pleine cavalcade se confond avec la terre de la rue.

«Quatre fut le chiffre de notre damnation. La quatrième fois que Gloria et moi couchâmes ensemble, oncle Theo tomba de son cheval, qui avait rué et qui abandonna son maître sur la route du Cap. Mon oncle retourna à la villa à pied, aussi, nous n'entendîmes pas le cheval. J'étais au plus profond de Gloria, nu comme un ver, et l'instant d'après, toujours nu comme un ver, je me retrouvai au beau milieu des éclats du miroir contre lequel mon oncle m'avait projeté. Il menaça de me tordre le cou et de laisser mon cadavre en pâture aux bêtes sauvages. Il m'ordonna d'aller en ville, de demander cinquante florins à son agent et de faire en sorte d'être trop souffrant pour monter à bord de l'*Enkhuizen* quand le navire appareillerait. Enfin, il me promit que ce que j'avais fourré dans cette "putain", il le retirerait à la petite cuillère. À ma grande honte – ou à mon honneur, je l'ignore – je partis sans dire au revoir à Gloria. » Van Cleef se frotte la barbe. « Deux semaines plus tard, j'assistai au départ de l'*Enkhuizen*. Cinq semaines plus tard, je montai à bord du *Huis Marquette*, un brick vermoulu dont le maître pilote parlait à des âmes errantes et dont le capitaine soupçonnait même le chien de fomenter une mutinerie. Vous avez déjà traversé l'océan Indien, inutile de vous le décrire : sans fin, sinistre, pareil à l'obsidienne, démonté, monotone… Après une traversée de sept semaines, nous avons jeté l'ancre à Batavia, et ce, davantage grâce à Dieu qu'au maître pilote ou au capitaine. Je marchais le long du canal puant, cherchant à me soustraire à la correction que Père m'infligerait, au duel qui m'opposerait à mon oncle récemment débarqué de l'*Enkhuizen*, et à l'exhérédation. Je ne vis aucun visage qui me parût familier, et personne ne me reconnut – dix longues années s'étaient écoulées. J'allai devant la maison de mon enfance et frappai à la porte, qui semblait avoir rétréci. Ma vieille nourrice, qui, désormais, était ridée comme une noix, ouvrit et poussa un cri. Je me souviens de Mère qui accourut de la cuisine. Elle avait un vase d'orchidées dans les mains. Je me rappelle aussi le vase brisé en mille morceaux et Mère, adossée au bas du mur. Je songeai alors qu'oncle Theo m'avait déclaré *persona non grata*… puis je remarquai que ma mère était en deuil. Père était-il mort ? Elle me répondit : "Non, Melchior, c'est toi : tu as péri noyé." Puis il y eut des embrassades et des pleurs et j'appris que l'*Enkhuizen* avait heurté des récifs à environ une lieue du détroit de Sunda dans une mer déchaînée qui avait emporté tous les membres à bord…

– Je suis navré, chef van Cleef, dit Jacob.

– Mais les choses ont bien tourné pour Aagje. Elle a épousé ce fils de fermier et possède désormais un cheptel de trois mille têtes de bétail. Chaque fois que je passe par Le Cap, je me jure d'aller lui présenter mes compliments, mais je finis toujours par me défausser…»

Des cris d'excitation éclatent non loin de là. Les deux étrangers ont été repérés par une équipe d'ouvriers charpentiers œuvrant sur une construction voisine. «*Gaijin-sama!*» lance l'un d'eux en décochant un sourire plus large que son visage. Il brandit une règle et propose un service qui provoque l'hilarité de ses collègues. «Je n'ai pas tout compris, déclare van Cleef.

– Il se proposait de mesurer la longueur de votre virilité, monsieur.

– Ah oui? Dites à cette fripouille qu'il lui faudrait trois règles comme celle-ci.»

Entre les mâchoires de la baie, Jacob aperçoit un rectangle rouge, blanc et bleu qui claque dans le vent.

Non, songe le clerc principal. *C'est un mirage… ou une jonque chinoise, ou bien…*

«Que vous arrive-t-il, de Zoet? On jurerait que vous avez conchié votre culotte.

– Regardez, monsieur… est-ce un navire marchand qui pénètre dans la baie ou bien… une frégate?

– Une frégate? Qui enverrait une frégate? Allons, quel pays le pavillon annonce-t-il?

– Le nôtre, monsieur.» Jacob s'accroche au toit, bénissant son hypermétropie. «C'est le drapeau néerlandais.»

XXX

Salle du dernier chrysanthème, Magistrature de Nagasaki

Le deuxième jour du neuvième mois

Le Seigneur-Abbé Enomoto du domaine de Kyôga dépose une pierre blanche sur le tablier.

Un campement intermédiaire situé entre son front nord..., devine le Magistrat Shiroyama.

Les ombres d'érables graciles se découpent sur l'or du tablier de go en bois de *kaya*.

... et ses troupes postées à l'est... à moins qu'il ne s'agisse d'une manœuvre de diversion ? Les deux à la fois, sans doute...

Shiroyama croyait reprendre le contrôle de la situation, mais c'était l'inverse.

Où se trouve la voie secrète qui me permettra d'essuyer les revers essuyés ? s'interroge-t-il.

« Personne ne peut nier que l'heure est à la restriction », commente Enomoto.

Quoiqu'on ne puisse pas dire que tu es concerné, note Shiroyama.

« Un *daimyo* subalterne du plateau d'Aso qui avait sollicité mon aide... »

Mais oui, car, bien entendu, tu es d'une discrétion irréprochable..., pense Shiroyama.

«… avait remarqué que ce que nos grands-pères appelaient "dettes", l'on nomme désormais "crédit".

– Ce qui signifie» – Shiroyama renforce sa muraille nord-sud à l'aide d'une pierre noire – «que les dettes n'ont plus besoin d'être remboursées?»

Un sourire poli aux lèvres, Enomoto prélève la prochaine pierre à jouer de son bol en palissandre. «Hélas, le remboursement n'en demeure pas moins une fastidieuse nécessité, mais le cas du nobliau d'Aso illustre bien la question. Il y a deux ans, celui-ci emprunta une importante somme d'argent à Numa, ici présent» – Numa, un des créanciers qui mangent dans la main du Seigneur-Abbé, s'incline depuis un coin de la pièce –, «afin d'assécher un marais. Au septième mois de cette année, ses paysans obtinrent leur première récolte de riz. Et ainsi, à une époque où les pensions versées par Edo se font tardives et maigres, les paysans du client de Numa sont bien nourris, lui sont reconnaissants et remplissent ses granges. Sa dette auprès de Numa sera définitivement soldée… quand, au juste?»

Numa s'incline à nouveau. «Deux ans en avance, Votre Grâce.

– Un voisin hautain du *daimyo* d'Aso qui s'était juré de ne jamais devoir le moindre grain de riz à quiconque envoie des lettres de sollicitation de plus en plus explicites au Conseil des Anciens…» – Enomoto pose une pierre, qui flotte telle une île entre ses deux troupes est –, «… lettres dont les domestiques se servent pour allumer le feu. Le crédit est le ferment de la richesse. Les plus grands esprits européens étudient le crédit et l'argent dans le cadre d'une discipline baptisée» – Enomoto a recours à une expression étrangère – «l'"économie politique".»

Ce qui ne fait que conforter mon opinion sur les Européens, constate Shiroyama.

«Un jeune ami de l'Académie était en train de traduire un remarquable écrit intitulé *La Richesse des nations*. Sa mort est une tragédie, pas seulement pour nous autres érudits, mais pour tout le Japon, il me semble.

– Ogawa Uzaemon ? se rappelle Shiroyama. Une affaire consternante.

– S'il m'avait dit qu'il comptait emprunter la route d'Ariake, je lui aurais offert une escorte afin qu'il traverse mon domaine. Mais ce modeste jeune homme qui effectuait un pèlerinage pour son père souffrant s'efforçait d'éviter le confort... » Du bout du pouce, Enomoto parcourt sa ligne de vie. Quoique différentes sources lui aient rapporté cette histoire, le Magistrat se garde d'interrompre le Seigneur-Abbé. « Mes hommes ont attrapé les bandits responsables de ce crime. J'ai fait décapiter celui qui a avoué, et suspendre les autres par des crochets enfilés aux pieds jusqu'à ce que les loups et les corbeaux aient accompli leur œuvre. Et puis, soupire-t-il, Ogawa l'Ancien est décédé sans avoir eu le temps de désigner un héritier.

– La fin d'une lignée est une chose terrible, concède Shiroyama.

– Un cousin éloigné reconstruit la demeure familiale – j'ai effectué une donation –, mais ce n'est qu'un simple coutelier, et le nom d'Ogawa ne résonnera plus jamais à Dejima. »

Shiroyama n'a rien à ajouter, mais il serait malvenu de changer de sujet.

On ouvre des portes coulissantes qui révèlent une véranda. Au sud, des nuages clairs fleurissent.

Par-delà la colline que forme le promontoire, une colonne de fumée s'élève d'un champ en feu.

Présent un jour, disparu le lendemain, songe Shiroyama. *Les platitudes sont pleines de profondeur.*

Le jeu de go réaffirme sa présence. Les manches de soie amidonnée bruissent. « Il est d'usage, fait remarquer Enomoto, de complimenter les talents de joueur de go d'un magistrat, mais sachez que vous êtes le meilleur joueur que j'aie rencontré depuis ces cinq dernières années. Je reconnais dans votre jeu l'influence de l'école Honinbo.

– Mon père » – et le Magistrat voit le fantôme du vieil homme grimacer devant le créancier d'Enomoto – «avait atteint le deuxième *ryu* de Honinbo. Je fais un bien piètre disciple…» – Shiroyama attaque une pierre isolée d'Enomoto – «… quand le temps me le permet.» Il soulève la théière mais celle-ci est vide. Il tape une fois dans ses mains, et le chambellan Tomine apparaît. «Du thé», dit le Magistrat. Tomine se retourne et appelle de la même façon un serviteur qui s'avance à pas feutrés jusqu'à la table, emporte le plateau dans un silence parfait et disparaît, sans toutefois oublier d'effectuer une courbette dans l'embrasure de la porte. Le Magistrat imagine le plateau descendre les échelons de la servitude et parvenir à la vieillarde édentée de la cuisine la plus éloignée, qui chauffe l'eau jusqu'à une température idéale avant de la verser sur des feuilles parfaites.

Le chambellan Tomine est toujours là: c'est sa protestation symbolique.

«Laissez-moi deviner, Tomine. La région est infestée de propriétaires terriens se disputant sur les délimitations de leurs terrains, de dignitaires insignifiants cherchant à obtenir des postes pour leurs neveux en perdition, de femmes battues demandant le divorce, et tous vous assaillent en vous proposant leur argent ou leurs filles, vous implorant d'une seule et même voix: "Je vous en prie, chambellan-*sama*, touchez-en deux mots au Magistrat."»

Tomine pousse un maladroit *mmf* qui résonne dans son nez cassé.

Un magistrat n'est que l'esclave de l'hydre insatiable qui veut tout, estime Shiroyama.

«Allez donc surveiller les poissons rouges, ordonne-t-il à Tomine. Revenez me chercher dans quelques minutes.»

Circonspect, le chambellan se retire dans la cour.

«La partie n'est pas équitable, juge Enomoto. Vos devoirs viennent vous distraire.»

Une libellule aux couleurs de jade et de cendre se pose sur le tablier.

«Les hautes fonctions ne sont que grandes et petites distractions», lui rétorque le Magistrat. Il a ouï dire que l'Abbé est capable de priver les insectes et les petites créatures de leur *ki* grâce à la paume de sa main : il espère presque assister à une démonstration, mais la libellule est déjà partie. « Quant à lui, le Seigneur Enomoto a un domaine à gouverner, un Sanctuaire à entretenir, des intérêts d'homme de science ainsi que... » – l'accuser de prendre part à de lucratives activités commerciales serait une insulte – « ... diverses affaires à mener.

– Mes journées sont assurément bien remplies. » Enomoto dépose une pierre au centre du tablier. « Mais chaque retour au mont Shiranui est une cure de jouvence. »

Une brise automnale promène ses invisibles jupes dans le salon raffiné.

J'ai assez de pouvoir pour contraindre la fille Aibagawa, une de tes favorites, à prononcer ses vœux et intégrer mon Sanctuaire sans que tu puisses intercéder, rappelle au Magistrat la discrète allusion.

Shiroyama tente de focaliser son attention sur le présent et le devenir de la partie.

Jadis, lui avait enseigné son père, *la noblesse et les* samurai *dirigeaient le Japon...*

Le serviteur agenouillé ouvre les portes, s'incline, et apporte le plateau.

... mais, aujourd'hui, le pays est gouverné par la duplicité, la cupidité, la corruption et le lucre.

Le serviteur apporte deux tasses propres et une théière.

« Seigneur-Abbé, dit Shiroyama, désirez-vous davantage de thé ?

– Vous ne vous offusquerez pas si je préfère mon breuvage personnel, déclare-t-il.

– Votre... » – *quelle diplomatique expression employer ?* – « ... votre réserve ne me surprend plus guère. »

Le disciple d'Enomoto et ses habits indigo sont déjà là. Le jeune homme au crâne rasé débouche une gourde et la laisse à son maître.

«Vos hôtes se sont-ils déjà…» Une fois de plus, le Magistrat traque le mot adéquat.

«… offusqués de l'accusation d'empoisonnement que mon geste sous-entend? Parfois, certes. Mais, afin de calmer leur colère, je leur narre l'histoire de cette bonne au service d'un ennemi qui obtint une place dans la demeure d'une famille réputée de Miyako. La bonne y travailla deux années durant jusqu'à ce que j'y retourne. Elle agrémenta mon repas de quelques grains d'un poison inodore. Si le médecin de mon Ordre, maître Suzaku, n'avait pas été présent pour m'administrer un antidote, je serais mort, et la famille de mon ami serait tombée en disgrâce.

– Vos ennemis sont sans scrupule, Seigneur-Abbé.»

Il porte le goulot de la gourde à ses lèvres, incline la tête et boit. «Les ennemis affluent autour du pouvoir telles des guêpes se jetant sur des figues fendues», dit Enomoto en s'essuyant les lèvres.

Shiroyama menace la pierre isolée d'Enomoto en effectuant une mise en *atari*.

Une secousse sismique donne vie aux pierres dont les contours se troublent sous l'effet des vibrations…

… sans toutefois les éparpiller; puis le tremblement cesse.

«Veuillez pardonner ma vulgarité d'évoquer une fois de plus l'activité de Numa, s'excuse Enomoto, mais j'ai des remords à retenir un magistrat du Shogun qui a tant de devoirs à accomplir. De quelle juste somme Numa pourrait-il dans un premier temps vous faire crédit?»

Shiroyama sent l'acidité lui brûler l'estomac. «Eh bien… une vingtaine?

– Une vingtaine de milliers de *ryo*? C'est entendu.» Enomoto ne cille pas. «La moitié peut être livrée à votre réserve de Nagasaki dans deux nuits et le restant, à votre demeure d'Edo d'ici la fin du dixième mois. Ces dates vous conviennent-elles?»

Shiroyama dissimule son regard en le plongeant dans le tablier. «Oui.» Il s'efforce d'ajouter: «Vient la question des garanties.»

– Ce serait infliger une inutile avanie à un nom aussi illustre…»

Mon illustre nom, songe son propriétaire, *ne m'apporte que d'oné-reuses obligations.*

«Lorsque le prochain navire néerlandais arrivera, l'argent jaillira de Dejima et ruissellera une fois de plus sur les hauteurs de Nagasaki, la plupart du flot passant par le Trésor de la Magis-trature. Je suis très honoré de me porter personnellement garant de ce prêt.»

L'évocation de ma demeure à Edo est une menace qui ne dit pas son nom, devine Shiroyama.

«Les intérêts, intervient Numa en s'inclinant une fois de plus, s'élèveraient à un quart de la somme totale et seraient versés chaque année pendant trois ans, Votre Honneur.»

Shiroyama est incapable de regarder le créancier. «Accepté.

– Parfait.» Le Seigneur-Abbé boit à sa gourde. «Notre hôte est un homme occupé, Numa.»

Le créancier s'incline tout en marchant à reculons jusqu'à la porte, qu'il cogne avant de quitter la pièce.

«Veuillez me pardonner…» – Enomoto consolide sa muraille nord-sud à l'aide d'une nouvelle pierre – «… d'avoir introduit une telle créature en ces lieux, Magistrat. Il faut à présent pré-parer les documents relatifs à l'emprunt, mais ceux-ci pourront vous être portés demain soir, Votre Honneur.

– Aucune raison de me présenter vos excuses, Seigneur-Abbé. Votre aide… arrive à point nommé.»

Doux euphémisme, reconnaît Shiroyama qui scrute le tablier, y recherchant l'inspiration. *Les domestiques reçoivent la moitié de leur paie, les soldats sont sur le point de déserter: mes filles et leurs dots à constituer, ma résidence à Edo dont le toit fuit et les murs s'effritent; et si le nombre de mes suivants descend en dessous de trente, on entendra les premières plaisanteries sur mon indigence… Et quand celles-ci parviendront jusqu'aux oreilles de mes autres créanciers…* «Honte à toi!» persiflera certainement le fantôme de son père, lui qui avait hérité de terres à revendre; pour sa part, Shiroyama n'a jamais joui de rien d'autre que du coûteux prestige de son rang et de son poste de Magistrat à Nagasaki. Autrefois, ce port de commerce était une mine d'or, mais depuis quelques années, le négoce est incertain. Et quoi qu'il advienne, les salaires doivent être versés. *Si seulement les hommes étaient autre chose qu'une succession de masques enchâssés les uns dans les autres,* rêve Shiroyama. *Si seulement ce monde était à l'image de l'impeccable maillage de ce tablier. Si seulement le temps était une séquence de mouvements réfléchis et non pas un chaos de dérapages et de bévues.*

Puis il se demande : *Pourquoi Tomine n'est-il pas revenu me harceler ?*

Shiroyama sent comme un changement d'atmosphère au sein de la Magistrature.

Un changement qui n'est pas vraiment audible… et pourtant, bas, tout bas, une sourde agitation se fait sentir.

Des bruits de pas précipités s'élèvent dans le couloir. Le souffle court, on y échange des chuchotements.

Le chambellan Tomine entre, exubérant. « Un navire est en vue, Votre Honneur !

– Chaque jour, des vaisseaux arrivent et rep… Le navire néerlandais ?

– Oui, monsieur. C'est bien le pavillon néerlandais qu'il bat.

– Mais enfin… » *Jamais on n'a entendu parler de navire arrivant au cours du neuvième mois.* « Es-tu sûr que… »

Les cloches des temples de Nagasaki se mettent à tonner de gratitude.

« La ville n'a plus aucun doute à ce sujet », note le Seigneur-Abbé.

Sucre, bois de santal, peigné, peau de requin, plomb, coton…, énumère Shiroyama.

Bientôt, la marmite des affaires mijotera ; et à lui la plus longue louche.

Les taxes que paieront les Hollandais, les «présents» du chef de Dejima, les taux de change «patriotiques»…

«Me permettez-vous d'être le premier à vous féliciter?» intervient Enomoto.

Comme tu caches bien ta déception de me voir passer entre les mailles de ton filet, se dit Shiroyama qui, pour la première fois depuis des semaines, a l'impression de respirer. «Merci, Seigneur-Abbé.

– Bien entendu, j'ordonnerai à Numa de ne plus ternir de son ombre les murs de la Magistrature.»

Les revers que j'ai essuyés sont essuyés, ose croire Shiroyama.

XXXI

Lisse de couronnement du gaillard du Phoebus, navire de Sa Majesté

À dix heures précises, le 18 octobre 1800

« J'aperçois le poste de traite néerlandais. » Penhaligon ajuste l'image que lui renvoie sa longue-vue, tout en estimant que Dejima se trouve à deux milles. « Des réserves, un poste d'observation – nous devons donc considérer qu'ils ont remarqué notre présence... Mon Dieu, quel trou à rat. Vingt ou trente jonques sont amarrées, le poste de traite chinois... des bateaux de pêche... quelques grands roufs, mais là où devrait mouiller un gras *indiaman* néerlandais chargé à bloc, je ne vois que le vide d'une étendue d'eau bleue, messieurs. Dites-moi que je me trompe, monsieur Hovell. »

À l'aide de sa propre longue-vue, Hovell scrute l'ensemble de la baie. « J'eusse aimé, capitaine. »

À défaut de juron, le commandant Cutlip pousse un sifflement entre ses dents.

« Monsieur Wren, les précieux yeux de Clovelly parviennent-ils à épier ce qui échappe aux nôtres ? »

La question que lance Wren – « Voyez-vous un *indiaman* ? » – est relayée jusqu'en vigie.

La réponse revient jusqu'à Wren, qui répète : « Aucun *indiaman* en vue, capitaine. »

Alors les Néerlandais ne subiront pas de pertes éclairs. Penhaligon baisse sa longue-vue tandis que, en quelques secondes, la mauvaise nouvelle circule des élongis jusqu'au faux-pont. Sur le pont-batterie, un marin originaire de Liverpool beugle l'information aux sourdes oreilles de son camarade : « Il n'y a pas de navire, voilà ce qu'il y a, Davy, et pas de navire, ça veut dire pas de part de prise, et pas de part de prise, ça veut dire qu'on rentrera aussi fauchés qu'on l'était quand ils nous ont mis le grappin dessus ! »

Abrité sous son chapeau à large bord, Daniel Snitker n'a pas besoin qu'on lui traduise ces propos.

Wren est le premier à tempêter contre le Néerlandais : « Arrivons-nous trop tard ? Le bateau a-t-il déjà appareillé ?

– Notre infortune est aussi la sienne, lieutenant », le met en garde Penhaligon.

Snitker s'adresse à Hovell en néerlandais et désigne la ville. « Il prétend, traduit le premier lieutenant, que s'ils nous ont repérés la veille, capitaine, alors peut-être que les Néerlandais sont allés cacher leur *indiaman* dans une crique située derrière cette grande colline boisée où culmine une pagode, à l'est de l'embouchure... »

Penhaligon sent l'espoir regagner un peu l'équipage.

Puis il se demande si le *Phoebus* n'est pas en train de tomber dans un piège.

Le récit de l'audacieuse évasion de Snitker à Macao a dupé le gouverneur Cornwallis...

« Faut-il que nous approchions davantage, capitaine, l'interroge Wren, ou est-il préférable de larguer la chaloupe ? »

Comment la sottise de ce rustre lui permettrait-elle de fomenter une manigance aussi complexe ?

Depuis la barre, le maître pilote Wetz hèle le capitaine : « Dois-je jeter l'ancre, capitaine ? »

Penhaligon passe ces questions en revue. « Stationnez quelques minutes, monsieur Wetz. Monsieur Hovell, je vous prie de demander à M. Snitker pourquoi les Néerlandais cacheraient leur navire alors que nous avons hissé leur pavillon. Y aurait-il un signal secret que nous aurions omis d'envoyer ? »

D'abord hésitant, Snitker s'exprime avec de plus en plus d'assurance. Hovell opine du chef. « Il dit qu'à l'automne dernier, aucun code n'avait été établi avant l'appareillage du *Shenandoah*, capitaine, et il ne pense pas que cela soit le cas depuis. Il suppose que, par mesure de précaution, le chef van Cleef a peut-être dissimulé le vaisseau. »

Penhaligon jette un œil aux voiles afin de jauger la force de la brise. « Il suffirait de quelques minutes pour que le *Phoebus* atteigne cette crique, mais en ressortir nous prendrait beaucoup plus de temps. » Des vagues vert épinard pourlèchent les interstices des rochers tapissés d'algues. « Lieutenant Hovell, posez cette question à M. Snitker : à supposer qu'aucun navire en provenance de Batavia ne soit venu cette année-ci, en raison d'un naufrage ou de la guerre, le cuivre destiné à ses cales attendrait-il dans les réserves de Dejima ? »

Hovell traduit ; le « *Ja, ja* » de Snitker est plein de certitude.

« Et ce cuivre appartiendrait-il aux Japonais ou aux Néerlandais ? »

Cette fois, la réponse de Snitker est moins catégorique. La traduction qu'en donne Hovell précise que le transfert de propriété de ce cuivre dépend des accords établis par le chef de Dejima, lesquels varient d'une année sur l'autre.

Des bourdons se mettent à résonner dans la ville et tout autour de la baie ; Snitker donne une explication à Hovell. « Ces cloches servent à remercier les divinités de l'arrivée du navire néerlandais et de l'argent qu'il rapportera à Nagasaki. Nous pouvons donc supposer que notre stratagème fonctionne, capitaine. »

À une centaine de mètres, un cormoran perché sur des rochers noirs et escarpés plonge dans l'eau.

« Veuillez vérifier une fois de plus quelle serait la manœuvre effectuée par un navire néerlandais en cette circonstance. »

La réponse de Snitker est accompagnée de gestes et de doigts tendus.

«Un vaisseau de la Compagnie néerlandaise, capitaine, s'approcherait encore d'un demi-mille des fortifications, puis les saluerait en paradant par tribord puis bâbord, rapporte Hovell. On larguerait alors la chaloupe afin de partir à la rencontre du comité d'accueil, constitué de deux sampans de la Compagnie. Puis les trois embarcations repartiraient jusqu'à notre navire pour les formalités d'usage.

– Et quand précisément doit-on s'attendre à voir embarquer le comité d'accueil de Dejima?»

La réponse est agrémentée d'un haussement d'épaules: «Sans doute d'ici un quart d'heure, capitaine.

– Comprenons-nous bien: le comité d'accueil est composé de dignitaires japonais et néerlandais?»

Snitker répond dans la langue de Penhaligon: «Japonais et néerlandais, *ja*.

– Demandez-lui combien d'hommes en armes escortent le comité d'accueil, monsieur Hovell.»

La réponse est complexe et le premier lieutenant doit clarifier quelques points. «Tous les dignitaires porteront un sabre, mais celui-ci est avant tout un indicateur de leur rang dans la société. Pour la plupart, ces messieurs sont tels des châtelains: ils ont le verbe haut mais ne font pas la différence entre une épée et une aiguille.

– Si vous souhaitez qu'on vous rapporte quelques otages, capitaine, intervient un commandant Cutlip décomplexé, nous ne ferons qu'une bouchée de ces macaques.»

Maudit soit Cornwallis de m'avoir collé pareil imbécile, jure le capitaine Penhaligon en son for intérieur.

«Capturer des otages néerlandais renforcerait certes notre position, capitaine, commente Hovell, cependant…

– Cependant, il suffira d'ensanglanter le nez d'un seul Japonais, lui accorde Penhaligon, et nous pourrons abandonner tout espoir de traité pendant des années; oui, je le sais: l'ouvrage de Kaempfer m'a à tout le moins laissé une forte impression quant à la fierté de la race japonaise. Mais je crois que le risque vaut la peine d'être encouru. Notre camouflage ne perdurera guère et, faute d'espion plus fin et moins partial » – il adresse un regard à Daniel Snitker, qui étudie Nagasaki à la longue-vue –, « nous sommes tel un aveugle qui tenterait de duper quelqu'un qui jouit de ses deux yeux.

– Et la possibilité qu'un *indiaman* demeure dissimulé, capitaine ? l'interroge le lieutenant Wren.

– S'il existe, il attendra. Il lui sera impossible de s'éclipser sans que nous le sachions. Monsieur Talbot, demandez au barreur de préparer la chaloupe, sans toutefois la mettre à la mer.

– Oui, capitaine.

– Monsieur Malouf » – Penhaligon se tourne vers l'aspirant –, « que M. Wetz nous rapproche d'un demi-mille de ces fortifications de pacotille. Mais dites-lui bien de prendre son temps…

– Oui, capitaine : se rapprocher d'un demi-mille. » En se précipitant vers Wetz qui est à la barre, Malouf trébuche sur une bobine de corde crasseuse.

Il est plus que temps de faire briquer le pont, se dit le capitaine.

« Monsieur Waldron. » Il se tourne vers le maître canonnier à l'air bovin – « Les canons sont-ils prêts ?

– À tribord comme à bâbord, capitaine. Les tapes de bouche ont été retirées, les charges de poudre sont en place, mais pas les boulets, bien sûr.

– Les Néerlandais ont coutume de saluer les postes de garde au moment où ils franchissent ces falaises… Vous les voyez ?

– Ça oui, capitaine. Mes gaillards devront-ils les imiter ?

– Tout à fait, monsieur Waldron, et quoique, aujourd'hui, je n'aie aucune envie de divertissement… »

Waldron patiente tandis que le capitaine choisit scrupuleusement ses mots.

« … gardez à portée de main la clé du magasin à boulets. La chance sourit à qui est prompt à l'accueillir.

– Entendu, monsieur, nous nous tiendrons prêts. » Waldron descend au pont-batterie.

En mâture, les gabiers s'adressent les uns aux autres en criant tandis qu'ils abaissent un des perroquets.

Wetz envoie une salve d'ordres dans toutes les directions.

Les voilures se raidissent, le *Phoebus* avance, et ses membrures et gréements se mettent à craquer.

Juché sur le harpon de la frégate, un cormoran lisse ses plumes luisantes.

Le marin sondeur annonce : « À la marque de neuf ! » Ce nombre est transmis à Wetz.

Penhaligon étudie le rivage à travers sa longue-vue et remarque qu'il n'y a ni forteresse ni donjon à Nagasaki. « Monsieur Hovell, veuillez poser cette question à M. Snitker : si le *Phoebus* serrait Dejima autant que possible, que quarante hommes débarquassent de deux chaloupes et occupassent le poste de traite, les Japonais considéreraient-ils que c'est le territoire néerlandais qui est envahi, ou bien le leur ? »

La courte réponse de Snitker paraît pragmatique. « Il se refuse à deviner ce qui taraude l'esprit des autorités japonaises, traduit Hovell.

– Demandez-lui s'il souhaite participer à l'assaut. »

L'interprète de Snitker utilise le style direct : « "Je suis diplomate et marchand, mais pas soldat", monsieur. » Sa réticence ravive les craintes de Penhaligon : Snitker cherche-t-il à les attirer dans un guet-apens sophistiqué ?

« À la marque de dix et demie ! » lance le sondeur.

Le *Phoebus* arrive presque au niveau des postes de garde des deux rives, sur lesquels le capitaine braque sa longue-vue. Les murailles paraissent fines, les estacades sont basses et les canons semblent davantage représenter un danger pour les artilleurs que pour leurs cibles.

« Monsieur Malouf, dites à M. Waldron de tirer la salve d'honneur.

– Bien, capitaine : que M. Waldron tire la salve d'honneur. »
Il descend au pont-batterie.

C'est la première fois que Penhaligon peut voir distinctement des Japonais. Ils sont aussi petits que les Malais, leurs visages sont identiques à ceux des Chinois et leurs armures lui rappellent la remarque du commandant Cutlip à propos des jouteurs du Moyen Âge.

Les canons détonent à travers les sabords, le son ricoche sur les rivages escarpés…

… et la fumée âcre retombe sur l'équipage, déterrant des souvenirs de batailles.

« À la marque de neuf, lance le sondeur, et de neuf et demie…

– Deux embarcations partent de la ville », rapporte la vigie juchée sur l'élongis.

Dans sa longue-vue, Penhaligon découvre des images floues des deux sampans.

« Monsieur Cutlip, je veux que, dans la chaloupe, ce soient les soldats qui rament, mais habillés comme des terriens, et que leurs coutelas soient cachés sous les bancs, enveloppés dans de la toile. » Le commandant effectue le salut militaire et descend sur le pont inférieur. Le capitaine rejoint le passavant afin de s'adresser au barreur, un habitant rusé des îles Sorlingues qui se livrait à la contrebande et qui fut contraint de rejoindre l'équipage car l'ombre de la potence de Penzance planait sur lui. « Monsieur Flowers, veuillez mettre la chaloupe à la mer, mais faites en sorte que les cordes s'emmêlent, que nous puissions gagner du temps. Quand il arrivera au niveau de notre chaloupe, je veux que le comité d'accueil soit plus près du *Phoebus* que du rivage.

– Comptez sur moi pour concocter un bon sac de nœuds, capitaine. »

Retournant en proue, Hovell demande à Penhaligon la permission de lui faire part d'une pensée.

«Votre présence ici est précisément due à mon estime pour vos pensées, monsieur Hovell.

– Je vous remercie, capitaine. Je suppose que la double mission confiée par le gouverneur général et l'Amirauté – en une paraphrase : "Piller les Néerlandais et charmer les Japonais" – semble inadaptée à la situation que nous découvrons. Si les Néerlandais n'offrent rien à piller et que les Japonais se montrent loyaux envers leurs alliés, serons-nous en mesure d'exécuter les ordres reçus ? Une stratégie tierce, cependant, me paraîtrait plus fructueuse.

– Dites-moi donc ce que vous avez en tête, lieutenant.

– Plutôt qu'une entrave, les occupants néerlandais de Dejima pourraient être la clé d'un traité anglo-japonais. Comment ? En un mot, capitaine, au lieu de saccager la machine du commerce néerlandais à Nagasaki, nous devrions contribuer à sa réparation, puis nous l'approprier.

– À la marque de dix, annonce le sondeur, de dix et un tiers.

– Le lieutenant aurait-il oublié que nous sommes en guerre contre les Néerlandais ? intervient Wren qui a tout entendu. Pourquoi collaboreraient-ils avec l'ennemi de leur nation ? Si vos espoirs se fondent sur ce bout de papier signé par Guillaume III d'Angleterre à son palais de Kew…

– Peut-on demander au sous-lieutenant Wren d'avoir l'extrême amabilité de laisser s'exprimer le premier lieutenant ? »

Ironique, Wren effectue une révérence en guise d'excuse ; Penhaligon se retient de lui botter le derrière…

… ton amiral de beau-père et ma goutte jouent en ta faveur.

«Sans son exceptionnel pragmatisme, poursuit Hovell, la république des Pays-Bas, ou du moins ce qu'il en reste, n'aurait pas bravé la puissance de l'Espagne des Bourbons. Dix pour cent de profits – disons, leurs "frais de courtage" – valent mieux que cent pour cent de néant. Et moins encore : car si aucun navire n'est arrivé de Java cette année, alors ils ignorent tout de la banqueroute de la Compagnie néerlandaise des Indes orientales…

– … ainsi que de la perte de leurs salaires et des revenus issus du commerce privé consignés dans les registres de la Compagnie, se rend compte le capitaine. Pauvres Pieter, Pol et Jaak tombent dans l'indigence, abandonnés sur cette île au milieu de païens.

– Et ils n'ont aucun moyen de retourner chez eux ni de revoir ceux qu'ils aiment», ajoute Hovell.

Le capitaine a les yeux rivés sur la ville. «Une fois les officiers néerlandais à bord, nous les informerons de leur statut d'orphelins et nous ne ferons pas figure d'agresseurs mais de sauveurs. Nous en renverrons un sur l'île afin qu'il convertisse ses compatriotes et soit notre émissaire auprès des autorités japonaises, à qui il expliquera que, dorénavant, les "navires néerlandais" viendront de l'île du Prince-de-Galles plutôt que de Batavia.

– Prendre possession du cuivre néerlandais équivaudrait à tuer la poule aux œufs d'or, tandis que vendre la soie et le sucre contenus dans nos cales en prenant soin d'en conserver la moitié comme cargaison officielle nous permettrait de retourner chaque année à Dejima et de pérenniser les bénéfices de la Compagnie et de l'Empire britannique.»

Comme Hovell me rappelle le jeune et solide gaillard que j'étais, songe Penhaligon.

«Mais nos hommes seraient scandalisés et furieux de devoir dire adieu à leur part de prise, intervient Wren.

– Le *Phoebus* est la frégate de Sa Majesté, lui rétorque le capitaine, pas leur corsaire.» Il se tourne vers le barreur, car la douleur dans son pied est désormais difficile à dissimuler. «Monsieur Flowers, veuillez démêler votre fameux sac de nœuds. Monsieur Malouf, demandez au commandant Cutlip de faire embarquer ses soldats. Lieutenant Hovell, nous comptons tous sur vos compétences en néerlandais pour inciter deux harengs bien gras à sauter dans la chaloupe sans toutefois attraper un poisson exotique…»

L'ancre du *Phoebus* est baissée à cinq cents mètres des postes de garde. Les soldats déguisés en marins rament tranquillement vers le comité d'accueil. Flowers est à son poste de barreur ; Cutlip et Hovell sont assis en proue.

« Ce port de Nagasaki équivaut en capacité à celui de Mahon… », estime Wren.

Là où l'eau est claire, un banc de poissons aux reflets d'argent change de direction.

« … et avec quatre ou cinq postes disposés de façon moderne, il serait imprenable. »

D'oblongues et sinueuses rizières hachurent les terrasses des montagnes basses.

« Quel gâchis, se lamente Wren. Jamais ce peuple arriéré et oisif ne bâtira une flotte digne de ce nom. »

De la fumée noire s'élève du promontoire bossu. Penhaligon tente de demander à Snitker s'il pourrait s'agir de signaux, mais ce dernier ne parvenant pas à donner une réponse intelligible, le capitaine convoque Smeyers, le second du charpentier de bord, qui parle néerlandais. Les forêts de pins sont des sources potentielles de mâts et d'espars.

« La baie offre une très jolie perspective », hasarde le lieutenant Talbot.

Cette considération de bonne femme irrite Penhaligon, qui se demande s'il a été judicieux de l'engager après la mort de Sam Smythe sur l'île du Prince-de-Galles. Puis il se souvient de la solitude qui fut sienne lorsque, aspirant lieutenant, lui-même rechignait à quitter le chaleureux quartier de ses anciens camarades aspirants, pour la cabine d'un capitaine glacial et méprisant. « Une fort belle vue, en effet, monsieur Talbot. »

À quelques mètres en contrebas et vers l'avant du vaisseau, un homme ne retient pas ses grognements.

« Les Japonais, m'a-t-il été donné de lire, donnent des noms colorés à leur royaume… », poursuit Talbot.

Le marin invisible pousse un puissant cri orgasmique de soulagement…

« … "le Pays des mille automnes" ou encore "la Racine du soleil". »

… et un étron percute les eaux, tel un boulet de canon. Wetz sonne trois coups de cloche.

« Quand on regarde le Japon, dit Talbot, ces appellations paraissent justes.

– Ce que je vois, moi, c'est un port naturellement protégé pouvant accueillir toute une escadrille », commente Wren.

Une escadrille ? pense Penhaligon. *Cette baie pourrait abriter une flotte entière.*

Les battements de son cœur s'accélèrent à mesure que sa vision s'étoffe. *La flotte britannique de l'océan Pacifique.*

Le capitaine imagine une ville flottante de militaires et de frégates…

Penhaligon se représente une carte de l'Asie du Nord-Est montrant une base anglaise établie au Japon…

La Chine, ose-t-il songer, *pourrait suivre l'Inde et tomber dans notre sphère…*

L'aspirant Malouf arrive, accompagné de Smeyers.

… et les Philippines, à leur tour, s'offriraient à nous.

« Monsieur Smeyers, veuillez avoir l'obligeance de demander à M. Snitker ce que sont ces fumées… »

L'Amstellodamois édenté plisse les yeux en regardant la fumée qui s'échappe de la cheminée du poêle de la cuisine.

« … ces fumées noires, là-bas, au-delà du promontoire bossu.

– Oui, capitaine. » Smeyers tend le doigt et traduit la question. Snitker répond sur un ton serein.

« Il dit : c'est pas grave, traduit Smeyers. Tous les automnes, les paysans brûlent les champs. »

Penhaligon acquiesce d'un hochement de tête. « Merci. Restez à proximité, je pourrais avoir besoin de vous. »

Il remarque que le pavillon – le drapeau tricolore néerlandais – s'est pris dans la bôme de foc.

Le capitaine cherche quelqu'un du regard et tombe sur un garçon métis coiffé d'une courte et raide queue-de-cheval qui, sous le caillebotis d'une écoutille, fait de l'étoupe. «Hartlepool!»

Le garçon pose sa corde et rejoint le capitaine. «Oui, capitaine.»

Le visage de Hartlepool évoque l'absence d'un père, les noms d'oiseaux dont on l'a traité, et la résilience.

«Allez me libérer ce pavillon, Hartlepool.

– Oui, capitaine.» Le garçon aux pieds nus saute sur le bastingage, avance en équilibre sur le beaupré...

Moi qui étais si agile... combien d'années se sont écoulées? s'interroge Penhaligon.

... puis en un éclair remonte jusqu'en haut de la vergue dont l'inclinaison avoisine les quarante-cinq degrés.

Le pouce du capitaine endeuillé trouve le crucifix de Tristram.

Au niveau du grand foc, à quarante mètres de la naissance du beaupré et à trente de hauteur, Hartlepool s'immobilise. Il serre la bôme entre ses jambes et libère le drapeau.

«Sait-il au moins nager? se demande tout haut Talbot.

– Je n'en sais rien, dit l'aspirant Malouf, mais j'en doute...»

Hartlepool effectue le parcours inverse avec la même grâce et la même souplesse.

«Si sa mère était une moricaude, comment Wren, son père était un chat.»

Alors que Hartlepool saute sur le pont et atterrit devant le capitaine, celui-ci lui donne une pièce, un *farthing* tout neuf. «Beau travail, mon garçon.» À cette marque inattendue de générosité, les yeux de Hartlepool s'écarquillent. Il remercie Penhaligon et s'en retourne à l'étoupe des cordages.

Quelqu'un en vigie lance: «Le comité d'accueil est presque à la chaloupe!»

À travers sa longue-vue, Penhaligon observe les deux sampans qui approchent de la barque. À bord du plus avancé des deux se trouvent trois dignitaires japonais, dont deux sont vêtus de gris et un plus jeune de noir. Trois serviteurs sont assis à l'arrière. Le sampan situé derrière transporte les deux Néerlandais. À cette distance, Penhaligon ne perçoit pas bien les traits de leurs visages, mais il relève que l'un d'eux est bronzé, joufflu et qu'il porte une barbe, tandis que l'autre est filiforme et blanc comme un linge.

Penhaligon tend sa longue-vue à Snitker, qui effectue son rapport à Smeyers. « Il dit : ceux qui portent un manteau gris sont les dignitaires, capitaine. En manteau noir, c'est le traducteur. Le gros Néerlandais, c'est Melchior van Cleef, chef de Dejima. Le mince, c'est un Prussien. Il se nomme Fischer. Dans la hiérarchie, il est second. »

Van Cleef porte ses deux mains ouvertes à sa bouche et hèle Hovell, qui est à une centaine de mètres.

Snitker parle encore. Smeyers traduit : « Il dit que van Cleef, c'est un rat, capitaine, il… retourne sa veste ? Et Fischer, c'est un fourbe, un menteur, un fils de pute ambitieux. Je ne crois pas que M. Snitker aime bien eux, capitaine.

– Mais rien de tout cela ne nous montre qu'on ne puisse rallier ces deux hommes à notre cause, opine Wren. Le pire qui pourrait nous arriver serait d'avoir affaire à d'incorruptibles hommes de principes. »

Penhaligon reprend sa longue-vue des mains de Snitker. « Ils se font rares, en cette partie du monde. »

Les soldats de Cutlip cessent de ramer. La chaloupe glisse sur l'eau puis s'immobilise. Le sampan des trois Japonais touche la proue de la chaloupe.

« Qu'ils ne montent pas à bord », murmure Penhaligon à l'intention de son premier lieutenant.

Les proues des deux barques se frottent l'une à l'autre. Hovell effectue un salut militaire puis s'incline. Les inspecteurs s'inclinent puis lui rendent son salut. Par l'entremise de l'interprète, on procède aux présentations.

Un des inspecteurs ainsi que l'interprète se lèvent à moitié, comme s'ils se préparaient à passer dans l'autre sampan.

Retarde-les, Hovell, prie Penhaligon, *retarde-les…*

Hovell se plie en deux, saisi par une quinte de toux ; il tend une main, signifiant de lui pardonner.

Le deuxième sampan arrive et se colle à la chaloupe par bâbord.

« Une position inconfortable, marmonne Wren. Nous voilà coincés des deux côtés. »

Hovell cesse de tousser. Il tire son chapeau à van Cleef.

Van Cleef se lève et se penche au-dessus de la proue afin de trouver la main que Hovell lui tend.

Entre-temps, l'inspecteur et l'interprète éconduits se rasseyent.

L'adjoint Fischer se lève à son tour, maladroit, et le bateau se met à tanguer.

Hovell attire l'imposant van Cleef dans la chaloupe.

« Et un dans l'épuisette, monsieur Hovell, susurre le capitaine. En toute délicatesse. »

Les échos lointains du rire tonitruant du chef van Cleef leur parviennent.

L'adjoint Fischer avance d'un pas, aussi fébrile qu'un poulain…

… mais voilà que, au grand désarroi de Penhaligon, l'interprète attrape le rebord de la chaloupe.

Le soldat le plus proche interpelle le commandant Cutlip. Lequel le rejoint…

« Non, marmonne le capitaine impuissant, ne le laissez pas venir. »

Pendant ce temps, le lieutenant Hovell invite l'adjoint à les rejoindre.

Cutlip saisit la main de l'indésirable interprète…

Attends, mais attends donc que le deuxième Néerlandais soit monté ! serait presque tenté de hurler le capitaine.

… mais Cutlip lâche l'interprète, agitant la main comme si elle avait été broyée.

Hovell a enfin saisi l'avant-bras de l'adjoint maladroit.

Penhaligon souffle : « Ramène donc le bonhomme, Hovell, pour l'amour du Christ ! »

L'interprète décide de ne pas attendre davantage qu'on l'aide et plante un pied sur le rebord de la chaloupe, au moment même où, à tribord, Hovell entraîne l'adjoint prussien dans l'embarcation…

… La moitié des soldats dégainent alors leurs coutelas qui, pour certains, miroitent au soleil.

L'autre moitié brandissent les rames et repoussent les sampans. Dans son habit noir, l'interprète tombe à la baille tel un pantin. La chaloupe du *Phoebus* repart jusqu'au navire en fendant l'eau.

Le chef van Cleef, comprenant qu'il s'agit d'un enlèvement, se rue sur le lieutenant Hovell.

Le commandant Cutlip intervient et se jette sur lui. La barque tangue dangereusement.

Mon Dieu, faites qu'elle ne chavire pas, prie Penhaligon, *pas maintenant…*

Van Cleef est maîtrisé ; la chaloupe se stabilise. Le Prussien reste assis, bien docile.

Sur les sampans, déjà à trois longueurs d'écart, le premier Japonais à réagir est un rameur qui saute dans l'eau afin de sauver l'interprète. Toujours assis, les inspecteurs vêtus de gris fixent d'un œil hagard la chaloupe des étrangers qui regagne le *Phoebus*.

Penhaligon baisse sa longue-vue. « Nous avons gagné la première bataille. Retirez-moi cet ignoble chiffon néerlandais et hissez le pavillon britannique sur le mât de hune et en proue.

– Bien capitaine, avec grand plaisir.

– Monsieur Talbot, que vos terriens nettoient ces ponts répugnants. »

Le Néerlandais van Cleef saisit l'échelle de corde et y grimpe avec une agilité que sa carrure ne laissait pas deviner. Penhaligon lève un œil sur le gaillard d'arrière, où, sous son chapeau mou à large bord, Snitker reste pour l'instant invisible. Repoussant les mains qui lui sont tendues, van Cleef saute sur le pont du *Phoebus* tel un pirate maure, lance des regards furieux aux officiers alignés, repère Penhaligon, brandit un doigt si menaçant que deux soldats se rapprochent au cas où il sauterait sur le capitaine, puis lance à travers sa barbe courte mais frisée et ses dents jaunies par le thé : « *Kapitein !*

– Bienvenue à bord de la frégate de Sa Majesté le *Phoebus*, monsieur van Cleef. Je suis… »

Les insultes entremêlées du chef de Dejima enragé n'ont pas besoin d'être traduites.

« Je suis le capitaine John Penhaligon, poursuit-il, profitant que van Cleef reprenne son souffle, et voici mon sous-lieutenant Wren. Je crois que vous avez déjà fait connaissance avec le lieutenant-chef Hovell et le commandant Cutlip. » Les deux arrivent sur le pont.

Le chef van Cleef s'avance vers le capitaine et crache à ses pieds.

Une huître de glaires scintille sur sa deuxième meilleure paire de chaussures londoniennes achetées sur Jermyn Street.

« Voyez un peu ces officiers néerlandais, déclare Wren. Aucune éducation. »

Penhaligon tend son mouchoir à Malouf. « Pensons à l'honneur de notre navire…

– Bien sûr, capitaine. » L'aspirant s'agenouille et nettoie le soulier du capitaine.

La fermeté de la pression provoque une douleur lancinante dans le pied goutteux du capitaine. « Lieutenant Hovell, informez le chef van Cleef que, s'il se comporte en *gentleman*, nous lui témoignerons une hospitalité réciproque, mais s'il se conduit comme un journalier irlandais, alors nous le traiterons comme tel.

– Sachez que, par-dessus tout, j'aime à mater les Irlandais récalcitrants, capitaine, se vante Cutlip tandis que Hovell effectue la traduction de l'avertissement.

« – En premier lieu, efforçons-nous de solliciter sa raison, commandant. »

Une cloche au timbre aigu retentit : Penhaligon suppose qu'il s'agit d'une alarme.

Sans adresser un autre regard à van Cleef, il salue le deuxième otage, de moindre importance. « Bienvenu à bord de la frégate de Sa Majesté le *Phoebus*, adjoint Fischer. »

Le chef van Cleef interdit à son adjoint de répondre.

Penhaligon ordonne à Hovell d'interroger Fischer sur ce qu'il est advenu de l'*indiaman* de cette saison commerciale.

Afin d'obtenir l'attention du capitaine, le chef van Cleef frappe à deux reprises dans ses mains et prononce une phrase que Hovell traduit : « J'ai bien peur qu'il ait dit : "Je l'ai caché dans mon cul, sodomite d'Anglais", capitaine.

– Quelqu'un s'était ainsi adressé à moi, jadis, dans la crique de Sydney, se rappelle Cutlip. Je l'ai pris au mot et lui ai fouillé l'arrière-cour à la baïonnette. Jamais plus il n'a fanfaronné devant un officier, depuis. »

Penhaligon poursuit : « Dites à nos invités, monsieur Hovell, que nous sommes certains qu'un vaisseau a appareillé de Batavia, car nous avons appris auprès de la capitainerie de Macao que le navire a levé l'ancre et en a quitté le port le vingt-huit mai dernier. »

Ces paroles refroidissent la colère de van Cleef et assombrissent le regard de Fischer. Ils se mettent à discuter ; Hovell suit secrètement leur conversation. « Le chef dit : "À moins qu'il ne s'agisse encore d'un mauvais tour de la perfide Albion, un navire de plus nous est perdu…" »

Dans les bois qui longent la rive, un oiseau chante exactement comme un coucou.

« Lieutenant, avertissez-les que nous allons fouiller la baie. Si jamais nous découvrons que leur *indiaman* est dissimulé dans une crique, tous deux seront pendus. »

Hovell traduit la mise en garde. Fischer se frotte la tête. Van

Cleef crache. Sa salive rate le pied du capitaine, mais Penhaligon ne peut laisser son autorité être amoindrie devant l'équipage qui observe la scène. « Commandant Cutlip, veuillez conduire le chef van Cleef en poupe, dans la réserve de cordages : ni lampe ni eau pour lui. Quant à l'adjoint Fischer » – le Prussien cligne des yeux telle une poule effrayée –, « il pourra se reposer quelques instants dans ma cabine. Que deux de mes hommes veillent sur lui ; et dites à Chigwin de lui apporter une demi-bouteille de vin clairet. »

Sans laisser à Cutlip le temps d'exécuter l'ordre, van Cleef pose une question à Hovell.

Le changement de ton du Néerlandais attise la curiosité de Penhaligon. « Qu'est-ce ?

– Il s'enquérait de savoir comment nous connaissions son nom ainsi que celui de son adjoint, capitaine. »

Il serait judicieux de leur démontrer qu'ils ne sont pas en mesure de nous duper, songe Penhaligon.

« Monsieur Talbot, veuillez inviter notre informateur à venir saluer ses vieux amis. »

Sa vengeance consommée, Daniel Snitker avance à grands pas et retire son couvre-chef.

Bouche bée, yeux écarquillés, van Cleef et Fischer le dévisagent.

Snitker sert aux deux comparses un discours préparé de longue date.

« Des paroles à vous glacer le sang, capitaine, murmure Hovell.

– Eh bien, selon Milton, c'est un plat qui se mange froid. »

Hovell ouvre la bouche, la referme, écoute, puis traduit : « En substance : "Vous croyiez que j'allais moisir en prison à Batavia, n'est-ce pas ?" »

Snitker parade devant Fischer et lui plante le doigt dans la gorge.

« Il leur annonce que c'est lui, le "chef aux commandes de la restauration de Dejima". »

Alors que Snitker approche du visage barbu de Melchior van

Cleef, Penhaligon imagine que le chef va cracher, ou lui asséner un coup, ou bien lâcher une injure. Il ne s'attend certainement pas à ce sourire gourmand qui déborde et se transforme en rire sincère et généreux. Snitker paraît aussi surpris que les spectateurs britanniques. Hilare, van Cleef claque l'épaule de celui qui fut son supérieur. Cutlip et ses soldats, qui se préparent à du grabuge, s'avancent afin d'intervenir, mais van Cleef se met à parler, secouant la tête d'incrédulité et de ravissement. Hovell explique : « Il dit, capitaine, que l'apparition du chef Snitker est bien la preuve que Dieu est juste et bon ; que tous les hommes de Dejima ne souhaiteraient rien de mieux que de voir leur ancien chef reprendre son poste... que "cette vipère de Vorstenbosch et son crapaud de Jacob de Zoet" se sont livrés à une mascarade... »

Van Cleef se tourne vers l'adjoint Fischer et semble lui demander : « N'est-ce pas vrai ? »

Éberlué, ce dernier acquiesce d'un hochement de tête et cligne des yeux. Van Cleef enchaîne. Hovell éprouve quelques difficultés à comprendre la suite : « Il y a quelqu'un sur l'île, un dénommé Oost, à qui, selon toute vraisemblance, Snitker manque comme un père manque à son fils... »

Oscillant d'abord entre doute et stupéfaction, Snitker commence à s'adoucir.

De sa main de géant, van Cleef désigne le capitaine Penhaligon.

« Il souhaite bien des choses à notre mission, capitaine. Il dit... que si un homme intègre comme Snitker parvient à trouver un terrain d'entente avec ce *gentleman* – il parle de vous, capitaine –, alors c'est avec joie qu'il nettoiera lui-même vos souliers pour se faire pardonner sa grossièreté.

– Croyez-vous à l'authenticité de ce retournement de situation, lieutenant ?

– Eh bien... » Hovell ne lâche pas du regard van Cleef, qui serre Snitker dans ses bras en riant avant de s'adresser à Penhaligon. « Il vous remercie, monsieur, du fond de son cœur... d'avoir prêté secours à un camarade aimé des siens… et il espère que le *Phoebus* annoncera bientôt la restauration du traité anglo-néerlandais.

– Gageons que parfois» – Penhaligon considère la situation – «de petits miracles se produisent. Demandez-lui s'il…»

Van Cleef enfonce son poing dans le ventre de Snitker.

Snitker se plie en deux, tel un couteau de poche.

Van Cleef attrape sa victime qui suffoque et la balance par-dessus bord.

Nul cri ne s'élève : on entend juste le magnifique fracas du corps en chute libre percutant les eaux.

«Un homme à la mer ! crie Wren. Remuez-vous un peu, bande de fainéants ! Allez donc le tirer de l'eau !

– Qu'il disparaisse de ma vue, commandant», aboie Penhaligon à l'adresse de Cutlip.

Tandis qu'on emmène van Cleef dans les escaliers, ce dernier lance une dernière réplique.

«Il est surpris de constater qu'un capitaine britannique laisse traîner une crotte de chien sur le gaillard d'arrière de son navire», lui traduit Hovell.

XXXII

Poste d'observation de Dejima

Le matin du 18 octobre 1800,
à dix heures et quart

Lorsque le drapeau britannique apparaît sur la hampe du beaupré de la frégate, Jacob de Zoet comprend : *La guerre est déclarée.* Le manège de la chaloupe et du comité d'accueil l'avait intrigué, mais à présent, tout s'explique. Le chef van Cleef et Peter Fischer se sont fait capturer. Au-dessous du poste d'observation, Dejima demeure encore plongée dans la douce ignorance des événements tumultueux qui se jouent sur les eaux placides. Une horde de marchands pénètre chez Arie Grote, et à la porte-de-mer, les gardes enjoués ouvrent une douane restée depuis longtemps barrée. Jacob regarde une dernière fois à travers sa longue-vue. Le comité d'accueil rame à toute allure vers Nagasaki, comme si leur vie en dépendait. *Le prochain coup se jouera à la Magistrature*, prend conscience Jacob. Il dévale l'escalier de bois aux marches de guingois, file à travers la ruelle jusqu'à la grand-rue, dénoue la corde de la cloche à incendie et sonne l'alarme de toutes ses forces.

Sont assis autour de la table ovale du Grand salon les huit derniers Européens de Dejima : les officiers Jacob de Zoet, Ponke Ouwehand, le docteur Marinus et Con Twomey, ainsi que les manœuvres Arie Grote, Piet Baert, Wybo Gerritszoon et le jeune Ivo Oost. Eelattu est assis sous la gravure des frères de Witt. Lors du dernier quart d'heure, les hommes sont passés de la joie à l'incrédulité, de l'incrédulité à la sidération, puis de la sidération à la morosité. « Jusqu'à ce que nous nous assurions de la libération du chef van Cleef et de l'adjoint Fischer, annonce Jacob, j'entends prendre le commandement de Dejima. Cette autodésignation est tout à fait irrégulière, et je consignerai vos objections dans le registre journalier du poste de traite sans vous en tenir rigueur. Cependant nos hôtes ne souhaiteront pas traiter avec nous huit, mais avec un seul officier, et désormais, je me trouve être au sommet de notre hiérarchie.

— *Ibant qui poterant*, cite Marinus, *qui non potuere cadebant*.

— "Chef par intérim de Zoet". » Grote se racle la gorge. « Cette musique me plaît bien, à moi.

— Merci, monsieur Grote. Et que dites-vous de "adjoint par intérim Ouwehand" ? »

Les regards et signes de tête approbateurs échangés autour de la table valident la nomination.

« C'est la plus étrange promotion de ma vie, déclare Ouwehand, mais je l'accepte.

— Prions pour que nos fonctions demeurent temporaires, mais, à présent, avant que les pas des inspecteurs du Magistrat résonnent dans l'escalier, je voudrais que nous nous accordions sur un principe : nous devons nous opposer à l'occupation de Dejima. »

Les Européens acquiescent, certains d'un air bravache, et d'autres avec plus de circonspection.

« Est-ce pour prendre possession du poste de traite qu'ils sont venus ici ?

— Nous ne pouvons que le supposer, monsieur Oost. Peut-être

s'attendaient-ils à trouver un navire marchand rempli de cuivre. Peut-être escomptent-ils mettre nos réserves à sac. Peut-être exigeront-ils une grasse somme en échange des otages. Nous sommes à court de faits objectifs, voilà notre problème.

– Ce qui m'inquiète, moi, c'est qu'on soit à court d'armes, commente Arie Grote. Je suis d'accord pour m'"opposer à l'occupation de Dejima", mais comment? Avec mes couteaux de cuisine? Avec les lancettes du docteur? Qu'est-ce qu'on a pour se défendre?»

Jacob regarde le cuisinier. «La ruse du Néerlandais.»

Con Twomey lève la main en signe d'objection.

«Veuillez m'excuser: la ruse du Néerlandais et de l'Irlandais… et nos capacités d'anticipation. À cet égard, monsieur Twomey, je vous prie de bien vouloir vous assurer que nos pompes à incendie fonctionnent correctement. Monsieur Ouwehand, veuillez effectuer un rapport horaire au poste d'observation tout au long de la…»

On entend des bruits de pas pressés remonter l'escalier principal.

L'interprète Kobayashi pénètre dans le Grand salon et pose un regard furieux aux personnes rassemblées.

Derrière lui, un inspecteur corpulent se tient dans l'embrasure de la porte.

«Le Magistrat Shiroyama envoie un inspecteur pour parler de sujet d'importance… de ce qui passe dans la baie, dit Kobayashi, ne sachant trop à qui s'adresser. Le Magistrat doit parler de ce sujet… tout de suite… Le Magistrat veut l'étranger le plus grand placé.» L'interprète avale sa salive. «L'inspecteur a besoin de savoir: qui est l'étranger le plus grand placé?»

Six Néerlandais et un Irlandais se tournent vers Jacob.

Dans le bol doux et pâle, la teinte riche et fraîche du thé vert. Ayant achevé d'escorter ce matin le chef par intérim jusqu'à la Magistrature, les interprètes Kobayashi et Yonekizu laissent Jacob de Zoet dans le vestibule, sous la surveillance de deux dignitaires. Comme ils ne se doutent pas que le Néerlandais peut les comprendre, les dignitaires spéculent sur les yeux verts de l'étranger : sa mère a peut-être mangé trop de légumes lorsqu'elle était enceinte. L'atmosphère solennelle qui régnait l'année précédente à la Magistrature lors de la visite de Jacob en compagnie de Vorstenbosch est mise à mal par les péripéties de la matinée : des cris de soldats jaillissent des casernes, on aiguise les lames à la meule, et des serviteurs se hâtent en marmonnant sur les événements qui menacent. L'interprète Yonekizu reparaît. « Le Magistrat est prêt, monsieur de Zoet.

– Et je le suis également, monsieur Yonekizu, mais y a-t-il du nouveau ? »

L'interprète secoue la tête de manière ambiguë, puis conduit de Zoet dans la Salle aux soixante *tatami*. Une assemblée d'une trentaine de conseillers est disposée en fer à cheval sur deux ou trois rangs autour du Magistrat Shiroyama, assis sur un dais rehaussé par un *tatami* supplémentaire. Jacob est invité à rejoindre le centre de la pièce. Le chambellan Kôda, l'inspecteur Suruga et Iwase Banri – les trois qui accompagnaient van Cleef et Fischer jusqu'au navire néerlandais – se tiennent agenouillés en rang sur le côté. Ils sont blêmes et ont l'air préoccupés.

Un sergent d'armes annonce : « *Dejima no Dazûto-sama.* » Jacob s'incline.

Shiroyama dit en japonais : « Merci de vous être présenté si promptement. »

Jacob croise le regard clair de cet homme grave et s'incline une fois de plus.

« On m'a rapporté que vous comprenez un peu le japonais, à présent », poursuit Shiroyama.

En reconnaissant ce fait, Jacob admettrait publiquement avoir étudié dans la clandestinité et serait susceptible de se priver de l'avantage tactique en sa possession. *Mais feindre de ne pas comprendre passerait pour de la duperie*, songe-t-il. « Pour ainsi dire, oui, je comprends un peu la langue maternelle du Magistrat. »

Les conseillers murmurent, surpris d'entendre un étranger parler japonais.

« Qui plus est, reprend le Magistrat, on m'a confié que vous étiez un honnête homme. »

Jacob accuse réception du compliment par une courbette neutre.

« J'ai eu plaisir à traiter avec le chef par intérim au cours de la saison commerciale passée… »

Jacob n'a aucune envie de regarder Enomoto, mais ses yeux se tournent irrésistiblement vers lui.

« … et je crois que Dejima ne pouvait avoir de meilleur dirigeant. »

Tandis qu'il s'incline, Jacob avale sa salive. *Geôlier, meurtrier, menteur, fou…*

Enomoto incline la tête, manifestement amusé.

« L'opinion du Seigneur de Kyôga a beaucoup de poids, déclare le Magistrat Shiroyama. Nous prêtons ce serment solennel au chef par intérim de Zoet : vos compatriotes seront repris à vos ennemis… »

Ce soutien sans condition dépasse les attentes de Jacob. « Merci, Votre…

— … ou tout du moins, le chambellan, l'inspecteur et l'interprète mourront en leur portant secours. » Shiroyama regarde les trois hommes en disgrâce. « Les hommes d'honneur ne se laissent pas dérober ce dont ils ont la responsabilité, affirme le Magistrat. Afin qu'ils puissent se racheter, une barque les conduira jusqu'au navire des intrus. Iwase demandera la permission de monter à bord au nom des trois hommes et versera une… » – le mot qui suit signifie sans doute « rançon » – « afin qu'ils libèrent les deux… » – ce mot-là veut vraisemblablement dire « otages ». « Une fois à bord, ils poignarderont le capitaine des Anglais à l'aide de couteaux dissimulés sur eux. La chose est contraire à la voie du Bushidô, mais ces pirates méritent de mourir comme des chiens.

– Mais Kôda-*sama*, Suruga-*sama* et Iwase-*sama* seront tués, et ils…

– La mort les lavera de leur… » – le mot utilisé signifie peut-être « lâcheté ».

En quoi pousser ces hommes à ce qui, de fait, est un suicide résoudrait quoi que ce soit ? rouspète Jacob en son for intérieur. Il se tourne vers Yonekizu et lui demande : « Veuillez, s'il vous plaît, dire à Son Honneur que les Anglais sont une race vicieuse. Prévenez-le que, non seulement, ils tueraient les trois serviteurs de Son Honneur, mais également le chef van Cleef et l'adjoint Fischer. »

La Salle aux soixante *tatami* écoute ces propos dans un silence lourd suggérant que les conseillers du Magistrat avaient déjà soulevé cette objection ou bien n'avaient pas osé lui en faire part.

Shiroyama semble mécontent. « Que proposerait alors le chef par intérim ? »

Jacob se sent dans la position de l'accusé qu'on ne croit pas. « La meilleure action à effectuer est pour le moment de ne pas agir. »

Ces mots surprennent. Un conseiller se penche à l'oreille de Shiroyama…

Jacob a de nouveau besoin de Yonekizu : « Dites au Magistrat que le capitaine des Anglais est en train de nous mettre à l'épreuve. Il cherche à voir si les Japonais ou bien les Néerlandais vont réagir et si nous allons avoir recours à la force ou bien à la diplomatie. » En entendant le dernier terme, Yonekizu fronce les sourcils. « Aux mots, aux pourparlers, aux négociations. Mais si nous n'agissons pas, les Anglais perdront patience. C'est en s'impatientant qu'ils révéleront leurs intentions. »

Le Magistrat écoute, hoche lentement la tête et intime cet ordre à Jacob : « Devinez quelles sont leurs intentions. »

Jacob obéit à son instinct, qui lui dicte de répondre avec franchise. « D'abord, commence-t-il en japonais, ils sont venus prendre le navire de Batavia et son chargement de cuivre. Comme ils n'ont pas trouvé de bateau, ils ont pris des otages. Ils veulent… » – il espère que cette phrase aura du sens – « … ils veulent récolter du savoir. »

Shiroyama joint ses mains, doigts croisés. « Du savoir sur les forces néerlandaises de Dejima ?

– Non, Votre Honneur : du savoir sur le Japon et son Empire. » Les rangées de conseillers murmurent. Enomoto le dévisage. Jacob voit un crâne enveloppé de peau.

Le Magistrat lève son éventail. « Tout homme d'honneur préfère mourir sous la torture plutôt que de livrer des informations à un ennemi. » Tous ceux présents, sauf le chambellan Kôda, l'inspecteur Suruga et l'interprète Iwase, acquiescent d'un air indigné.

Parmi vous, personne ne sait ce que sont quinze décennies d'une véritable guerre, a envie de leur rétorquer Jacob.

« Mais pourquoi les Anglais sont-ils aussi avides de connaître le Japon ? » l'interroge Shiroyama.

Je suis en train de démonter une machine que je serai incapable de remonter, craint Jacob.

« Les Anglais désirent peut-être de nouveau commercer avec Nagasaki, Votre Honneur. »

Mon coup est joué, pense le chef par intérim. *Impossible de revenir en arrière.*

« Pourquoi dire "de nouveau" ? » le questionne le Magistrat.

Le Seigneur-Abbé Enomoto se racle la gorge. « Les propos du chef par intérim de Zoet sont exacts, Votre Honneur. Il y a bien longtemps, les Anglais avaient quelque négoce avec Nagasaki ; c'était à l'époque du premier Shogun, quand nous exportions du minerai d'argent. À n'en point douter, ils cultivent le souvenir des profits que cette activité générait… quoique, bien entendu, le chef par intérim en sache davantage que moi-même à ce sujet. »

À son esprit défendant, Jacob se figure Enomoto clouant Orito au sol.

Délibérément, il s'imagine tuer le Seigneur-Abbé à coups de gourdin.

«En quoi la capture de nos alliés leur permettrait-elle de gagner notre confiance?» demande Shiroyama.

Jacob se tourne vers Yonekizu. «Dites à Son Honneur que les Anglais ne veulent pas de votre confiance. Les Anglais veulent que vous les craigniez et leur obéissiez. Ils étendent leur empire en conduisant leurs vaisseaux en ports étrangers, puis y font résonner leurs canons et achètent les magistrats locaux. Ils s'attendent à ce que Son Honneur se comporte comme un Chinois corrompu ou bien un roi nègre, trop heureux de troquer le bien-être de son peuple contre une grande demeure de style britannique et un sac de verroterie.»

Tandis que Yonekizu traduit ces propos, la colère tonne de toutes parts dans la Salle aux soixante *tatami*.

Jacob ne remarque qu'à l'instant la présence de deux scribes qui, dans le coin de la pièce, consignent la moindre de ses paroles.

Dans une dizaine de jours, le Shogun en personne se penchera sur tes propos, songe-t-il.

Porteur d'un message, un chambellan s'approche à côté du Magistrat.

L'annonce – écrite dans un japonais protocolaire qui échappe à la compréhension de Jacob – semble rehausser la tension. Afin d'épargner à Shiroyama le souci de devoir le renvoyer, Jacob se tourne une dernière fois vers Yonekizu: «Veuillez transmettre au Magistrat les remerciements de mon gouvernement pour son soutien, et lui demander la permission de me laisser retourner à Dejima afin que j'y supervise les mesures de précaution prises.»

Yonekizu confère à sa traduction le formalisme de circonstance.

Le représentant du Shogun congédie Jacob d'un bref hochement de tête.

XXXIII

Salle aux soixante tatami, *Magistrature de Nagasaki*

Le deuxième jour du neuvième mois, après le départ du chef par intérim de Zoet

Ne pouvant que remarquer les sourires flagorneurs et dédaigneux de ses conseillers, Shiroyama déclare : « Ce Néerlandais a beau avoir l'air d'un monstre tiré du cauchemar d'un enfant, il n'a cependant rien d'un imbécile. » Les rictus se changent en hochements approbateurs et pénétrés.

« Il a de bonnes manières, l'approuve un doyen de la ville, et son raisonnement est limpide.

– Son japonais était étrange, dit un autre, mais j'ai compris la plupart de ses propos.

– Un de mes espions à Dejima prétend qu'il étudie sans relâche, intervient un troisième.

– Mais quel accent, se plaint un inspecteur nommé Wada. On aurait cru entendre un corbeau !

– Car vous-même, Wada, chantez la langue de Dazûto tel un rossignol, n'est-ce pas ? »

Wada, qui ne parle pas un traître mot de néerlandais, a au moins la sagesse de se taire.

« Quant à vous trois » – Shiroyama agite son éventail en direction des hommes tenus pour responsables de l'enlèvement des deux otages néerlandais –, «c'est à sa clémence que vous devez la vie.»

Les trois hommes fébriles s'inclinent humblement.

«Interprète Iwase, le rapport que j'enverrai à Edo établira que vous êtes le seul à avoir tenté de vous opposer aux agresseurs, quoique de façon inepte. Votre Guilde vous réclame : vous pouvez partir.»

Iwase s'incline bien bas et s'empresse de quitter la pièce.

«Vous deux» – Shiroyama fixe les malheureux inspecteur et chambellan –, «vous avez jeté le discrédit sur ceux de votre rang, et les Anglais retiendront que le Japon est peuplé de lâches.» *Bien que rares parmi vos pairs soient ceux qui s'en seraient mieux tirés*, reconnaît la conscience de Shiroyama. «Restez cloîtrés chez vous jusqu'à nouvel ordre.»

Les deux hommes en disgrâce rampent à reculons jusqu'à la porte.

Shiroyama se tourne vers Tomine. «Faites entrer le capitaine de la garde côtière.»

On s'empresse d'amener le capitaine verruqueux sur le *tatami* même où était assis de Zoet. Il s'incline devant le Magistrat. «Je m'appelle Doi, Votre Honneur.

– Quand pourrons-nous riposter au plus tôt, quels sont nos moyens, et quelle est la meilleure tactique à adopter?»

Au lieu de répondre, le capitaine fixe le sol entre ses genoux.

Shiroyama se tourne vers le chambellan Tomine, qui est aussi intrigué que son maître.

Ai-je face à moi un incompétent à moitié muet qu'un proche aurait nommé?

Wada se racle la gorge. «Toute la salle attend votre réponse, capitaine Doi.

– J'ai passé en revue...» – le militaire lève des yeux de lapin pris à un piège – «les troupes des deux postes de garde situés au nord et au sud de la baie afin de savoir si elles étaient parées à l'attaque, et je me suis entretenu avec les plus hauts officiers.

— Je vous ai demandé des stratégies en vue d'une contre-offensive, Doi, pas que vous me régurgitiez vos ordres !

— On m'a laissé entendre, Votre Honneur, que… que nos troupes sont actuellement… »

Shiroyama relève que ses courtisans les mieux renseignés s'éventent avec nervosité.

« … en nombre inférieur aux mille hommes préconisés par Edo, Votre Honneur.

— Êtes-vous en train de m'annoncer que les garnisons de la baie de Nagasaki sont en sous-effectif ? »

La courbette contrite de Doi le confirme. Les conseillers s'alarment et murmurent.

Une petite pénurie d'hommes ne devrait pas me porter préjudice, raisonne le Magistrat. « De combien ?

— Le nombre exact, répond le capitaine Doi en avalant sa salive, est de soixante-sept, Votre Honneur. »

Les intestins de Shiroyama se desserrent : même Ômatsu, son rival le plus féroce, avec qui il partage le poste de Magistrat, ne parviendrait pas à faire passer un défaut d'effectif de soixante-sept hommes pour un manquement grossier. *Le problème pourrait être réglé en invoquant une épidémie.* Mais un coup d'œil aux visages dans la pièce indique au Magistrat que quelque chose lui échappe…

… et puis, une horrible pensée bouleverse tout.

« Non, c'est impossible… » – il reprend le contrôle de sa voix – « … non, pas soixante-sept hommes au total ? »

Le capitaine tanné par le soleil a trop peur pour lui répondre.

Le chambellan Tomine se met à aboyer : « Le Magistrat vous a posé une question ! »

« La garnison… » Anéanti, Doi recommence sa phrase. « La garnison nord compte trente gardes et celle du sud, trente-sept… C'est la totalité de nos effectifs, Votre Honneur. »

À présent, ce sont les conseillers qui dévisagent Shiroyama…

Soixante-sept soldats au lieu de mille, ressasse-t-il.

… les cyniques, les ambitieux, ses alliés atterrés, les suppôts d'Ômatsu…

Certains parmi vous, misérables sangsues, étaient au courant mais ne m'en ont rien dit, songe Shiroyama.

Doi reste prostré, tel un condamné qui attend que retombe le sabre.

Ômatsu s'en prendrait au messager, lui… Shiroyama est lui aussi tenté de céder à la colère. « Veuillez attendre dehors, capitaine. Merci d'avoir répondu à votre devoir aussi vite et avec autant… d'exactitude. »

Doi décoche un regard à Tomine afin de vérifier qu'il a bien entendu, puis il s'incline et sort.

Nul conseiller ne s'aventure à rompre le terrible silence qui règne.

Rejette la faute sur le Seigneur de Hizen, se dit Shiroyama. *C'est lui qui fournit les troupes.*

Non : les ennemis du Magistrat colporteraient partout que ce dernier n'est qu'un lâche fuyant ses responsabilités.

Avance que la garde côtière est en sous-effectif depuis des années.

Ce serait un aveu : il était au courant de la pénurie d'hommes et n'avait pourtant rien entrepris.

Montre que cette pénurie n'a porté aucun préjudice aux Japonais.

L'édit du Premier Shogun, déifié à Nikko, a délibérément été ignoré. Cette charge constitue à elle seule un crime impardonnable. « Chambellan Tomine, dit Shiroyama, vous connaissez les mesures à prendre en cas d'attaque de l'Empire cloîtré.

— C'est mon devoir de les connaître, Votre Honneur.

— Dans le cas où des étrangers débarquent sans permission dans une ville, quels sont les ordres que doit suivre le plus haut représentant de cette dernière ?

— Il doit repousser toute tentative d'approche, Votre Honneur, et chasser les étrangers. Si ces derniers ont besoin de vivres, on peut leur en fournir, mais les quantités doivent rester minimes et ne pas faire l'objet d'un commerce, de sorte que les étrangers ne puissent prétendre qu'il existe un précédent de négoce.

– Mais dans le cas où les étrangers ont commis une agression ? »

Dans la Salle aux soixante *tatami*, les éventails des conseillers ont cessé de s'agiter.

« Le Magistrat ou *daimyo* en exercice doit capturer les étrangers et les emprisonner jusqu'à ce que d'autres ordres lui parviennent d'Edo, Votre Honneur. »

Avec soixante-sept hommes seulement, comment prendre possession d'un vaisseau de guerre armé jusqu'aux dents ? songe Shiroyama.

Dans cette pièce, le Magistrat a condamné des contrebandiers, des voleurs, des violeurs…

… des meurtriers, des aigrefins et un chrétien clandestin de l'archipel de Goto.

À présent, c'est le Destin qui, à travers la voix nasillarde et pondéreuse du chambellan, le condamne.

Le Shogun me jettera en prison pour avoir failli à mes devoirs.

Sa famille à Edo se verra retirer son nom et son rang de *samurai*.

Kawasemi, ma chère Kawasemi devra retourner travailler dans une maison de thé…

Il imagine son fils, ce miraculeux fils, survivre en se mettant au service d'un souteneur.

À moins que je ne demande pardon pour ce crime et préserve l'honneur de ma famille…

Il lève les yeux et regarde ses conseillers, mais personne n'ose soutenir le regard d'un condamné.

… en me soumettant au rituel de l'éviscération avant qu'Edo n'ordonne mon arrestation.

Derrière lui, quelqu'un se racle doucement la gorge. « Puis-je parler, Magistrat ?

– Il est temps que quelqu'un s'exprime, Seigneur-Abbé.

– Bien que le domaine de Kyôga tienne davantage de la forteresse spirituelle que militaire, elle possède néanmoins cette deuxième caractéristique. En envoyant dès à présent un messager, je serai en mesure de mobiliser deux cent cinquante hommes en provenance de Kashima et Isahaya qui arriveront à Nagasaki d'ici trois jours. »

Cet homme étrange joue un rôle dans ma vie et ma mort, constate Shiroyama. « Faites, Seigneur-Abbé, au nom du Shogun. » Le Magistrat entrevoit une lueur d'espoir. *La gloire liée à la prise d'un vaisseau de guerre appartenant à des agresseurs étrangers sera peut-être susceptible d'éclipser un crime de moindre envergure.* Il se tourne vers le commandant d'armes. « Que des cavaliers portent aux Seigneurs de Hizen, Chikugo et Higo l'ordre d'envoyer immédiatement cinq cents hommes armés chacun. Nous n'accepterons aucun délai ni aucune excuse. Notre Empire est en guerre. »

XXXIV

Couchette du capitaine Penhaligon à bord du Phoebus

Le 19 octobre 1800, à l'approche de l'aube

Au sortir d'un rêve hanté de rideaux moisis et de forêts lunaires, John Penhaligon trouve son fils à son chevet. «Tristram, mon cher fils! Quels songes horribles! J'ai rêvé que tu avais trouvé la mort sur le *Blenheim* et…» – Penhaligon soupire – «… et même que j'avais oublié à quoi tu ressemblais. Pas tes cheveux, mais…

– Ah non, pas mes cheveux, Papa, sourit le beau garçon, pas ce buisson ardent-là!

– Quand je dors, j'imagine souvent que tu es en vie… Et, à mon réveil,… quelle amertume.

– Voyons!» Il rit de la même façon que Meredith riait. «Est-ce la main d'un fantôme que vous voyez?»

Penhaligon attrape la main chaude de son fils et remarque ses épaulettes de capitaine.

«Mon *Phaeton* est venu aider votre *Phoebus* à ouvrir cette noix, Père.

– Aux bâtiments de ligne toute la gloire, mais aux frégates les parts de prise! dit Penhaligon, citant son mentor le capitaine Golding.

– Et il n'y a pas de meilleures prises que les ports et les marchés d'Orient, concède Tristram.

– Du boudin noir, des œufs et du pain frit : ce serait tout bonnement… divin, mon garçon. »

Pourquoi ai-je répondu à une question qu'il ne m'a pas posée ? se demande Penhaligon.

« Je transmettrai cela à Jones, annonce Tristram en s'éclipsant, et vous apporterai également votre *Times of London*. »

Penhaligon écoute le doux cliquetis des couverts et assiettes…

… et abandonne derrière lui toutes ces années que gâchait un inutile chagrin, telle la mue d'un serpent.

Comment Tristram parvient-il à trouver le Times *dans la baie de Nagasaki ?*

Au pied du lit, un chat à l'air diabolique surveille Penhaligon. À moins qu'il ne s'agisse d'une chauve-souris…

Bourdonnant à la façon d'un sourd-muet, la bête ouvre la gueule : comme une bourse remplie d'aiguilles.

Elle s'apprête à me mordre, se dit Penhaligon ; cette pensée lui est soufflée par le Diable.

La douleur lui échaude le pied droit. *Aaaaaaaaaagh !* Le cri s'échappe tel un jet de vapeur.

Les yeux grands ouverts dans la noirceur claquemurée, le père du défunt Tristram étouffe son cri.

Le doux cliquetis des couverts et des assiettes cesse, et des pas inquiets se précipitent vers la porte de sa cabine. La voix de Chigwin l'interpelle : « Tout va bien, capitaine ?

– Oui, oui. » Le capitaine déglutit. « Je suis tombé dans l'embuscade d'un cauchemar, voilà tout.

– Cela m'arrive également, capitaine. Le petit-déjeuner sera servi au premier coup de cloche.

– Parfait, Chigwin… Attendez : les bateaux indigènes nous encerclent-ils toujours ?

– Juste les deux bateaux de la garde, capitaine, mais les soldats les ont surveillés toute la nuit et ils n'ont pas franchi le seuil des deux cents mètres, capitaine, sinon je vous en aurais averti. À part ces deux-là, rien de plus gros qu'un canard ne flotte sur les eaux. Nous les avons fait détaler.

– Je sortirai bientôt du lit, Chigwin. Vaquez donc à vos occupations.» Mais, alors que Penhaligon soulève son pied gonflé, des épines lui lacèrent les chairs. «Chigwin, veuillez demander au chirurgien Nash de venir immédiatement : ma podagre m'incommode un tantinet.»

Le chirurgien Nash examine la cheville gonflée au double de sa taille habituelle. «Les parcours d'obstacles et la mazurka sont pour ainsi dire terminés pour vous, capitaine. Puis-je vous recommander de dorénavant vous aider d'une canne? Je demanderai à Rafferty de vous en apporter une.»

Un estropié qui s'aide d'une canne. Penhaligon hésite. *À quarante-deux ans.*

Sur les ponts supérieurs, de jeunes et agiles pieds tambourinent çà et là.

«Entendu. Mieux vaut qu'on apprenne mon infirmité de cette façon-ci, plutôt qu'en me voyant choir dans les escaliers.

– Très juste, capitaine. Bien, puis-je examiner votre tophus? Cela vous sera peut-être…»

La lancette sonde l'hernie : une atroce douleur violette explose derrière les yeux de Penhaligon.

«… un rien douloureux, capitaine… mais le pus s'écoule comme il faut, et en bonne abondance.»

Le capitaine regarde la giclée mousseuse. «Vous y voyez un signe encourageant, vous?

– C'est par le pus que le corps se débarrasse de la bile bleue, qui est au fondement de la goutte. En élargissant la plaie et en y appliquant un peu d'excréments murins, explique-t-il tout en débouchant un flacon duquel il extrait une crotte de souris à l'aide de pinces, nous allons stimuler la suppuration et pourrons escompter une amélioration de votre état d'ici sept jours. Qui plus est, j'ai pris la liberté d'emporter une fiole du remède de Dover de sorte que vous...

– Je vais le boire sans délai, chirurgien Nash, les deux prochains jours sont capit...»

Nash plante sa lancette : le cri que le capitaine étouffe tétanise tout son corps.

«Nash, parbleu! finit par lâcher le capitaine. Vous pourriez au moins me prévenir, nom d'un chien!»

Le commandant Cutlip lance des regards fielleux à la cuillerée de choucroute de Penhaligon.

«Seriez-vous en train de faiblir, commandant? lui demande le capitaine.

– Jamais ce chou doublement pourri ne gagnera le cœur et l'estomac du militaire que je suis, capitaine.»

Sous la lumière vitreuse, la tablée du petit-déjeuner ressemble à la scène d'un tableau.

«L'amiral Jervis est le premier à m'avoir recommandé les bienfaits de la choucroute.» Le capitaine croque le chou fermenté. «Mais je vous ai déjà narré cette histoire.

– Pas que je sache, capitaine», déclare Wren. Il interroge les autres du regard, qui confirment. Penhaligon les soupçonne d'obséquiosité, mais leur offre néanmoins un résumé de l'anecdote : «Jervis tenait cette astuce de William Bligh, lequel la tenait directement du capitaine Cook. Bligh aimait à répéter que "trente tonneaux de choucroute séparent la tragédie de La Pérouse de la gloire de Cook". Mais lors de son premier voyage, ni les suppliques ni les menaces du capitaine Cook ne convainquirent l'équipage de l'*Endeavour* d'en manger. Alors, Cook requalifia ce "chou doublement pourri" en "nourriture des officiers" et interdit au commun des marins d'y toucher. Le résultat? On se mit à en chiper dans la réserve dédiée mais mal surveillée et, six mois plus tard, personne ne fut frappé par le scorbut ; cette conversion fut une réussite.

– La ruse au service du génie, commente le lieutenant Talbot.

– Cook est un de mes modèles ainsi qu'une source d'inspiration », confie Wren.

Cette remarque maniérée irrite Penhaligon autant qu'un grain de framboise coincé entre deux molaires.

Chigwin remplit le bol du capitaine : une éclaboussure atterrit sur un des myosotis de la nappe, brodée avec amour. *Ce n'est pas le moment de songer à Meredith*, se sermonne le veuf. « Allons, messieurs, intéressons-nous aux affaires de ce jour et à nos invités néerlandais.

– Du fond de sa cellule, van Cleef n'a pas pipé mot de la nuit, se lance Hovell.

– Hormis pour chercher à savoir pourquoi on lui a servi de la corde bouillie en guise de souper, persifle Cutlip.

– N'a-t-il pas perdu de son obstination en apprenant la disparition de la VOC ? » s'enquiert le capitaine.

Hovell secoue la tête, négatif. « Sans doute considère-t-il qu'admettre sa faiblesse est précisément une faiblesse en soi.

– Quant à Fischer, ajoute Wren, le misérable est resté toute la nuit dans sa cabine, en dépit de nos invitations à nous rejoindre dans le carré.

– Et les relations entre Fischer et son ancien chef Snitker ?

– Ils font mine de s'ignorer, répond Hovell. Ce matin, Snitker couve un rhume de cerveau. Il veut que van Cleef soit jugé en cour martiale pour "coups et blessures infligés à 'un ami de la Couronne britannique'".

– Je commence à en avoir assez, jure Penhaligon, plus qu'assez de ce mirliflore !

– Pour ma part, capitaine, je pense que Snitker ne nous est plus d'aucune utilité, déclare Wren.

– Ce qu'il nous faut, conclut le capitaine, c'est un dirigeant à même de convaincre les Néerlandais, mais également» – sur le pont supérieur, on sonne trois coups de cloche –, «mais également un émissaire ayant suffisamment de stature pour convaincre les Japonais.

– L'adjoint Fischer remporte mon suffrage, juge le commandant Cutlip. C'est lui le plus malléable.

– Le choix du chef van Cleef me semble s'imposer de lui-même, estime Hovell.

– Interrogeons donc les deux candidats», dit Penhaligon en époussetant quelques miettes.

«Monsieur van Cleef.» Penhaligon se tient debout, dissimulant la grimace provoquée par la douleur derrière un sourire de façade. «J'espère que vous avez bien dormi.»

Van Cleef se sert de porridge, de marmelade d'oranges et d'une montagne de sucre avant de répondre à ce que lui a traduit Hovell. «Il dit que vous pouvez le menacer tout votre soûl, capitaine, mais que vous ne trouverez pas plus de cuivre à voler à Dejima.»

Penhaligon feint de ne pas avoir entendu. «Dites-lui que je me réjouis de son solide appétit.»

Hovell traduit; la bouche pleine, van Cleef répond.

«Il vous demande, capitaine, si nous avons décidé du sort de nos otages.

– Dites-lui que nous le voyons plutôt comme notre invité.»

Le «Ha!» de van Cleef projette du porridge un petit peu partout. «A-t-il digéré la faillite de la VOC?»

Tandis qu'il écoute Hovell, van Cleef se sert un bol de café. Puis hausse les épaules.

«Dites-lui que la Compagnie anglaise des Indes orientales souhaiterait commercer avec le Japon.»

Tout en réagissant, van Cleef saupoudre son porridge de raisins secs.

«Voici sa réponse, capitaine : "Quelle autre raison vous aurait poussé à engager Snitker pour vous conduire jusqu'ici ?" »

Il n'est pas né de la dernière pluie, constate Penhaligon, *mais moi non plus.*

«Expliquez-lui que nous recherchons un homme ayant l'expérience du Japon et prêt à défendre nos intérêts. »

Van Cleef écoute, hoche la tête, remue son café sucré et lâche : « *Nein.*

— A-t-il déjà ouï dire du mémorandum de Kew, signé par son roi en exil et qui commandait aux officiers néerlandais d'outre-mer de confier les possessions hollandaises à la protection de la Couronne britannique ? »

Van Cleef écoute, hoche la tête, se dresse, soulève sa chemise et montre une profonde et large cicatrice.

Il se rassied, rompt un petit pain et explique posément quelque chose à Hovell.

«M. van Cleef dit qu'il a obtenu cette blessure après être tombé aux mains des mercenaires écossais et suisses engagés par ce même roi en exil. Ils ont versé de l'huile bouillante dans la gorge de son père, raconte-t-il. Au nom de la République batave, il nous enjoint à garder le "tyran rétrognathe", notre "Couronne et sa protection", et ajoute que le mémorandum de Kew est tout juste bon à l'usage qu'on peut en faire aux latrines.

— Manifestement, nous avons affaire à un indécrottable jacobin, estime Wren.

— Informez-le que nous préférerions parvenir à nos fins par la voie diplomatique, mais… »

Van Cleef renifle la choucroute puis recule comme si c'était du soufre.

«… dussions-nous échouer, nous nous emparerons du poste de traite par la force : qu'il sache que toute perte humaine japonaise ou néerlandaise lui sera imputée. »

Van Cleef boit son café, se tourne vers Penhaligon et insiste auprès de Hovell pour que celui-ci traduise bien chacune de ses paroles.

« Il dit, capitaine, qu'en dépit de ce que Snitker est susceptible de nous avoir raconté, le Japon a la souveraineté de Dejima, dont il loue le territoire à la Compagnie. L'île n'appartient pas aux Néerlandais… Il dit que si nous essayons de l'envahir, les Japonais la défendront… Il dit que nos soldats emporteront la première manche grâce à leurs canons, mais qu'ils seront terrassés par la suite… Il nous exhorte à ne pas aller au-devant d'un vain sacrifice et de songer à nos proches.

– Il cherche à nous décourager pour que nous décampions, juge Cutlip.

– Je pense plutôt qu'il fait monter les enchères de son aide », suspecte Penhaligon.

Mais avant de se lever, van Cleef prononce une dernière phrase.

« Il vous remercie pour le petit-déjeuner, capitaine, et déclare que Melchior van Cleef n'est pas à vendre, à aucun monarque. Cependant, Peter Fischer se fera une joie de passer un pacte avec vous. »

« Mon estime à l'égard des Prussiens remonte à l'époque où j'étais aspirant… », confie Penhaligon.

Hovell effectue la traduction : Peter Fischer acquiesce d'un hochement de tête, ne revenant toujours pas de ce retournement de situation inespéré.

« L'*Audacious* avait à son bord un lieutenant originaire de Brunswick, un dénommé Plessner… »

Fischer reprend la prononciation de « Plessner » et ajoute un commentaire.

« M. Fischer, traduit Hovell, est lui aussi un enfant de Brunswick.

– Est-ce bien vrai ? » Penhaligon feint l'étonnement. « De Brunswick ? »

Peter Fischer hoche la tête, dit : « *Ja, ja* », et vide sa chope de petite bière.

D'un regard, Penhaligon indique à Chigwin de la lui remplir et de faire en sorte qu'elle soit toujours pleine.

« M. Plessner était sévère mais juste. Un brillant marin, courageux, ingénieux... »

L'air pénétré de Fischer signifie : *La chose n'est guère surprenante...*

« ... et je me réjouis de savoir que le premier consul britannique de Nagasaki sera un *gentleman* aux origines et valeurs teutonnes. »

Fischer lève sa chope en guise de salut, puis pose une question à Hovell.

« Il demande, capitaine, le rôle que jouera M. Snitker dans nos projets futurs. »

Penhaligon soupire de façon tragique, songeant : *J'aurais pu arpenter les planches des plus grands théâtres de Londres,* avant d'annoncer : « Entre nous soit dit, émissaire Fischer... » – Hovell lui traduit ces premiers mots, et Fischer se penche en avant –, « Daniel Snitker nous déçoit tout autant que M. van Cleef. »

Le Prussien opine du chef et plisse des yeux conspirateurs.

« Les Néerlandais sont diserts, mais dès lors qu'il faut agir, ils se dégonflent comme des baudruches... »

Hovell bute quelque peu sur la tournure de phrase mais parvient cependant à soutirer à Fischer une série de *ja-ja-ja*.

« Ils ont encore trop en tête leur âge d'or et sont fermés aux changements du monde actuel. »

– C'est la... *waarheid.* » Fischer se tourne vers Hovell. « *Waarheid...* comment on dit ?

– "Vérité" », répond Hovell, tandis que Penhaligon tente de soulager son pied tout en reprenant son exposé : « C'est la raison pour laquelle la VOC a fait faillite, et cette république dont ils se vantent tant semble, à l'instar de la Pologne, vouée à rejoindre les poubelles que l'Histoire réserve aux nations qui s'éteignent.

Ce sont des gens comme Fischer, et non pas Snitker, dont la Couronne a besoin : des hommes de talent, des visionnaires,… »

Alors que Hovell livre sa traduction, les narines de Fischer s'écarquillent comme pour mieux flairer cet avenir plein de fortune et de pouvoir.

« … des personnes intègres. En somme, il nous faut des ambassadeurs, pas des maquereaux. »

Passé d'otage à plénipotentiaire, Fischer achève sa métamorphose par un récit illustrant la lassitude des Néerlandais, que Hovell écourte. « L'émissaire Fischer dit qu'un incendie a rasé les alentours de la porte-de-mer à Dejima l'année dernière. Tandis que se consumaient les deux plus grandes réserves néerlandaises, van Cleef et Snitker se donnaient du bon temps dans un bordel, et ce, aux frais de la Compagnie.

– Honteuse déréliction, juge Wren, qui connaît bien ce genre d'endroit.

– Grossière désertion », le rejoint Cutlip, son compagnon de choix.

Sept coups de cloche retentissent ; l'émissaire Fischer fait part d'une nouvelle pensée à Hovell.

« Il dit, capitaine, que van Cleef ayant quitté Dejima, M. Fischer est à présent le chef par intérim, ce qui signifie que les hommes de Dejima sont tenus d'exécuter ses ordres. Désobéir constituerait une forfaiture. »

Espérons que son pouvoir de persuasion soit à la hauteur de son assurance, prie le capitaine. « Snitker percevra le salaire réservé aux guides, et la traversée jusqu'à la baie du Bengale lui sera offerte, mais il n'aura droit qu'à un hamac, pas à une cabine. »

Fischer acquiesce d'un signe de tête. *C'est bien suffisant.* Puis prononce un mot de conclusion.

« Il dit, traduit Hovell, que le Tout-Puissant a écrit le pacte de ce matin. »

Le Prussien s'apprête à boire à sa chope mais la découvre vide.

Le capitaine adresse à Chigwin un indicible signe de tête négatif. « Le Tout-Puissant, sourit Penhaligon, ainsi que la Marine de Sa Majesté, envers laquelle l'émissaire Fischer s'engage à respecter les dispositions suivantes… » Penhaligon ramasse le mémorandum d'entente. « "Article premier : l'émissaire Fischer obtiendra l'acceptation du patronage britannique auprès des habitants de Dejima." »

Hovell traduit. Le commandant Cutlip fait rouler un œuf dur sur une soucoupe.

« "Article deuxième : l'émissaire Fischer négociera auprès du Magistrat de Nagasaki l'établissement d'un traité d'entente et de commerce entre la Couronne britannique et le Shogun du Japon. La première saison commerciale annuelle débutera au mois de juin mil huit cent un." »

Hovell traduit. Cutlip débarrasse la masse blanche et caoutchouteuse de sa coquille.

« "Article trois : l'émissaire Fischer s'emploiera à faciliter le transfert de la totalité du cuivre en possession des Néerlandais sur le *Phoebus*, frégate de Sa Majesté, ainsi qu'à favoriser, au cours d'une saison restreinte, le commerce privé entre l'équipage et les officiers du *Phoebus*, et les marchands japonais." »

Hovell traduit. Cutlip mord dans le jaune tendre comme une truffe.

« "En rétribution de ses services, l'émissaire Fischer percevra un dixième des bénéfices engendrés par le poste de traite britannique sis à Dejima au cours des trois premières années de son mandat, susceptible d'être renouvelé en mil huit cent deux à la discrétion de chacune des parties." »

Pendant que Hovell traduit la clause finale, Penhaligon signe le mémorandum.

Le capitaine passe ensuite la plume à Peter Fischer. Celui-ci attend.

Il sent peser sur lui le regard de celui qu'il deviendra, devine le capitaine.

«Vous retournerez chez vous aussi riche que le duc de Brunswick-Lunebourg», lui assure Wren.

Hovell traduit, Fischer sourit et signe, et Cutlip saupoudre un peu de sel sur ce qui reste de son œuf.

En ce dimanche, on monte une église de fortune et l'on sonne huit coups de cloche afin de rassembler l'équipage. Les officiers et les marins se tiennent sous un taud attaché entre le mât de misaine et le mestre. Tous les chrétiens à bord du *Phoebus* sont censés se présenter dans leurs plus beaux habits ; les hébreux, musulmans, Asiatiques et autres païens sont dispensés de prières et d'hymnes, mais, bien souvent, ils se mettent sur le côté et observent le service religieux. Pour éviter un possible esclandre de van Cleef, celui-ci a été enfermé dans le magasin des voilures ; Daniel Snitker se trouve avec les officiers de rang inférieur ; quant à Peter Fischer, il se tient entre le capitaine – qui est bien conscient que, déjà, sa canne fait l'objet de toutes les spéculations de la part des marins – et le lieutenant Hovell, à qui le nouvel émissaire a emprunté une chemise en coton propre. L'aumônier Wily, un habitant du Kent décharné et long comme un hautbois, tient une bible usée jusqu'à la corde dont il fait la lecture devant un pupitre improvisé à la barre du navire. Il prend le temps de lire chaque ligne, sans se presser, permettant ainsi aux analphabètes d'assimiler chaque verset, ce qui donne à l'esprit du capitaine tout le loisir de vagabonder :

« "Comme nous étions violemment battus par la tempête,…" »

Penhaligon s'appuie sur sa cheville droite : grâce à la potion de Nash, la douleur est moins vive.

« "… le lendemain on jeta la cargaison à la mer, et le troisième jour,…" »

Le capitaine observe discrètement les bateaux de la garde japonaise, qui se maintiennent à bonne distance.

« "… nous y lançâmes de nos propres mains les agrès du navire." »

Les marins grognent, surpris, et écoutent plus attentivement l'aumônier.

« "Le soleil et les étoiles ne parurent pas pendant plusieurs jours,…" »

La plupart des aumôniers sont soit trop doucets pour une congrégation si turbulente…

« "… et la tempête était si forte que nous perdîmes enfin toute espérance…" »

… ou bien si zélés que les marins feignent de les ignorer, les méprisent ou les tancent.

« "… de nous sauver. On n'avait pas mangé depuis longtemps. Alors Paul,…" »

L'aumônier Wily, fils d'un ostréiculteur de Whistable, fait une heureuse figure d'exception.

« "… se tenant au milieu d'eux, leur dit : Ô hommes, il fallait m'écouter…" »

Ceux qui ont connu la Méditerranée en hiver marmonnent et opinent du chef.

« "… et ne pas partir de Crète, afin d'éviter ce péril et ce dommage." »

Wily apprend aux garçons à lire, écrire et compter, et fait office d'écrivain public pour les analphabètes.

« "Maintenant je vous exhorte à prendre courage ; car aucun de vous ne périra, et il n'y aura de perte…" »

Avec cinquante rouleaux de chintz en cale, l'aumônier a également le sens des affaires.

« "… que celle du navire." »

Mais surtout, les lectures de Wily ont toujours un rapport avec la mer, et ses sermons sont concis.

« "Un ange du Dieu à qui j'appartiens et que je sers m'est apparu cette nuit" » – Wily lève les yeux –, « "et m'a dit…" »

Penhaligon promène son regard sur les rangs du petit peuple du *Phoebus*.

« "Paul, ne crains point ; Dieu t'a donné tous ceux qui naviguent avec toi." »

Il voit des habitants de Cornouailles – comme lui –, de Bristol, de l'île de Man, des Hébrides…

« " Les matelots, vers le milieu de la nuit, soupçonnèrent qu'on approchait de quelque terre." »

… quatre ressortissants des îles Féroé, des Yankees du Connecticut.

« "Ayant jeté la sonde, ils trouvèrent vingt brasses ; un peu plus loin,…" »

Des esclaves affranchis venant des Caraïbes, un Tartare très courtois, un Juif de Gibraltar.

« "… ils la jetèrent de nouveau et trouvèrent quinze brasses." »

Penhaligon constate que les terres ont une tendance naturelle à se découper en nations…

« "Dans la crainte de heurter contre des écueils, ils jetèrent…" »

… et que la mer dissout les frontières qui séparent les hommes.

« "… quatre ancres de la poupe, et attendirent le jour avec impatience." »

Il regarde les métis et les quarterons : fruits d'unions entre Européens…

« "Mais, comme les matelots cherchaient à s'échapper du navire,…" »

… et autochtones – filles esclaves vendues par leurs pères contre quelques clous…

« "… Paul dit au centenier et aux soldats : 'Si ces hommes ne restent pas dans le navire, vous ne pouvez être sauvés.'" »

Penhaligon cherche du regard Hartlepool, le mulâtre, et se souvient des fornications de sa jeunesse, puis se demande si celles-ci ont eu pour conséquence la venue au monde d'un fils café au lait ou à l'œil en amande qui, lui aussi, aurait répondu à l'appel du large et penserait comme qui ne connaît pas son père. Se rappelant son rêve de ce matin, le capitaine espère que c'est le cas.

« "Alors les soldats coupèrent les cordes de la chaloupe, et la laissèrent tomber." »

Les hommes s'étranglent devant tant d'inconscience. Quelqu'un s'exclame : « Pure folie !

– C'est pour empêcher les désertions », répond un autre.

Wren crie alors : « Écoutez plutôt l'aumônier ! »

Mais Wily referme sa bible. « Eh oui, face à la mer déchaînée, face à une mort presque certaine, Paul leur a dit : "Abandonnez le bateau et vous vous noierez. Restez à bord avec moi et vous survivrez." Lui auriez-vous fait confiance ? Lui aurais-je fait confiance ? » L'aumônier hausse les épaules et souffle. « Ce n'était pas Paul l'apôtre en gloire qui parlait. C'était un prisonnier enchaîné, un hérétique qui croupissait dans je ne sais quelles oubliettes de l'Empire romain. Et pourtant, il a su persuader les gardes du navire de se débarrasser des chaloupes, et les Actes des Apôtres rapportent que deux cent soixante-seize hommes furent sauvés par la miséricorde de Dieu. Pourquoi cet équipage disparate de Chypriotes, de Libanais et de Palestiniens a-t-il suivi les conseils de Paul ? Était-ce sa voix, son visage ou quelque chose d'autre ? Ah... Si je détenais ce secret, on m'aurait déjà nommé archevêque Wily ! Au lieu de cela, me voilà coincé parmi vous. » Certains rient. « Je ne prétends pas, messieurs, que la Foi vous sauvera à coup sûr de la noyade – nombreux sont les dévots morts en mer qui me feraient mentir. Mais de cela, je suis certain : la Foi sauvera votre âme de la mort. Sans la Foi, la mort est une noyade, c'est la fin des fins, et y a-t-il un homme sain d'esprit qui ne craigne point cela ? Mais, grâce à la Foi, la mort n'est rien d'autre que la fin de ce voyage qu'on appelle la vie, et le début d'un autre, éternel, en compagnie de ceux que nous aimons, où les chagrins et les souffrances s'effacent, un voyage dont le capitaine est notre Créateur... »

Les cordages craquent à mesure que le soleil, se hissant dans le ciel, réchauffe la rosée du matin.

«Voilà tout ce que j'avais à dire en ce dimanche, messieurs. Notre capitaine souhaiterait s'adresser à vous.»

Penhaligon s'avance en s'appuyant sur sa canne plus qu'il ne le voudrait. «Bien, comme vous le savez, messieurs, il n'y a pas de poule aux œufs d'or néerlandaise qui nous attend à Nagasaki. Vous êtes déçus, tout comme vos officiers et moi-même.» Le capitaine parle lentement, de sorte que ses paroles aient le temps de franchir le filtre des autres langues. «Consolez-vous en songeant aux parts de prise que nous offrirons les insouciants vaisseaux français que nous prendrons dans nos filets au cours de la longue, très longue route du retour jusqu'à Plymouth.» Des fous de Bassan lancent des cris. Les rames des bateaux de la garde fendent et frappent les eaux. «Ici, notre mission est de faire parvenir le XIXe siècle jusqu'à ces rivages primitifs. Par "XIXe siècle", j'entends celui des Britanniques, pas celui des Français, ni celui des Russes ou des Néerlandais. Cela nous rendra-t-il tous riches? Concrètement, non. Cela fera-t-il du *Phoebus* le navire le plus célèbre de l'histoire du Japon et la fierté de la Marine de Sa Majesté? La réponse est un oui catégorique. Cet héritage, vous ne pourrez pas le dépenser dans les ports. Jamais il ne sera dilapidé, jamais il ne vous sera volé et jamais vous ne le perdrez.» *Ils préféreront l'argent à la postérité,* sait Penhaligon, *mais, au demeurant, ils écoutent.* «Un dernier mot avant – mais aussi à propos de – notre hymne. La dernière fois qu'on entendit un cantique à Nagasaki fut lorsque des chrétiens locaux, parce qu'ils avaient la Foi, furent projetés des falaises devant lesquelles nous sommes passés hier. Je désirerais qu'en ce jour historique, vous adressiez un message au Magistrat de Nagasaki, et lui signifiez que nous autres, Britanniques, contrairement aux Néerlandais, ne renoncerons jamais à Notre Sauveur par cupidité. Aussi, je vous demande de ne pas chanter comme de timides écoliers, messieurs. Chantez en guerriers. Un, et deux, et trois, et...»

XXXV

Dans le Salon marin de la résidence du chef, à Dejima

Le matin du 19 octobre 1800

« *Ceux qui l'assaillent par des récits de mort…* »
Jacob de Zoet, qui étudie l'inventaire des stocks devant la grande fenêtre, n'en croit d'abord pas ses oreilles.
« *… ne trompent qu'eux-mêmes ; grandi, lui, ressort.* »
Si improbable que cela puisse paraître, un hymne chrétien résonne dans la baie de Nagasaki.
« *Imprenable est sa force, bravât-il un colosse…* »
Jacob sort sur la terrasse et regarde la frégate fixement.
« *… il fera valoir son droit d'être pèlerin.* »
Les vers impairs inspirent ; les vers pairs expirent.
« *Ô Seigneur, Tu nous défends par Ton Esprit…* »
Jacob ferme les yeux afin de mieux saisir ces phrases qui flottent…
« *… Au bout du chemin, à nous sera la vie.* »
… et de faire émerger chaque nouveau vers de l'écho de son prédécesseur.
« *Arrière, chimères ! Vaines, vos misères…* »
Cet hymne est l'eau et la lumière ; Jacob regrette de ne pas avoir épousé Anna.
« *… Œuvrant sans relâche, je serai pèlerin.* »

Le neveu du pasteur attend la strophe suivante, mais celle-ci n'arrive pas.

«Plaisante comptine», commente Marinus depuis l'embrasure de la porte du Salon marin.

Jacob se retourne. «Vous prétendiez que les hymnes n'étaient que "des chansons destinées aux enfants qui ont peur du noir".

– Ah oui? Eh bien, gageons que plus on devient sénile, moins on est catégorique.

– C'était il y a moins d'un mois, Marinus.

– Oh. Comme mon ami doyen le faisait remarquer» – Marinus s'accoude à la rambarde : «"Nous sommes suffisamment pieux pour haïr, mais pas assez pour aimer." Votre nouvel habitus vous va très bien, si je puis me permettre.

– Il appartient au chef van Cleef, et je prie pour qu'il le recouvre dès ce soir. Sincèrement. Dans les moments où je suis moins charitable, j'envisage de payer une rançon aux Anglais afin qu'ils gardent Fischer, mais Melchior van Cleef est un homme honnête, au vu des pratiques en vigueur au sein de la Compagnie... Qui plus est, avec seulement quatre officiers, le commandement de Dejima n'en est plus un.»

Marinus lève la tête vers le ciel et plisse les yeux. «Venez donc manger. Eelattu et moi vous avons rapporté du poisson poché de la Cuisine...»

Ils se rendent dans la salle à manger, où Jacob met un point d'honneur à s'asseoir à sa place habituelle. Il demande à Marinus si celui-ci a connu des officiers de la Marine britannique par le passé.

«Moins qu'on ne croirait. J'ai échangé quelque correspondance avec Joseph Banks et plusieurs autres philosophes anglais ou écossais, mais il me reste fort à faire pour maîtriser leur langue. Leur nation est assez jeune. J'imagine que vous-même avez rencontré des officiers britanniques à Londres. Vous y avez séjourné deux ou trois années, si je ne m'abuse?

– Quatre, au total. La réserve principale de mon patron se

trouvait à une courte distance des docks des Indes orientales, en aval de la Tamise. Aussi ai-je vu défiler des bâtiments de ligne à maintes reprises : ce sont les plus beaux vaisseaux de la Marine royale… autant dire du monde. Mais le cercle des Anglais que je fréquentais ne comptait que des manutentionnaires, des commis aux écritures et des teneurs de livres. Aux yeux des haut placés et de ceux en uniforme, un clerc adjoint au fort accent zélandais était invisible. »

Le serviteur d'Orsay apparaît devant la porte. « L'interprète Goto, il est là, monsieur le chef. »

Jacob cherche van Cleef du regard et se souvient. « Faites-le entrer, d'Orsay. »

Arrive Goto, affichant un air dont la gravité est à la mesure de la situation. « Bonjour, chef par intérim de Zoet » – l'interprète s'incline – « et docteur Marinus. Je dérange le petit-déjeuner, veuillez excuser. Mais l'inspecteur de la Guilde m'envoie très vite pour que je comprends la chanson de guerre du navire anglais. Les Anglais chantent une chanson de guerre avant d'attaquer ? »

« – D'attaquer ? » Jacob retourne précipitamment dans le Salon marin. Il scrute la frégate à l'aide de sa longue-vue, mais celle-ci ne semble pas avoir bougé ; puis, un peu tard, il comprend le quiproquo. « Non, ce n'était pas un chant guerrier, monsieur Goto, c'était un hymne que les Anglais chantaient. »

Goto reste perplexe : « Qu'est-ce que le "*n*ymne" ? »

« – Un hymne est une chanson que les chrétiens chantent à notre Dieu. C'est un acte de dévotion. »

Le chef par intérim continue à surveiller la frégate : il y a de l'agitation en proue.

« Et dire qu'on a pu les entendre du haut du rocher de Papenbourg, remarque Marinus. Quiconque a jamais prétendu que l'Histoire n'a aucun sens de l'humour est mort trop tôt. »

Goto ne saisit pas tout, mais il comprend que le sacro-saint édit du Shogun proscrivant toute forme de christianisme a été violé.

« C'est très sérieux et très grave, marmonne-t-il. C'est très… » – il cherche un autre mot –, « … très, très sérieux et très, très grave.

– À moins que je ne me trompe… » – Jacob garde l'œil collé à sa longue-vue –, « … il se prépare quelque chose. »

La congrégation s'est dispersée et l'on démonte le taud.

« Quelqu'un qui porte une veste bistre descend l'échelle de corde… »

On l'aide à gagner la chaloupe, amarrée à tribord, au niveau de la proue.

On rappelle un des bateaux de la garde japonaise qui encerclent le vaisseau.

« Il semblerait que l'on rende sa liberté à l'adjoint Fischer… »

Jacob n'a pas mis le pied sur la rampe d'accès à la mer depuis les quinze mois qui le séparent de son arrivée. Bientôt, le sampan sera à portée de voix. Jacob reconnaît l'interprète Sagara, assis à côté de Peter Fischer. Ponke Ouwehand interrompt l'air qu'il fredonnait. « Être à cet endroit ne vous donne-t-il pas l'envie de goûter au jour où nous quitterons cette prison ? »

Jacob songe à Orito, tressaille et répond : « Oui. »

Par poignées, Marinus remplit un sac d'algues gluantes. « *Porphyra umbilicalis*. Les potirons seront ravis. »

À vingt mètres de distance, Peter Fischer porte ses deux mains à sa bouche et interpelle son comité d'accueil : « Il suffit que je tourne le dos vingt-quatre heures pour que le "chef par intérim de Zoet" fasse un *coup d'État**** ? » Le ton est trop vif, trop acerbe : il y a là plus qu'une plaisanterie. « Serez-vous aussi prompt à me suivre dans ma tombe ?

– Nous ne savions pas combien de temps nous demeurerions sans chef, lui lance Ouwehand.

– Le chef est de retour, "adjoint par intérim Ouwehand"! Quelle débauche de promotions! Le singe a-t-il pris la place du cuisinier?

– Ravi de vous voir de retour parmi nous, Peter, lui dit Jacob, et peu nous importent nos titres.

– Je suis bien content d'être revenu, clerc principal de Zoet!» La barque frotte contre la rampe; Peter Fischer en saute tel un conquérant. Mais il atterrit avec maladresse et glisse sur les pierres.

Jacob tente de l'aider à se relever. «Comment se porte le chef van Cleef?

Fischer se redresse. «Van Cleef va bien. Très bien même. Il vous adresse ses chaleureuses salutations.

– Monsieur de Zoet.» L'interprète Sagara descend de l'embarcation avec le secours de son serviteur et d'un garde. «Nous recevons une lettre du capitaine anglais destinée pour le Magistrat. J'emporte maintenant, très vite. Le Magistrat vous convoque plus tard, je crois, et il veut parler aussi à M. Fischer.

– Ah oui, très bien, déclare Fischer. Dites à Shiroyama que je serai disponible après le déjeuner.»

Sagara salue Fischer d'une courbette peu marquée, en effectue une autre plus prononcée à l'adresse de de Zoet, puis tourne les talons.

«Interprète! le hèle Fischer. Interprète Sagara!»

Parvenu à la porte-de-mer, Sagara se retourne, vaguement perplexe.

«Rappelez-vous que, dans la hiérarchie de Dejima, c'est moi, l'officier le plus haut placé.»

Sagara s'incline, affichant une humilité qui manque cependant de sincérité. Il s'en va.

«Celui-ci ne m'inspire pas confiance, commente Fischer. Il manque de bonnes manières.

– Nous espérons que les Anglais vous ont bien traités, vous et le chef.

– S'ils nous ont bien traités ? Si fait, clerc principal de Zoet, si fait ! J'ai d'extraordinaires nouvelles à annoncer. »

« Vos égards me touchent beaucoup, dit Fischer à l'assemblée réunie dans le Grand salon, et j'imagine que vous devez avoir hâte que je vous relate le séjour qui fut mien à bord du *Phoebus*. Cependant, il nous faut respecter le protocole. Aussi, je demanderai à Grote, Gerritszoon, Baert et Oost, ainsi qu'à vous, Twomey, de bien vouloir vaquer à vos occupations matinales. Je dois m'entretenir avec le docteur Marinus, M. Ouwehand et M. de Zoet au sujet d'affaires importantes, et il nous faut prendre des décisions qui nécessitent de réfléchir à tête reposée. Quand ces questions seront réglées, vous en serez informés.

– Vous êtes mal renseigné, déclare Gerritszoon. On reste. »

L'horloge de parquet calibre le temps. Piet Baert se gratte l'entrejambe.

« Ainsi, quand le chat n'est pas là, les souris fomentent une Convention nationale ? » Fischer feint de s'en réjouir. « Très bien, très bien : je ferai en sorte que les choses demeurent aussi claires que possible. M. van Cleef et moi-même avons passé la nuit à bord du *Phoebus* en tant qu'invités du capitaine. Un Anglais qui se nomme John Penhaligon. Il se trouve ici sur ordre du gouverneur général britannique de Fort William, au Bengale. Fort William est la base principale de la Compagnie anglaise des Indes orientales, laquelle est…

– Nous savons tous ce qu'est Fort William », le coupe Marinus.

Fischer sourit pendant une longue seconde. « Le capitaine Penhaligon a pour ordre d'établir un traité de commerce avec les Japonais.

– C'est la Compagnie néerlandaise qui commerce avec le Japon, intervient Ouwehand. Pas l'anglaise. »

Fischer se cure les dents. « Au fait, j'ai d'autres nouvelles :

la Compagnie néerlandaise est morte et enterrée. Oui, messieurs. À minuit, lors du dernier jour du xviiie siècle, tandis que parmi vous, certains » – son regard s'arrête sur Gerritszoon et Baert – «chantaient au beau milieu de la grand-rue des chansons paillardes mettant en scène vos ancêtres teutons, notre bonne vieille Compagnie a cessé d'exister. Celui qui nous employait et nous payait a fait faillite. »

Les hommes en restent sans voix. « Des rumeurs similaires, commence Jacob, ont éman...

– Je l'ai lu dans l'*Amsterdamsche Courant*, dans la cabine du capitaine Penhaligon. Tenez, là : c'est écrit noir sur blanc en néerlandais. Depuis le 1er janvier, nous travaillons pour un fantôme.

– Et nos arriérés ? » Baert, horrifié, se ronge le poing. « Mes sept ans de salaire ?

– Avec le recul, vous fûtes bien inspiré de les boire, de les miser et de les dilapider au bordel. Au moins, vous en avez profité.

– Mais c'est notre argent ! insiste Oost. Nos paies sont en sécurité quelque part, n'est-ce pas, monsieur de Zoet ?

– D'un point de vue légal, oui. Mais cela implique des visites au tribunal, des indemnisations, des avocats et du temps. Monsieur Fischer...

– Dans le registre du chef de Dejima est consignée ma promotion au poste d'adjoint, si je me souviens bien.

– Adjoint Fischer, l'article du *Courant* faisait-il état de quelque indemnisation ou reconnaissance de dette ?

– Vis-à-vis des actionnaires de cette chère patrie néerlandaise ? Bien sûr, mais au sujet du petit personnel coincé dans les postes de traite d'Asie, pas un mot. Et puisqu'il est question de cette chère patrie néerlandaise, j'ai d'autres nouvelles. Un général corse nommé Bonaparte s'est autoproclamé Premier consul de la République française. Il ne manque pas d'ambition, ce Bonaparte ! Il a envahi l'Italie, mis la main sur l'Autriche, pillé Venise, fait plier l'Égypte, et entend bien transformer les Pays-Bas en *département** de France. J'ai la peine de vous annoncer, messieurs, que votre patrie, sur le point d'être mariée, va perdre son nom.

– Les Anglais mentent! s'exclame Ouwehand. C'est impossible!

– Oui, c'est également ce que clamaient les Polonais avant que leur pays ne disparaisse. »

Jacob imagine une garnison de troupes françaises occupant Dombourg.

« Mon frère Joris, raconte Baert, a servi dans l'armée de ce Français, ce Bonaparte. Ils disaient tous qu'il avait passé un pacte avec le Diable au pont d'Arcole, que c'est comme ça qu'il réussit à écraser des armées entières. Mais bon, dans ce contrat, il était pas question de ses troupes, hein. La dernière fois qu'on a vu la tête de Joris, c'était sur une pique à la bataille des Pyramides.

– Mes sincères condoléances, Baert, lui dit Peter Fischer, mais Bonaparte est désormais votre chef d'État, et il se contrefout de vos arriérés de salaire. Bien. Nous avons eu droit à deux surprises jusqu'à présent : plus de Compagnie et plus de Pays-Bas indépendants. En voici une troisième qui, je pense, plaira tout particulièrement au clerc principal de Zoet. Celui qui a guidé le *Phoebus* jusqu'à la baie de Nagasaki n'est autre que Daniel Snitker. »

Ouwehand est le premier à recouvrer la parole. « Mais il est sur l'île de Java ; il attend son jugement.

– Ce genre de coup de théâtre est le sel de la vie », déclare Fischer en examinant l'ongle de son pouce.

Effaré, Jacob se racle la gorge. « Avez-vous pu lui parler ? Directement ? » Il tourne furtivement les yeux vers Ivo Oost, pâle et désarçonné.

« J'ai soupé en sa compagnie. Voyez-vous, le *Shenandoah* n'a jamais regagné Java. Pour leur profit personnel, Vorstenbosch, ce fameux chirurgien censé exciser le cancer de la corruption, ainsi que le capitaine Lacy, son homme de confiance, ont tous deux revendu à la Compagnie anglaise des Indes orientales sise au Bengale ce même cuivre que vous, monsieur de Zoet, aviez obtenu à force de tant d'ardeur. Quelle ironie du sort!»

Ce n'est pas possible, songe Jacob. *Et pourtant, si, ça l'est.*

«Attendez un peu, attendez.» Arie Grote rougit de colère. «Une petite minute. Et nos cargaisons personnelles? Et mes laques? Et mes figurines d'Arita?

– Daniel Snitker ignore quelle était leur escale suivante: lui s'est évadé à Macao…

– Si ces porcs» – Arie Grote vire au cramoisi –, «si ces bâtards m'ont volé…

– … et ne leur a pas posé la question, mais en Caroline, vos marchandises se vendront à bon prix.

– Nos marchandises, ce n'est pas ce qui compte! proteste Twomey. Comment ferons-nous pour rentrer chez nous?»

Devant cette cruelle vérité, même Arie Grote se tait.

«Le désarroi général semble épargner M. Fischer, note Marinus.

– Qu'est-ce que c'est donc que vous ne nous dites pas, *Mister* Fischer?» Gerritszoon prend un air menaçant.

«Je ne saurais aller plus vite que la musique de votre noble démocratie m'y autorise! Le docteur a raison: tout n'est pas perdu. Le capitaine Penhaligon est habilité à établir une entente cordiale anglo-néerlandaise dans ces eaux. Il a promis de payer absolument tout ce que nous devait la Compagnie et de nous offrir à titre gracieux la traversée jusqu'au Bengale, à Petang, Ceylan ou Le Cap dans une confortable couchette.

– Et tout cela par pure gentillesse d'un bienfaiteur britannique? demande Twomey.

– En échange, nous travaillerons ici pendant deux saisons commerciales supplémentaires. Contre rémunération.

– Ce qui signifie que les Anglais veulent s'accaparer Dejima et les profits que cet îlot génère, en déduit Jacob.

– Que vous importe Dejima, monsieur de Zoet? Où sont vos navires, où sont vos capitaux?

– Mais… » – Ivo Oost fronce les sourcils – « … si les Anglais veulent faire du négoce à Dejima…

– Les interprètes ne parlent que néerlandais », le soutient Arie Grote.

Fischer joint les deux mains. « Penhaligon a besoin de vous. Vous avez besoin de lui. Heureux mariage !

– Autrement dit, le travail reste le même, et seul le patron change ? l'interroge Baert.

– Oui, et un patron qui ne disparaîtra pas avec votre cargaison privée.

– Le jour où j'attraperai Vorstenbosch, jure Gerritszoon, je vous promets que je lui ferai ressortir la cervelle par son cul d'aristocrate.

– Quel est le drapeau qui flottera au-dessus de Dejima ? questionne Jacob. Le pavillon néerlandais ou anglais ?

– Qu'importe, tant que nos salaires nous sont versés, lui rétorque Fischer.

– Et que compte faire le chef van Cleef de la proposition du capitaine ? demande Marinus.

– Il règle les points de détail avec lui en ce moment même.

– Il n'a pas songé à nous envoyer de consignes écrites ?

– Ces consignes, je vous les porte de vive voix, clerc principal de Zoet ! Mais soit, inutile de me croire sur parole. Le capitaine Penhaligon vous a convié – ainsi que le docteur, et M. Ouwehand – à souper sur le *Phoebus* ce soir. Il a un fabuleux cercle de lieutenants. L'un d'eux, un dénommé Hovell, parle couramment le néerlandais. Le chef des soldats, le commandant Cutlip, a beaucoup bourlingué et a même vécu en Nouvelle-Galles-du-Sud. »

Les manœuvres se mettent à rire. « Cutlip ? raille Grote. Impossible, c'est pas un vrai nom, ça !

– Si nous rejetons leur proposition, reprend Jacob, les Anglais battront-ils en pacifique retraite ? »

Fischer le réprouve. « Voyons, il ne vous appartient pas d'accepter ou de rejeter cette proposition, clerc principal de Zoet. Maintenant que le chef van Cleef et moi sommes de retour, la république de Dejima peut retourner dans son coffre à jouets, et…

– Non, les choses ne sont pas aussi simples, intervient Grote. On a élu M. de Zoet président.

– Président?» Fischer hausse les sourcils, feignant l'étonnement. «Voyez-vous cela.

– Ce qu'il nous faut, c'est un homme de parole qui veille sur nos intérêts, explique Arie Grote.

– Êtes-vous en train d'insinuer» – les lèvres de Fischer sourient – «que je n'en suis pas un?

– Vous ne vous êtes pas fait prier pour signer le connaissement du *Shenandoah*, quand M. de Zoet avait refusé, lui.

– Vorstenbosch l'a roulé dans la farine, renchérit Piet Baert, mais il ne nous a pas eus, nous.»

Jacob est aussi étonné que Fischer du soutien des manœuvres.

La voix de Fischer se crispe. «Le serment prêté à la Compagnie est sans équivoque en ce qui concerne l'obéissance que vous me devez.

– D'un point de vue légal, ce serment est caduc depuis le 1er janvier 1800, remarque Marinus.

– Mais nous sommes tous du même côté, messieurs, n'est-ce pas?» Fischer se rend compte du faux pas qu'il a commis. «L'on pourra revenir sur la question du pavillon. Mais qu'est-ce qu'un drapeau, sinon un simple carré de tissu? J'irai parler au Magistrat plus tard et, afin de vous prouver ma bonne foi, votre "président" sera autorisé à m'accompagner. Entre-temps, votre "république de Dejima"…»

Reprendre ces termes, fût-ce pour les tourner en ridicule, leur confère de la substance, songe Jacob.

«… peut débattre tout son soûl. Une fois qu'il sera avec moi à bord du *Phoebus*, Jacob sera invité à faire part de la situation sur terre au capitaine Penhaligon. Mais n'oubliez pas que nous sommes à dix mille kilomètres de chez nous. N'oubliez pas que Dejima est un poste de traite où il n'y a plus rien à traiter. N'oubliez pas que les Japonais n'attendent que d'être convaincus de travailler avec les Anglais. En effectuant le bon choix, nous gagnerons de l'argent et mettrons nos proches à l'abri de la misère. Qui diable pourrait s'opposer à cela ? »

« Alors comment traduire "stathouder" ? » Du bout des doigts, Goto, l'interprète aux traits tirés, inspecte les ombres de barbe autour de sa mâchoire. « Guillaume V de Hollande est le roi ou n'est pas le roi ? » Dans le bureau du chef, l'horloge d'Almelo tinte une fois. *Ah, les titres, les titres...* se dit Jacob. *Si stupides et si importants à la fois.* « Il n'est pas roi.

– Alors pourquoi il utilise le titre "prince d'Orange-Nassau" ?

– Orange-Nassau est – ou plutôt était – le nom du fief de ses ancêtres, un peu comme les domaines au Japon. Mais il était aussi à la tête de l'armée des Pays-Bas.

– Alors il est comme le Shogun ? » se hasarde Iwase.

Le comparer au doge de Venise serait plus juste, mais également sans intérêt. « C'était un poste auquel on accédait par suffrage, mais le stathouder était sous la coupe de la maison d'Orange-Nassau. Puis, après avoir épousé la fille de l'empereur de Prusse, le stathouder Guillaume » – il désigne la signature sur le document – « s'est pris pour un monarque désigné par Dieu. Cependant, il y a cinq ans, nous autres » – l'invasion française demeure un secret –, « peuple des Pays-Bas, avons réformé notre gouvernement... »

Les deux interprètes se regardent, inquiets.

« ... et le stathouder Guillaume s'est retrouvé... oh, comment dites-vous "en exil" en japonais ? »

Goto lui procure l'expression manquante et, pour Iwase, la phrase prend alors tout son sens.

«Et une fois Guillaume exilé à Londres, conclut Jacob, on a supprimé cette vieille fonction.

– Alors Guillaume V» – Namura tient à clarifier les choses – «n'a pas de pouvoir en Hollande?

– Non, aucun. Tous ses biens ont été saisis.

– Le peuple des Pays-Bas… obéit encore, il respecte encore le stathouder?

– Les orangistes, oui, mais les patriotes – ceux du nouveau gouvernement –, non.

– Il y a beaucoup des Néerlandais qui sont des "orangistes" ou des "patriotes"?

– Oui, mais ce qui importe à la plupart des gens est d'avoir quelque chose à manger et que la paix règne dans le pays.

– Alors ce document que nous traduisons, ce "mémorandum de Kew"» – Goto fronce les sourcils –, «c'est un ordre de Guillaume V pour les Néerlandais qui dit: donnez les possessions néerlandaises aux Anglais pour votre sécurité?

– Oui, mais ce qu'il faut se demander, c'est si nous autres, Néerlandais, reconnaissons l'autorité de Guillaume.

– Le capitaine anglais écrit: "Toutes les colonies néerlandaises acceptent le mémorandum de Kew."»

– Certes, il l'a écrit; mais, selon toute vraisemblance, il ment.»

Quelqu'un toque avec hésitation. «Oui?» répond Jacob.

Con Twomey ouvre la porte, retire son chapeau et regarde Jacob de façon pressante. *Twomey ne nous dérangerait pas pour une broutille*, raisonne Jacob. «Messieurs, continuez sans moi. M. Twomey et moi-même avons à parler au Salon marin.»

«C'est au sujet» – l'Irlandais pose son chapeau en équilibre sur sa cuisse – «de ce que, chez moi, nous appellerions un "squelette dans le placard".

– À Walcheren, nous dirions un "cadavre dans le potager".

– Les navets doivent être énormes, à Walcheren. Puis-je parler en anglais?

– Je vous en prie. Si j'ai besoin d'aide, je vous l'indiquerai.»

Le charpentier prend une grande inspiration. «Je ne m'appelle pas Con Twomey.»

Jacob accuse le coup. «Vous n'êtes pas le premier homme contraint à vivre sous une fausse identité.

– Mon véritable nom est Fiacre Muntervary, et personne ne m'y a forcé. C'est une bien étrange histoire que la façon dont j'ai quitté l'Irlande. C'était à la Saint-Martin, il gelait et un bloc de pierre qui s'est décroché d'un harnais a écrasé mon père comme un vulgaire insecte. Je me suis démené pour tenter de le remplacer, mais on vit dans un monde impitoyable; aussi, après une piètre récolte, des tas d'hommes venus de tout le Munster ont afflué à Cork, et notre logeur a triplé le loyer. On a mis les outils de Papa au clou, mais bien vite, moi, Maman, mes cinq sœurs et mon petit frère Pádraig sommes allés vivre dans une grange en ruine où Pádraig a pris froid: on s'est retrouvés avec une bouche en moins à nourrir. De retour en ville, j'ai essayé de travailler dans les docks, dans les brasseries: j'ai tout tenté, nom d'un chien, mais ça n'y a rien fait. Alors je suis retourné chez le prêteur sur gages et j'ai demandé à récupérer les outils de Papa. Il m'a répondu: "Je les ai vendus, mon joli, mais l'hiver est là, et ce dont les gens ont besoin, c'est de manteaux. S'ils sont bien, je les rachète contre quelques schillings tout neufs. Tu saisis?"» Twomey marque une pause afin de jauger la réaction de Jacob.

Jacob sait qu'il n'y a pas à hésiter: «Vous aviez une famille à nourrir.

– J'ai volé une robe de femme dans les loges d'un théâtre. Le prêteur sur gages m'a dit: "Non, des manteaux pour messieurs, mon joli", puis il m'a donné un *threepenny* tout éraflé. La deuxième fois, je lui ai rapporté un manteau d'homme d'un cabinet d'avocats. "Même un épouvantail n'en voudrait pas. Donne-toi un peu plus de mal!" qu'il m'a dit. La troisième fois, me voilà fait comme un perdreau. Après avoir passé quinze jours à la prison de Cork, j'ai comparu devant un tribunal : le seul visage familier était celui du prêteur sur gages. Il a déclaré au juge : "Oui, Votre Honneur, c'est ce gamin des rues qui ne cessait de m'apporter des manteaux." Alors j'ai contesté : le prêteur sur gages était un foutu menteur qui faisait dans les manteaux volés. Le juge m'a répondu que Dieu pardonne à qui se repent, puis m'a condamné à sept ans de travaux forcés en Nouvelle-Galles-du-Sud. Entre mon entrée et le coup de maillet final, il avait dû s'écouler cinq minutes. Le *Queen*, une épave destinée à acheminer les bagnards, était amarré au port de Cork, et comme il fallait le remplir, j'y ai contribué. Ni Maman ni mes sœurs n'ont réussi à monnayer une visite à bord pour me dire adieu. Et puis au mois d'avril – c'était en quatre-vingt-onze –, le *Queen* est parti rejoindre la troisième flotte britannique… »

Jacob suit le regard de Twomey qui traverse les eaux et s'arrête sur le *Phoebus*.

« On était des centaines, entassés dans les cales sombres où l'air était irrespirable. Les cafards, le vomi, les puces, la pisse. Les rats qui grignotaient les vivants comme les morts, des rats aussi gros que des putois. Dans les eaux froides, on grelottait. Dans les tropiques, le brai qui s'écoulait des interstices nous brûlait la peau ; et, endormis ou réveillés, on n'avait qu'une seule chose à l'esprit : *De l'eau, de l'eau, par pitié, de l'eau…* Notre ration quotidienne était limitée à une demi-pinte, et ç'avait le goût de pisse de marin, et d'ailleurs, c'en était en grande partie. Un passager sur huit est mort au cours de la traversée, de ce que j'en sais. "Nouvelle-Galles-du-Sud" : ces quatre petits mots tant redoutés au pays signifiaient maintenant "délivrance", et un vieux type de Galway nous a parlé de la Virginie, de ses grandes plages, de ses champs verdoyants et de ces Indiennes prêtes à troquer une galipette contre un clou, alors on pensait tous : *Botany Bay, ce sera notre Virginie, en juste un peu plus loin…* »

En contrebas du Salon marin, les gardes du connétable Kosugi remontent la contre-allée de la Muraille de mer.

« La crique de Sydney ne ressemblait en rien à la Virginie. Ce n'était qu'une petite douzaine de carrés de cultures sillonnés à la houe et à la hâte, où les semis s'étiolaient – et quand ils germaient, encore. La crique de Sydney, c'était un trou où la sécheresse, les guêpes, les fourmis de feu régnaient en maîtres, et où plus d'un millier de condamnés mouraient de faim sous des tentes déchirées. Les soldats avaient des fusils, autant dire : le pouvoir, la nourriture, la viande de kangourou et les femmes. En tant que charpentier, on m'avait affecté à la construction des huttes destinées aux soldats, des meubles, des portes, etc. Quatre années ont passé, les marchands d'Amérique étaient de plus en plus nombreux à venir, et même si la vie ne s'est pas adoucie, au moins les bagnards ne tombaient plus comme des mouches. J'avais purgé la moitié de ma peine et je me prenais à rêver de revoir l'Irlande un jour prochain. Puis, en quatre-vingt-quinze, un nouveau bataillon de soldats est arrivé. Comme le nouveau commandant voulait faire bâtir une caserne et une maison à Parramatta, il nous a réquisitionnés, moi et six ou sept autres. Lui qui avait été en poste en Irlande pendant une année dans une garnison de Kinsale, il se targuait d'être un expert de la race irlandaise : "Contre la langueur de ces vauriens, fanfaronnait-il, rien de tel que le remède du docteur Cravache", et il n'hésitait pas à prodiguer son traitement. Vous avez vu les zébrures sur mon dos ? »

Jacob acquiesce : « Même Gerritszoon s'en est ému.

– Si on croisait son regard, il nous fouettait pour punir notre insolence. Si on évitait son regard, il nous fouettait pour punir notre sournoiserie. Si on criait, il nous fouettait sous prétexte qu'on lui jouait une comédie. Si on ne criait pas, il nous fouettait pour punir notre entêtement. Ce bonhomme devait être au Paradis. Nous, on était six à venir de Cork et à se serrer les coudes ; parmi les gars, il y avait Brophy le charron. Un jour, le commandant l'a tant aiguillonné que Brophy l'a frappé. Ils l'ont mis aux fers et le commandant l'a condamné à mort. Le commandant m'a dit : "Il est grand temps que Parramatta ait son propre échafaud, Muntervary, et c'est toi qui vas le construire." J'ai refusé. Brophy a été pendu à un arbre et j'ai écopé d'une semaine de "porcherie" et de cent coups de fouet. La porcherie, c'était une cellule qui faisait quatre pieds de long, quatre pieds de large et quatre pieds de haut : quand on était dedans, c'était impossible de tenir debout, ni de s'étirer et puis, vous imaginez un peu la puanteur, les mouches, les asticots… La septième nuit, le commandant m'a rendu visite et m'a dit qu'il se chargerait en personne de me fouetter, me promettant que je rejoindrais Brophy en Enfer avant le cinquantième coup. »

Jacob lui demande : « Ne pouviez-vous en appeler à une autorité supérieure ? »

La réponse de Twomey est un rire amer. « Après minuit, j'ai entendu un bruit. J'ai soufflé : "Qui va là ?" et, en guise de réponse, quelqu'un m'a glissé par le creux sous la porte un ciseau à froid, des petits pains enveloppés dans un carré de voilure, et une gourde. Puis j'ai entendu le type déguerpir. Avec le ciseau à froid, j'ai vite réussi à arracher deux planches. À mon tour, j'ai détalé. C'était la pleine lune, et on voyait comme en plein jour. Il n'y avait pas de palissades dans ce camp : nos murs, c'était le désert. Tout le temps, des bagnards s'échappaient. Ils étaient nombreux à revenir en rampant et à supplier qu'on leur donne de l'eau. D'autres étaient ramenés par des Noirs qu'on récompensait avec de l'alcool. Les autres mouraient : je n'en doute plus, aujourd'hui… Mais la plupart des bagnards n'étaient pas allés à l'école, alors, quand la rumeur s'est propagée qu'en traversant le désert rouge en suivant la direction nord-nord-ouest, on atteignait la Chine – oui, oui, la Chine –, l'espoir nous a poussés à croire que c'était vrai, et donc, cette nuit-là, je suis parti pour la Chine. Je n'avais pas marché six cents mètres que j'ai entendu le cliquetis d'un fusil. Le commandant. C'était lui. Lui qui m'avait fourni le ciseau à froid et le pain. "Tu n'es plus qu'un fugitif, maintenant. Je peux te tuer sans qu'on me pose de questions, saleté de vermine irlandaise." Il s'est approché tout près, aussi près que vous et moi ; ses yeux brillaient, et je me suis dit : *Voilà, c'est la fin.* Alors il a appuyé sur la détente, mais rien ne s'est produit. Tout étonnés, on s'est regardés, lui et moi. Il a essayé de me planter sa baïonnette dans l'œil. J'ai esquivé, mais pas assez rapidement » – le charpentier montre à Jacob le lobe déchiré de son oreille –, « et ensuite, tout s'est ralenti, et la situation est devenue ridicule : chacun tirait sur le fusil, comme deux garçons qui se disputent un jouet… puis il a trébuché… et le fusil a virevolté, et la crosse lui a percuté le crâne et ce salopard ne s'est pas relevé. »

Jacob s'aperçoit que les mains de Twomey tremblent. « Aux yeux de Dieu ou de la loi, la légitime défense n'est pas un meurtre.

– J'étais un bagnard et, à mes pieds, il y avait le cadavre d'un militaire. J'ai filé vers le nord en suivant le rivage, puis, dix ou douze milles plus loin, quand le jour s'est levé, j'ai trouvé une crique marécageuse où j'ai pu étancher ma soif et dormir jusqu'à l'après-midi ; ensuite, après avoir mangé un petit pain, je me suis remis en route, et ce cycle s'est répété pendant cinq jours. J'ai dû parcourir cent, voire cent trente kilomètres, je crois bien. Mais le soleil me brûlait comme un toast, ces terres vous pompaient toute votre vigueur, et puis il y a eu ces baies qui m'ont rendu malade… Je me prenais à regretter que le fusil du commandant se soit enrayé, car maintenant, c'était une lente agonie qui m'attendait. Ce soir-là, quand le soleil s'est couché, l'océan a changé de couleur ; j'ai demandé à saint Jude de mettre fin à mes souffrances comme bon lui semblerait. Vous autres calvinistes, vous reniez le recours aux saints, mais vous admettrez quand même que toutes les prières sont entendues. » Jacob acquiesce d'un hochement de tête. « À l'aube, sur cette côte abandonnée et déserte qui s'étirait sur des centaines de kilomètres, je me suis réveillé au son d'un chant de rameurs. Au loin, dans la baie, il y avait un baleinier visiblement en piteux état qui arborait la bannière étoilée. Sa chaloupe accostait pour un réapprovisionnement en eau. Alors je suis allé à la rencontre du capitaine, que j'ai salué. Il m'a dit : "Tiens donc, un bagnard en déroute ?" Je lui ai répondu : "C'est exact, capitaine." Il a dit : "Donne-moi une seule raison pour laquelle je devrais botter les couilles du meilleur client du Pacifique – le gouverneur britannique de Nouvelle-Galles-du-Sud – en accueillant un fugitif à bord de mon navire." Je lui ai rétorqué : "Parce que je suis charpentier et que je travaillerai pendant toute une année pour le salaire d'un terrien." Il m'a répondu : "Nous autres Américains tenons ces vérités pour évidentes : les hommes ont été créés égaux et leur Créateur leur a attribué des droits inaliénables, parmi lesquels la vie, la liberté et la recherche du bonheur, mais ce sera trois ans que tu me devras ; et ton salaire, ce sera la vie et la liberté, mais tu ne toucheras pas un seul dollar." » La pipe du charpentier s'est éteinte. Il en rallume le foyer et prend une grande bouffée. «Bien, pourquoi vous ai-je raconté tout ça ? Tout à l'heure dans le Grand salon, Fischer a parlé d'un certain commandant présent sur la frégate anglaise.

– Le commandant Cutlip ? En néerlandais, ce n'est pas le nom le plus heureux qui soit, comme vous le savez.

– Il reste gravé dans la mémoire du fugitif que je suis pour une autre raison. »

Twomey tourne la tête vers le *Phoebus* et patiente.

Jacob ôte la pipe de sa bouche. « Ce commandant ? Votre bourreau ? Cutlip ?

– On jurerait que ce genre de coïncidence n'arrive qu'au théâtre, jamais dans la réalité… »

L'air s'épaissit de répercussions. Jacob les entendrait presque.

« … et pourtant, on dirait que, encore une fois, le monde semble décidé à me jouer un foutu tour. C'est lui ! George Cutlip, commandant de la Marine royale, mort en Nouvelle-Galles-du-Sud, qui reparaît au Bengale et devient le compagnon de chasse du gouverneur. Fischer a prononcé son prénom pendant le déjeuner : c'est lui, ça ne fait plus l'ombre d'un doute. » En guise de rire, Twomey lâche un aboiement sec. « Ce que vous déciderez de faire de la proposition du capitaine et tout le corollaire, c'est déjà bien assez compliqué, mais si vous passez un accord avec eux, Jacob... si vous passez un accord avec eux, le commandant Cutlip me reconnaîtra, et je vous promets qu'il me réglera mon compte ; et si je ne le tue pas en premier, il m'enverra nourrir les poissons ou les asticots. »

Le soleil d'automne est un calendula incandescent.

« J'exigerai des garanties, la protection de la Couronne.

– Nous autres Irlandais savons bien ce que vaut la protection de la Couronne. »

Seul, Jacob observe l'importun *Phoebus*. Il met en œuvre une sorte de comptabilité éthique. Le prix d'une coopération avec les Anglais serait double : l'exposition de son ami à la vengeance de Cutlip et de probables accusations de coopération – si tant est qu'un tribunal d'État néerlandais vienne de nouveau à être constitué. Mais, en rejetant l'offre britannique, les habitants de Dejima seront condamnés à de longues années de destitution et d'abandon jusqu'à ce que finisse la guerre et qu'on pense à leur porter secours. Serait-il possible qu'on les oublie et qu'ils finissent par mourir ici de vieillesse ou de maladie, les uns après les autres ?

« Toc, toc ? » C'est Arie Grote, qui porte son tablier couvert de taches.

« Monsieur Grote, entrez, je vous en prie. J'étais en train de... de...

– En train de cogiter, pas vrai ? C'est le programme du jour, à Dejima, chef de Z... »

Lui qui a le commerce dans le sang, il va m'encourager à colla-borer avec les Anglais.

« … mais comme on dit : un mot dans l'oreille du sage suffit. »
Grote jette des regards autour de lui. « Fischer ment. »

Reflétés par les vagues, les yeux du soleil clignent sur le papier
du plafond.

« Je suis tout ouïe, monsieur Grote.

— Il mentait, quand il disait que van Cleef se réjouissait de
l'accord. Bon, je voudrais pas mettre à mal notre table de jeu
en vendant la mèche, hein, mais il existe une discipline qu'on
appelle l'"art des lèvres". Les gens croient que c'est à ses yeux
qu'on reconnaît un menteur. C'est faux : ce sont ses lèvres qui le
trahissent. Chaque menteur a sa façon de se trahir ; aux cartes,
quand Fischer ment, il fait ça. » Grote rentre la lèvre inférieure
de manière presque imperceptible. « Mais le plus beau, c'est qu'il
le sait pas ! Quand je lui ai parlé de van Cleef tantôt, il s'est trahi.
Il nous a menti, c'est gros comme le nez au milieu de la figure !
Alors si Fischer escamote des détails comme celui-ci, qu'est-ce qui
nous dit qu'il déforme pas le reste, hé ? »

La brise égarée caresse le chandelier encroûté.

« Si le chef van Cleef ne collabore pas avec les Anglais…

— Alors il sera enfermé dans les cales : c'est pour ça que Fischer
est revenu à sa place. »

Jacob tourne la tête vers le *Phoebus*. « Imaginons que je sois
ce capitaine britannique, qui rêve de la gloire que lui rapporterait
la capture de l'unique poste de traite européen sis au Japon…
Seulement voilà : les autochtones ont la réputation d'être plus
que difficiles, quand il s'agit de traiter avec les étrangers…

— … et tout ce qu'on sait, c'est qu'ils ne traitent pas avec les étrangers.

— Le capitaine a besoin de nous pour assurer la transition, la
chose est certaine ; néanmoins…

— Mais imaginez un peu, chef de Zoet : d'ici un an, après deux
saisons commerciales…

— … de juteux profits, une ambassade à Edo, le drapeau britannique qui flotte au-dessus de Dejima…

– … les interprètes qui apprennent l'anglais, et tout d'un coup, pour nous… ce sera : "Hé, mais ces petits laitiers de Néerlandais sont des prisonniers de guerre, après tout !" Pourquoi est-ce qu'ils nous verseraient ne serait-ce qu'un seul *shilling* de nos arriérés de salaire, hein ? Je ne m'embêterais pas, moi, si j'étais Penhaligon ; je vous les renverrais *gratis* par le prochain bateau…

– Les officiers iraient croupir dans quelque prison de Penang ; quant à vous autres, manœuvres, à vous l'enrôlement…

– …"enrôlement", en anglais, ça veut dire "esclave dans la Marine de Sa Majesté". »

Jacob éprouve chaque argument de ce raisonnement, cherchant à en déceler les faiblesses, mais n'en trouve aucune. *C'est justement en refusant de transmettre des consignes écrites que van Cleef nous a donné ses instructions*, comprend-il soudain. « Monsieur Grote, avez-vous débattu de cela avec les autres manœuvres ? »

En signe d'approbation, le sagace cuisinier agite son crâne chauve. « Toute la matinée, chef de Z. Si vous, vous sentez ce rat crevé qu'on sent, nous, alors on est d'avis de déchirer ce traité anglonéerlandais en petits morceaux qui seront plus utiles aux latrines. »

Jacob aperçoit deux dauphins au loin dans la baie. « Selon votre art des lèvres, qu'est-ce qui me trahit, monsieur Grote ?

– Si, par ma faute, le jeune homme que vous êtes devait s'adonner au démon du jeu, ma mère ne me le pardonnerait jamais…

– Et si nous jouions au backgammon, lors de prochaines et plus tranquilles saisons commerciales ?

– Ah, le backgammon : un jeu de *gentlemen*. Je fournirai les dés… »

Dans le bol doux et pâle, la teinte riche et fraîche du thé vert. « Je ne comprendrai jamais comment votre estomac supporte cette eau de cuisson d'épinards », déclare Fischer. Resté vingt minutes assis par terre, il déplie ses jambes engourdies et se les frotte. « Comme j'aimerais que ces gens finissent par découvrir la chaise. » Jacob n'a pas grand-chose à dire à Fischer, venu inciter le Magistrat à autoriser le négoce avec les Britanniques sous couvert de transactions néerlandaises, et donc régulières. Fischer se refuse d'avance à prendre en considération l'opposition des manœuvres et officiers de Dejima : Jacob ne lui en a donc pas pipé mot. Ouwehand a donné à Jacob la permission d'agir en son nom ; quant à Marinus, il s'est contenté d'une citation en grec. De l'autre côté de l'antichambre, les interprètes Yonekizu et Kobayashi échangent des murmures inquiets, désormais conscients que Jacob est capable de les comprendre. Des dignitaires et des inspecteurs entrent et ressortent de la Salle aux soixante *tatami*. L'endroit sent l'encaustique, le papier et le bois de santal. *Et la peur ?* croit flairer Jacob.

« La démocratie, dit tout haut Fischer, est une étrange diversion que vous proposez aux manœuvres, de Zoet. »

Jacob repose son bol. « Si vous sous-entendez que, d'une façon ou d'une autre, j'ai cherché à…

— Non, non, j'admire la ruse, voilà tout : la meilleure façon de contrôler les autres est de leur donner l'impression de pouvoir exercer leur libre arbitre. Vous n'irez cependant pas » — Fischer caresse la doublure de son chapeau — « jusqu'à contrarier notre ami au teint jaune en lui parlant de présidents et de ce genre d'idées, n'est-ce pas ? C'est avec le chef adjoint que Shiroyama escompte parlementer.

— Êtes-vous donc résolu à défendre la proposition de Penhaligon ?

— Il faudrait être un gredin doublé d'un imbécile pour en décider autrement. Vous et moi pouvons être en désaccord sur des questions triviales, de Zoet, comme les amis le sont parfois. Mais je sais que vous n'êtes ni un gredin ni un imbécile.

— Le sort de Dejima semble être entre vos mains, souligne Jacob avec ambiguïté.

— Oui, bien entendu. » Fischer prend la résignation de Jacob pour argent comptant.

Le regard des deux hommes se porte sur la baie, par-delà les murs et les toitures.

«Une fois les Anglais présents sur l'île, déclare Fischer, mon influence s'étendra…»

Il vend la peau de l'ours avant de l'avoir tué, songe Jacob.

«… et je me souviendrai alors de mes anciens amis et ennemis.»

Le chambellan Tomine passe; d'un regard, il salue Jacob.

Puis il tourne à gauche et emprunte une petite porte ornée d'un chrysanthème.

«Un visage comme celui-ci aurait toute sa place sur les chéneaux d'une cathédrale.»

Un représentant officiel à l'air bourru surgit et s'adresse à Kobayashi et Yonekizu.

«Vous comprenez ce qu'ils disent, de Zoet?» l'interroge Fischer.

Bien que le registre soit formel, Jacob comprend que le Magistrat est souffrant. L'adjoint Fischer s'entretiendra avec ses plus hauts conseillers dans la Salle aux soixante *tatami*. Quelques instants plus tard, l'interprète Kobayashi confirme le message. «Cela me semble acceptable», déclare Fischer. Puis il s'adresse à Jacob: «Les satrapes orientaux sont des fantoches qui n'entendent rien aux réalités politiques. Mieux vaut donc parler directement à ceux qui dirigent la marionnette.»

Le représentant bourru ajoute qu'en raison de la confusion générée par le vaisseau de guerre britannique, il est préférable d'entendre la voix d'un seul Néerlandais: le clerc principal sera invité à attendre dans un endroit plus tranquille de la Magistrature.

Fischer est doublement comblé. «C'est logique. Le clerc principal de Zoet aura tout le loisir de boire son eau d'épinards», conclut-il en claquant l'épaule du Néerlandais.

XXXVI

Salle du dernier chrysanthème, Magistrature de Nagasaki

Le troisième jour du troisième mois, à l'heure du Bœuf

«Bonjour, Magistrat.» Jacob s'agenouille, s'incline, puis, d'un hochement de tête, salue l'interprète Iwase, le chambellan Tomine et les deux scribes installés dans le coin de la pièce.

«Bonjour, chef par intérim, lui répond le Magistrat. Iwase va nous rejoindre.

– J'aurais besoin de ses talents. Votre blessure guérit, Iwase-*san*?

– C'était une fêlure et non pas une fracture.» Iwase se frappe le torse. «Merci.»

De Zoet remarque le jeu de go, où la partie entamée avec Enomoto attend son heure.

«Ce jeu est-il connu en Hollande? lui demande Shiroyama.

– Non. L'interprète Ogawa m'en a enseigné les» – il interroge Iwase – «"rudiments" lors de mes premières semaines à Dejima. Nous avions l'intention de poursuivre nos parties après la fin de la saison commerciale… mais de malheureux événements sont survenus…»

Des colombes roucoulent; un bruit paisible dans l'après-midi tourmenté.

Près du bassin de bronze, un jardinier ratisse les pierres blanches.

Shiroyama en vient aux affaires du jour. « Il est contraire au règlement de tenir conseil en cette salle, mais lorsque tous les conseillers, sages et géomanciens de Nagasaki s'entassent dans la Salle aux soixante *tatami*, alors celle-ci devient la Salle aux six *tatami* et aux six cents voix. Il devient impossible d'y réfléchir.

– L'adjoint Fischer se réjouira de cet auditoire. »

Shiroyama relève que de Zoet prend poliment ses distances avec son collègue. « Bien. D'abord » – d'un signe de tête, il indique à son scribe de commencer à écrire –, « il y a le nom du vaisseau de guerre, le *Fîbasu*. Aucun interprète ne connaît ce mot.

– Il ne s'agit pas d'un mot néerlandais, mais d'un nom grec, Votre Honneur. Phoebus était le dieu soleil. Son fils se nommait Phaéton. » De Zoet aide le scribe à transcrire l'étrange nom. « Phaéton se vantait d'avoir un père célèbre, mais ses amis lui disaient : "Ta mère prétend que ton père est le dieu Soleil parce qu'elle n'a pas de véritable mari." Comme cela rendait Phaéton malheureux, son père lui promit d'aider à prouver qu'il était bien fils des cieux. Phaéton demanda : "Laissez-moi conduire le char du Soleil dans le ciel." »

Jacob marque une pause par égard pour les scribes.

« Phoebus tenta d'en dissuader son fils. "Les chevaux sont intrépides, dit-il, le char volera trop haut. Demande autre chose." Mais Phaéton insista et Phoebus accéda à sa requête : une promesse est une promesse, même dans un mythe… et à plus forte raison dans un mythe. Alors, à l'aube qui suivit, le jeune homme conduisit le char qui, depuis l'est, s'envola très haut dans le ciel. Le jeune homme regretta de s'être entêté, mais trop tard. Les chevaux étaient proprement terribles. D'abord, le char partit trop haut et trop loin, et tous les fleuves et les chutes d'eau que compte la Terre se changèrent en glace. Alors Phaéton ramena le char plus près de la Terre, mais il descendit trop bas, et il brûla l'Afrique, noircit la peau des Éthiopiens et mit le feu aux villes de l'Antiquité. Si bien qu'à la fin, le dieu Zeus, roi des cieux, dut intervenir.

– Arrêtez, scribes, ordonne Shiroyama. Ce Zeus n'est pas un chrétien ?

– C'est un Grec, Votre Honneur, dit Iwase. L'équivalent d'Ameno-Minaka-nushi. »

Le Magistrat indique à Jacob de poursuivre.

« Zeus foudroya le char du Soleil. Celui-ci explosa et Phaéton retomba sur Terre. Il se noya dans l'Éridan. Les sœurs de Phaéton, les Héliades, pleurèrent tant qu'elles se changèrent en arbres qu'en néerlandais on nomme "peupliers", mais je ne sais pas s'ils poussent au Japon. Une fois qu'elles furent changées en arbres, des yeux des Héliades s'écoulèrent » – de Zoet interroge Iwase – « des larmes d'ambre. C'est l'origine de cette substance et la fin de mon histoire. Veuillez pardonner la médiocrité de mon japonais.

– Vous croyez qu'il y a quelque vérité à cette histoire ?

– De cette histoire, rien n'est vrai, Votre Honneur.

– Ainsi, les Anglais baptiseraient leurs vaisseaux de guerre en s'inspirant de sornettes ?

– La vérité d'un mythe n'est pas dans ses mots, Votre Honneur, mais dans ses motifs. »

Shiroyama remise cette remarque pour plus tard et retourne à des affaires plus pressantes. « Ce matin, l'adjoint Fischer a déposé une missive émanant du capitaine anglais. Les salutations du roi George y sont transmises en néerlandais. Il y est écrit que la Compagnie néerlandaise est en faillite, que la Hollande n'existe plus et qu'un gouverneur général britannique occupe désormais Batavia. La lettre se termine par une mise en garde : les Français, Russes et Chinois fomentent l'invasion de nos îles. Le roi George dit du Japon que c'est "la Grande-Bretagne du Pacifique" et nous encourage à signer un traité d'entente cordiale et de commerce. Que cela vous inspire-t-il, je vous prie ? »

Épuisé par son récit mythologique en japonais, de Zoet adresse sa réponse en néerlandais à Iwase.

« Le chef de Zoet pense que les Anglais ont cherché à impressionner ses compatriotes, traduit Iwase.

– De quel œil ses compatriotes voient-ils la proposition des Anglais ? »

De Zoet répond directement à cette question : « Nous sommes en guerre, Votre Honneur. Les Anglais manquent facilement à leurs promesses. Personne ne veut collaborer avec eux, sauf un… » – son regard se tourne vers le couloir qui mène à la Salle aux soixante *tatami* – « … qui est à présent passé à leur solde.

– N'est-il pas de votre devoir d'obéir à Fischer ? » demande Shiroyama à de Zoet.

Le chaton de Kawasemi, chassant une libellule, glisse sur le sol lisse de la véranda.

Un serviteur lève les yeux sur son maître, qui secoue la tête : *Laisse-le jouer…*

De Zoet s'apprête à répondre. « Tout homme a plusieurs devoirs, mais… »

Empêtré, il en appelle à l'aide d'Iwase : « M. de Zoet dit que son troisième devoir, Votre Honneur, est d'obéir à ses officiers supérieurs. Son deuxième devoir est de protéger son drapeau. Mais son premier devoir reste d'obéir à sa conscience, parce que Dieu – le dieu auquel il croit – la lui a donnée. »

L'honneur des étrangers, médite Shiroyama, avant d'ordonner aux scribes d'omettre cette remarque. « L'adjoint Fischer est-il au courant de votre antagonisme ? »

Le souffle du vent entraîne la main rouge vif d'une feuille d'érable vers Shiroyama.

« L'adjoint Fischer ne voit que ce qu'il veut bien voir, Votre Honneur.

– Et le chef van Cleef vous a-t-il transmis quelque instruction ?

– Nous n'avons aucune nouvelle de lui. Nous en avons tiré les conclusions qui s'imposaient. »

Shiroyama compare les veines de la feuille à celles de ses mains.

« Si nous voulions empêcher la frégate de quitter la baie de Nagasaki, quelle stratégie mettriez-vous en œuvre ? »

La question surprend de Zoet, mais il délivre une réponse mesurée à Iwase. « Le chef de Zoet propose deux stratégies à adopter : la ruse et la manière forte. La première consisterait à s'engager dans des négociations prolongées qui aboutiraient à un traité de pacotille. Cette stratégie aurait le mérite de nous épargner un bain de sang. Mais elle a deux points faibles : d'une part, les Anglais chercheraient à régler l'affaire le plus vite possible afin de repartir avant l'hiver du Pacifique Nord, et, d'autre part, ce stratagème a déjà été mis en œuvre à leurs dépens en Inde et à Sumatra.

– Eh bien, la manière forte, dans ce cas, conclut Shiroyama. Sans frégate, comment prendre possession d'une frégate ?

– De combien de soldats Votre Honneur dispose-t-il ? » demande de Zoet.

Le Magistrat indique d'abord aux scribes de cesser d'écrire. Puis il leur dit de partir. « Cent, confie-t-il à de Zoet. Demain, quatre cents. Bientôt, mille. »

De Zoet acquiesce d'un hochement de tête. « Combien de bateaux ?

– Huit bateaux de la garde sont affectés à la surveillance du port et des côtes », annonce Tomine.

De Zoet s'enquiert ensuite de savoir si le Magistrat serait en mesure de réquisitionner les bateaux de pêche et de fret dans le port et la baie.

« Le représentant du Shogun est à même de réquisitionner tout ce qu'il veut », déclare Shiroyama.

De Zoet donne son verdict à Iwase, qui traduit : « Voici l'avis du chef par intérim : bien que mille *samurai* bien préparés n'auraient aucune difficulté à mater l'ennemi sur terre ou sur la frégate, le problème de leur acheminement jusqu'au navire demeure insurmontable. Les canons du vaisseau britannique anéantiraient une flottille avant même que les hommes d'armes ne parviennent à l'aborder. Qui plus est, les soldats du *Phoebus* sont munis des plus récents » – Iwase utilise le mot néerlandais «fusils» – «qui sont trois fois plus puissants que les mousquets et que l'on recharge bien plus vite.

– Il n'y a donc aucun espoir» – les doigts de Shiroyama ont démembré la feuille d'érable – «de réussir à prendre possession du vaisseau par la force?

– Bien que le navire ne puisse être capturé, tempère de Zoet, on peut clôturer la baie.»

Croyant que le Néerlandais a commis une faute de japonais, Shiroyama lance un regard à Iwase, mais de Zoet s'adresse longuement à son interprète. À plusieurs reprises, ses mains miment une chaîne, un mur, ainsi qu'un arc et une flèche. Iwase vérifie quelques termes, puis se tourne vers le Magistrat. «Votre Honneur, le chef par intérim propose de mettre en place ce que les Néerlandais appellent un "pont flottant" : une succession de bateaux liés les uns aux autres. Il pense que deux cents embarcations suffiraient. La réquisition s'effectuerait dans les villages extérieurs à la baie et on amènerait les bateaux jusqu'au point le plus étroit de l'embouchure ; de là, on les attacherait d'une rive à l'autre afin de dresser une muraille sur l'eau.»

Shiroyama se représente la scène. «Qu'est-ce qui empêcherait le vaisseau de guerre de la fendre?»

Jacob comprend et répond en néerlandais à Iwase. «De Zoet-*sama* dit que, pour forcer son passage à travers ce pont flottant, le navire serait contraint d'abaisser ses voiles. Celles-ci sont en chanvre et, bien souvent, elles ont été huilées afin de les rendre imperméables. Le chanvre imprégné d'huile est combustible, en particulier lors des saisons chaudes, comme celle-ci.

– Des flèches enflammées, mais oui, comprend Shiroyama. On pourrait dissimuler des archers dans les embarcations…»

De Zoet a l'air hésitant. «Votre Honneur, si le *Phoebus* venait à brûler…»

Shiroyama fait le rapprochement avec le mythe: «Tel le char du Soleil!»

Si ce plan audacieux réussit, songe-t-il, *les sous-effectifs de la garde seront vite oubliés.*

«De nombreux marins embarqués sur le *Phoebus* ne sont pas anglais», poursuit de Zoet.

Après cette victoire, anticipe le Magistrat, *j'obtiendrai un siège au Conseil des Anciens.*

«Les captifs doivent être en mesure de se rendre dignement, s'inquiète le Néerlandais.

– "Se rendre dignement", répète Shiroyama en fronçant les sourcils. Nous sommes au Japon, chef de Zoet.»

XXXVII

Depuis la cabine du capitaine Penhaligon

Vers six heures du soir, le 19 octobre 1800

De sombres nuages s'agglomèrent; les insectes et les chauves-souris saturent l'atmosphère du soir. Le capitaine reconnaît l'Européen assis en proue du bateau de la garde et abaisse sa longue-vue. «On nous ramène l'émissaire Fischer, monsieur Talbot.»

L'aspirant lieutenant cherche une réplique adéquate. «C'est une bonne nouvelle, capitaine.»

Charriant des odeurs de pluie, la brise du soir fait bruisser les pages du registre de versement.

«Une "bonne nouvelle", j'espère que l'émissaire nous en rapporte une.»

À un mille de distance par-delà les eaux calmes, Nagasaki allume ses bougies et referme ses volets.

L'aspirant Malouf frappe à la porte et passe la tête à l'intérieur. «Les salutations du lieutenant Hovell, capitaine. Et aussi : M. Fischer nous revient.

– Oui, je suis au courant. Dites au lieutenant Hovell de conduire M. Fischer à ma cabine une fois ce dernier remonté à bord. Monsieur Talbot, transmettez ceci au commandant Cutlip : je veux que plusieurs soldats se tiennent prêts et que les canons soient chargés, afin de parer à toute éventualité…

« – Très bien, capitaine. » Talbot et Malouf sortent, foulant le pont d'un pied jeune et agile.

Le capitaine reste seul en compagnie de sa goutte, de sa longue-vue et de la lumière qui décline.

Sur le rivage, à un quart de mille de là, on allume des torches dans les postes de garde.

Après une ou deux minutes, le chirurgien toque de cette façon qui lui est propre.

« Ce n'est pas trop tôt, chirurgien Nash, répond le capitaine. Entrez. »

Nash entre : ses poumons sifflent tels deux soufflets troués. « Pour ceux qui en souffrent, la podagre est un fardeau d'un poids exponentiel, capitaine.

– "Exponentiel" ! Ayez l'obligeance de vous exprimer en anglais dans cette cabine, monsieur Nash. »

Le docteur s'assied sur le banc posé sous la fenêtre et aide Penhaligon à lever la jambe. « La goutte va en empirant avant de se résorber, capitaine. » Ses doigts ont beau agir avec délicatesse et prudence, leur contact n'en est pas moins de feu.

« Croyez-vous que je l'ignore ? Doublez ma dose de remède de Dover.

– Il n'est pas sage d'augmenter une quantité d'opiacés aussi rapidement après…

– Doublez ma dose le temps que l'on conclue à un accord, nom d'un chien ! »

Le chirurgien Nash défait les bandages et gonfle les joues en découvrant ce qu'ils dissimulaient. « D'accord, capitaine, mais il me faudra ajouter du henné et de l'aloès, faute de quoi toute circulation au sein de votre tube digestif sera entravée. »

Fischer salue le capitaine en anglais, lui serre la main et adresse des signes de tête à l'adresse de Hovell, Wren, Talbot, et Cutlip, tous autour de la table. Penhaligon se racle la gorge. «Bien, asseyez-vous, émissaire Fischer. Nous savons tous ce qui nous réunit ici.

– Capitaine, un détail avant de commencer, intervient Hovell. M. Snitker nous a abordés, ivre comme Noé, et a exigé d'assister à notre réunion avec l'émissaire Fischer, jurant qu'il ne laisserait jamais un usurpateur – je cite – "détourner ce qui me revient de plein droit".

– Ce qui lui revient de plein droit, intervient Wren, ce serait un bon coup de sabot au cul.

– J'ai jugé bon de lui signifier que nous en appellerions à lui au moment venu, capitaine.

– Et vous avez bien fait. C'est l'émissaire Fischer» – il le désigne d'un geste gracieux –, «l'homme du moment. Veuillez demander à notre ami de bien vouloir nous relater ses travaux du jour.»

Tandis que Hovell prend des notes, Penhaligon étudie le ton sur lequel Fischer répond. Les phrases néerlandaises paraissent préparées d'avance. «Bien, conformément aux ordres qu'il a reçus, capitaine, l'émissaire Fischer a passé la journée à consulter les Néerlandais de Dejima ainsi que des dignitaires à la Magistrature. Il souligne que Rome ne s'est pas construite en un jour, mais il croit que les fondations de la Dejima britannique sont en place.

– Nous nous réjouissons de l'appendre. La "Dejima britannique" : voilà qui résonne à merveille.»

Le serviteur Jones apporte une lampe en cuivre ; Chigwin, de la bière et des chopes.

«Commençons par les Néerlandais : s'accordent-ils sur le principe d'une coopération ?»

Hovell traduit la réponse de Fischer par : «C'est comme si Dejima était à nous.»

Ce «comme si» est la première fausse note, se dit le capitaine.

«Reconnaissent-ils la légitimité du mémorandum de Kew ?»

La longue réponse laisse le capitaine Penhaligon songeur quant aux prétendues «fondations» de Fischer. Hovell continue à noter ce que Fischer dit. « L'émissaire Fischer rapporte que les nouvelles de la faillite de la VOC ont suscité tant le désarroi des Japonais que celui des Néerlandais ; d'ailleurs, sans l'édition du *Courant*, ces derniers n'y auraient jamais cru. Il a profité de la consternation générale pour présenter le *Phoebus* comme l'ultime espoir d'un retour honorable en Europe, mais un dissident, un clerc qui va par le nom de » – Hovell s'assure du nom auprès de Fischer, qui le répète d'un air écœuré – « Jacob de Zoet, a affublé les Britanniques du titre de "cafards de l'Europe" et juré d'exterminer les "vermines" qui collaboreraient. Objectant à ces paroles, M. Fischer l'a provoqué en duel. De Zoet a battu en retraite dans son trou à rat. »

Fischer s'essuie la bouche et ajoute une coda, que Hovell traduit.

« De Zoet était le laquais des chefs Vorstenbosch et van Cleef, dont il vous accuse du meurtre, capitaine. L'émissaire Fischer vous conseille de chasser ce clerc de Dejima et de le mettre aux fers. »

Attendons-nous à quelques règlements de comptes, prévoit Penhaligon tout en hochant la tête d'approbation. « Très bien. »

Le Prussien présente ensuite une enveloppe scellée ainsi qu'une boîte à damiers. Il les pousse de l'autre côté de la table en prodiguant une longue explication. « Capitaine, M. Fischer déclare que, par souci d'exhaustivité, il vous a relaté l'opposition du clerc, mais il tient à nous garantir que de Zoet est "neutralisé", précise Hovell. Pendant qu'il était à Dejima, M. Fischer a reçu la visite du docteur Marinus. Il venait au nom de tous – à l'exception de la canaille de Zoet – faire savoir à M. Fischer que cette main tendue par les Britanniques était vue d'un bon œil, et lui a confié cette lettre scellée qui vous est adressée, capitaine. La missive recueille les "vœux unanimes des Européens de Dejima". »

– Veuillez féliciter notre émissaire, lieutenant. Nous sommes ravis. »

Le sourire rusé de Peter Fischer lui répond : *Bien entendu, que vous êtes ravis…*

«À présent, interrogez M. Fischer à propos de son entretien avec le Magistrat.»

Fischer et Hovell échangent quelques propos.

«Les sonorités de la langue néerlandaise font penser à un porc montant une truie», confie Cutlip à Wren.

Attirés par la vive lumière émanant de la lampe, les insectes s'agglutinent sur la fenêtre de la cabine.

Hovell est prêt. «Avant de revenir ce soir à bord du *Phoebus*, l'émissaire Fischer a eu le loisir de s'entretenir longuement avec le plus haut conseiller du Magistrat, le chambellan Tomine.

– Et qu'est-il advenu de la chaleureuse relation qu'il entretenait avec le Magistrat Shiroyama? l'interroge Wren.

– L'émissaire Fischer dit que Shiroyama n'est en réalité qu'un "noble castrat", un fantoche: celui qui détient véritablement le pouvoir n'est autre que son chambellan.»

Quand un sous-fifre ment, j'aime autant qu'il soit conséquent, s'inquiète Penhaligon.

«Selon l'émissaire Fischer, poursuit Hovell, ce puissant chambellan a accueilli notre proposition d'établir un traité d'échanges commerciaux avec beaucoup d'enthousiasme. Edo est déçu par le manque de fiabilité de Batavia en tant que partenaire de négoce. Le chambellan Tomine a été fort surpris d'apprendre que l'Empire néerlandais s'est disloqué, et l'émissaire Fischer a semé en abondance les graines du doute dans l'esprit du Japonais.»

Penhaligon caresse la boîte à damiers. «Est-ce là le message du chambellan?»

Fischer comprend la question; il adresse sa réponse à Hovell. «Il dit, capitaine, que cette lettre historique a été dictée par le chambellan Tomine, approuvée par le Magistrat Shiroyama et traduite vers le néerlandais par un interprète du premier ordre. Il n'en connaît pas la teneur, mais il est persuadé qu'elle comblera vos attentes.»

Penhaligon examine la boîte. «De la belle ouvrage, mais comment l'ouvre-t-on?

– Il doit y avoir un mécanisme secret, capitaine, se hasarde Wren. Puis-je ? » Le sous-lieutenant s'acharne une bonne minute, en vain. « Diables d'Asiatiques.

– Face au marteau de l'Anglais, commente Cutlip en prisant du tabac, elle ne ferait guère long feu. »

Wren la passe à Hovell. « Vous qui aimez crocheter les serrures orientales, lieutenant… »

Hovell fait coulisser l'arrière et le couvercle se décroche. À l'intérieur se trouve un parchemin doublement plié et scellé sur le devant.

Pareilles lettres font le destin d'un homme, songe Penhaligon. *Ou le défont…*

Le capitaine rompt le sceau à l'aide de son coupe-papier puis déplie le parchemin.

Il est écrit en néerlandais. « J'abuse une fois de plus de vos services, lieutenant Hovell.

– Mais pas du tout, capitaine. » Il se sert d'une chandelle pour allumer une deuxième lampe.

« "Au capitaine du vaisseau britannique le *Phoebus*. Le Magistrat Shiroyama informe les 'Angleterriens' que…" » – Hovell s'interrompt et fronce les sourcils. « Veuillez m'excuser, capitaine, mais la syntaxe est rustique. "… qu'il n'appartient pas au Magistrat de Nagasaki de modifier les règles régissant le commerce avec les étrangers. Il s'agit là du domaine réservé du Conseil shogunal des Anciens sis à Edo. Par conséquent, le capitaine anglais a pour… " » – le mot qui suit est « ordre » – « "… a pour ordre de mouiller dans la baie pendant soixante jours en attendant que les autorités compétentes à Edo discutent de la possibilité d'établir un traité avec la Grande-Bretagne." »

Un silence hostile s'installe.

« Ces pygmées jaunes nous prennent pour une petite troupe de heiduques ! » s'insurge Wren.

Devinant que quelque chose ne va décidément pas, Fischer demande à voir la lettre du chambellan.

La paume de Hovell lui rétorque : *Attends*. « Il y a pire, capitaine. "Le capitaine des Anglais est tenu de remettre la totalité de sa poudre à canon…"

– Il leur faudra nous passer sur le corps pour nous l'arracher, je le jure devant Dieu ! » peste Cutlip.

Quel imbécile je fais, se reproche Penhaligon. *J'ai oublié qu'en matière de diplomatie, rien n'est jamais simple.*

Hovell poursuit : « "… la totalité de sa poudre à canon et d'autoriser des inspecteurs à monter à bord de son navire qui s'assureront de sa diligence. Les Anglais ne doivent pas tenter d'accoster." Ce passage a été souligné, capitaine. "Sauf permission écrite du Magistrat, ce geste serait considéré comme une déclaration de guerre. Enfin, le capitaine anglais doit savoir que la loi du Shogun condamne à la crucifixion tout contrevenant." La lettre est signée de la main du Magistrat Shiroyama. »

Penhaligon se frotte les yeux. Sa goutte le fait souffrir. « Montrez à notre "émissaire" ce que nous vaut son ingéniosité. »

Peter Fischer lit la lettre, de plus en plus incrédule à chaque ligne, puis, tourné vers Hovell, se met à ânonner des protestations d'une voix haut perchée. « Fischer réfute que le chambellan ait évoqué ces soixante jours ou la confiscation de la poudre à canon, capitaine.

– Personne ne doute qu'on ait raconté à Fischer ce qui lui plaisait d'entendre », répond le capitaine qui ouvre ensuite l'enveloppe contenant la lettre du docteur. Il s'attend à y trouver du néerlandais mais y découvre un anglais impeccable. « Eh bien, il y a là-bas un linguiste compétent. "Au capitaine Penhaligon de la Marine royale. Monsieur, moi, Jacob de Zoet, élu en ce jour président de la république provisoire de Dejima,…"

– Une république ? raille Wren. Ce hameau claquemuré de réserves ?

– "… souhaite vous informer que nous, ses soussignés citoyens, rejetons le mémorandum de Kew, nous opposons à votre projet illégitime de mainmise sur les intérêts néerlandais à Nagasaki, refusons de nous laisser appâter par les perspectives de profit au sein de la Compagnie anglaise des Indes orientales, exigeons le retour du chef en poste van Cleef et informons Peter Fischer de Brunswick qu'il se trouve dorénavant banni de notre territoire." »

Les quatre officiers regardent celui qui n'est plus l'émissaire Fischer, lequel avale sa salive et demande qu'on lui traduise la lettre.

« Je reprends : "Quand bien même MM. Snitker, Fischer *et al.* prétendraient le contraire, les enlèvements de la veille sont perçus par les autorités japonaises comme une violation de leur souveraineté. Les mesures de rétorsion ne tarderont plus – représailles contre lesquelles je serai impuissant. Songez non seulement aux membres de votre équipage, victimes innocentes de ces machinations étatiques, mais également à leurs épouses, parents et enfants. Certes, nous savons bien qu'un capitaine de la Marine royale a des ordres à exécuter, mais *à l'impossible, nul n'est tenu**. Votre serviteur respectueux, Jacob de Zoet." Elle est signée par tous les Néerlandais. »

Des rires gras et graveleux emplissent le carré situé en dessous.

« Veuillez exposer le cœur du problème à Fischer, monsieur Hovell. »

Tandis que ce dernier traduit la lettre en néerlandais, le commandant Cutlip allume sa pipe. « Pourquoi ce dénommé Marinus a-t-il raconté toutes ces balivernes à notre Prussien ?

– Pour qu'il passe pour un parfait abruti, soupire Penhaligon.

– Quel était ce coassement en fin de lettre, capitaine ? » demande Wren.

Talbot se racle la gorge et explique la locution française.

« Je déteste ces énergumènes qui flatulent en français et attendent des applaudissements, maugrée Wren.

– Et que signifie cette ridicule histoire de » – Cutlip pouffe – « "république" ?

– C'est un enjeu moral : les compatriotes sont plus combatifs que des subalternes apeurés. Ce de Zoet n'est pas l'imbécile que Fischer nous a laissé croire. »

Hovell subit une bordée de protestations outrées de la part de Fischer. «Il prétend que de Zoet et Marinus ont tous deux fomenté cette malice, capitaine ; que les signatures sont certainement contrefaites. Il dit que Gerritszoon et Baert ne savent même pas écrire.

– Oui, et c'est pourquoi ils y ont apposé l'empreinte de leur pouce ! » Penhaligon résiste à une envie pressante d'envoyer son presse-papiers en fanon de baleine à la figure blême et suante d'un Fischer aux abois. «Montrez-les-lui, Hovell ! Montrez-les-lui ! Là, Fischer ! L'empreinte de leur pouce ! »

Les membrures craquent, les hommes ronflent, les rats grignotent, les lampes crachouillent. Dans la lueur du ventre de bois de sa cabine, assis devant la tablette rabattable, Penhaligon se gratte entre deux phalanges de la main gauche, puis écoute les douze sentinelles qui, tout autour du bastingage, se relaient un message : «Trois coups de cloche, rien ne cloche.» *Eh bien, c'est que vous êtes aveugles !* se dit le capitaine. Deux pages blanches attendent d'être transformées en lettres : la première sera destinée à M. – *Jamais je ne l'appellerai «président» !* – Jacob de Zoet, résident de Dejima, et la seconde à Sa Noble Grâce le Magistrat Shiroyama de Nagasaki. Le correspondant en mal d'inspiration se frotte le crâne, mais, au lieu de mots, ce sont des pellicules et des poux qui tombent sur le buvard.

Attendre soixante jours – il jette ces déchets dans la lampe – *passe encore...*

L'éventualité d'une éprouvante traversée de la mer de Chine au mois de décembre inquiétait Wetz.

... mais si je renonce à notre poudre à canon, je passerai en cour martiale.

Dans l'ombre de l'encrier, un hanneton fait frémir ses antennes.

Penhaligon regarde le vieil homme dans son miroir de rasage et lit un article imaginaire enfoui dans les tréfonds du *Times of London* de l'an prochain.

« John Penhaligon, ancien capitaine du Phoebus, *frégate de Sa Majesté, est rentré de ce qui fut la première expédition britannique au Japon depuis le règne de James Ier. Il a été démis de ses fonctions et, ayant échoué tant sur le plan militaire que commercial ou diplomatique, il n'obtiendra pas de pension de retraite. »*

« C'est le service de recrutement qui t'attend, le met en garde son reflet. Tu devras braver les foules hostiles de Bristol et Liverpool. Trop de Hovell ou de Wren attendent leur heure… »

Maudit soit ce Néerlandais de Jacob de Zoet…, fulmine intérieurement l'Anglais.

Penhaligon décrète alors que le hanneton n'a pas le droit de vivre.

… lui et sa santé de mangeur d'édam, lui qui maîtrise ma propre langue.

Le hanneton échappe au poing de l'*Homo sapiens*.

Une émeute éclate dans les tripes de Penhaligon. Il n'y aura pas de quartier.

Il faut que j'affronte la douleur qui me transperce le pied, se raisonne Penhaligon, *sans quoi me voilà bon pour conchier ma culotte.*

Dans une atroce souffrance, il se traîne jusqu'aux latrines attenantes…

… puis, dans ce recoin sombre, il se déboutonne et s'effondre sur le siège.

Mon pied se transforme en pomme de terre calcifiée. La douleur est lancinante.

Cependant, les dix pas de cet effroyable périple ont muselé ses entrailles.

Je suis maître d'une frégate, et cependant point de mes intestins.

Sept mètres plus bas, des vaguelettes clapotent et tapotent la coque.

Il fredonne sa chanson rituelle à la selle. *Les jeunes femmes se cachent comme des oiseaux dans les buissons...*

Penhaligon tourne son alliance, logée dans les plis de chair de l'entre-deux-âges.

Les jeunes femmes se cachent comme des oiseaux dans les buissons...

Meredith est morte il y a trois ans seulement, mais déjà le souvenir de son visage s'érode.

... et fussé-je jeune homme, j'agirais en polisson...

Penhaligon regrette de ne pas avoir déboursé quinze livres pour le portrait...

... Ti la li digue dondaine, ti la li digue dondon.

... Mais il y avait les dettes de son frère à essuyer et, comme toujours, on avait tardé à lui verser sa propre paie.

Il se gratte férocement entre deux phalanges de sa main gauche.

Une acidité familière lui brûle le sphincter. *Des hémorroïdes à présent?*

«Ce n'est pas le moment de s'apitoyer sur soi, se réprimande-t-il. Il me faut écrire plusieurs lettres d'importance.»

Le capitaine entend les sentinelles crier: «Cinq coups de cloche, rien ne cloche...» La lampe arrive à court d'huile, mais, s'il la remplissait, Penhaligon réveillerait sa goutte, et il éprouve trop de gêne à solliciter Chigwin pour une tâche aussi simple. Son indécision se reflète sur la page blanche. Il tente de rassembler ses idées, mais celles-ci se dispersent tels des moutons. *Tout capitaine ou amiral digne de ce nom possède un toponyme renvoyant à sa gloire: Nelson a le Nil; Rodney, la Martinique et al.; Jervis, le cap Saint-Vincent.* «Pourquoi John Penhaligon se verrait-il refuser Nagasaki?» *À cause d'un clerc néerlandais nommé Jacob de Zoet, voilà pourquoi. Maudit soit le vent qui l'a porté jusqu'ici...*

L'avertissement que comportait sa lettre est un coup de génie, concède le capitaine.

Il observe une larme d'encre suspendue à la pointe de sa plume retomber dans l'encrier.

Si je tiens compte de sa mise en garde, je lui serai obligé.

Une averse impromptue martèle la mer et tapisse le pont.

Mais si j'en fais fi, nous prenons un immense risque…

Cette nuit, c'est Wetz qui supervise le quart de bâbord : il ordonne qu'on sorte les tauds et les tonneaux afin de récupérer l'eau de pluie.

… et, faute d'aboutir à un accord anglo-japonais, nous entrerions en guerre.

Il repense à la conjecture de Hovell sur les commerçants du Siam postés à Bristol.

Il faudrait bien soixante jours pour obtenir une réponse du Parlement.

Penhaligon a tant et si bien gratté sa piqûre de moustique qu'à présent une vilaine boule est logée entre ses deux phalanges.

Il jette un œil à son miroir de rasage : c'est son grand-père qui le regarde.

Il y a les « étrangers familiers » et les « étrangers étrangers », médite Penhaligon.

Au moins, avec les Français, les Espagnols ou les Néerlandais, l'on peut recourir à des espions.

La flamme crachouille, vacille puis s'éteint. La cabine s'encapuchonne de nuit.

De Zoet a utilisé un de ses meilleurs atouts, juge-t-il.

« Un petit somme et le brouillard se dissipera », prescrit le capitaine.

Les sentinelles crient : « Deux coups de cloche, deux coups de cloche, rien ne cloche… » Les draps trempés de sueur de Penhaligon sont emmaillotés autour de lui tel le cocon d'une araignée. Sur le pont-dortoir, les bâbordais sont sans doute endormis ; leurs hamacs sont serrés les uns contre les autres, et leurs chiens, chats et singes sont avec eux.

La dernière vache, le dernier mouton, les deux chèvres et la demi-douzaine de poulets sont assoupis.

Nocturnes, les rats sont certainement à l'œuvre dans les garde-manger.

Dans le réduit situé à proximité de la porte de la cabine du capitaine, Chigwin sommeille.

Tout en bas, sur le faux-pont, le chirurgien Nash dort dans la chaleur de son cagibi.

Le lieutenant Hovell, qui supervise le quart de tribord, restera éveillé ; Wren, Talbot et Cutlip, eux, dormiront jusqu'au matin.

Le capitaine s'imagine que Jacob de Zoet est en train de s'adonner aux plaisirs des courtisanes : Peter Fischer a juré qu'il entretenait tout un harem aux dépens de la Compagnie.

« La haine dévore ceux qui la cultivent, tel un ogre dévorant les petits garçons », répétait Meredith au tout jeune Tristram.

Puisse-t-elle broder des coussins au Ciel à présent…

Le cliquetis régulier de la pompe de cale commence.

Wetz aura conseillé à Hovell d'avoir à l'œil le niveau de la sentine.

Le Ciel… c'est seulement à bonne distance qu'on apprécie cette incommodante perspective, songe-t-il.

Quand on l'interroge sur les mers qu'il y a au Paradis et leur ressemblance avec celles de la Terre, l'aumônier Wily se montre évasif.

Meredith ne serait-elle pas plus heureuse dans une petite chaumière à elle ? se demande Penhaligon.

Le sommeil lui embrasse les paupières. La lumière de son rêve est pommelée. Il remonte joyeusement les marches de sa maîtresse de jadis, à Brewer Street. La voix de la fille scintille. « Tu es dans le journal, Johnny. » Il ramasse le *Times* du jour et lit :

« *L'amiral sir John Penhaligon, dernier capitaine en date du* Phoebus, *frégate de Sa Majesté, a relaté devant la Chambre des lords la façon dont il avait flairé le mauvais tour que préparait le Magistrat de Nagasaki quand celui-ci lui intima l'ordre de lui remettre sa poudre à canon. "Dejima n'ayant rien à nous offrir, et notre accord commercial se heurtant à l'opposition des Japonais et des Néerlandais, il s'avéra nécessaire d'orienter nos canons vers le poste de traite." Dans la Chambre des communes, M. le Premier ministre William Pitt a loué les courageuses décisions de l'amiral qui "a porté le coup de grâce à la cupidité des Néerlandais en Extrême-Orient".* »

Penhaligon se redresse dans son lit, se cogne la tête et rit aux éclats.

S'appuyant sur Talbot, le capitaine se hisse péniblement sur le spardeck. Sa canne n'est plus un accessoire utile mais une nécessité : sa goutte est l'étau d'un bandage d'ajoncs et d'orties. La matinée est sèche et pourtant humide : les nuages aux larges coques couvertes de berniques sont gorgés d'eau. Trois bateaux en provenance de la Chine glissent le long de la rive opposée en direction de la ville. *Vous allez, selon toute vraisemblance, assister à un joli spectacle*, promet-il aux Chinois.

Deux douzaines de terriens sont assis sur la partie centrale sous les ordres du maître pilote. Ils saluent leur capitaine et remarquent son pied bandé trop gonflé et endolori pour supporter une bottine ou un soulier. Il claudique jusqu'au poste de l'officier de quart, situé à côté du gouvernail, où Wetz cale un bol de café afin de le prémunir du faible roulis du *Phoebus*. « Bonjour, monsieur Wetz. Rien à signaler ?

– Nous avons rempli dix tonneaux d'eau de pluie, capitaine. Et aussi, le vent a tourné : il vient du nord. »

Une grasse vapeur suivie d'un nuage d'obscénités s'échappe de l'aération de la cuisine.

Penhaligon épie les bateaux de la garde. « Quant à nos deux infatigables sentinelles ?

– Elles ont tourné autour de nous toute la nuit, capitaine, et elles s'y emploient encore.

« – J'aimerais savoir ce que vous inspirerait une hypothétique manœuvre, monsieur Wetz.

– Ah oui, capitaine ? Dans ce cas, je vais confier la barre au lieutenant Talbot. »

Penhaligon clopine derrière Wetz qui se dirige vers la lisse de couronnement du gaillard d'arrière, où ils seront en privé. Penhaligon le suit en claudiquant.

« Vous serait-il possible d'approcher Dejima à trois cents mètres ? »

Wetz désigne les jonques chinoises. « Si elles en sont capables, capitaine, alors nous aussi.

– Sauriez-vous maintenir le navire immobile pendant trois minutes, sans toutefois jeter l'ancre ? »

Wetz jauge la force du vent et sa direction. « Un jeu d'enfant.

– Et combien de temps nous faudrait-il pour traverser la baie et prestement regagner le large ?

– Voulez-vous dire… » – Wetz plisse les yeux dans les deux directions, estimant la distance – « … pour déguerpir sans avoir aucun dégât à déplorer ?

– Ma chère sibylle a un rhume de cerveau : je ne puis lui arracher le moindre mot. »

Maître Wetz clappe en scrutant le panorama tel un laboureur à l'adresse d'une jument. « Si les conditions demeurent inchangées, capitaine, il nous faudrait… cinquante minutes pour quitter la baie. »

« Robert. » Penhaligon parle la pipe en bouche. « Je vous tire de votre sommeil. Entrez donc. »

Le premier lieutenant, qui ne s'est pas rasé, a quitté sa couchette quelques secondes plus tôt. « Capitaine. » Hovell referme la porte de la cabine, barrant l'entrée au tumulte des cent cinquante marins qui mangent du biscuit de mer trempé dans du beurre clarifié. « "Quand un premier lieutenant est frais et dispos, c'est qu'il néglige son travail", dit-on. Puis-je vous demander comment va votre…» Il regarde le pied bandé de Penhaligon.

«Aussi gros qu'une vesse-de-loup, mais le docteur Nash m'a gavé de son remède : je devrais rester vaillant, du moins pour la journée, ce qui sera vraisemblablement suffisant.

– Ah oui? Comment cela, capitaine?

– J'ai composé deux missives cette nuit. Pourriez-vous y jeter un œil? Malgré leur concision, ces lettres sont consistantes. Je n'aimerais pas qu'elles soient barbouillées de fautes d'orthographe, et, par ailleurs, sur le *Phoebus*, vous êtes le plus à même d'endosser le titre d'homme de lettres.

– C'est un honneur de vous obliger, capitaine, mais l'aumônier vous sera sans doute…

– Lisez-les à voix haute, je vous prie, de sorte que je perçoive l'effet qu'elles produisent.»

Hovell s'attelle à la lecture : «"À M. Jacob de Zoet. Primo, Dejima n'est pas une 'république provisoire' mais un poste de traite dont l'ancien propriétaire, la Compagnie néerlandaise des Indes orientales, est défunt. Secundo, vous n'êtes pas un président mais un boutiquier qui, en s'autoproclamant chef en l'absence de l'adjoint Fischer, a violé le règlement de ladite Compagnie." L'argument fait mouche, capitaine. "Tertio, nonobstant mes ordres d'occuper Dejima par la voie diplomatique ou militaire, si la chose se révélait impossible, je me verrais contraint de rendre le poste de traite inutilisable."» Hovell lève des yeux incrédules.

«Nous en avons presque fini, lieutenant Hovell.

– "À réception de cette lettre, baissez votre pavillon et arrangez-vous pour qu'on vous conduise au *Phoebus* avant midi : prisonnier de guerre, vous y serez néanmoins traité en gentleman. Faites fi de cette requête, et Dejima sera vouée à…"» – Hovell s'interrompt – «"… une destruction intégrale. Fidèlement vôtre,… *et cetera.*"»

Au-dessus de la cabine du capitaine, on entend des matelots éponger le gaillard d'arrière.

Hovell lui rend la lettre. « Il n'y a aucune erreur de grammaire ou de syntaxe, capitaine.

— Nous sommes seuls, Robert : sortez de votre réserve.

— Certains considéreraient que cette tentative d'intimidation est un rien trop… hardie ?

— Ce n'est pas de l'intimidation. Dejima sera britannique ou ne sera pas.

— Sont-ce là les ordres que vous aviez reçus du gouverneur au Bengale, capitaine ?

— "Pillez ou commercez : à vous de choisir en fonction des circonstances et de votre inspiration." En l'occurrence, les circonstances font entrave tant au pillage qu'au commerce. Et comme il serait fâcheux de battre en retraite la queue entre les jambes, je m'en remets à ce que la situation m'inspire. »

Non loin, un chien aboie et un singe pousse des cris perçants.

« Capitaine… avez-vous songé aux conséquences ?

— Il est justement grand temps que Jacob de Zoet apprenne à assumer les conséquences de ses actes.

— Capitaine, puisque vous me demandez mon avis, eh bien je me dois de vous prévenir que si nous commettons une agression délibérée à l'endroit de Dejima, les Japonais conserveront une très sombre image de la Grande-Bretagne pendant deux générations.

« Très sombre image », « agression délibérée », relève Penhaligon. *Des paroles sans ambages.* « Avez-vous donc été insensible à l'offense tout aussi délibérée que constituait la lettre du Magistrat ?

— Elle a certes trompé les espoirs que nous caressions, mais les Japonais ne nous ont pas invités à Nagasaki. »

Il ne faut point trop chercher à comprendre son adversaire, médite Penhaligon, *faute de quoi, on passe dans son camp..*

« Votre deuxième lettre s'adresse au Magistrat Shiroyama, je suppose.

– Vous supposez bien. » Le capitaine lui tend la feuille.

« "Au Magistrat Shiroyama. Monsieur, la main amicale de la Couronne et du gouvernement de Grande-Bretagne vous a été tendue par l'entremise de M. Peter Fischer. Vous l'avez repoussée avec véhémence. Il n'est de capitaine britannique qui renoncerait à sa poudre à canon ou tolérerait la présence d'inspecteurs dans ses cales. La quarantaine que vous nous demandez d'imposer au *Phoebus* viole les usages en vigueur entre des nations civilisées. Cependant, je suis disposé à passer outre à cette offense si Votre Honneur accepte les conditions suivantes : livrer au *Phoebus* avant midi le Néerlandais Jacob de Zoet ; nommer l'émissaire Fischer chef en poste de Dejima ; renoncer à vos exigences inacceptables relatives à notre poudre à canon et à vos inspections. Si ces trois conditions ne sont pas remplies, l'obstination des Néerlandais sera punie à la mesure de ce que le code de la guerre permet, et les dégâts fortuitement infligés aux biens et aux personnes en incomberont à Votre Honneur. Avec mes regrets, *et cetera*, le capitaine Penhaligon de la Marine royale de la Couronne britannique." Eh bien, capitaine, cette lettre… »

Une veine qui palpite dans le pied de Penhaligon lui procure une douleur presque exquise.

« … cette lettre est tout aussi directe que la première », juge le lieutenant.

Qu'est-il donc advenu de mon jeune protégé et de sa gratitude ? s'interroge le capitaine dans un mélange de colère et de chagrin. « Traduisez la lettre en néerlandais toutes affaires cessantes et faites conduire Peter Fischer jusqu'à un des bateaux de la garde, de sorte qu'il puisse porter ces deux missives. »

« "Peu après," » – le lieutenant Talbot, assis près de la fenêtre dans la cabine du capitaine, lit à voix haute le livre de Kaempfer tandis que Rafferty, le second du chirurgien, promène un rasoir sur les joues de Penhaligon –, « "en 1638, ce tribunal païen n'eut aucun scrupule à infliger aux Néerlandais une funeste épreuve afin de vérifier ce qui, entre les ordres du Shogun et l'amour de leurs frères chrétiens, aurait la plus grande emprise sur eux. Il nous fut demandé de servir l'Empire en favorisant l'extermination des chrétiens qu'il compte : quarante mille martyrs incités par le désespoir à se regrouper dans une antique forteresse sise dans la province de…" » – Talbot bute sur le toponyme – « "Shimabara où ils s'étaient préparés à leur défense. Le chef des Néerlandais,…" » – Talbot récidive – « "… Koekebackeer, se rendit en personne sur ces lieux et, en quatorze jours, il administra à ces chrétiens assiégés quatre cent vingt-six salves de canons aussi bien par la mer que par les terres."

– Je savais bien que ces bâtards de Néerlandais sont des mesquins, commente Rafferty tout en coupant les poils de nez de Penhaligon à l'aide de ses ciseaux de chirurgien. Mais qu'ils aient massacré d'autres chrétiens rien que pour avoir le droit de commercer, ça me dépasse, capitaine. Autant vendre sa vieille mère à un taxidermiste.

– S'il est bien une race sans foi ni loi en Europe, ce sont les Néerlandais. La suite, monsieur Talbot ?

– Oui, capitaine : "Cette aide n'aboutit ni à la reddition des chrétiens, ni à leur défaite totale, quoique les forces des assiégés s'en trouvèrent amoindries. Et pour le bon plaisir du Shogun, le vaisseau néerlandais, qui devait encore traverser de bien dangereuses mers, se priva de six canons afin que les Japonais pussent accomplir leurs sombres desseins…" L'on se demande si ce ne sont pas ces mêmes joujoux qui ornent les postes de tir disposés sur la baie ; qu'en pensez-vous, capitaine ?

– C'est possible, monsieur Talbot, c'est possible. »

Rafferty frotte le savon estampillé Pears sur la pommette du capitaine.

Le commandant Cutlip entre. « Le bateau de la garde qui vient de prendre la relève ne s'approche guère plus près que l'autre, capitaine ; et de Jacob de Zoet, nulle trace. Leur drapeau flotte toujours aussi effrontément sur Dejima, comme un pied de nez.

– Dans ce cas, nous allons leur trancher la main et le nez, jure Penhaligon.

– Aussi, ils évacuent Dejima et emportent sur des charrettes ce qui peut l'être. »

Leur décision est donc prise. « Quelle heure est-il, monsieur Talbot ?

– Il est… un peu plus de dix heures et demie, capitaine.

– Lieutenant Wren, dites à M. Waldron qu'à moins que de terre, des nouvelles nous… »

Dans les escaliers résonnent des éclats de voix en néerlandais.

« Pas sans l'aval du capitaine ! » hurle Banes ou Panes.

Fischer vocifère une furieuse réplique en néerlandais qui se termine par « émissaire ! ».

« Les Hanovriens lui auront certainement raconté ce qui se prépare, spécule Cutlip.

– Voulez-vous que j'aille chercher le lieutenant Hovell, capitaine ? s'enquiert Talbot. Ou bien Smeyers ?

– Si les Japonais refusent notre proposition, qu'avons-nous besoin des Néerlandais ? »

La voix de Fischer leur parvient. « Capitaine Penhaligon ! Nous, parler ! Capitaine !

– La choucroute préserve du scorbut, dit le capitaine, mais ce chien croûteux… »

Rafferty émet un ricanement nasal et fielleux.

« … n'est rien de moins qu'une calamité. Dites-lui que je suis occupé, commandant. S'il ne comprend pas le mot "occupé", faites-lui comprendre l'idée. »

À midi moins cinq, élégamment vêtu de son grand manteau tressé d'or et coiffé de son tricorne, Penhaligon s'adresse à l'équipage depuis le spardeck. « Comme souvent en période de guerre, messieurs, les choses évoluent plus promptement en territoire étranger. Ce matin, une bataille éclatera. Elle ne sera cependant pas précédée d'un grand discours, messieurs. J'entrevois un épisode bref, tonitruant et unilatéral. Hier, nous avons tendu aux Japonais la main de l'amitié. Ils ont répondu par un crachat. Était-ce grossier ? Assurément. Imprudent ? Je le pense. Répréhensible par les lois des nations civilisées ? Hélas, non. Ce matin, nous nous attacherons seulement à punir les Néerlandais » – les plus vieux l'acclament par des cris rauques –, « cette coterie de naufragés à qui nous avons proposé du travail et la gratuité de la traversée. En retour, ils ont fait montre d'une insolence que nul Anglais ne feindrait d'ignorer. »

Des rideaux de bruine s'abattent sur les pentes des montagnes.

« Si nous étions au large de Saint-Domingue ou de la côte Malabar, nous rétribuerions ces Néerlandais en nous emparant de leurs richesses et en baptisant King George Harbour cette baie aux eaux profondes. Les Néerlandais spéculent que je ne vais pas sacrifier le meilleur équipage de toute ma carrière en prenant d'assaut Dejima à une heure de l'après-midi pour me voir contraint de la rétrocéder à cinq heures. À cet égard, ils ont raison : le Japon possède davantage de guerriers que le *Phoebus* n'a de munitions. »

Un des deux bateaux de la garde se presse de retourner à Nagasaki.

Rame aussi vite que tu voudras, le menace le capitaine, *mais tu n'échapperas pas à mon* Phoebus.

« Cependant, en réduisant Dejima à néant, nous couperons court au mythe de la puissance néerlandaise. Quand la poussière sera retombée et que des leçons en auront été tirées, la prochaine expédition britannique qui ralliera Nagasaki – dès l'année prochaine, peut-être – ne sera pas refoulée de façon aussi grossière.

– Capitaine, intervient le commandant Cutlip, et si les Japonais tentent un abordage ?

– Effectuez des tirs de semonce, et s'ils n'en tiennent pas compte, montrez-leur la puissance et la précision des fusils britanniques. Tuez-en aussi peu que possible.

– Capitaine, l'interpelle Waldron en levant la main, certains tirs porteront forcément plus loin que prévu.

– Nous visons Dejima, mais si nos tirs, par accident, retombaient sur Nagasaki… »

À sa droite, Penhaligon sent la présence désapprobatrice d'un Hovell horripilé.

« … alors à l'avenir, les Japonais choisiront mieux leurs alliés. Allons donc donner à ce pays arriéré et despotique un avant-goût du siècle qui s'ouvre. » Parmi les visages de ceux perchés dans les gréements, Penhaligon aperçoit celui de Hartlepool, qui pose sur lui le regard d'un ange à la peau brune. « Montrez à ce port de païens vérolés les dégâts que peut infliger un guerrier britannique à son ennemi quand ce dernier réveille sa juste colère ! »

La quasi-totalité des trois cents hommes fixent leur capitaine d'un regard féroce et respectueux.

Il tourne furtivement la tête vers Hovell, qui a les yeux rivés sur Nagasaki.

« Canonniers, à vos pièces ! Monsieur Wetz, rapprochez-nous de l'île, je vous prie. »

Ils sont vingt à actionner le guindeau. Le câble grogne, l'ancre se lève.

Wetz crie des ordres aux matelots qui s'amassent en haut des haubans.

« "Un navire tenu de main de maître", disait le capitaine Golding, "est un opéra flottant…" »

Les focs se déroulent : la bôme de foc s'étire avec délices.

« "… dont le metteur en scène est le capitaine, et le chef d'orchestre, le maître pilote." »

Puis vient le tour de la misaine et de la grand-voile ; puis des huniers…

Toute l'ossature du *Phoebus* est sollicitée, et ses articulations craquent à mesure que la tension augmente.

Wetz manie la barre jusqu'à ce que le *Phoebus* navigue à bâbord amures.

Ledbetter sonde la profondeur, agrippé à une écoute.

À mi-hauteur dans le ciel qui dégouline, des marins chevauchent les vergues des perroquets…

La proue décrit un arc de cercle de cent quarante degrés…

… puis, tanguant légèrement, la frégate vire en direction de Nagasaki.

Un Danois au teint de hareng fumé qui tente de démêler une drisse la transforme en une saucisse finlandaise.

« Voulez-vous bien m'excuser un instant, capitaine ? » Hovell désigne le Danois.

« Filez », réplique Penhaligon. La concision de sa réponse signifie : *Ne te presse pas de revenir.*

« Suivez-moi, dit-il à Wren, nous verrons mieux en proue.

– Excellente idée, capitaine », acquiesce le sous-lieutenant.

De son pas claudiquant de goutteux, Penhaligon atteint les haubans du mât de misaine. Cutlip et une douzaine de soldats regardent le dernier bateau de la garde, situé droit devant, à une centaine de mètres : une embarcation mesurant tout juste vingt pieds de long surmontée d'un petit rouf et qui semble encore plus fragile qu'un boutre. Les six hommes d'armes et les deux inspecteurs à son bord semblent en désaccord quant à l'attitude à adopter.

« Ne bougez pas, mes mignons, murmure Wren. On va vous couper en deux.

– Un peu de mitraille, suggère Cutlip, et ils retrouveront la raison, capitaine.

– C'est entendu. Cependant » – Penhaligon se tourne vers les soldats –, « veillez à ne pas les tuer, messieurs. »

– Oui, capitaine », répondent-ils tout en chargeant leurs fusils.

Cutlip attend que la distance se réduise à cinquante mètres. « Soldats, feu ! »

Des éclats de bois s'arrachent des batayoles. Des projections d'eau de mer accompagnent le fracas.

Un inspecteur s'accroupit, ses collègues se précipitent dans le rouf. Deux rameurs foncent à leurs postes et réussissent *in extremis* à écarter le bateau de la trajectoire du *Phoebus*. Depuis la proue, on voit très bien les soldats japonais : impassibles, la tête levée, ils fixent les Européens droit dans les yeux mais s'abstiennent de saisir leurs flèches ou leurs lances, et n'entreprennent pas de les pourchasser. Dans le sillage du *Phoebus*, leur embarcation donne dangereusement de la bande et se laisse distancer bien vite.

« Un travail mené de main de maître, messieurs, les félicite Penhaligon.

– Rechargez, soldats, dit Cutlip. Et gare à ce que la pluie ne mouille pas votre poudre. »

Ruisselant sur le flanc de la montagne, Nagasaki se rapproche.

Le beaupré du *Phoebus* s'oriente de huit ou dix degrés vers l'est de Dejima : le drapeau britannique accroché à la vergue est aussi raide qu'une planche.

Hovell rejoint le cercle privé du capitaine sans piper mot.

Penhaligon entrevoit un misérable hameau qu'une crique envasée aurait déféqué.

« Vous m'avez l'air bien pensif, lieutenant Hovell, l'interpelle Wren. Votre estomac vous contrarie-t-il ? »

Hovell regarde droit devant lui. « Il n'y a pas lieu de vous inquiéter, lieutenant Wren. »

Agile, Malouf avance en équilibre sur le bossoir. « Une centaine de troupes indigènes se sont rassemblées sur une place située juste en face de Dejima, capitaine.

– Et aucun bateau ne s'apprête à venir à notre rencontre ?

– Jusqu'à présent, pas un seul, capitaine : Clovelly est en vigie sur le mât de misaine. Le poste de traite semble être à l'abandon… Même les arbres l'ont déserté.

– Parfait. Que les Néerlandais passent pour des lâches : c'est là mon vœu. Retournez en mâture, monsieur Malouf. »

Les sondages de Ledbetter, a-t-on rapporté à Wetz, laissent une confortable marge de manœuvre.

La bruine s'intensifie, mais le vent conserve sa puissance et son efficacité.

Après deux ou trois petites minutes, la cloche d'alerte de Dejima s'emballe.

En dessous, sur le pont-batterie, le maître canonnier Waldron crie : « Ouvrez les sabords tribord, messieurs ! »

Les volets claquent sur la coque comme des os.

« Capitaine. » Talbot regarde dans sa longue-vue. « Il y a deux Européens sur le poste d'observation.

– Ah oui ? » Le capitaine découvre les deux comparses à travers sa propre lunette et huit cents mètres d'air pluvieux. Le plus mince des deux porte un chapeau à large bord semblable à ceux des bandits espagnols. Appuyé sur la rambarde, le second est plus imposant et semble faire des signes au navire à l'aide de sa canne. Dans un coin, un singe est perché sur le poteau. « Monsieur Talbot, allez réveiller Daniel Snitker et amenez-le-moi.

– S'ils s'imaginent que nous ne tirerons pas tant qu'ils se tiendront là… se moque Wren.

– Dejima est leur navire, déclare Hovell. Ils sont sur le gaillard d'arrière.

– Ils finiront par décamper quand ils verront que nous ne plaisantons pas », prédit Cutlip.

Le *Phoebus* est à sept cents mètres de la rive orientale de la baie. « À bâbord toute ! » beugle Wetz. La frégate pivote de quatre-vingts degrés, de sorte que la muraille tribord se retrouve à la parallèle du front de mer, qui reste hors de portée des fusils. Ils dépassent un ensemble de réserves : sur les toits, agglutinés sous des parapluies et des capes de paille, se dressent des hommes vêtus comme les commerçants chinois que Penhaligon a croisés à Macao.

« Fischer avait évoqué une Dejima chinoise, se souvient Wren. Ce sera sans doute cette île. »

Le maître canonnier Waldron arrive. « Faut-il armer les canons tribord, capitaine ? »

– Nos douze pièces feront feu dans trois ou quatre minutes, monsieur Waldron. Allez-y.

– Très bien, capitaine ! » Il crie à l'adresse de ses hommes sur le pont inférieur : « Nourrissez-moi ces gros poupons ! »

Talbot revient accompagné de Snitker, indécis quant à l'attitude à adopter.

« Monsieur Hovell, veuillez prêter votre longue-vue à Snitker. Demandez-lui d'identifier les deux hommes juchés sur le poste d'observation. » La réponse de Snitker, qui vient un temps plus tard, comprend le patronyme *de Zoet*. « Il dit que l'individu à la canne est le docteur Marinus, et que celui qui arbore le chapeau ridicule est Jacob de Zoet. Le singe s'appelle William Pitt. » Sans qu'on lui ait rien demandé, Snitker s'adresse à Hovell.

Penhaligon estime la distance qui les sépare à cinq cents mètres.

Hovell poursuit : « M. Snitker tenait à ce que je vous rapporte, capitaine, que si vous l'aviez choisi comme émissaire, l'issue aurait été tout autre, mais s'il avait su que vous n'étiez qu'un vandale assoiffé de chaos, il ne vous aurait jamais guidé jusqu'à ces eaux. »

Comme te voilà bien aise, Hovell, songe Penhaligon, *de voir Snitker clamer ce que tu tais*. « Posez cette question à Snitker : comment les Japonais réagiraient-ils si nous le jetions par-dessus bord ? »

Hovell effectue la traduction ; Snitker repart l'oreille basse.

Penhaligon focalise de nouveau son attention sur les Néerlandais du poste d'observation.

De plus près, le savant et médecin Marinus a l'air dépenaillé et rustre.

En comparaison, de Zoet est plus jeune et a plus fière allure que ce que Penhaligon imaginait.

Mettons donc votre courage néerlandais à l'épreuve de nos munitions anglaises, les défie-t-il intérieurement.

Le buste de Waldron dépasse de l'écoutille. «À votre commandement, capitaine.»

La pluie d'Orient dépose sa dentelle sur le cuir du visage des matelots.

«Allez-y, monsieur Waldron, et qu'ils mordent la poussière…

– Bien, capitaine.» Waldron rapporte l'ordre au pont-batterie : «Tribordais, feu!»

À ses côtés, le commandant Cutlip fredonne une comptine.

Les «Aux abris!» des canonniers boutefeux s'échappent des sabords et remontent le long du bastingage.

Le capitaine surveille les Néerlandais, qui scrutent l'embouchure de ses canons.

Des vanneaux volent au ras d'une mer grise comme la pierre : le bout de leurs ailes embrasse l'eau, goutte et ondule.

C'est la place d'un soldat ou d'un fou, pense Penhaligon, *pas celle d'un docteur ni d'un boutiquier.*

La férocité du premier coup de canon serait propre à fracasser un crâne. Le cœur quadragénaire de Penhaligon palpite avec la même véhémence qu'il y a un quart de siècle, pendant sa première bataille contre un corsaire américain. Dans les sept ou huit secondes qui suivent, onze canons emboîtent le pas au premier.

Une réserve s'écroule ; côté mer, la muraille s'effondre en deux endroits ; des tuiles sautent et, surtout, *de Zoet et Marinus sont collés au sol, la queue bien rentrée entre leurs jarrets de Néerlandais…*, devine le capitaine, qui plisse les yeux pour voir à travers la poussière et les décombres.

«… et nous lui donn'rons trois p'tits coups d'bâton…», chantonne Cutlip.

Le vent rabat la fumée des canons sur le pont et les officiers.

Talbot est le premier à les apercevoir. « Ils sont toujours sur le poste d'observation, capitaine. »

Penhaligon se précipite vers l'écoutille centrale, son pied implorant la clémence, et sa canne frappant le pont d'indignation : *Maudit, maudit, maudit sois-tu...*

Nerveux, les lieutenants le suivent tels des épagneuls, craignant qu'il ne trébuche.

« Préparez-vous à lancer une deuxième salve, hurle-t-il à Waldron par l'ouverture. Dix guinées aux canonniers qui démoliront le poste d'observation ! »

La voix de Waldron lui renvoie un : « À vos ordres, capitaine. Vous avez entendu, les gars ? »

Furieux, Penhaligon se traîne jusqu'au gaillard d'arrière ; ses officiers le suivent.

« Que le navire ne bouge plus, monsieur Wetz », dit-il au maître pilote.

Wetz s'engage alors dans un calcul instinctif prenant en compte la vitesse du vent, le déploiement des voiles et l'angle du gouvernail. « Ça y est, capitaine.

– Capitaine » – c'est Cutlip qui lui parle –, « approchez-nous à cent vingt mètres et grâce à leurs Brown Bess, mes hommes vous réduiront ces deux fanfarons en charpie. »

Tristram, avait raconté à Penhaligon un certain Frederick, capitaine du *Blenheim*, *fut réduit en charpie sur le gaillard d'arrière, atteint par des tirs de canons bourrés de mitraille : s'il s'était jeté au sol, il aurait eu une chance de survivre, à l'instar de ses adjudants subalternes. Mais ce n'était pas le genre de Tristram, qui ne craignait pas de braver les dangers...*

« Je ne prendrais pas le risque d'un échouage accidentel, commandant. La journée ne finirait sans doute pas sur une note heureuse. »

... D'ailleurs, souviens-toi du bouledogue de Charlie et de la batte de cricket. Penhaligon soupire.

«Cette fumée m'arrache les yeux», marmonne le capitaine en battant des paupières.

Les lâches, tels des corbeaux, se repaissent des courageux une fois ces derniers morts, il en est convaincu.

«Tout cela me rappelle ma campagne à l'île Maurice à bord du *Swiftsure*, commence à raconter Wren à Talbot et aux aspirants. Trois frégates françaises étaient à nos trousses, et, comme une meute de chiens…

– Capitaine, l'interpelle doucement Hovell, puis-je vous prêter ma pèlerine ? La pluie… »

Penhaligon décide de se montrer revêche. «Suis-je donc déjà sénile, lieutenant ? »

Robert Hovell redevient le lieutenant Hovell. «Je ne voulais pas vous offenser, capitaine. »

Wren lance des cris ; en mâture, des marins lui répondent ; les cordes se tendent ; les poulies grincent ; la pluie luit.

Sur Dejima, une réserve étroite et haute tombe après les autres dans un fracas perçant.

«… alors, coincé sur le navire ennemi, poursuit Wren, tandis que le jour tombait sur le pont perdu dans la fumée, je remontai ma capuche et profitai de la confusion pour me saisir d'une lanterne, suivre un mousse pourvoyeur jusqu'au magasin de poudre – il y faisait aussi sombre qu'en pleine nuit –, et je me glissai dans la réserve voisine destinée aux cordages, décidant d'y jouer les pyromanes… »

Waldron resurgit. «Capitaine, les canons sont parés à tirer une deuxième salve. »

Prenez vos airs d'officiers de marine… Penhaligon observe de Zoet et Marinus.

… et vous mourrez comme tels. «Dix guinées, monsieur Waldron, souvenez-vous. »

Waldron disparaît. On croirait entendre un fou hurler : «On va leur montrer, matelots ! »

Les petits pignons du temps se rencontrent et s'entrecroisent. Les boutefeux crient : « Aux abris ! »

Les détonations propulsent des boulets décrivant de magnifiques, terrifiants et stridents arcs de cercle…

… qui crèvent le toit d'une réserve et un mur ; l'un d'eux rate d'un mètre Marinus et de Zoet. Les Néerlandais se vautrent alors sur le plancher de la plate-forme, mais tous les autres boulets passent au-dessus de Dejima…

Une fumée humide masque la vue ; puis le vent la chasse.

Un bruit émerge : on dirait le glapissement d'un trombone, ou bien un grand arbre qui tombe…

Ce bruit provient de derrière Dejima : c'est un effroyable effondrement de poutres et de maçonnerie.

De Zoet aide Marinus à se relever. Ce dernier a perdu sa canne. Tous deux regardent vers la rive.

Comme il est désagréable de découvrir le courage d'un ennemi que l'on a sous-estimé, songe Penhaligon.

« Personne ne peut vous reprocher d'avoir omis de les mettre en garde, capitaine », juge Wren.

Le pouvoir est ce moyen de dessiner l'avenir dont un homme dispose…

« Ces pygmées d'Asie arriérés ne sont pas près d'oublier cette journée », lui garantit Cutlip.

… mais ce dessin – Penhaligon ôte son chapeau – *a son propre dessein.*

Tel un jet de vapeur, un cri inhumain jaillit des écoutilles du pont-batterie.

Quelqu'un vient de faire les frais du recul d'un canon, devine Penhaligon, à qui cette certitude donne la nausée.

Hovell se précipite pour effectuer son enquête, mais la tête de Waldron apparaît.

Une image horrible persiste dans les yeux du maître canonnier. « Une autre salve, capitaine ? »

John Penhaligon l'interroge : « Qui a été blessé, monsieur Waldron ?

– Michael Tozer : la brague a cassé net, capitaine, et… »

Derrière lui, on entend les cahotements des sanglots mêlés à des cris rauques.

« Pensez-vous qu'il faudra l'amputer ?

– Sa jambe est déjà arrachée, capitaine. On amène ce pauvre bougre chez M. Nash en ce moment même.

– Monsieur… »

Penhaligon le devine : Hovell souhaite accompagner Tozer.

« Allez-y, lieutenant. En fin de compte, pourriez-vous me prêter votre pèlerine ?

– Bien sûr, capitaine. » Robert Hovell la lui offre et descend.

Un aspirant l'aide à enfiler le manteau : celui-ci est imprégné de l'odeur de Hovell.

Ivre de colère, le capitaine se tourne vers le poste d'observation.

Il est toujours là, bien dressé, tout comme ceux qui y sont perchés ; et le drapeau néerlandais persiste à flotter.

« Montrez-leur nos caronades. Quatre canonniers, je vous prie, monsieur Waldron. »

Les aspirants se regardent. Les dents serrées, le commandant Cutlip laisse échapper un sifflement jubilatoire.

Tout bas, Malouf interroge Talbot : « Les caronades ne manqueront-elles pas de puissance, monsieur ? »

Penhaligon lui répond : « Elles sont conçues pour infliger des dégâts sur de courtes distances, il est vrai, cependant… »

Il remarque que de Zoet le regarde à travers sa longue-vue.

Le capitaine déclare alors : « Qu'il ne reste plus que des lambeaux de ce fichu drapeau néerlandais. »

Sur la colline, une maison vomit une fumée grasse et noire dans l'air humide qui retombe.

Qu'il ne reste plus que des lambeaux de ces fichus Néerlandais, pense le capitaine.

Les canonniers remontent du pont-batterie, la mine assombrie par l'accident de Tozer. Ils retirent les panneaux qui obturent les ouvertures dans la muraille du gaillard d'arrière et font rouler les caronades de petit calibre jusqu'à l'emplacement réservé.

«Chargez-les de chaînes, monsieur Waldron, ordonne Penhaligon.

– Si nous visons le drapeau, capitaine, eh bien…» Le maître canonnier désigne le poste d'observation, situé à cinq mètres en dessous du sommet du mât de la bannière.

«Quatre gerbes d'éclats de chaîne cassée qui siffleront et tournoieront» – le commandant Cutlip est radieux comme un satyre en rut –, «et ces maillons contondants effaceront ces sourires de leurs figures de Néerlandais…

– Et ces figures de leurs têtes, ajoute Wren, et ces têtes de leurs corps.»

Les mousses pourvoyeurs sortent de l'écoutille munis d'explosifs.

Le capitaine reconnaît Moff le gamin des rues de Penzance. Moff est pâle et rougeaud.

De la poudre est versée et tassée dans le canon court et large à l'aide d'un bouchon de tissu.

Dans les seaux rouillés que l'on vide dans les caronades, la mitraille cliquette.

«Visez le drapeau, canonniers, dit Waldron. Point si haut, Hal Yeovil.»

La jambe droite de Penhaligon n'est plus qu'un poteau parcouru par une atroce douleur.

Ma goutte est en train de gagner la partie, comprend-il. *D'ici une heure, je serai cloué au lit.*

Le docteur Marinus semble réprimander son compatriote.

Mais dans une minute, se console Penhaligon, *de Zoet sera mort.*

«Doublez les bragues, exige Waldron. Vous savez pourquoi, vous l'avez appris en bas.»

Hovell aurait-il raison? Est-ce ma douleur qui pensait à ma place durant ces trois derniers jours?

«Caronades parées à tirer, capitaine, annonce Waldron. À votre commandement.»

Le capitaine emplit ses poumons avant de prononcer la sentence des deux Néerlandais.

Ils savent. Marinus est agrippé à la rambarde ; il regarde au loin, et tressaille tout en gardant son aplomb.

De Zoet retire son chapeau. Ses cheveux sont aussi cuivrés, rebelles et embroussaillés que…

… Penhaligon voit Tristram, son seul enfant, magnifique, roux, qui attend la mort…

XXXVIII

Poste d'observation de Dejima

Vers midi, le 20 octobre 1800

William Pitt émet un grognement nasal en entendant les bruits de pas dans l'escalier. La longue-vue de Jacob de Zoet reste braquée sur le *Phoebus :* à mille mètres de distance, la frégate louvoie au plus près de l'humide vent de nord-ouest et suit une trajectoire qui la fera passer devant le poste de traite chinois – dont certains habitants se sont assis sur les toits afin d'assister au spectacle –, puis devant Dejima.

« Ainsi Arie Grote a-t-il fini par vous céder son chapeau en soi-disant peau de boa constricteur ?

– J'ai demandé que tous les employés aillent à la Magistrature, docteur. Y compris vous-même.

– Si vous restez ici, Dombourgeois, vous allez avoir besoin d'un médecin. »

Les sabords de la frégate s'ouvrent *clac, clac, clac*. De véritables coups de marteau.

« Si ce n'est d'un fossoyeur. » Marinus se mouche. « Il va pleuvoir toute la journée. Tenez… » Quelque chose bruisse entre ses mains. « Kobayashi vous offre une cape de pluie. »

Jacob abaisse sa longue-vue. « Son précédent propriétaire est-il mort de la vérole ?

– C'est un modeste présent destiné à un ennemi voué à mourir : ainsi, votre fantôme ne reviendra pas le hanter. »

Jacob met le manteau de paille sur ses épaules. « Où est Eelattu ?

– Là où tous les hommes sains d'esprit sont rassemblés : dans nos quartiers à la Magistrature.

– Votre clavecin y a-t-il été acheminé sans encombre ?

– Mon clavecin, ainsi que ma pharmacopée : ne voulez-vous pas les rejoindre ? »

Des filaments de pluie fouettent le visage de Jacob. « Je dois protéger Dejima.

– Si vous vous figurez que les Anglais s'abstiendront de tirer parce qu'un clerc imbu de lui-même…

– Je ne me figure rien du tout, docteur, mais… » Il remarque qu'une vingtaine ou trentaine de soldats grimpent aux haubans. « Sans doute s'apprêtent-ils à repousser une tentative d'abordage… Pour qu'ils puissent nous tirer à vue, il leur faudrait se trouver à… cent vingt mètres. Ils n'encourront pas le risque de s'échouer dans une mer hostile aux coques britanniques…

– Je préfère essuyer l'essaim des balles de mousquets plutôt que la salve d'une bordée. »

Donnez-moi la force, prie Jacob. « Ma vie est entre les mains de Dieu.

– Oh, la souffrance que ces petits mots pieux suscitent ! fait Marinus dans un grand soupir.

– Que ne partez-vous donc à la Magistrature : vous n'aurez plus à les entendre. »

Marinus s'appuie sur la rambarde. « Le jeune Oost croyait que vous auriez quelque botte secrète en réserve, une idée pour essuyer les revers essuyés.

– La seule botte secrète dont je dispose » – Jacob sort son psautier de sa poche de poitrine –, « c'est ma foi. »

Sous l'abri de sa houppelande, Marinus inspecte le vieux volume épais et caresse du doigt la balle logée dans son cratère. « Dans quel cœur était-elle destinée à s'engouffrer ?

– Dans celui de mon grand-père. Mais ce livre appartenait déjà à notre famille à l'époque de Calvin. »

Marinus lit la page de garde. « Les Psaumes ? Vous êtes un véritable cabinet de curiosités ambulant, Dombourgeois ! Comment êtes-vous parvenu à passer sur l'île ce ramassis de traductions inégales de l'araméen ?

– Ogawa Uzaemon a su fermer les yeux au bon moment.

– "Toi, qui donnes le salut aux rois, lit Marinus. Qui sauvas du glaive meurtrier David, ton serviteur"... »

Le vent porte les clameurs des ordres relayés sur le *Phoebus*.

Sur la place d'Edo, un officier s'adresse à ses hommes en criant ; ils lui répondent tous en chœur.

En l'air, à quelques mètres derrière eux, le drapeau néerlandais claque et froufroute.

« Cette nappe tricolore ne sacrifierait pas sa vie pour vous, Dombourgeois. »

Le *Phoebus* s'avance de façon menaçante : la frégate est élancée, belle et rusée.

« Personne n'est jamais mort pour un drapeau, mais plutôt pour ce qu'il symbolise.

– Je brûle de découvrir ce pour quoi vous risquez votre vie. » Marinus plonge les mains dans sa loufoque houppelande. « Ce n'est pas simplement parce que le capitaine anglais vous a qualifié de "boutiquier", n'est-ce pas ?

– Pour autant que nous sachions, ceci est le dernier drapeau néerlandais du monde.

– Pour autant que nous sachions. Néanmoins, il ne sacrifierait pas sa vie pour vous.

– Cet homme » – Jacob remarque que le capitaine les observe à la longue-vue – « pense que nous autres Néerlandais ne sommes que des lâches. Mais, à commencer par l'Espagne, chacun de nos turbulents voisins a tenté d'annihiler notre nation. Tous ont échoué. Pas même la mer du Nord n'est parvenue à nous déloger de ces franges boueuses raccrochées au continent, et pourquoi ?

– Parce que vous n'avez nulle part ailleurs où aller, voilà pourquoi, Dombourgeois !

– Parce que nous sommes d'obstinés guerriers, docteur.

– Croyez-vous que votre oncle aimerait à vous voir prouver votre virilité de Néerlandais en mourant sous les tuiles et les gravats ?

– Mon oncle citerait Luther : "Tandis que nos amis nous montrent ce qu'il nous est possible de faire, nos ennemis nous montrent où est notre devoir." Jacob détourne sa propre attention en étudiant à l'aide de sa longue-vue la figure de proue de la frégate, qui n'est maintenant plus qu'à six cents mètres. Le sculpteur a donné à Phoebus un air déterminé et diabolique. « Docteur, il vous faut partir, à présent.

– Mais imaginez un peu Dejima sans de Zoet ! Nous devrions nous contenter d'un chef Ouwehand et d'un adjoint Grote. Prêtez-moi votre longue-vue.

– Grote est le meilleur négociant : il serait capable de vendre de la crotte de mouton à des bergers. »

Tourné vers le *Phoebus*, William Pitt émet un grognement nasal dans une bravade tout humaine.

Jacob retire le manteau de Kobayashi et en habille le singe.

« Je vous en prie, docteur. » La pluie mouille les lames de bois. « N'aggravez pas ma coupable dette. »

Les mouettes quittent le faîtage du toit de la Guilde des interprètes, qui est barricadée.

« Vous êtes absous ! Je suis indestructible, tel un perpétuel Juif errant. Je me réveillerai demain – après quelques mois – et tout recommencera. Regardez : Daniel Snitker se tient sur le gaillard d'arrière. On le reconnaît à sa démarche de primate... »

Jacob touche son nez cassé du bout des doigts. *Était-ce il y a seulement un an ?*

Le maître pilote du *Phoebus* lance ses ordres. En mâture, les marins ferlent les huniers...

... et le vaisseau de guerre s'immobilise à trois cents mètres de l'île.

La peur que ressent Jacob a la taille d'un nouvel organe interne qui se situerait entre le cœur et le foie.

En haut des mâts, un groupe de marins mettent les mains de part et d'autre de leurs bouches en criant à l'adresse du chef par intérim : «À quatre pattes, petit Néerlandais ! Allez, à quatre pattes !» puis montrent le dos de leurs index et majeurs.

«Pourquoi…» La voix de Jacob est tendue et haut perchée. «Pourquoi les Anglais font-ils cela ?

— Il me semble que cela remonte au temps des archers de la bataille d'Azincourt.»

Un canon dépasse du sabord le plus en poupe ; suivi d'un autre, puis d'un autre, puis des neuf autres.

Des vanneaux volent au ras d'une eau grise comme la pierre : au bout de leurs ailes goutte de l'eau de mer.

«Ils vont tirer.» Sa propre voix ne lui appartient plus. «Partez, Marinus !

— Eh bien ! en fait, Piet Baert m'a raconté qu'un hiver, dans la région de Palerme si je ne m'abuse, Grote avait bel et bien vendu de la crotte de mouton à des bergers.»

Jacob voit le capitaine anglais ouvrir la bouche et claironner…

«*Fire !*» Jacob ferme les yeux de toutes ses forces : il pose la main sur son psautier.

La pluie baptise chaque seconde précédant la détonation des canons.

Un tonnerre de staccatos matraque les cinq sens de Jacob. Le ciel bascule. Un canon retardataire rattrape les autres. Bien qu'il n'ait pas le souvenir de s'être jeté sur le plancher du poste d'observation, c'est pourtant bien là qu'il se trouve allongé. Il vérifie qu'il a bien tous ses membres. Ils sont encore présents. Ses poings sont éraflés et, mystérieusement, son testicule gauche le fait souffrir, mais hormis cela, il est indemne.

Tous les chiens aboient, et les corbeaux sont furieux.

Marinus est accoudé à la rambarde. «Il faudra rebâtir la réserve six. Il y a un grand trou dans la Muraille de mer, juste derrière la Guilde. Le connétable Kosugi devra certainement...» Dans la contre-allée de la Muraille de mer résonne un prodigieux soupir, suivi d'un éboulement. «... devra certainement loger ailleurs cette nuit. Et je me suis uriné dessus. Comme vous pouvez le constater, notre fier drapeau est intact. La moitié de leurs tirs est passée au-dessus de nous» – le docteur se retourne vers la ville – «et a occasionné des dégâts sur la rive. *Quid non mortalia pectora cogis, auri sacra fames.*»

La nappe de fumée qui s'élève sur la frégate est déchirée par le vent.

Jacob se relève et s'efforce de respirer normalement. «Où est William Pitt?

– Il a déguerpi: un *Macaca fuscata* vaut deux *Homo sapiens*.

– J'ignorais que vous étiez un vétéran de guerre, docteur.»

Marinus expulse une petite bouffée d'air. «Après cette démonstration d'artillerie lourde, avez-vous recouvré vos esprits, ou bien faut-il que nous restions encore?»

Je ne puis déserter Dejima, se résout Jacob, *mais je suis terrifié à l'idée de mourir.*

«Je devine que nous restons.» Marinus clappe. «Nous avons devant nous un bref entracte avant que le spectacle offert par les Britanniques ne reprenne.»

Le temple Ryûgaji sonne l'heure du Cheval, comme lors d'une journée ordinaire.

Jacob se tourne vers la porte-de-terre. Avec hésitation, quelques gardes s'aventurent à l'extérieur du poste.

Une troupe en provenance de la place d'Edo se précipite sur le pont de Hollande.

Il se souvient de l'enlèvement d'Orito dans le palanquin.

Il se demande comment elle se débrouille pour vivre malgré tout, et dit une prière sans paroles.

L'étui à parchemin d'Ogawa est bien à l'abri dans la poche de sa veste.

Si je meurs, qu'un personnage détenteur d'autorité le découvre et le lise…

Du haut de leur toit, certains marchands chinois le montrent du doigt et lui adressent des signes.

L'agitation qu'on entrevoit derrière les sabords du *Phoebus* est annonciatrice d'une nouvelle salve.

Si je ne m'efforce pas de continuer à parler, comprend Jacob, *je me briserai comme une assiette tombée au sol.*

«Je sais en quoi vous ne croyez pas, docteur. Mais en quoi croyez-vous ?

– Eh bien, je crois au *Discours de la méthode* de Descartes, aux sonates de Domenico Scarlatti, à l'efficacité de l'herbe des Jésuites… Il y a si peu de choses auxquelles il est légitime de croire ou de ne pas croire. Mieux vaut lutter pour la coexistence que chercher à tout prix à réfuter…»

Des nuages se déversent sur la crête des montagnes. Les gouttes de pluie se décrochent du chapeau d'Arie Grote. «L'Europe du Nord est un endroit où la lumière est froide et les lignes sont nettes…» – Jacob sait qu'il ne débite que des absurdités, mais il lui est impossible de s'arrêter – «… à l'image du protestantisme. La région méditerranéenne est baignée d'un invincible soleil et d'ombres impénétrables. Tel le catholicisme. Et puis…» – d'un revers de main, il désigne le Japon – «… cette… terre sacrée d'Orient… ses cloches, ses dragons, ses millions de… Tenez, les notions de transmigration des âmes et de karma, qui chez nous sont des hérésies, paraissent ici tout à fait… tout à fait…» Le Néerlandais éternue.

«À vos souhaits.» Marinus expose son visage à la pluie. «Plausibles ?»

Jacob éternue de nouveau. «Mes propos n'ont pas beaucoup de sens.

– C'est parfois quand plus rien ne fait sens que tout s'éclaire.»

En haut d'un versant aux toitures noires de monde, de la fumée jaillit d'une maison coupée en deux.

Jacob s'évertue à chercher la Maison de la glycine, mais Nagasaki est un dédale. «Ceux qui croient au karma, docteur, croient-ils que si quelqu'un… si quelqu'un commet involontairement des péchés, ceux-ci ne reviennent pas le hanter dans sa prochaine vie, mais seulement dans son existence actuelle?

– Quel que soit ce crime putatif, Dombourgeois» – Marinus sort deux pommes: une pour chacun –, «je doute qu'il fût si grave que la situation présente en soit la juste punition.» Il porte sa pomme à sa bouche et…

Les explosions renversent les deux hommes, cette fois-ci.

Jacob revient à lui, recroquevillé comme un petit garçon sous les couvertures dans une chambre hantée par des fantômes.

Des fragments de tuiles se brisent au sol. *J'ai perdu ma pomme*, songe-t-il.

«Par le Christ, Mahomet et Fhu Tsi Weh, s'exclame Marinus, il s'en est fallu de peu.»

J'ai survécu à deux reprises, constate Jacob, *mais les ennuis arrivent toujours par trois.*

Les Néerlandais s'aident mutuellement à se relever, comme deux handicapés.

Les battants de la porte-de-terre se sont envolés, et les impeccables rangées et colonnes de gardes disposées sur la place d'Edo n'ont plus rien d'impeccable: deux tirs ont perforé le bataillon en deux points. *Comme des billes à travers de petits bonshommes de bois*, pense Jacob, se rappelant un jeu de son enfance.

Ce sont pourtant cinq, six ou sept hommes de chair et de sang qui, au sol, se convulsent et hurlent.

Le chaos, les cris, les pas précipités et les traces rouge vif s'entremêlent.

Encore les fruits de tes principes, président de Zoet ? se moque une voix intérieure.

Les marins du *Phoebus* ont cessé de les narguer.

« Regardez donc en bas. » Le docteur montre le toit juste en dessous. Un boulet en a traversé un versant puis est ressorti par l'autre. La moitié des escaliers qui mènent à la place du Drapeau a volé en éclats. Tandis qu'ils regardent, le faîtage de la toiture s'effondre dans la pièce du haut. « Pauvre Fischer, remarque Marinus. Ses nouveaux amis lui ont cassé tous ses jouets. Allons, Dombourgeois, vous avez fait valoir votre point de vue, et ce n'est pas un déshonneur que de… »

Les poutres se mettent à chanter : l'escalier du poste d'observation s'écrase par terre.

« Bien, déclare Marinus, nous pouvons peut-être sauter dans la chambre de Fischer… »

Que je sois damné – Jacob braque sa longue-vue sur Penhaligon – *si je fuis maintenant.*

Il voit des canonniers sur le gaillard d'arrière. « Docteur, les caronades… »

Il voit Penhaligon braquer sa longue-vue sur lui.

Maudit sois-tu : regarde et apprends de quelle trempe sont faits les boutiquiers néerlandais.

L'un des officiers britanniques semble contester la décision du capitaine.

Ce dernier n'en tient pas compte. On soulève des barils que l'on déverse dans la gueule des plus redoutables canons que compte le navire pour le combat rapproché. « De la mitraille, docteur, annonce Jacob. Prenez le risque de sauter. »

Il abaisse sa longue-vue. Inutile de regarder plus longtemps.

Marinus jette sa pomme en direction du *Phoebus*. « *Cras ingens iterabimus æquor.* »

Jacob se représente les cônes de mitraille dense se précipitant vers eux…

… et qui mesureront une douzaine de mètres de large en arrivant au niveau de la plate-forme.

La ferraille perforera ses vêtements, sa peau et ses viscères, puis ressortira…

Que la mort n'occupe pas ta dernière pensée, se réprimande-t-il.

Il tente de parcourir à l'envers le chemin tortueux qui l'a conduit à cette situation…

Vorstenbosch, Zwaardecroone, le père d'Anna, le baiser d'Anna, Napoléon…

« Vous ne voyez aucune objection à ce que je récite le vingt-troisième psaume, docteur ?

– Si tant est que vous n'en voyiez aucune à ce que je me joigne à vous, Jacob. »

Côte à côte, sous cette pluie visqueuse, ils s'agrippent à la rambarde.

Le fils de pasteur ôte son chapeau avant de s'adresser à son Créateur.

« "L'Éternel est mon berger : je ne manquerai de rien." »

La voix de Marinus est pareille au son d'un violoncelle. Celle de Jacob tremble.

« "Il me fait reposer dans de verts pâturages, Il me dirige…" »

Jacob ferme les yeux et imagine l'église de son oncle.

« "… dans les sentiers de la justice, à cause de Son Nom." »

Geertje est à ses côtés. Jacob aurait tellement voulu qu'elle rencontre Orito…

« "Quand je marche dans la vallée de l'ombre de la mort…" »

… et Jacob a encore le parchemin en sa possession, et *Je suis désolé, je suis désolé*…

« "… je ne crains aucun mal, car Tu es avec moi : Ta houlette et Ton bâton…" »

Jacob attend l'explosion, l'essaim et les déchirures.

« "… me rassurent. Tu dresses devant moi une table…" »

Jacob attend l'explosion, l'essaim et les déchirures.

« "… en face de mes adversaires ; Tu oins d'huile ma tête,…" »

La voix de Marinus est retombée : sa mémoire lui aura sans doute fait défaut.

« "… et ma coupe déborde. Oui, le bonheur et la grâce m'accompagneront…" »

Jacob entend Marinus s'agiter d'un rire silencieux.

Il ouvre les yeux et voit que le *Phoebus* vire de bord pour repartir.

La grand-voile et la misaine se déploient et gonflent sous l'effet du vent humide qu'elles attrapent…

Jacob dort d'un sommeil léger dans le lit du chef van Cleef. Coutumier des inventaires, il répertorie les raisons de la fragilité de son sommeil : en premier lieu, les puces que la couche du chef abrite ; en deuxième, le « gin de Dejima » concocté pour les jours de fête par Baert et ainsi baptisé parce que son goût évoque bien des boissons, mais pas le gin ; en troisième, les huîtres envoyées par le Magistrat Shiroyama ; en quatrième, la liste exhaustive des faramineux dégâts infligés aux propriétés néerlandaises ; en cinquième, le rendez-vous du lendemain avec Shiroyama et les hauts dignitaires de la Magistrature ; et en sixième enfin, son compte rendu mental de ce que l'Histoire appellera l' « incident du *Phoebus* », et sa myriade de conséquences. Dans la colonne des profits : les Anglais n'auront pas arraché un clou de girofle aux Néerlandais, ni le moindre cristal de camphre aux Japonais ; un traité anglo-japonais ne sera pas envisageable avant deux ou trois générations. Dans la colonne des déficits : le contingent du poste de traite se réduit à huit Européens et une poignée d'esclaves, à un coq trop maigre pour qu'on le qualifie de squelettique et, à moins qu'un navire n'arrive au mois de juin prochain – chose improbable si Java est aux mains des Britanniques et que la VOC n'existe plus –, Dejima devra compter sur les prêts proposés par les Japonais afin de couvrir ses frais de fonctionnement. Qui sait combien de temps le

« vieil allié » demeurera désirable quand celui-ci aura sombré dans la plus grande indigence, en particulier si les Japonais tiennent les Néerlandais en partie responsables de l'apparition du *Phoebus*. L'interprète Hori a fait état des dégâts enregistrés en ville : six soldats ont trouvé la mort sur la place d'Edo, et six autres ont été blessés ; plusieurs habitants ont péri dans un incendie dont l'origine est un boulet de canon qui s'est écrasé dans une cuisine du quartier de Shinmachi. Les conséquences politiques de cette affaire, a-t-il laissé entendre, ont été d'une plus grande ampleur encore.

Jamais je n'ai entendu parler d'un chef nommé à Dejima à seulement vingt-six ans…, songe Jacob.

Il se tourne et se retourne.

… ni d'un poste de traite subissant autant de crises à la fois.

La Maison haute lui manque, mais le chef se doit de dormir près des coffres-forts.

Tôt le lendemain, Jacob est accueilli à la Magistrature par l'interprète Goto et le chambellan Tomine. Ce dernier le prie de l'excuser de lui demander un détestable service avant son entretien avec le Magistrat : le corps d'un marin étranger a été découvert hier soir par un bateau de pêcheur, près du rocher de Papenbourg. Le chef de Zoet voudrait-il bien examiner le corps et estimer la probabilité que celui-ci provienne du *Phoebus* ?

Jacob n'a pas peur des cadavres, lui qui a assisté son oncle lors de toutes les funérailles tenues à Dombourg.

Le chambellan le guide à travers une cour qui mène à une réserve vide.

Il prononce un mot que Jacob ignore. Goto l'explique : « L'endroit où le corps mort attend. »

Une morgue, comprend Jacob. Goto lui demande de lui apprendre ce mot.

Devant la morgue, un vieux prêtre bouddhiste attend, muni d'un seau rempli d'eau.

« Pour rendre pur, quand nous sortons de… la "morgue" », explique Goto.

Ils entrent. Il y a une petite fenêtre, et l'odeur de la mort flotte.

L'unique occupant des lieux est un jeune marin métis aux cheveux raides et ramassés en une natte, étendu sur un grabat.

Il porte un simple pantalon de toile et un tatouage représentant un lézard.

La fenêtre attire un courant d'air froid et puissant par la porte ouverte.

Le courant d'air ébouriffe les cheveux du garçon, soulignant son immobilité.

Vivante, cette peau distendue et grise était sans doute dorée.

« A-t-on retrouvé quelque objet lui appartenant ? » demande Jacob en japonais.

Le chambellan prend un plateau posé sur une étagère. Dessus se trouve une pièce de monnaie, un *farthing*.

Côté pile, on lit « GEORGIVS III REX » ; côté face, l'on trouve l'effigie de Britannia.

« Je suis catégorique, affirme Jacob. C'était un marin du *Phoebus*.

– *Sa*, s'exclame le chambellan Tomine. Mais est-il anglais ? »

Seuls sa mère et le Créateur seraient en mesure de répondre, songe Jacob. Il s'adresse à Goto. « Veuillez informer Tomine-*sama* que, selon toute vraisemblance, son père était européen, et sa mère, une négresse. Je devine que c'est la chose la plus probable. »

Cependant, le chambellan n'est toujours pas satisfait. « Mais est-il anglais ? »

Jacob croise le regard de Goto : les interprètes doivent souvent fournir des réponses ainsi que les outils qui permettent de les comprendre. « Si j'avais un fils avec une Japonaise, demande Jacob à Tomine, serait-il néerlandais ou japonais ? »

Sans s'en rendre compte, Tomine tire une moue face à cette inconvenante question. «À moitié l'un, à moitié l'autre. »

Eh bien, lui aussi, signifie le geste effectué par Jacob en désignant le cadavre.

Le chambellan Tomine insiste : «Mais le chef de Zoet est-il en train de dire qu'il est anglais ? »

Les colombes qui roucoulent sous l'avant-toit troublent le calme du matin.

Ogawa manque à Jacob. Il demande à Goto en néerlandais : «Qu'est-ce donc que je ne comprends pas ?

– Si l'étranger est anglais, répond l'interprète, le corps est jeté dans une fosse. »

Merci, pense Jacob. «Sinon, il reposera dans le cimetière des étrangers, n'est-ce pas ? »

Avec finesse, Goto approuve d'un hochement de tête. «Le chef de Zoet a raison.

– Chambellan Tomine, l'interpelle Jacob. Ce jeune homme n'est pas anglais. Sa peau est trop sombre. Je souhaite qu'on l'enterre» – *en chrétien* – «dans le cimetière du mont Inasa. S'il vous plaît, mettez la pièce de monnaie dans sa tombe. »

À mi-parcours du couloir menant à la Salle du dernier chrysanthème, se trouve une cour rarement visitée dans laquelle se dresse un érable penché au-dessus d'une petite mare. Jacob et Goto ont été priés d'attendre sur la véranda pendant que, au préalable, le chambellan Tomine se concerte avec le Magistrat Shiroyama.

Les feuilles mortes et rouges dérivent sur la bavure d'un soleil captif de l'eau noire.

«Félicitations de votre promotion, chef de Zoet», dit une voix en néerlandais.

C'était inévitable. Jacob se tourne vers l'assassin d'Ogawa et le geôlier d'Orito. «Bonjour, Seigneur-Abbé», répond-il en néerlandais, tout en sentant la pression de l'étui à parchemin en cornouiller contre ses côtes. On doit voir une longue et fine crête poindre au-dessus de son flanc gauche.

Enomoto dit à Goto: «Il y aura bien des peintures qui t'intéresseront dans le couloir.

– Seigneur-Abbé, répond Goto en s'inclinant, le règlement de la Guilde des interprètes me défend de…

– Tu oublies qui je suis. Je ne pardonne qu'une seule fois.»

Goto regarde Jacob, qui lui donne son assentiment et s'efforce de pivoter légèrement vers la gauche afin de dissimuler l'étui à parchemin.

Un des serviteurs silencieux d'Enomoto accompagne Goto. L'autre reste à proximité.

«Le chef néerlandais était courageux devant le navire de guerre.» Enomoto pratique son néerlandais. «La nouvelle voyage tout le Japon, maintenant même.»

Jacob n'arrive pas à penser à autre chose qu'aux Douze Préceptes de l'Ordre de Shiranui.

Quand les membres de ton Ordre meurent, se demande Jacob, *l'imposture de tes Préceptes n'est-elle pas percée à jour? La Déesse ne se révèle-t-elle pas rien de moins qu'un simple et inerte morceau de bois? Le supplice que vivent les sœurs, les enfants que l'on noie, la vanité de tout cela ne ressort-elle donc pas?*

Enomoto fronce les sourcils, comme s'il tentait d'entendre de lointaines paroles. «D'abord, je vous vois dans la Salle aux soixante *tatami*, il y a un an. Je pense…»

Un papillon blanc passe nonchalamment à quelques centimètres du visage de Jacob.

«… Je pense: *Bizarre, il est étranger mais il y a de l'affinité.* Vous comprenez?

– Je me souviens de ce jour, confirme Jacob, mais avec vous, je n'ai ressenti aucune affinité.»

Enomoto sourit tel un adulte face au mensonge espiègle d'un enfant. «Quand M. Grote dit "De Zoet vend le mercure", je pense : *Là, c'est l'affinité !*»

Un oiseau à la tête toute noire les épie depuis le cœur de l'arbre écarlate.

«Alors j'achète le mercure, mais pourtant, je pense : *L'affinité existe encore. Bizarre.*»

Jacob s'interroge : Ogawa a-t-il souffert avant de mourir ?

«Puis j'entends : "M. de Zoet demande Aibagawa Orito en mariage." Je pense : *Oh-hooo !*»

Enomoto savait : Jacob ne parvient pas à cacher sa stupéfaction. Sur l'eau, les feuilles tournoient avec une extrême lenteur. «Comment avez-vous…?» Mais il se dit : *Je suis en train de le lui confirmer.*

«Hanzaburo a l'air très bête ; c'est pourquoi il est un espion très bien…»

Un poids s'abat sur les épaules de Jacob. Son dos lui fait mal.

Il imagine Hanzaburo déchirant une page de son carnet de croquis sur laquelle est représentée Orito…

… et cette page, imagine Jacob, *qui passe de regard lubrique en regard lubrique.*

«Que faites-vous aux sœurs de votre Sanctuaire ? Pourquoi faut-il que vous…» Jacob s'empêche de laisser s'échapper la preuve qu'il sait ce que l'acolyte Jiritsu savait. «Pourquoi l'avoir enlevée elle, alors qu'un homme de votre rang pourrait choisir n'importe qui d'autre ?

– Elle et moi aussi, l'affinité. Vous, moi, elle. Un triangle plaisant…»

Tu oublies un quatrième angle, songe Jacob. *Ogawa Uzaemon.*

«… mais à présent, elle est comblée.» Enomoto parle en japonais. «Son travail à Nagasaki avait de l'importance, mais sa mission à Shiranui en a davantage. Elle est au service du domaine de Kyôga. De la Déesse. De mon Ordre.» L'impuissance de Jacob lui inspire un sourire méprisant. «Eh bien, je comprends, désormais. L'objet de cette affinité n'était pas le mercure, c'était Orito.»

Le papillon blanc passe à quelques centimètres du visage d'Enomoto.

Levée au-dessus de l'insecte, la main de l'Abbé décrit un cercle…

… et le papillon tombe dans la mare sombre, aussi inerte qu'une torsade de papier.

Apercevant le Néerlandais et l'Abbé, le chambellan Tomine s'immobilise.

«S'en est fait de notre *affinité*, chef de Zoet. Profitez bien de votre longue, très longue vie.»

Le fin papier des paravents masque la vue splendide qui s'offre sur Nagasaki, conférant à la Salle du dernier chrysanthème une atmosphère endeuillée qui rappelle à Jacob le calme qu'on trouve dans les chapelles des rues animées de son pays. Le rose et l'orangé des fleurs dans le vase ont perdu la moitié de leur vigueur. Jacob et Goto s'agenouillent sur le *tatami* vert comme la mousse. *Tu as vieilli de cinq années en deux jours*, constate Jacob.

«Il est bien courtois de la part du chef néerlandais de me rendre visite en cette période… si intense.

– Nul ne peut nier que l'honorable Magistrat est un homme lui aussi très occupé.» Le Néerlandais demande à Goto d'avoir recours au formalisme de circonstance pour remercier le Magistrat de son soutien lors de la récente crise.

Goto effectue consciencieusement son travail: Jacob apprend ainsi le mot «crise».

«Des navires venus de l'étranger avaient déjà mouillé dans nos eaux par le passé, réplique le Magistrat. Tôt ou tard, ils avaient fini par faire parler la poudre. Le *Phoebus* fut un prophète et un professeur; dorénavant» – il prend une brève et sonore inspiration –, «le serviteur du Shogun sera mieux préparé. Votre idée de "pont flottant" est inscrite dans le rapport destiné à Edo. Mais cette fois-ci, la chance ne m'a pas favorisé.»

Le col amidonné de Jacob lui irrite le cou.

«Je vous ai observé, dit le Magistrat, quand vous étiez dans le poste d'observation, hier.

– Je vous remercie de…» – Jacob ne sait trop comment réagir – «… de vous être soucié de mon sort.

– J'ai songé à Phaéton frôlé par les éclairs.

– Heureusement pour moi, les Anglais ne visent pas aussi bien que Zeus.»

Shiroyama ouvre son éventail et le referme aussitôt. «Avez-vous eu peur?

– J'aimerais vous répondre non, mais, à vrai dire,… je n'ai jamais eu aussi peur de ma vie.

– Pourtant, au lieu de vous enfuir, vous êtes resté à votre poste.»

Pas après la deuxième salve: il n'y avait simplement plus d'escalier, pense Jacob. «Mon oncle, qui m'a élevé, a toujours fustigé mon…» Il demande à Goto de traduire le mot «entêtement».

Dehors, les bambous vannent la brise marine. C'est un antique et triste son.

Les yeux de Shiroyama s'attardent sur la crête que dessine l'étui à parchemin sous la veste de Jacob…

… mais le Magistrat annonce: «Le rapport que je remettrai doit répondre à une question.

– Si je suis capable d'y répondre, Votre Honneur, je m'y emploierai.

– Pourquoi les Anglais sont-ils repartis avant d'avoir achevé la destruction de Dejima?

– Ce mystère m'a hanté toute la nuit, Votre Honneur.

– Vous aurez remarqué qu'ils avaient chargé les canons sur le gaillard d'arrière.»

Jacob demande à Goto d'expliquer que les canons sont conçus

pour transpercer les navires et les murailles, tandis que les caronades le sont pour projeter de la mitraille à travers beaucoup d'hommes.

« Dans ce cas, pourquoi les Anglais n'ont-ils pas tué le chef ennemi à l'aide de leurs "caronades" ?

– Peut-être que le capitaine voulait limiter les dégâts infligés à Nagasaki. » Jacob hausse les épaules. « Peut-être était-ce… » Il demande à Goto de traduire la locution « un geste de clémence ».

À deux ou trois pièces de distance, le son étouffé d'une voix d'enfant leur parvient.

C'est le fameux fils du Magistrat qu'Orito a mis au monde, devine Jacob.

« Peut-être que, face à votre courage » – Shiroyama examine les articulations de son pouce –, « votre ennemi a éprouvé de la honte. »

Jacob se remémore les quatre années passées chez les Londoniens et doute de cette hypothèse, mais s'incline devant ce compliment. « Votre Honneur compte-t-il se rendre à Edo afin de remettre son rapport ? »

La douleur irradie le visage de Shiroyama, ce qui laisse Jacob perplexe. Le Magistrat adresse sa réponse complexe à Goto. « Son Honneur dit que… » Goto est hésitant. « … Edo réclame un… c'est un mot de commerçant : "apurement de comptes" ? »

On fait comprendre à Jacob de ne pas chercher à éclaircir cette réponse délibérément vague.

Il aperçoit le tablier de go dans un coin de la pièce ; il remarque que la partie en cours lors de sa visite deux jours plus tôt n'a évolué que de quelques coups.

« Mon adversaire et moi-même avons peu d'occasions de nous rencontrer. »

Jacob devine facilement : « Le Seigneur-Abbé du domaine de Kyôga ? »

Le Magistrat acquiesce. « Le Seigneur-Abbé est maître de go. Il sait discerner les faiblesses de ses ennemis et s'en servir afin d'anéantir leurs forces. » Il regarde le tablier d'un air triste. « Je crains bien que ma situation ne soit désespérée.

– Dans le poste d'observation, lui répond Jacob, la mienne me le semblait tout autant. »

Le signe de tête que le chambellan Tomine adresse à Goto signifie : *C'est l'heure.*

« Votre Honneur. » Avec nervosité, Jacob sort l'étui de sa veste. « C'est très humblement que je vous demande de bien vouloir lire ce parchemin quand vous serez seul. »

Shiroyama fronce les sourcils et se tourne vers son chambellan. Tomine annonce à Jacob : « Les précédents édictent que les lettres des Néerlandais doivent être traduites par deux membres de la Guilde des interprètes de Dejima, puis…

– Un vaisseau de guerre britannique est arrivé et a ouvert le feu sur Nagasaki : les précédents nous ont-ils été d'un quelconque secours ? » La colère a tiré Shiroyama de sa mélancolie. « Mais s'il s'agit d'une requête plaidant en faveur de davantage de cuivre ou de je ne sais quoi d'autre, alors sachez, chef de Zoet, qu'à Edo, les astres ne me sont guère favorables…

– Ce n'est qu'une sincère lettre personnelle, Votre Honneur. Je vous prie de pardonner par avance la médiocrité de mon japonais. »

Jacob sent que ce mensonge coupe court à la curiosité de Tomine et de Goto.

Inoffensif en apparence, l'étui passe dans les mains du Magistrat.

XXXIX

Véranda de la Salle du dernier chrysanthème,
Magistrature de Nagasaki

Le neuvième jour du neuvième mois

Traversant des rayons de lumière, des mouettes tournoient au-dessus des toits élégants et des chaumières sans charme, arrachent des morceaux d'abats sur la place du marché et s'envolent au-dessus des jardins cloîtrés, des murs aux sommets hérissés de pics et des portes à triple verrou. Des mouettes perchées sur des pignons blanchis à la chaux, sur des pagodes qui craquent et sur des écuries pleines de crottin. Des mouettes qui virevoltent au-dessus de tours aux cloches caverneuses, de places cachées où des urnes d'urine sont posées près de puits couverts ; des mouettes que remarquent les hommes à dos de mule, leurs montures et des chiens aux allures de loups ; des mouettes qu'ignorent les sabotiers voûtés. Des mouettes qui prennent de la vitesse en amont d'un fleuve Nakashima encaissé et qui passent entre les arches des ponts ; des mouettes entrevues depuis le seuil des cuisines, observées par des paysans arpentant les crêtes rocheuses et escarpées. Des mouettes qui traversent les nuées de vapeur émanant des cuves de linge, qui survolent des milans en train de dépecer des cadavres de chats, des savants qui entrevoient la vérité dans de fragiles motifs récurrents, des couples adultères dans des bains, des catins au cœur brisé, des femmes de pêcheurs occupées à démembrer des homards ou des crabes tandis que leurs maris vident des maquereaux sur leurs étals, des fils de bûcherons qui affûtent des haches, des ciriers qui roulent des bougies, des agents au regard inflexible qui collectent les impôts, des laqueurs malingres, des teinturiers à la peau tachetée, des voyants bien vagues, des menteurs imperturbables, des tisserands, des coupeurs de joncs, des calligraphes aux lèvres pleines d'encre qui trempent leurs plumes, des vendeurs de livres ruinés par leurs invendus, des dames de compagnie, des goûteurs, des habilleurs, des pages chapardeurs, des cuisiniers dont le nez coule, des greniers sombres où des couturières piquent leurs doigts calleux, des mendiants feignant d'être estropiés, des porchers, des escrocs, des débiteurs qui se mordent la lèvre et ne sont pas avares d'excuses, des créditeurs blasés qui resserrent leur étau, des prisonniers hantés par les souvenirs d'une existence meilleure et de vieux débauchés obsédés par les femmes des autres, des tuteurs squelettiques qui se mettent en colère, des pompiers prompts à se changer en pillards quand l'occasion s'y prête, des témoins qui restent muets, des juges qu'on achète, des belles-mères qui cultivent un climat de haine et de rancune, des apothicaires qui écrasent des mélanges dans leurs mortiers, des palanquins qui transportent des filles nubiles, des nonnes silencieuses, des putains âgées de neuf ans, des beautés de jadis rongées par divers maux, des statues de Jizo décorées de petites fleurs, des syphilitiques qui éternuent par un nez nécrosé, des potiers, des barbiers, des vendeurs d'huile, des tanneurs, des couteliers, des charretiers qui récupèrent les déjections humaines, des gardiens, des apiculteurs, des forgerons et des drapiers, des bourreaux, des nourrices, des parjures, des détrousseurs, nouveau-nés, enfants qui grandissent, personnes au caractère fort ou malléable, malades, moribonds, faibles restés rebelles. Des mouettes survolant le toit d'un peintre qui a d'abord pris ses distances avec le monde, puis avec sa famille, et qui est penché sur un chef-d'œuvre qui finira lui-même par prendre ses distances avec son créateur. Et puis ces mouettes reviennent là où leur vol a commencé, au-dessus du balcon de la Salle du dernier chrysanthème, où une flaque de pluie de la nuit dernière s'évapore, une flaque dans laquelle le Magistrat Shiroyama observe leurs troubles alors qu'elles tournoient, traversant des rayons de lumière. *Il n'y a, en ce monde, qu'un seul et unique chef-d'œuvre*, songe-t-il. *C'est le monde lui-même.*

Kawasemi présente un linge de corps blanc à Shiroyama. Elle porte un *kimono* orné de belles-de-jour de Corée bleues. *La roue des saisons s'est brisée*, dit ce choix d'un thème printanier pour un jour d'automne, *et je le suis tout autant.*

Shiroyama passe ses bras cinquantenaires dans les manches.

Elle s'agenouille devant lui afin de tendre et défroisser le tissu.

À présent, Kawasemi enroule l'*obi* au-dessus de la taille du Magistrat.

Elle a choisi un précieux motif vert et blanc : *Vert comme la vie et blanc comme la mort ?*

La courtisane, qui a reçu d'onéreuses leçons, effectue un nœud en croix de dix.

« Je dois toujours m'y reprendre à dix fois pour qu'il tienne », avait coutume de dire le Magistrat.

Kawasemi lui présente le *haori* : il prend la veste longue et la revêt. La fine soie noire est fraîche comme la neige et lourde comme l'air. Ses armoiries familiales sont brodées sur les manches.

À deux pièces de là, il entend les pas de Naozumi, qui a vingt mois.

Kawasemi lui donne son *inrô* : la boîte est vide, mais, sans celle-ci, il aurait l'impression d'oublier quelque chose. Shiroyama enfile le cordon dans le *netsuke* : le bouton qu'elle a choisi est taillé dans le bec d'un calao et représente un Bouddha.

Sans trembler, les mains de Kawasemi lui remettent le *tantô*, rangé dans son fourreau.

J'aurais aimé pouvoir mourir chez toi, songe le Magistrat. *C'est là que j'ai été le plus heureux…*

Il glisse la dague dans son *obi* comme le dicte l'usage.

… mais quel intérêt y a-t-il à observer le décorum si ce n'est pour qu'il soit vu ?

« Chut ! » dit la bonne dans la pièce adjacente. « *Sut !* » répète en riant Naozumi.

Une main potelée fait coulisser la porte et le petit garçon, qui ressemble à Kawasemi quand il sourit et à Shiroyama quand il fronce les sourcils, arrive à toute vitesse dans la pièce, suivi de la bonne mortifiée.

« Que Sa Seigneurie me pardonne, implore-t-elle, à genoux devant le seuil.

— Trouvé ! chantonne le poupon dont le sourire dévoile les quenottes, avant de trébucher.

— Finis de préparer les affaires, ordonne Kawasemi à la bonne. Je t'appellerai quand il sera temps. »

Cette dernière s'incline et se retire. Ses yeux sont rougis par les pleurs.

Le petit ouragan humain se lève, se frotte les genoux et avance en se dandinant jusqu'à son père.

« C'est aujourd'hui une journée importante », déclare le Magistrat de Nagasaki.

Naozumi chante et demande : « "Le petit canard dans la mare, *ichi-ni-san*" ? » D'un simple regard, Shiroyama dit à sa concubine de ne pas s'inquiéter.

Il est trop jeune pour comprendre, se dit-il, *et c'est mieux ainsi*.

« Viens ici, dit Kawasemi qui s'agenouille, viens, Nao-*kun*… »

Le petit garçon s'assied sur les cuisses de sa mère et plonge les doigts dans ses cheveux.

À un mètre d'eux, Shiroyama fait tournoyer ses mains à la façon d'un prestidigitateur…

… et dans sa paume apparaît un château d'ivoire trônant au sommet d'une montagne d'ivoire.

Shiroyama fait tourner doucement la figurine à quelques centimètres du regard captivé du petit garçon.

Des escaliers minuscules, des nuages, des pins, des murailles taillées dans la roche…

«Ton arrière-grand-père l'a sculpté dans une corne de licorne», dit Shiroyama.

… un portail surmonté d'une arche, des fenêtres, des meurtrières, et, tout au sommet, une pagode.

«Tu ne peux pas le voir, dit le Magistrat, mais un prince vit dans ce château.»

Tu oublieras cette histoire, devine-t-il, *mais ta mère te la rappellera.*

«Ce prince porte le même nom que nous: *shiro* comme château, et *yama* comme montagne. Le prince Shiroyama est un personnage exceptionnel. Toi et moi devrons un jour rejoindre nos ancêtres, mais tant qu'un Shiroyama – moi, toi, ton fils – sera en vie et prendra ce château pour regarder à l'intérieur, le prince qui vit dans cette tour ne mourra jamais.»

Naozumi attrape la statuette d'ivoire et la colle à son œil.

Shiroyama ne prend pas son fils dans ses bras et ne respire pas sa douce odeur.

«Merci, Père.» Kawasemi fait s'incliner la tête du petit garçon afin de simuler une courbette.

Naozumi s'échappe, sautillant de *tatami* en *tatami* jusqu'à la porte.

Arrivé sur le seuil, il se retourne pour regarder son père; alors Shiroyama songe: *Voilà*.

Puis les pas du petit garçon l'éloignent de lui à jamais.

La luxure soutire des bébés à leurs parents, médite Shiroyama, *ou bien encore les incidents, le devoir conjugal…*

Dans le vase, les soucis ont la même nuance que le souvenir de l'été.

… mais peut-être que les plus chanceux sont les enfants nés d'une pensée demeurée impensée : que seuls les os et les cartilages d'un être neuf peuvent relier les deux rives de l'intolérable golfe qui sépare les amants.

La cloche du temple Ryûgaji sonne l'heure du Cheval.

Bien, se prépare-t-il, *j'ai un meurtre à commettre.*

« Il vaut mieux que tu partes », annonce Shiroyama à sa concubine.

Kawasemi fixe le sol, bien décidée à ne pas pleurer.

« Si l'enfant montre des prédispositions au jeu de go, engage un maître de l'école Honinbo. »

Le vestibule situé à l'extérieur de la Salle aux soixante *tatami* et la longue galerie qui mène au grand parvis sont pleins à craquer de conseillers agenouillés, de membres du Conseil, d'inspecteurs, de capitaines, de gardes, de serviteurs, de dignitaires attachés aux finances, et d'employés de maison. Shiroyama s'immobilise.

Les corbeaux colportent des rumeurs dans le ciel mat et gluant.

« Vous tous ici présents : levez la tête. Je veux voir vos visages. »

Deux ou trois cents têtes se redressent : des yeux, partout des yeux…

… des yeux qui se repaissent d'un fantôme encore en vie, songe Shiroyama.

« Magistrat-*sama* ! » Le doyen Wada s'est autodésigné porte-parole.

Shiroyama se tourne vers cet homme loyal et agaçant. « Wada-*sama*.

– Servir le Magistrat a été le plus grand honneur de toute ma vie… »

Le visage de Wada est déformé par l'émotion. Ses yeux brillent.

«Chacun d'entre nous a su tirer des enseignements de Sa sagesse et de Son exemplarité…»

Tout ce que je vous ai enseigné, pense Shiroyama, *c'est de vous assurer que, en toutes circonstances, mille hommes soient postés dans les garnisons côtières.*

«Votre souvenir sera à jamais gravé dans notre cœur et notre esprit.»

Tandis que mon corps et ma tête, se dit Shiroyama, *pourriront ensemble dans la terre.*

«Nagasaki ne s'en remettra jamais» – les larmes roulent sur ses joues –, «jamais!»

Oh, dès la semaine prochaine, la vie aura repris son cours habituel, devine Shiroyama.

«Au nom de tous ceux qui avaient – qui ont – le privilège de vous servir…»

Même l'intouchable qui vide le pot de chambre? se demande le Magistrat.

«… moi, Wada, je vous offre notre gratitude éternelle en remerciement de votre gracieux patronage!»

Sous l'avant-toit, les pigeons roucoulent comme des grand-mères devant des nouveau-nés.

«Merci, répond-il. Servez mon successeur comme vous m'avez servi.»

Ainsi donc le discours le plus stupide que j'aurai entendu sera le tout dernier.

Le chambellan Tomine ouvre la porte pour son ultime rendez-vous.

Dans un grondement, la porte se referme sur la Salle aux soixante *tatami.* Personne n'est autorisé à entrer tant que le chambellan Tomine n'en est pas ressorti pour annoncer l'honorable mort du Magistrat. La foule presque silencieuse de la galerie revient à la vie. En signe de respect envers le Magistrat, toute l'aile restera déserte jusqu'à la tombée de la nuit, si l'on fait abstraction des quelques gardes.

Bien qu'un haut paravent soit à demi ouvert, la salle sombre a des allures de caverne, aujourd'hui.

Le Seigneur-Abbé Enomoto analyse la partie en cours sur le tablier de go.

L'Abbé se retourne et s'incline. Son acolyte marque davantage sa courbette.

Le Magistrat entreprend son périple vers le centre de la pièce. Son corps déplace des volutes d'air confiné. Ses pieds bruissent sur le sol. Le chambellan Tomine emboîte le pas à son maître.

La Salle aux soixante *tatami* pourrait aussi bien en mesurer six cents de large ou six mille de long.

Shiroyama s'assied devant le tablier de go, faisant face à son adversaire. « Imposer ces deux dernières obligations à un homme aussi occupé que vous est d'un égoïsme impardonnable.

— C'est un compliment exceptionnel que de répondre à la requête de Votre Honneur, réplique Enomoto.

— Il y a bien longtemps, avant de vous rencontrer, j'avais entendu les exploits guerriers d'Enomoto-*sama,* que l'on raconte à voix basse et sur un ton respectueux.

— Les gens déforment exagérément ce genre d'histoires ; toutefois, il est vrai qu'à travers les années, cinq personnes m'ont demandé d'être le *kaishakunin* de leur mort. Je me suis acquitté de cette tâche avec aptitude.

— C'est votre nom qui m'est venu à l'esprit, Seigneur-Abbé. Votre nom, et nul autre. »

Shiroyama jette un regard furtif sur la ceinture d'Enomoto, y cherchant le fourreau.

« Mon acolyte l'a apporté », dit l'Abbé en désignant le jeune homme d'un hochement de tête.

Emmailloté de noir, le sabre repose sur un carré de velours rouge.

Sur une desserte ont été placés un plateau blanc, quatre coupelles noires et une gourde rouge.

Un drap de lin blanc assez large pour envelopper un cadavre gît à bonne distance.

« Souhaitez-vous toujours terminer la partie que nous avons entamée ? demande Enomoto en montrant le jeu de go.

– Il faut bien faire quelque chose avant de mourir. » Le Magistrat repositionne les pans de son *haori* sur ses genoux et concentre son attention sur la partie. « Avez-vous arrêté votre prochain coup ? »

Enomoto pose une pierre blanche qui vient menacer l'avant-poste de pierres noires situé à l'est.

Le prudent *clic* que fait la pierre rappelle le bruit de la canne d'un aveugle.

Shiroyama joue la prudence en construisant un pont vers le front nord des blancs qui constituera également une tête de pont destinée à se prémunir contre ce même front.

« Si l'on veut gagner, lui avait enseigné son père, il faut s'affranchir du désir de gagner. »

Enomoto sécurise son front nord en pratiquant une ouverture dans ses rangs.

L'aveugle se déplace plus vite, à présent : *clic*, fait sa canne ; *clic*, une pierre blanche est posée.

Quelques mouvements plus tard, les noirs de Shiroyama capturent un groupe de six blancs.

« Leurs jours étaient comptés, juge Enomoto. Ils vivaient largement au-dessus de leurs moyens. » Il installe un espion loin derrière le front ouest des noirs.

Shiroyama n'en tient pas compte et se met à construire une route reliant son armée placée à l'ouest à celle du centre.

Enomoto joue un autre coup étrange et pose une pierre dans le désert du sud-ouest. Deux coups plus tard, il ne manque plus que trois pierres pour que s'achève l'intrépide construction du pont noir. *Mais enfin*, réfléchit Shiroyama, *il ne peut tout de même pas me laisser percer sans réagir.*

Enomoto place une pierre non loin de son espion posté à l'ouest...

... et Shiroyama découvre alors les campements intermédiaires qui jalonnent la ligne de noirs en un croissant de lune qui s'étire du sud-ouest jusqu'au nord-est.

Si les blancs empêchent les principales troupes de noirs d'unir leurs forces lors de cette dernière phase du jeu...

... *mon empire sera divisé en trois dérisoires fiefs*, entrevoit Shiroyama.

Le pont n'est plus qu'à deux intersections : Shiroyama en revendique la première...

... tandis qu'Enomoto pose une pierre blanche sur la seconde : la bataille arrive à un tournant décisif.

Si je vais là, il ira là ; si je vais là, il ira là ; si je vais là...

Mais, après cinq coups et cinq contres, Shiroyama a oublié le premier coup joué.

Le go est un duel qui oppose deux prophètes, se dit-il. *Le plus visionnaire des deux l'emporte.*

Ses armées fractionnées en sont réduites à prier pour que les blancs commettent un impair.

Mais Enomoto ne commet jamais d'impair, sait bien le Magistrat.

« Ne songez-vous jamais que nous ne jouons pas au go, mais plutôt que le go se joue de nous ? demande-t-il.

– Vous avez l'esprit d'un moine, Votre Honneur », lui répond Enomoto.

D'autres coups se succèdent mais la partie a dépassé son point de maturité absolue.

Discret, Shiroyama compte les territoires occupés par les noirs et les prisonniers capturés.

Enomoto le remarque, effectue la même opération avec les blancs, puis attend le Magistrat.

L'Abbé attribue aux blancs une avance de huit points sur les noirs. Mais, selon Shiroyama, Enomoto gagne de huit points et demi.

« Ce duel, fait remarquer le perdant, opposait ma hardiesse à vos finesses.

– Mes finesses ont bel et bien failli causer ma perte », concède Enomoto.

Les joueurs remettent les pierres dans les bols.

« Assurez-vous que ce jeu revienne à mon fils », ordonne Shiroyama à Tomine.

Shiroyama désigne la gourde rouge. « Je vous remercie d'avoir fourni le *sake*, Seigneur-Abbé.

– C'est moi qui vous remercie d'avoir respecté ces précautions que je prends, même en cette heure critique, Magistrat. »

Shiroyama tente de déceler l'ironie dans la voix d'Enomoto mais n'en trouve pas la moindre trace.

L'acolyte remplit les quatre coupelles noires.

La Salle aux soixante *tatami* est aussi calme qu'un cimetière à l'abandon.

Ce sont là mes derniers instants, songe le Magistrat en regardant l'acolyte qui s'applique.

Un papillon du céleri s'attarde au-dessus de la desserte.

L'acolyte présente d'abord une coupelle de *sake* au Magistrat, en offre ensuite une à son maître, puis au chambellan, avant de regagner son coussin en emportant la quatrième.

Afin de ne pas être tenté de tourner les yeux vers la coupelle de Tomine ou bien celle d'Enomoto, Shiroyama imagine toutes ces âmes bafouées – combien de dizaines ? combien de centaines ? – observant la scène depuis les ténèbres, assoiffées de vengeance. Il lève sa coupelle et déclare : « La vie et la mort sont indissociables. »

Les autres répètent ce proverbe galvaudé. Le Magistrat ferme les yeux.

La glaçure de cendres volcaniques qui enrobe la coupelle de Sakurajima est rêche au contact de ses lèvres.

L'alcool épais et astringent circule dans la bouche du Magistrat…

… il développe de riches arômes… que l'additif ne vient pas corrompre…

Dans l'obscurité de la tente de ses paupières, il entend le fidèle Tomine boire…

… mais ni Enomoto ni l'acolyte ne suivent. Il patiente. Quelques secondes s'écoulent.

Le désespoir envahit le Magistrat. *Le poison : Enomoto savait.*

Lorsqu'il ouvrira les yeux, des sarcasmes l'accueilleront.

Toute la préparation, l'ingéniosité mise en œuvre et le terrible sacrifice de Tomine auront été vains.

Shiroyama a failli à Orito, à Ogawa et à de Zoet, ainsi qu'à toutes ces âmes bafouées.

Le fournisseur de Tomine nous a-t-il trahis ? À moins que ce ne soit le droguiste chinois ?

Peut-être devrais-je tenter de tuer ce monstre à l'aide de ma dague cérémonielle…

Il ouvre les yeux afin d'estimer ses chances de réussite, au moment précis où Enomoto vide sa coupelle…

… et son acolyte repose la sienne, quelques instants après son maître.

En un éclair, le désespoir qui rongeait Shiroyama cède la place à un fait objectif : *Dans deux minutes, ils sauront, et dans quatre, nous serons morts.* « Voulez-vous bien étendre le drap, chambellan ? Juste ici… »

Enomoto montre la paume de sa main. « Mon acolyte va s'en charger. »

Ils regardent le jeune homme étendre le grand coupon de chanvre blanc. Le linge sert à éponger le sang qui jaillit du corps décapité, puis à envelopper le cadavre ; mais ce matin, il a pour fonction de cacher à Enomoto les véritables intentions du Magistrat, le temps que leurs corps absorbent le *sake*.

«Voulez-vous que je récite un mantra d'absolution ? propose le Seigneur-Abbé.

– Si l'absolution m'est permise, c'est à moi seul de l'obtenir. »

Enomoto n'ajoute aucun commentaire, mais récupère toutefois son sabre. «Votre *seppuku* consistera-t-il en une éviscération pratiquée à l'aide de votre *tantô*, Magistrat, ou sera-ce un simple effleurement symbolique de votre éventail, tel que l'édicte l'usage moderne ? »

Un engourdissement envahit le bout des doigts et des orteils de Shiroyama. *Le poison est dans nos veines, bien à l'abri.* «D'abord, Seigneur-Abbé, je vous dois une explication. »

Enomoto dépose son sabre sur ses genoux. «À quel sujet ?

– Au sujet de la raison pour laquelle nous serons tous morts dans trois minutes. »

Le Seigneur-Abbé scrute le visage de Shiroyama, cherchant à y déceler la preuve qu'il a mal entendu.

L'acolyte aguerri se relève et, les jambes fléchies, à l'affût de la moindre menace, balaie la salle silencieuse du regard.

«De sombres émotions embrumeraient le cœur de quiconque à un moment comme celui-ci » – Enomoto se montre indulgent –, «mais songez à votre nom après la mort, Magistrat : vous vous devez de...

– Silence, le Magistrat va rendre son verdict ! » Le chambellan au nez cassé s'exprime avec toute l'autorité que son office lui confère.

Enomoto cligne des yeux devant cet homme plus âgé. «Me parler, à moi, sur ce t...

– Seigneur-Abbé Enomoto-*no-kami* » – Shiroyama sait le peu de temps qu'il leur reste –, «*Daimyo* du domaine de Kyôga, grand prêtre du Sanctuaire du mont Shiranui, par les pouvoirs qui m'ont été conférés par l'Auguste Shogun, je vous déclare coupable du meurtre de soixante-trois femmes enterrées derrière l'auberge *Harubayashi* située sur la route de la mer d'Ariake, coupable d'instrumentaliser les sœurs captives au Sanctuaire du mont Shiranui, et coupable d'avoir commis des infanticides répétés et monstrueux sur les rejetons engendrés par vous et vos moines avec ces femmes. Vous allez payer de votre vie pour tous ces crimes commis. »

Un bruit étouffé de sabots de chevaux fait intrusion dans la salle confinée.

« C'est une grande peine » – Enomoto demeure impassible – « que de voir un esprit jadis plein de noblesse…

– Réfutez-vous ces accusations ? Ou bien vous considérez-vous au-dessus de tout cela ?

– Vos questions sont ignobles. Vos accusations sont méprisables. Quant à supposer qu'un mandataire en disgrâce puisse me condamner, moi ! La chose est d'une sidérante vanité. Venez, acolyte, quittons cette méprisable scène, et ne…

– Pourquoi vos mains et vos pieds sont-ils si froids, alors qu'il fait si chaud ? »

Enomoto ouvre une bouche dédaigneuse, puis fronce les sourcils en regardant la gourde rouge.

« Je ne l'ai pourtant pas quittée des yeux, maître, jure l'acolyte. Rien n'y a été ajouté.

– D'abord, je vous offre mes raisons, propose Shiroyama. Il y a deux ou trois ans, lorsque des rumeurs de cadavres enterrés dans une bambouseraie située derrière l'auberge *Harubayashi* sont parvenues à nos oreilles, je ne leur ai prêté que peu d'attention. Les rumeurs ne constituent aucunement des preuves, les amis que vous avez à Edo sont plus influents que les miens, et ce qui se passe dans le jardin d'un *daimyo* ne concerne personne d'autre que lui-même – du moins, d'ordinaire. Mais quand vous avez enlevé la sage-femme qui avait sauvé la vie de ma concubine et de mon fils, j'ai été pris d'un regain d'intérêt vis-à-vis du Sanctuaire du mont Shiranui. Un espion sorti de la manche du Seigneur de Hizen m'a livré un sordide récit portant sur ce qu'il advenait de vos nonnes à leur Retraite. La mort qui l'a frappé peu de temps après n'a fait qu'accréditer davantage ses dires ; aussi, quand m'est parvenu le témoignage consigné sur le parchemin renfermé dans un étui en cornouiller…

— L'apostat Jiritsu n'était qu'une vipère, un traître qui s'est retourné contre l'Ordre.

— Et, bien entendu, Ogawa Uzaemon a été tué par des bandits de grands chemins ?

— Ogawa était un espion, un chien, et il est mort comme tel. » Enomoto se relève mais il titube et trébuche ; il rugit : « Qu'avez-vous… ? Qu'avez-vous… ?

— Le poison s'attaque aux muscles du corps en commençant par les extrémités puis finit par se propager jusqu'au cœur et au diaphragme. C'est un venin extrait des glandes d'un serpent arboricole que l'on ne trouve que dans le delta du Siam. L'on appelle cette créature le serpent-quatre-minutes. Le chimiste chevronné que vous êtes devinera aisément pourquoi. Ce venin est on ne peut plus fatal, et il est on ne peut plus difficile de s'en procurer ; mais en ce qui concerne les accointances, Tomine est un chambellan inégalable. Nous l'avons essayé sur un chien qui a tenu… combien de temps, chambellan ?

— Moins de deux minutes, Votre Honneur.

— Quant à savoir si ce chien est mort d'un arrêt cardiaque ou bien d'étouffement, nous allons bientôt le découvrir. Alors que nous discutons, je suis en train de perdre l'usage de mes coudes et de mes genoux. »

L'acolyte aide Enomoto à se rasseoir.

Le jeune homme bascule et reste allongé sur le côté, se débattant tel un pantin désarticulé.

« À l'air libre, poursuit le Magistrat, ce poison durcit et forme une fine croûte transparente. Mais, au contact d'un liquide – et, à plus forte raison, d'un spiritueux –, celui-ci se dissout instantanément. D'où le choix de ces coupelles rugueuses de Sakurajima : la couche de poison passait inaperçu. Vous avez su déjouer mon offensive sur le tablier de go, mais vous vous êtes laissé abuser par cette simple ruse : rien que pour ceci, cela valait la peine de mourir. »

Le visage déformé de peur et de rage, Enomoto saisit son arme, mais son bras étant raide comme un morceau de bois, il n'arrive pas à tirer le sabre de son fourreau. Il regarde sa main d'un œil fixe et incrédule, puis pousse un profond grognement et, d'un coup de poing, envoie valser sa coupelle de *sake*.

Celle-ci rebondit sur le sol nu, tel un galet ricochant sur des eaux sombres.

« Si tu savais, Shiroyama, misérable taon, ce que tu as fait…

– Ce que je sais, c'est qu'à présent, les âmes de ces femmes dont personne n'a porté le deuil…

– Ces putains défigurées étaient vouées à mourir dans les bas-fonds dès leur naissance !

– Les âmes de ces femmes enterrées derrière l'auberge *Harubayashi* peuvent à présent reposer en paix. Justice leur a été rendue.

– Grâce à l'Ordre de Shiranui, leur vie est plus longue !

– De sorte qu'elles puissent vous offrir ces "Présents" qui nourrissent votre folie, n'est-ce pas ?

– Nous semons et récoltons notre moisson ! Nous sommes en droit de l'employer comme bon nous semble !

– Votre Ordre ne fait que semer sa cruauté, et votre récolte…

– Les Préceptes fonctionnent, parasite humain ! L'essence d'âme fonctionne ! Si notre Ordre n'était que folie, comment aurait-il traversé tant de siècles ? Comment un Abbé aurait-il obtenu les faveurs des personnages les plus rusés de l'Empire s'il s'était agi de charlatanisme ? »

Les plus fervents, constate Shiroyama, *sont aussi les plus monstrueux.* « Votre Ordre disparaîtra avec vous, Seigneur-Abbé. Le témoignage de Jiritsu est en route vers Edo » – son souffle se raccourcit à mesure que le poison engourdit son diaphragme – « et, sans votre protection, le Sanctuaire du mont Shiranui sera démantelé. »

La coupelle jetée au sol roule lentement, décrivant un grand arc de cercle, en murmurant dans son cheminement.

Assis en tailleur, Shiroyama vérifie l'état de ses bras : ils sont morts avant lui.

« Notre Ordre, dit Enomoto d'une voix étranglée, la Déesse, la récolte rituelle des âmes… »

Un bruit de suffocation s'échappe de la bouche du chambellan Tomine. Sa mâchoire tremble.

Les yeux d'Enomoto, qui tressautent et brillent, disent : *Je ne peux pas mourir.*

Tomine s'écroule sur le tablier de go. Les deux bols contenant les pierres se renversent.

« Vieillissement neutralisé » – le visage d'Enomoto se fige –, « peau inaltérée, vigueur intacte.

– Maître, j'ai froid, se liquéfie la voix de l'acolyte. J'ai froid, maître.

– Sur l'autre rive du fleuve Sansho » – Shiroyama fait usage de ses dernières paroles –, « vos victimes vous attendent. » Sa langue et ses lèvres ne coopèrent plus. *Certains prétendent* – le corps de Shiroyama se pétrifie – *qu'il n'est pas de vie après la mort. Certains disent que les humains ne sont pas plus éternels que les souris ou les éphémères. Mais tes yeux, Enomoto, attestent l'existence de l'Enfer, car c'est bien l'Enfer qui s'y reflète.* Le plancher bascule et devient le mur.

Au-dessus de lui, Enomoto profère une malédiction difforme et asphyxiée.

Laisse-le derrière toi, songe le Magistrat. *Abandonne tout, à présent…*

Le cœur de Shiroyama cesse de battre. Le pouls de la Terre palpite contre son oreille.

À quelques centimètres de lui gît une pierre de go profilée comme une palourde, parfaite, lisse…

… un papillon noir se pose sur la pierre blanche et déploie ses ailes.

IV

La saison des pluies

1 8 1 1

XL

Temple du mont Inasa,
dans les hauteurs de Nagasaki

Le matin du vendredi 3 juillet 1811

Le cortège traverse le cimetière ; à sa tête, deux prêtres boud-
dhistes dont la tunique noir, blanc et bleu marine rappelle à
Jacob le plumage des pies, oiseaux qu'il n'a plus revus depuis
treize ans. L'un frappe un tambour au timbre mat et l'autre, des
claves. Derrière eux, quatre *eta* portent le cercueil de Marinus. Jacob
marche aux côtés de Yûan, son fils âgé de dix ans. Les interprètes
du premier ordre Iwase et Goto sont à quelques pas en retrait,
accompagnés de l'inusable docteur Maeno et d'Ôtsuki Monjurô
de l'Académie Shirandô, suivis de quatre gardes qui referment la
procession. La pierre tombale et le cercueil de Marinus ont été
payés par les académiciens, ce dont le chef en poste Jacob de Zoet
est fort reconnaissant : depuis les trois dernières saisons commerciales, Dejima survit grâce aux prêts consentis par le Trésor de
Nagasaki.

Des gouttelettes de brume sont accrochées à la barbe rousse de
Jacob. Certaines s'en échappent en roulant le long de sa gorge, se
glissent sous le moins élimé de ses cols de chemise, puis se perdent
dans la sueur chaude qui lui recouvre le torse.

Le carré des étrangers se trouve tout au bout du cimetière, à la lisière de la forêt escarpée. Jacob se souvient du carré réservé aux suicidés, adjacent à l'église de Dombourg où son oncle officiait. *Mon oncle défunt*, se reprend-il. La dernière lettre en provenance de chez lui est arrivée il y a trois ans, mais Geertje l'avait écrite deux années plus tôt. Après la mort de leur oncle, sa sœur avait épousé le maître d'école de Vrouwenpolder, un petit village situé à l'est de Dombourg, où elle enseigne à de tout jeunes enfants. Les troupes françaises qui occupent Walcheren leur rendent la vie difficile, a reconnu Geertje – la grande église de Veere sert de caserne et d'écurie aux soldats de Napoléon –, mais son mari est un homme bon, et ils s'en tirent à meilleur compte que la plupart, a-t-elle écrit.

Le chant des coucous hante cette matinée où la brume se condense en gouttes.

Dans le carré des étrangers, un grand nombre de personnes endeuillées à moitié cachées par leurs parapluies sont présentes. L'allure ralentie de la procession lui offre le loisir de parcourir les douze ou treize pierres tombales. Il est le premier Néerlandais à pénétrer dans ce lieu, d'après les registres journaliers de ses prédécesseurs. Les noms des tout premiers défunts ont été effacés par le gel et le lichen, mais, à partir de l'ère Genroku – selon le rapide calcul effectué par Jacob, les années 1690 –, les inscriptions peuvent être déchiffrées avec une certitude croissante. Jonas Terpstra – probablement un Frison – est mort au cours de la première année de l'ère Hôei, au début du siècle dernier ; Dieu a rappelé à lui Klaas Oldewarris lors de la troisième année de l'ère Hôryaku, pendant les années 1750 ; Abraham van Doeselaar – un Zélandais, comme lui – est décédé lors de la neuvième année de l'ère An'ei, deux décennies avant l'arrivée du *Shenandoah* à Nagasaki. Voici la tombe du jeune métis qui était tombé de la frégate, que Jacob a rebaptisé dans la mort Jack Farthing ; et enfin, Wybo Gerritszoon, mort d'une « rupture abdominale » lors de la quatrième année de l'ère Kyôwa, il y a neuf ans : Marinus soupçonnait une occlusion de l'appendice, mais tint sa promesse de ne pas ouvrir le cadavre de Gerritszoon pour vérifier son diagnostic. Jacob se souvient très bien de l'agression commise par Gerritszoon, mais son visage, lui, s'est effacé de sa mémoire.

Le docteur Marinus arrive à sa destination finale.

La pierre tombale indique en caractères japonais et romains : DOCTEUR LUCAS MARINUS, MÉDECIN ET BOTANISTE, MORT LORS DE LA SEPTIÈME ANNÉE DE L'ÈRE BUNKA. Les prêtres entonnent un mantra tandis que l'on descend le cercueil. Jacob retire son chapeau en peau de serpent et, en guise de contrepoint à l'incantation païenne, récite silencieusement des strophes du cent quarante et unième psaume. « Comme quand on laboure et qu'on fend la terre… »

Il y a sept jours encore, Marinus jouissait d'une santé de fer.

« … Ainsi nos os sont dispersés à l'entrée du séjour des morts. C'est vers Toi, Éternel, Seigneur, que se tournent mes yeux… »

Mercredi, il avait annoncé qu'il mourrait vendredi.

« … c'est auprès de Toi que je cherche un refuge : n'abandonne pas mon âme. »

Dans son cerveau, un anévrisme tranquille perturbait tous ses sens, avait-il expliqué.

« Que ma prière soit devant Ta face comme l'encens… »

Il paraissait si insouciant – et si bien portant – en écrivant son testament.

« … et l'élévation de mes mains comme l'offrande du soir. »

Jacob ne le crut pas ; mais jeudi, Marinus fut alité.

« Leur souffle s'en va », chante le cent quarante-sixième psaume, « il rentre dans la terre… »

Le docteur prétendit en riant qu'il était une couleuvre en pleine mue.

« … et ce même jour leurs pensées périssent. »

Le vendredi après-midi, il fit une sieste et ne se réveilla pas.

Les prêtres ont terminé leur mantra. La foule endeuillée regarde le chef en poste.

« Père, l'interpelle Yûan en néerlandais, c'est à vous de dire quelques mots. »

Les académiciens les plus âgés occupent le centre de l'attroupement ; sur la gauche se tiennent quinze des séminaristes anciens et actuels du docteur ; sur la droite, un assortiment d'hommes haut placés et de curieux ; ici et là, quelques espions, des moines du temple Inasa, et d'autres personnes que Jacob s'abstient de dévisager.

« Tout d'abord, commence-t-il en s'exprimant en japonais, je souhaite adresser mes sincères remerciements à vous tous ici présents… » La brise secoue les arbres et de grosses gouttes viennent s'écraser sur les parapluies.

« … qui avez bravé la saison des pluies afin de saluer une dernière fois notre collègue… »

Je me rendrai compte de sa mort seulement une fois de retour à Dejima, quand je voudrai lui raconter la visite du temple Inasa…, comprend Jacob.

« … en route pour son ultime voyage. Je remercie également les prêtres d'avoir offert à mon compatriote un lieu de repos et d'avoir fermé les yeux sur mon intrusion de ce matin. Jusqu'à son dernier jour, le docteur s'est consacré à ce qu'il préférait par-dessus tout : enseigner et apprendre. Aussi, quand nous penserons à Lucas Marinus, rappelons-nous qu'il… »

Jacob remarque la présence de deux femmes dissimulées sous de larges parapluies.

L'une est plus jeune – une bonne ? – et porte une capuche qui lui cache les oreilles.

Sa compagne, plus âgée, porte un fichu qui dissimule la partie droite de son visage…

Jacob a perdu le fil de sa phrase.

«Quelle gentillesse de m'avoir attendu, Aibagawa-*sensei*...» Il y avait la donation à remettre au temple, les plaisanteries à échanger avec les savants, et Jacob était partagé entre la peur qu'elle ait disparu et l'anxiété qu'elle l'ait attendu.

Te voici, pense-t-il en la regardant. *C'est bien toi, tu es vraiment là.*

«Il est très égoïste de ma part, lui confie-t-elle en japonais, de m'imposer à un chef en poste qui a fort à faire et que j'ai si brièvement connu jadis...»

Tu es bien des choses, songe Jacob, *mais égoïste? Jamais.*

«... mais le fils du chef de Zoet a défendu la cause de son père avec...»

Orito se tourne vers Yûan – qui est subjugué par la sage-femme – puis sourit.

«... tant d'insistance et de courtoisie qu'il m'était impossible de repartir.

– J'espère qu'il ne vous a pas» – d'un coup d'œil, Jacob remercie Yûan – «importunée.

– Il paraît difficile d'imaginer qu'un garçon aussi poli puisse importuner quiconque.

– Son maître, un artiste, tente de lui inculquer le sens de la discipline, mais, après le décès de sa mère, mon fils est devenu sauvage et j'ai bien peur, hélas, que les dégâts ne soient irréparables.» Il se tourne vers la compagne d'Orito et s'interroge : est-ce sa bonne, son assistante ou bien son homologue? «Je suis de Zoet, se présente-t-il. Merci à vous d'être venue.»

La jeune femme ne semble pas perturbée par son allure d'étranger. «Je m'appelle Yayoi. Elle me parle si souvent de vous, mais je ne devrais pas vous raconter cela, sinon elle me fera la tête toute la journée.

– Aibagawa-*sensei* m'a dit qu'elle a connu Mère il y a longtemps, annonce Yûan à son père, avant même que vous n'arriviez au Japon.

– C'est vrai, Yûan, Aibagawa-*sensei* avait de temps à autre la bonté de soigner ta mère et ses sœurs des maisons de thé du quartier de Maruyama. Mais, *sensei*, que faites-vous à Nagasaki en ce… » – d'un hochement de tête, il désigne le cimetière – « … en ce sombre jour ? Je pensais que vous pratiquiez votre art à Miyako.

– C'est exact, mais le docteur Maeno m'a invitée à venir prodiguer mes conseils auprès d'un de ses disciples qui projette d'ouvrir une école d'obstétrique. Je ne suis pas retournée à Nagasaki depuis… eh bien, depuis mon départ : aussi ai-je songé que le moment était opportun. Que ma visite coïncide avec le décès du docteur Marinus relève d'un malencontreux hasard. »

Dans son explication, elle n'évoque pas le projet de passer à Dejima : Jacob suppose donc qu'elle n'en avait pas l'intention. Il sent peser sur eux le regard des curieux et montre alors le long escalier de pierre qui relie les portes du temple au fleuve Nakashima. «Voulez-vous bien descendre ces marches en ma compagnie, mademoiselle Aibagawa ?

– Avec le plus grand plaisir, chef de Zoet. »

Yayoi et Yûan les suivent, à quelques pas derrière eux, ainsi qu'Iwase et Goto, qui referment l'escorte, de sorte que Jacob et la célèbre sage-femme puissent discuter dans une relative intimité. Ils posent un pied prudent sur les pierres humides et recouvertes de mousse.

J'aurais cent choses à te confier, pense Jacob, *et je pourrais tout autant ne rien te dire.*

«Je crois savoir, vérifie Orito, que votre fils est un des apprentis de l'artiste Shunro ?

– Shunro-*sensei* a eu pitié de ce garçon sans talent, il est vrai.

– Cet enfant a donc hérité des dons de son père.

– Je n'ai aucun don ! Je ne suis qu'un gribouilleur affublé de deux mains gauches.

– Vous me pardonnerez de vous contredire : je possède la preuve du contraire. »

Elle a gardé son éventail. Jacob ne parvient pas à réprimer son sourire.

« L'élever seul a dû se révéler une tâche épuisante, quand Tsukinami-*sama* est décédée.

– Il y a deux ans, il vivait encore à Dejima. Marinus et Eelattu étaient ses précepteurs, et j'avais engagé ce que, en néerlandais, nous appelons une "nourrice". À présent, il loge à l'atelier de son maître, mais le Magistrat l'autorise à venir me rendre visite tous les dix jours. Tout autant que je scrute l'horizon dans l'espoir de voir arriver un navire en provenance de Batavia, je redoute la perspective de devoir le quitter… »

Un pic-vert invisible s'attaque à un tronc tout proche par brèves salves successives.

« Maeno-*sensei* m'a rapporté que le docteur Marinus a connu une mort paisible, continue-t-elle.

– Il était fier de vous. "Les disciples tels que Mlle Aibagawa justifient mon existence, Dombourgeois", répétait-il, ainsi que : "La connaissance n'existe que dans le partage…" » *Comme l'amour,* aimerait pouvoir ajouter Jacob. « Marinus était un cynique rêveur. »

À mi-chemin, ils entendent et aperçoivent l'écumant fleuve aux couleurs de café.

« Un grand professeur touche à l'immortalité à travers ses disciples, lui fait-elle remarquer.

– Aibagawa-*sensei* pourrait en dire autant des siens. »

Orito lui répond alors : « Vous parlez admirablement bien japonais.

– Ce genre de compliment me démontre que je commets encore des fautes. Voilà tout le problème quand on a un statut de *daimyo* : plus personne ne vous corrige. » Il hésite. « Ogawa-*sama* me reprenait, lui, mais c'était un interprète singulier. »

Dans les hauteurs indicibles de la montagne, les fauvettes s'appellent et se répondent.

«Et un homme courageux.» La tonalité dans la voix d'Orito indique à Jacob qu'elle sait comment il est mort, et pourquoi.

«Quand la mère de Yûan était encore en vie, je lui demandais de corriger mes erreurs, mais il n'y avait pas de pire professeur qu'elle. Elle trouvait que mes maladresses étaient adorables.

– Et pourtant, l'on peut à présent trouver votre dictionnaire dans tous les domaines que compte l'Empire. Mes propres disciples ne disent pas : "Passe-moi le dictionnaire néerlandais", ils disent : "Passe-moi le Dazûto."»

Le vent ébouriffe les frênes aux longs doigts.

Orito demande à Jacob : «William Pitt est-il encore en vie ?

– William Pitt s'est enfui avec une guenon sur la *Santa-Maria*, il y a quatre ans. Le matin où elle est repartie, il a plongé et l'a rejointe à la nage. Ne sachant pas trop si la loi shogunale valait pour les singes, les gardes l'ont laissé partir. Après son départ, parmi ceux que vous avez côtoyés en tant que "séminariste", il ne restait plus que le docteur Marinus, Ivo Oost et moi-même. Arie Grote est revenu à deux reprises mais uniquement pour la saison commerciale.»

Derrière eux, Yûan raconte quelque chose qui fait rire Yayoi.

«Si, par hasard, Aibagawa-*sensei* désirait... nous rendre visite à Dejima... eh bien... eh bien...

– Le chef de Zoet est fort aimable, vraiment, mais il me faut repartir à Miyako dès demain. Plusieurs dames de cour sont enceintes et elles auront besoin de mon aide.

– Bien sûr ! Bien sûr. Je ne voulais pas sous-entendre... Tout du moins, je ne...» Blessé, Jacob n'ose pas lui dire ce qu'il ne voulait pas. «Vos devoirs, s'empêtre-t-il, vos obligations... prévalent.»

En bas des marches, les porteurs assis autour des palanquins s'oignent les chevilles et les cuisses en prévision du retour vers Nagasaki.

Dis-lui, s'ordonne Jacob, *sans quoi tu maudiras ta lâcheté durant le restant de tes jours.*

Il décide de maudire sa lâcheté durant le restant de ses jours. *Non, impossible.*

«Je dois vous confier quelque chose. Il y a douze ans, quand les hommes de main d'Enomoto vous ont enlevée, j'étais sur le poste d'observation et je vous ai vue…» Jacob n'ose pas la regarder. «… Je vous ai vue essayer de persuader les gardes de la porte-de-terre de vous laisser entrer. Vorstenbosch venait tout juste de me trahir et, tel un enfant qui boude, je vous ai vue mais n'ai rien tenté. J'aurais pu descendre en courant, intervenir, faire un scandale, solliciter un interprète compatissant ou bien Marinus… mais je m'en suis abstenu. Dieu sait que je ne pouvais deviner les conséquences de mon inaction… ni que je ne vous reverrais plus avant ce jour… Et bien qu'ayant rapidement repris mes esprits» – il a l'impression d'avoir une arête dans la gorge – «et couru jusqu'à la porte-de-terre pour vous porter secours… quand bien même… je suis arrivé trop tard.»

Tout en descendant avec prudence l'escalier, Orito prête une oreille attentive, mais ses yeux demeurent cachés.

«Un an plus tard, j'ai entrepris de me racheter. Ogawa-*sama* m'a demandé de conserver dans un lieu sûr un parchemin que lui avait remis un fugitif du Sanctuaire, du vôtre, de celui d'Enomoto. Quelques jours plus tard me parvint la nouvelle de la mort d'Ogawa-*sama*. Les mois passant, j'ai appris assez de japonais pour déchiffrer le contenu de ce parchemin. Le jour où j'ai compris ce à quoi mon inaction vous avait exposée a été le pire de toute mon existence. Mais mon désespoir ne vous aurait été d'aucun secours. Ni rien d'autre, par ailleurs. Lors de l'incident du *Phoebus*, j'ai gagné la confiance du Magistrat Shiroyama, et inversement; c'est alors que j'ai pris le risque de lui montrer le parchemin. Les rumeurs qui ont circulé autour de sa mort et de celle d'Enomoto paraissaient si grossières: cela n'avait aucun sens. Puis, peu après, j'ai appris que le Sanctuaire du mont Shiranui avait été détruit et que le domaine de Kyôga avait été cédé au Seigneur de Hizen. Je vous raconte tout cela car me taire constituerait un mensonge par omission, et je ne puis vous mentir.»

Dans le sous-bois, les iris sont en fleur. Jacob, qui rougit, se sent anéanti.

Orito prépare sa réponse. «Quand la douleur est vive et que la lame des décisions est acérée, nous nous prenons pour des chirurgiens. Mais le temps passe, et l'on distingue alors l'ensemble des choses de façon plus claire ; je nous vois aujourd'hui comme les instruments chirurgicaux que le monde a inventés afin d'exciser de son corps l'Ordre du mont Shiranui. Si vous m'aviez offert l'asile à Dejima ce jour-là, beaucoup de souffrances m'auraient été épargnées, certes, mais Yayoi serait toujours retenue prisonnière. Les Douze Préceptes seraient toujours en vigueur. Pourquoi devrais-je vous pardonner alors que vous n'avez rien fait de mal ?»

Ils arrivent au pied de la colline. La rivière tonne.

Sur un étal, on vend des amulettes et du poisson grillé. Les personnes endeuillées redeviennent de simples gens.

Certains discutent, certains plaisantent et d'autres observent le chef néerlandais et la sage-femme.

«Cela doit être difficile de ne pas savoir quand vous reverrez l'Europe, juge Orito.

— Pour me soulager de cette douleur, j'essaie de considérer que Dejima est ma maison. Mon fils vit ici.»

Jacob s'imagine serrer dans ses bras cette femme qu'il ne sera jamais en mesure d'étreindre…

… puis déposer un baiser, un seul baiser, là, entre ses sourcils.

«Père?» Yûan regarde Jacob d'un air inquiet. «Vous ne vous sentez pas bien?»

Comme tu grandis vite, songe le père. *Que ne m'a-t-on prévenu!* Orito annonce alors en néerlandais : «Voilà, chef de Zoet, nos pas ensemble sont terminés.»

V

Les dernières pages

❀

Automne 1817

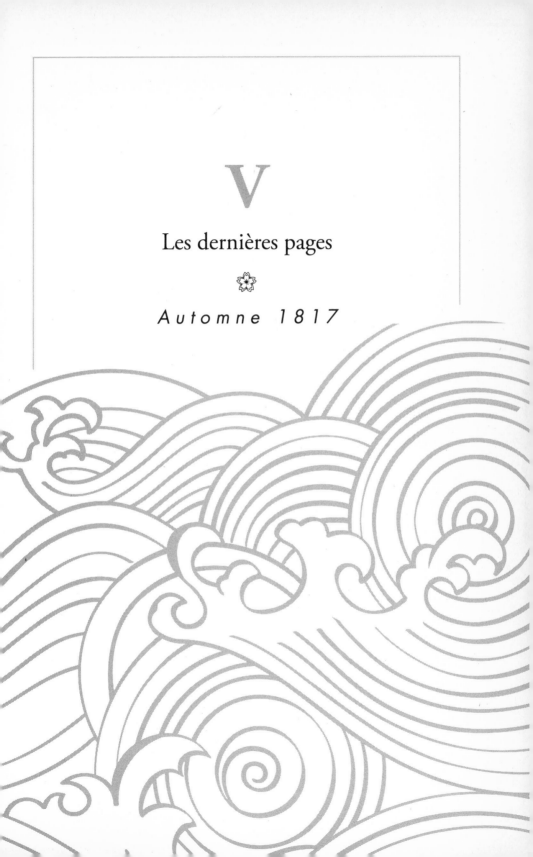

XLI

Gaillard d'arrière du Profetes, *baie de Nagasaki*

Le lundi 3 novembre 1817

... et lorsque Jacob regarde à nouveau, l'étoile du berger a disparu. Dejima glisse un peu plus dans le lointain à chaque minute. Agitant la main, il fait signe à la silhouette perchée dans le poste d'observation, qui lui répond par le même geste. La marée change, mais le vent lui est contraire : aussi, dix-huit barques japonaises manœuvrées chacune par huit rameurs remorquent le *Profetes* jusqu'à l'embouchure de la baie oblongue. À l'unisson, les rameurs scandent une chanson. Les accents éraillés du refrain se mêlent à la percussion des eaux et aux craquements des membrures du bateau. *Quatorze barques eussent suffi*, songe Jacob. *Mais le chef Oost a âprement négocié les réparations à effectuer sur la réserve Roos : sans doute aura-t-il été bien inspiré de concéder ce point.* Jacob se frotte le visage, imprégnant de bruine ses traits tirés. Derrière la fenêtre du Salon marin de sa vieille maison, une lanterne brûle toujours. Il se souvient des années de vaches maigres, quand il s'était retrouvé dans l'obligation de mettre en vente les livres de la bibliothèque du docteur Marinus, volume après volume, afin de pouvoir acheter de l'huile pour les lampes.

« Bonjour, chef de Zoet. » Un jeune aspirant apparaît.

«Bonjour, mais dorénavant c'est "monsieur de Zoet", comme par le passé. Vous êtes… ?

– Boerhaave, monsieur. Je serai votre serviteur au cours de la traversée.

– Boerhaave… un nom aux nautiques consonances. » Jacob lui tend la main.

La poigne de l'aspirant est ferme. «C'est un honneur, monsieur. » Jacob se tourne vers le poste d'observation, où le guetteur est à présent aussi petit qu'un pion.

«Veuillez pardonner ma curiosité, monsieur, commence Boerhaave, mais, au souper, les lieutenants discutaient de la façon dont vous aviez tenu tête à une frégate britannique, dans cette baie, tout seul.

– Cette histoire remonte à un temps où vous n'étiez pas encore né. Et puis, je n'étais pas seul.

– Vous voulez dire que la Providence a contribué à votre défense de notre drapeau, monsieur ? »

Jacob devine qu'il a affaire à un dévot. «L'on peut voir les choses ainsi. »

L'aube insuffle des verts limoneux et des rouges d'ambre à travers la forêt grise.

«Et ensuite, monsieur, vous êtes resté reclus sur Dejima dix-sept années durant ?

– "Reclus" n'est pas tout à fait le mot, aspirant Boerhaave. Par trois fois, je me suis rendu à Edo. Un voyage des plus divertissants. Mon ami le docteur et moi-même étions autorisés à effectuer nos recherches botaniques sur ces promontoires, et, lors des dernières années, j'avais la relative liberté de rendre visite à des connaissances qui habitent à Nagasaki. Ce régime s'apparentait davantage à celui d'un pensionnat aux règles strictes qu'à celui d'une prison bâtie sur une île. »

Perché sur le mât de misaine, un marin lance un cri dans une langue scandinave.

La réponse qui tarde à émaner de l'enfléchure est un long rire répugnant.

L'excitation gagne l'équipage : douze semaines d'oisiveté sont sur le point de prendre fin.

« Comme vous devez avoir hâte de rentrer chez vous, monsieur de Zoet, après toutes ces années. »

Jacob jalouse de la jeunesse sa limpidité et ses certitudes. « Avec le passage de la guerre et de vingt années, les visages me seront sans doute plus étrangers que familiers sur Walcheren. À vrai dire, j'avais fait porter à Edo une requête afin qu'on me permît de m'installer à Nagasaki en tant que consul de la Nouvelle Compagnie, mais on n'a trouvé aucun précédent à cette situation dans les archives » – il essuie ses lunettes couvertes de bruine –, « et, comme vous le constatez, il me faut donc repartir. » Sans lunettes, Jacob distingue plus clairement le poste d'observation ; l'hypermétrope les range dans la poche de sa veste. La panique le submerge : sa montre de gousset n'est plus là. Puis il se rappelle l'avoir offerte à Yûan. « Auriez-vous l'heure, monsieur Boerhaave ?

– Il n'y a pas très longtemps que les deux coups de cloche du quart de bâbord ont été sonnés monsieur. »

Sans laisser à Jacob le temps d'expliquer qu'il demandait l'heure terrestre, la cloche du temple Ryûgaji tonne, annonçant l'heure du Dragon, soit sept heures et quart, en cette période de l'année.

L'heure de mon départ, songe Jacob, *sera le cadeau d'adieu du Japon.*

La silhouette juchée en haut du poste d'observation n'est plus qu'un minuscule « i ».

Ce pourrait être moi, tel qu'on me voyait depuis le gaillard d'arrière du Shenandoah... mais pour Jacob, Unico Vorstenbosch n'était pas homme à regarder derrière lui. *Le capitaine Penhaligon y était davantage enclin, sans doute...* Jacob espère un jour envoyer une lettre à l'Anglais de la part du « boutiquier néerlandais » et lui demander ce qui le retint, ce jour d'automne-là, de faire tirer les caronades du *Phoebus*. Était-ce par clémence chrétienne ou en vertu d'une considération plus prosaïque qu'il renonça à donner cet ordre ?

Il y a de grandes chances que, à présent, Penhaligon soit mort, lui aussi..., reconnaît-il.

Un marin noir grimpe à une corde située à proximité ; et Jacob se souvient d'Ogawa Uzaemon lui racontant que les vaisseaux étrangers semblaient peuplés de fantômes et de reflets surgissant et disparaissant par des portes dérobées. Jacob récite une courte prière pour l'âme de l'interprète, les yeux plongés dans le sillage nerveux du navire.

La silhouette perchée en haut du poste d'observation n'est plus qu'une petite tache floue. Jacob agite le bras.

La petite tache lui répond, décrivant deux grands arcs de ses petits bras flous.

« Est-ce un ami cher à vous, monsieur ? » lui demande l'aspirant Boerhaave.

Jacob cesse d'agiter le bras. La silhouette aussi. « C'est mon fils. »

Boerhaave ne sait trop quoi répondre. « Vous le laissez là, monsieur ?

– Je n'ai pas le choix. Sa mère est japonaise et la loi est ainsi faite. La première ligne de défense du Japon réside en son hermétisme. Ce pays ne veut pas qu'on le comprenne.

– Mais alors... quand reverrez-vous votre fils ?

– Cette journée – cette minute – est la dernière occasion pour moi de le voir... dans ce monde-ci, tout du moins.

– Si vous le souhaitez, monsieur, je peux obtenir qu'on vous prête une longue-vue. »

La prévenance de Boerhaave touche Jacob. « Non, je vous remercie. Je ne discernerais pas son visage. Mais puis-je vous importuner et vous demander de bien vouloir me rapporter de la cuisine une gourde de thé chaud ?

– Bien sûr, monsieur... Mais la chose prendra un petit moment, pour peu que le poêle n'ait pas encore été allumé.

« — Prenez tout le temps qu'il faudra. Le thé… Le thé prémunira ma gorge du froid.

— Très bien, monsieur. » Boerhaave se dirige vers la grande écoutille et s'enfonce dans le bâtiment.

La silhouette de Yûan se perd dans l'arrière-plan formé par Nagasaki.

Jacob prie et priera chaque soir pour que Yûan connaisse un meilleur destin que celui du fils tuberculeux de Thunberg, cependant l'ancien chef de Dejima sait bien la défiance qu'inspire aux Japonais le rejeton d'un étranger. Yûan est certes le plus doué des disciples de son maître, mais jamais il n'héritera de son titre, et jamais il ne pourra se marier ni même quitter l'enceinte de la ville sans l'autorisation du Magistrat. *Il est à la fois trop japonais pour partir*, Jacob le sait, *et point assez pour être considéré comme un des leurs.*

Une centaine de ramiers s'envolent d'un massif de hêtres.

Même pour le courrier, il faut se fier à l'honnêteté de parfaits inconnus. Les réponses mettront trois, quatre, cinq ans à lui parvenir.

Le père en exil ôte le cil de son œil embué par le vent.

Il tape des pieds afin d'en chasser le froid du matin. Ses rotules se plaignent.

En regardant derrière lui, Jacob voit défiler les pages des mois et des années à venir. À son arrivée à Java, le nouveau gouverneur général le convoque dans son palais de Buitenzorg, quartier salubre situé en hauteur, dans l'arrière-pays, et qui échappe ainsi aux miasmes qui assaillent Batavia. On propose à Jacob un poste en or auprès du gouverneur, mais il décline l'offre, prétextant de son désir de revoir sa patrie. *Si je ne puis rester à Nagasaki*, songe-t-il, *mieux vaut alors définitivement tourner le dos à l'Orient.* Le mois suivant, il regarde la nuit tomber sur Sumatra depuis le pont d'un navire en partance pour l'Europe et, aussi limpide que le refrain arachnéen d'un clavecin, il entend la voix de Marinus émettre une remarque sur la brièveté de l'existence – en araméen, sans doute. Bien entendu, il s'agit d'un tour que lui joue son esprit. Six semaines plus tard, les passagers aperçoivent la montagne de la Table en surplomb du Cap, où Jacob se remémore les fragments d'une histoire racontée il y a fort longtemps par le chef van Cleef sur le toit d'un bordel. La fièvre des bateaux, une violente tempête au large des Açores ainsi qu'une escarmouche avec un corsaire de Barbarie compliquent l'étape atlantique, mais il débarque sain et sauf dans la rade de Texel, plongée sous la grêle. Le capitaine de port présente à Jacob une courtoise assignation à se présenter à La Haye où, lors d'une courte cérémonie tenue au ministère du Commerce et des Colonies, on lui reconnaît le lointain rôle qu'il a joué pendant la guerre. Il poursuit sa route jusqu'à Rotterdam et va sur le quai où il avait juré à une jeune femme nommée Anna que, dans six ans, il aurait fait fortune et reviendrait des Indes orientales. De l'argent, désormais il en a, cependant Anna est morte en couches depuis longtemps; aussi, Jacob embarque sur le paquebot qui rallie quotidiennement la ville de Veere, sur son île natale de Walcheren où l'on s'affaire à reconstruire les moulins à vent martyrisés. À Veere, personne ne reconnaît ce Dombourgeois de retour chez lui. Vrouwenpolder n'est qu'à une demi-heure en cabriolet, mais Jacob préfère marcher, de sorte à ne pas perturber les classes de l'après-midi à l'école du mari de Geertje. Il frappe à la porte et c'est sa sœur qui vient lui ouvrir. Elle lui dit : « Mon mari est dans son étude, monsieur, si vous voulez b... » puis écarquille les yeux, et se met à pleurer et à rire.

Le dimanche suivant, Jacob écoute un sermon à l'église de Dombourg au milieu d'une congrégation pleine de visages familiers et aussi vieillis que le sien. Il va se recueillir sur la tombe de sa mère, de son père et de son oncle, mais il décline l'invitation du nouveau pasteur à venir dîner au presbytère. Il part à cheval pour Middelbourg où il a des rendez-vous avec plusieurs directeurs de maison de commerce et de sociétés d'import. On propose des postes, on prend des décisions, on signe des contrats et on introduit Jacob dans une loge maçonnique. Entre le temps des tulipes et la Pentecôte, il ressort d'une église avec, à son bras, la flegmatique fille d'un associé. Les *confetti* rappellent à Jacob les cerisiers en fleur de Miyako. Que Mme de Zoet ait la moitié de l'âge de son mari ne choque pas : sa jeunesse vaut bien son argent. Le mari trouve agréable la compagnie de son épouse, et l'épouse celle de son mari. La plupart du temps, en tout cas. À tout le moins, durant les premières années de leur mariage. Il projette de publier les mémoires de ses années en tant que chef d'un poste de traite au Japon, mais la vie conspire toujours d'une façon ou d'une autre à le priver du temps nécessaire. Jacob a cinquante ans. Il siège au conseil de Middelbourg. Jacob a soixante ans, et il n'a toujours pas écrit ses mémoires. Ses cheveux cuivrés perdent leur éclat, la peau de son visage se distend, et sa calvitie gagne du terrain : on croirait voir le crâne rasé d'un vieux *samurai*. Un artiste qui a le vent en poupe peint son portrait et, bien qu'il se demande d'où provient cet air distant et mélancolique, le peintre achève sa toile en en exorcisant le fantôme de l'absence. Un jour, Jacob lègue le psautier des de Zoet à son fils aîné – non pas Yûan, mort avant son père, mais son fils aîné néerlandais, un garçon consciencieux pour qui la vie au-delà de la Zélande ne suscite guère d'intérêt. À la fin d'octobre ou au début de novembre, de fortes rafales agitent le crépuscule. Le jour a arraché les dernières feuilles accrochées aux ormes et aux sycomores, et l'allumeur de réverbères fait sa tournée tandis que la famille de Jacob entoure le lit du patriarche. Le meilleur médecin que compte Middelbourg prend un air grave, mais se félicite d'avoir tout tenté en faveur de son patient au cours de cette brève et cependant lucrative maladie, et se dit qu'il rentrera à l'heure pour le souper. Le balancier de l'horloge capture la lueur du feu, et, dans le râle des derniers instants de Jacob de Zoet, les ombres d'ambre dans le coin opposé de la pièce se figent, découpant la silhouette d'une femme.

Sans se faire remarquer, elle se faufile entre des témoins plus imposants et plus grands qu'elle…

… puis rajuste son fichu afin de mieux dissimuler sa brûlure.

Elle pose ses paumes fraîches sur le visage de Jacob, luisant de fièvre.

Jacob se revoit tel qu'il était jeune dans le reflet de ses yeux en amande.

Elle pose ses lèvres là, entre ses sourcils.

Un paravent de papier translucide s'ouvre dans un coulissement.

REMERCIEMENTS

Tout d'abord, je souhaite remercier l'Institut néerlandais des hautes études d'humanités et de sciences sociales ainsi que le Fonds néerlandais pour la littérature, qui m'ont offert une inestimable résidence au NIAS lors de la première moitié de l'année 2006.

Deuxièmement, un remerciement général à Nadeem Aslam, Piet Baert, Manuel Berri, Evan Camfield, Wayson Choy, Harm Damsma, Walter Donohue, David Ebershoff, Johnny de Falbe, Tijs Goldschmidt, Tally Garner, Henry Jeffreys, Jonny Geller, Trish Kerr, Martin Kingston, Sharon Klein, Tania Kuteva, Hari Kunzru, Jynne Martin, Niek Miedema, Cees Nooteboom, Al Oliver, Hazel Orme, Lidewijde Paris, Jonathan Pegg, Noel Redding, Michael Schellenberg, Mike Shaw, Alan Spence, Doug Stewart, Ruth Tross, le Pr Arjo Vanderjagt, Klaas et Gerrie de Vries, ma patiente éditrice Carole Welch, le Pr Henk Wesselling, le docteur George E. van Zanen.

Troisièmement, je remercie tout particulièrement Kees t'Haart, Robert Hovell – responsable de la gestion de l'*Unicorn*, frégate royale à l'ancre au port de Dundee –, l'archiviste Peter Sijnke de Middelbourg et le Pr Cynthia Vialle de l'université de Leyde, qui a répondu à pléthore de questions. Les sources de recherches ont été nombreuses, mais ce roman est tout particulièrement redevable à l'érudition du Pr Timon Screech de l'École des études orientales et africaines de l'université de Londres, à *Japan : Tokugawa Culture Observed*, traduction annotée par Beatrice M. Bodart-Bailey de l'ouvrage de Kaempfer (que lit le capitaine Penhaligon), ainsi qu'à *Recollections of Japan*, la traduction d'Annick M. Doeff des mémoires de son aïeul Hendrik Doeff.

Quatrièmement, je remercie les illustrateurs Jenny et Stan du clan Mitchell, sans oublier la traductrice maison des sources japonaises Keiko Yoshida.

Enfin, merci à Lawrence Norfolk et à sa famille.

Réalisation : PAO Éditions du Seuil
Achevé d'imprimer en décembre 2011 par Friesens
pour le compte des Éditions Alto
Dépôt légal : 1er trimestre 2012
Bibliothèque et Archives nationales du Québec

Imprimé au Canada